DIE SED IN GESCHICHTE UND GEGENWART

Herausgegeben von Ilse Spittmann

Edition Deutschland Archiv

im Verlag Wissenschaft und Politik
Berend von Nottbeck, Köln
Herausgegeben von Ilse Spittmann
Umschlaggestaltung Rolf Bünermann
Gesamtherstellung Werbedruck Zünkler, Bielefeld 11
ISBN 3-8046-0327-0

Vorwort

Als Erich Honecker vom 7. bis 11. September 1987 die Bundesrepublik Deutschland besuchte, kam er in seiner Doppelfunktion als Generalsekretär des Zentralkomitees der SED und Vorsitzender des Staatsrates der DDR. Die Parteifunktion wurde stets zuerst genannt. Er ließ sich mit »Herr Generalsekretär« anreden, trat also dem Bundeskanzler, dessen Gast er war, als Parteichef gegenüber, nicht als Staatsoberhaupt.

Dieses dem westlichen Verständnis fremde Protokoll berücksichtigt die außergewöhnliche Rolle, die die kommunistische Partei in den Gesellschaften sowjetischen Typs innehat. Sie ist nicht wie in pluralistischen Demokratien eine Regierungspartei, die durch Wählerentscheidung an die Macht gekommen ist und wieder abgewählt werden kann. Laut eigener Definition ist die SED »die führende Kraft der sozialistischen Gesellschaft, aller Organisationen der Arbeiterklasse und der Werktätigen, der staatlichen und gesellschaftlichen Organisationen« (Parteistatut von 1976). Tatsächlich haben alle anderen Parteien und die Massenorganisationen in der DDR die Unterordnung unter die SED förmlich anerkannt, seit 1968 ist die »führende Rolle« der SED auch in der Verfassung verankert.

Die Sozialistische Einheitspartei Deutschlands ist im April 1946 durch den zwangsweisen Zusammenschluß von KPD und SPD in der sowjetischen Besatzungszone Deutschlands und dem sowjetischen Sektor von Berlin entstanden. Nach ihrem Programm und dem Willen der Mehrheit ihrer Mitglieder sollte sie eine sozialistische Massenpartei sein, die für einen demokratischen Sozialismus in einem einheitlichen Deutschland eintrat. Zwei Jahre später begann, wie auch in den osteuropäischen Nachbarländern, die Umwandlung in eine »Partei neuen Typus«, das heißt eine kommunistische Kaderpartei, die den 1949 gegründeten Staat DDR und die Gesellschaft vollkommen beherrscht.

Nach dem Selbstverständnis der Partei hat die Arbeiterklasse die historische Mission, die Menschheit von Ausbeutung und Unterdrückung zu befreien. Sie braucht dazu die Führung ihres »bewußten und organisierten Vortrupps«, der marxistisch-leninistischen Partei. Diese »historische Mission« ist die Legitimation der Partei für ihre Unabsetzbarkeit und ihre unumschränkte Herrschaft, die sie selbst »Diktatur des Proletariats« nennt. Damit rechtfertigt sie auch ihr vor-

bürgerliches, undemokratisches Verständnis von Menschenrechten, das kollektive soziale Postulate höher wertet als persönliche und politische Freiheit und die Unterdrückung politisch Andersdenkender im Namen politischer Ziele erlaubt.

Die Herrschaftsmethoden haben sich im Laufe der Jahrzehnte, in denen sich der Staat DDR entwickelte und international etablierte, gewandelt, sie sind flexibler und differenzierter geworden. Geblieben ist der Anspruch auf Unumkehrbarkeit der Machtverhältnisse, was gleichbedeutend ist mit der Permanenz der Parteiherrschaft. Es gibt keinen legalen Weg der Machtablösung.

Die verfestigten Strukturen der Parteiherrschaft im Verein mit der Überalterung der SED-Führung (das Durchschnittsalter des SED-Politbüros lag 1987 bei 65,2 Jahren) sind Ursachen dafür, daß die SED besonders unwillig auf die politischen Reformideen reagiert, die seit Gorbatschows Machtantritt im Frühjahr 1985 von der verjüngten sowjetischen Führung diskutiert und ausprobiert werden. Die SED-Führung vertritt die Meinung, daß sie ihre Herrschaftsmethoden stets rechtzeitig den veränderten Gegebenheiten angepaßt habe und für durchgreifende Reformen in der DDR deshalb kein Handlungsbedarf bestehe. Insbesondere auf wirtschaftlichem Gebiet hat die SED tatsächlich schon früh neue Organisationsformen erprobt. Aber nicht einmal hier reichen die in der DDR geschaffenen Voraussetzungen aus, um aus eigener Kraft den Anschluß an das internationale Entwicklungsniveau zu finden. Auf Dauer wird sich die SED dem überfälligen politischen Modernisierungsprozeß nicht entziehen können.

Die wechselvolle Geschichte der Machterringung und Machterhaltung, die Mechanismen der Herrschaftsausübung, die politische und geistige Fundierung des Herrschaftsanspruches der SED sind Thema dieses Buches. Bei der Gestaltung des Bandes und der Auswahl der Texte standen Herausgeber und Autoren vor der Schwierigkeit, die Geschichte der SED von der Geschichte der DDR zu trennen. Die schier unlösbare Verflechtung von Partei und Staat macht beides fast identisch. Wir haben uns bemüht, durch Aufgliederung der Analysen in sechs Schwerpunktbereiche eine annähernde Lösung zu finden. Dabei war zu berücksichtigen, daß zur Geschichte der DDR, zum 17. Juni 1953, zu Jugend und Familie, zur Kultur- und Kirchenpolitik gesonderte Editionen erschienen sind (vgl. die Übersicht auf Seite 256), ein Band zur Bildungspolitik ist in Vorbereitung.

- *Hermann Weber gibt einen Überblick über die politische und ideologische Entwicklung der SED;*
- *Jens Hacker untersucht den Wandel in der Einstellung zur nationalen Frage und dessen Ursachen;*
- *Gero Neugebauers Thema ist die Kaderpolitik der Partei als wichtigstes Instrument der Durchdringung und Kontrolle von Gesellschaft und Staat;*

– Dietrich Staritz stellt die wechselnden innerparteilichen und gesellschaftspolitischen Konfliktstrategien der SED dar, ihren Umgang mit abweichenden und oppositionellen Ideen und Strömungen;
– Ulrich Neuhäußer-Wespy berichtet über das Verhältnis der SED zur deutschen Geschichte, ein Gebiet, auf dem sich in den letzten Jahren aufsehenerregende Veränderungen vollzogen;
– Johannes Kuppe behandelt die Einbindung der SED in das Sowjetsystem und den Weltkommunismus.

Alle Beiträge reichen zeitlich von 1945/46 bis zum XI. Parteitag der SED im April 1986. Nennenswerte Entwicklungen danach bis zum endgültigen Redaktionsschluß im Mai 1987 wurden noch berücksichtigt.

Ein Platz- und damit Auswahlproblem warf die Dokumentation auf. Hätten wir hier, wie ursprünglich vorgesehen, offizielle Dokumente und Zeitzeugenberichte aufgenommen, wäre der mögliche Umfang dieser Edition gesprengt worden, oder wir hätten uns mit einer in jeder Hinsicht unbefriedigenden Auswahl und nicht mehr zu vertretenden Kürzungen behelfen müssen. Wir entschieden uns dafür, nur Zeitzeugenberichte zu verwenden, weil sie einen lebendigeren, unmittelbareren Zugang zum Thema vermitteln als die in einer schwer verständlichen Sprache abgefaßten Dokumente, die oft die Vorgänge verschleiern und der Kommentierung bedürfen. Im übrigen gibt es zugängliche Dokumentensammlungen (vgl. die Literaturauswahl in diesem Band, S. 250 ff.), vor allem den von Hermann Weber herausgegebenen Taschenbuchband »DDR – Dokumente zur Geschichte der Deutschen Demokratischen Republik 1945–1985«, der alle wichtigen Dokumente zur SED-Geschichte berücksichtigt.

Eine Chronik, eine Aufstellung der Parteitage, Parteikonferenzen und ZK-Tagungen, Zahlen zur Alters-, Geschlechts- und Sozialstruktur, schematische Darstellungen des Organisations- und Funktionsaufbaus, Kurzbiographien der wichtigsten Führungspersönlichkeiten und eine Übersicht über die Besetzung der Führungsgremien nach dem XI. Parteitag runden den Band ab.

Ilse Spittmann

Hermann Weber

Geschichte der SED

Am 21. und 22. April 1946 versammelten sich im Admiralspalast in der Friedrichstraße in Berlin 548 Delegierte der Sozialdemokratischen und 507 der Kommunistischen Partei aus der Sowjetischen Besatzungszone (SBZ), um die Vereinigung beider Parteien zur Sozialistischen Einheitspartei, zur SED, zu vollziehen. Die neugeschaffene Partei bezeichnete sich als sozialistische, demokratische und deutsche Arbeiterpartei, sie behauptete, aus dem freiwilligen Zusammenschluß von SPD und KPD, zweier gleichberechtigter Parteien, entstanden zu sein und einen neuen Weg gehen zu wollen.
Wilhelm Pieck, der Vorsitzende der KPD, hatte am 20. April 1946 auf dem 15. Parteitag, dem letzten seiner Partei, dazu erklärt: »Der neue Weg, der sich uns heute angesichts der besonderen Lage in Deutschland eröffnet, ist weder der alte Weg der KPD noch der alte Weg der SPD. Es ist ein völlig neuer Weg.«[1] Und auf dem Gründungsparteitag der SED sagte der bisherige Vorsitzende des Zentralausschusses (ZA) der SPD in der SBZ, Otto Grotewohl: »Wilhelm Pieck kam von links, und ich kam von rechts (Beifall). Wir kamen aber beide, um uns in dieser Mitte zu treffen.«[2] Für Walter Ulbricht schließlich, den starken Mann der Kommunisten, bedeutete die SED-Gründung mehr als nur die »einfache Vereinigung« von Sozialdemokraten und Kommunisten, er bezeichnete den Zusammenschluß als »Neugeburt der deutschen Arbeiterbewegung«[3].
Diese These von der neuen, unabhängigen Partei sollte auch optisch deutlich werden: Der Saal des Vereinigungsparteitages war nicht mit Bildern von Lenin und Stalin geschmückt oder, wie bei der KPD-Parteikonferenz im März 1946, von Ernst Thälmann, sondern nur mit den Porträts von Marx, Engels und August Bebel.
Diese neue Partei, die SED, war mit 1,3 Millionen Mitgliedern die weitaus stärkste deutsche Partei. Mit ihrem ausdrücklichen Bekenntnis zum Marxismus, zu einem demokratischen, deutschen Weg zum Sozialismus auf dem Boden der demokratischen Republik, mit linkssozialistischen Parolen schien sie die Tradition der marxistischen Sozialdemokratie vor dem 1. Weltkrieg fortführen zu wollen. Wie kam es zu dieser Partei, und was ist nach mehr als vier Jahrzehnten aus ihr geworden?

1. Die Vorgeschichte der SED

Die Macht in der Sowjetischen Besatzungszone Deutschlands übernahm nach der Zerschlagung der terroristischen Hitler-Diktatur durch die Alliierten die Sowjetische Militäradministration (SMAD). Bereits am 10. Juni 1945 genehmigte sie mit ihrem Befehl Nr. 2 für ganz Berlin und die SBZ die Bildung demokratischer antifaschistischer Parteien und Gewerkschaften. Schon einen Tag später konstituierte sich die KPD und trat als erste Partei mit einem Aufruf ihres Zentralkomitees (ZK) an die Öffentlichkeit. Es folgten die Sozialdemokratische Partei am 15. Juni, die Christlich-Demokratische Union am 26. Juni, die Liberaldemokratische Partei am 5. Juli.

Die neue Linie der KPD

Während die 1918/19 gegründete KPD in der Weimarer Republik den Parlamentarismus bekämpft und ein »Räte-Deutschland« nach dem Vorbild der Sowjetunion angestrebt hatte, verwarf sie nun für Deutschland das Sowjetsystem. Statt dessen trat sie im Juni 1945 für eine parlamentarisch-demokratische Republik ein. Die KPD verlangte die vollständige Ausmerzung des Nationalsozialismus; und sie erklärte, es

gelte, die bürgerliche Revolution von 1848 zu »Ende zu führen«.
Ihre programmatischen Ziele wollte sie durch Zusammenarbeit mit allen demokratischen Parteien und vor allem durch *»Aktionseinheit«* mit der SPD verwirklichen. Die früher geforderte Sozialisierung der Wirtschaft bezeichnete die KPD 1945 als nicht aktuell. Sie bestand zwar auf der Enteignung der *»Nazibonzen und Kriegsverbrecher«* sowie der *»Liquidierung des Großgrundbesitzes«*, befürwortete aber erstaunlicherweise zugleich auch die *»ungehinderte Entfaltung des freien Handels und der privaten Unternehmerinitiative auf der Grundlage des Privateigentums«*.[4]
Die Kommunisten waren bereit, alle vier Besatzungsmächte, die 1945 in Deutschland die Macht ausübten, zu unterstützen. In Theorie und Praxis blieben sie dennoch – wie seit den zwanziger Jahren – aufs engste mit der UdSSR Stalins verbunden und von dieser abhängig. Vor allem berief sich die KPD weiterhin auf den Marxismus-Leninismus Stalinscher Prägung, so daß die neue Konzeption eigentlich kein so radikaler Bruch mit der eigenen ideologischen Tradition war, wie dies zunächst schien. Zudem war die programmatische Wende von der Parteiführung bereits ab 1935 im Exil eingeleitet worden, als die KPD in Hitler-Deutschland zerschlagen war und die Kommunisten die größten Blutopfer im Widerstand gegen das NS-Regime brachten.
Die KPD-Führung und die SMAD erwarteten, daß den Kommunisten nun im neuen Deutschland die dominierende Rolle zufallen würde. Daher bekämpften sie alle Ansätze einer neuen, einheitlichen Arbeiterpartei oder von »Antifas«, ebenso wiesen sie Forderungen und Angebote der Sozialdemokraten nach einer Einheitspartei zurück.

Neuaufbau der SPD

Die SPD konnte sich nach ihrer Wiederzulassung durch die SMAD am 15. Juni 1945 in Berlin und der Sowjetischen Besatzungszone neu organisieren. Sie hielt an den alten sozialdemokratischen Prinzipien fest: Bekenntnis zur parlamentarischen Demokratie und zum demokratischen Sozialismus, schneller Umbau von Wirtschaft und Gesellschaft, der Sozialismus als Tagesaufgabe. Während die neue KPD den Sozialismus nur als Fernziel definierte, erstrebte die SPD sofortige Veränderungen.
Auch insofern blieben die Sozialdemokraten ihren alten Vorstellungen treu, als sie im Sozialismus eine demokratische Gesellschaft im Sinne von Marx sahen (freie Assoziation der Produzenten) und keineswegs – wie die KPD – das sowjetische Modell akzeptierten.
Selbstkritisch beurteilte der ZA der SPD in Berlin freilich die praktische Politik der Sozialdemokratie in der Weimarer Republik. Die Nachkriegs-SPD orientierte sich an den radikalen Thesen des »Prager Manifestes« der Exil-SPD von 1934.
Der ZA der SPD drängte zunächst auf die rasche Bildung einer Einheitspartei. Da die KPD diese Politik jedoch ablehnte, ließ sich der ZA auf die Linie der »Aktionseinheit« abdrängen. Schon am 19. Juni bildeten beide Parteiführungen einen »gemeinsamen Arbeitsausschuß« mit dem Ziel, eine »antifaschistische, demokratisch-parlamentarische Republik« zu schaffen.
Organisatorisch und personell knüpfte die Sozialdemokratie 1945 an der Basis und in den Bezirken ebenfalls direkt an die Zeit vor 1933 an. Allerdings gab es in der SBZ auch Sozialdemokraten, die diese Traditionslinie verleugneten. So erklärte der (ehemals auf dem rechten Parteiflügel stehende) sächsische SPD-Führer Otto Buchwitz im Juli 1945, die *»SPD von heute bedeutet nicht die Fortsetzung der SPD aus der Zeit vor 1933. Die alte SPD ist tot, sie hat ihre geschichtliche Aufgabe erfüllt, und sie ist aus dem politischen Leben Deutschlands ausgeschieden«*[5]. Für die Kommunisten, die an ihrer Politik vor 1933 nur verbal Selbstkritik übten, aber weiterhin die Grundsätze der Partei unter der Thälmann-Führung verteidigten (sie bekämpften damals die Sozialdemokratie als Hauptfeind), erblickten in Sozialdemokraten wie Buchwitz nützliche Bundesgenossen, erhofften sie doch eine »neue« SPD, die sich von der KPD-Führung gängeln ließ.

Der Aufbau der Parteiorganisationen

Die zentrale Parteiführung der KPD (das Zentralsekretariat bestand aus Wilhelm Pieck, Wal-

ter Ulbricht, Franz Dahlem und Anton Ackermann) arbeitete eng mit dem ZA der SPD (mit seinen drei Vorsitzenden Max Fechner, Otto Grotewohl und Erich W. Gniffke) zusammen. Nachdem die SMAD im Juni/Juli 1945 noch zwei »bürgerliche« Parteien, die CDU und die LDPD, zugelassen hatte und sich die vier Parteien im »Block der antifaschistisch-demokratischen Parteien« zusammengeschlossen hatten, kam es dort ebenfalls zu einer Kooperation von KPD- und SPD-Führung.[6]
Mit Unterstützung der SMAD gelang es der KPD indes rascher als der SPD, ihre Parteiorganisation wieder aufzubauen. Die KPD, die im Gebiet der SBZ und in Berlin vor 1933 etwa 100 000 Mitglieder gezählt hatte, konnte dort bereits im Juli 1945 über 1000 Grundorganisationen mit 85 000 Mitgliedern registrieren. Im August war sie mit 150 000 Mitgliedern erheblich stärker als die SPD. Doch nach neuesten bekanntgewordenen Zahlen[7] übertraf schon im September 1945 die SPD mit 192 000 Mitgliedern (ohne die Provinz Sachsen!) die KPD, die nun 178 000 – ohne die Provinz Sachsen sogar nur 142 000 – Mitglieder hatte. Im Oktober zählte die KPD 248 000 Mitglieder. Nach einem Bericht Gniffkes, der im November die SPD-Bezirke der SBZ bereiste, zählten diese Ende Oktober 246 000 Mitglieder, hinzu kamen aber noch 50 000 Mitglieder der SPD in Berlin. Im Dezember 1945 schließlich konnte die SPD mit 419 000 Mitgliedern die KPD mit 372 000 Mitgliedern klar überrunden.[8]
Inzwischen war deutlich geworden, daß die KPD sich mit der sowjetischen Besatzungsmacht völlig identifizierte, jede Schwenkung der Politik Stalins mitmachte und alle Übergriffe der Roten Armee ebenso beschönigte, wie sie die Reparationspolitik der UdSSR rechtfertigte. Dadurch gerieten die Kommunisten in einen Gegensatz zur Mehrheit der Bevölkerung. Auch der Zustrom neuer Mitglieder konnte nicht verdecken, daß sie sich von den Arbeitern isolierten. Doch mit Hilfe der SMAD konnte die KPD nicht nur ihre eigene Organisation aufbauen, sie bekam auch die wichtigsten Verwaltungsposten übertragen, dominierte in den Medien wie in der Bildungspolitik oder beim Aufbau der neuen Machtorgane, vor allem der Polizei.

Führungsanspruch der SPD

Das Zusammenspiel von KPD und SMAD hatte zur Folge, daß sich die Sozialdemokraten von den Kommunisten distanzierten. Sie begannen nun auch am Bekenntnis der KPD zur Demokratie zu zweifeln. Aufgrund ihrer zahlenmäßigen Stärke erhob die SPD in der SBZ selbst einen Führungsanspruch. Auf einem SPD-Bezirksparteitag in Leipzig am 26. August 1946 erklärte Grotewohl, die *»einzige Partei«*, die den Verwaltungsapparat aufbauen könne, sei die SPD. Er verlangte rasche Wahlen *»unter scharfer Trennung der einzelnen Parteien«* – was gegen die KPD gerichtet war. Grotewohl verwies auf die Vertrauensleutewahlen bei Leuna, wo 26 Sozialdemokraten, fünf Bürgerliche, aber nur ein Kommunist gewählt worden waren.
Im September 1945 erklärte Max Fechner, die SPD sei *»wohl unbestritten die größte Organisation«* unter den vier zugelassenen Parteien. Andere SPD-Funktionäre wie Otto Ostrowski sagten in öffentlichen Versammlungen, die KPD habe *»abgewirtschaftet«. »Bei den Wahlen wird sich dies ja zeigen.«*[9] Otto Grotewohl schließlich forderte am 14. September 1945 in aller Öffentlichkeit, *»daß die deutsche Arbeiterklasse durch ihre einheitliche Sozialdemokratische Partei sich einen Sprecher schaffen muß, der berechtigt und berufen ist, im Namen des gesamten deutschen Volkes mit den Alliierten und damit mit der Welt wieder einmal zu reden«*.[10]

KPD schwenkt um auf rasche Vereinigung

Für Grotewohl war die SPD als einzige Partei in der Lage, mit allen vier Besatzungsmächten zu kooperieren. In diesem Führungsanspruch der SPD ebenso wie im Streben nach einer einheitlichen Reichs-SPD und der indirekten Absage an die Aktionseinheit mit der KPD sieht die neuere Forschung wichtige Gründe für das Umschwenken der KPD, die ihr eigenes Hegemoniestreben gefährdet sah. Die KPD änderte daraufhin im Herbst 1945 ihre Taktik und verlangte nun die rasche Vereinigung beider Parteien.
Am 19. September 1945 erklärte Wilhelm Pieck – gewissermaßen als Antwort auf Grotewohls programmatische Rede vom 14. September –

die Vereinigung zum aktuellen Ziel. Die neue Linie wurde auf einer Tagung des Sekretariats der KPD mit Mitarbeitern des Apparats des ZK und Funktionären aus den Bezirken am 28. September 1945 verbindlich festgelegt.[11] Im Schlußwort dieser Tagung rief Anton Ackermann zu einer »Offensive in der Frage der Einheit zwischen SPD und KPD« auf.

Die KPD-Führung glaubte, ihre Partei inzwischen ideologisch und organisatorisch so weit gefestigt zu haben, daß sie nunmehr die Vereinigung mit der SPD der SBZ eingehen könne. Sie befürchtete, daß die KPD sonst in den für 1946 angesetzten Wahlen isoliert werden könnte. Daher verdoppelte sie insbesondere nach den Niederlagen der Kommunisten bei den Parlamentswahlen im November 1945 in Ungarn und Österreich ihre Anstrengungen für eine Vereinigung mit der SPD.

Mehrere Motive veranlaßten die KPD also, ihre Politik zu ändern und die Vereinigung mit der SPD zu forcieren. Eine wesentliche Rolle spielten dabei strategische Pläne: die Frage, wie die Macht zu erringen sei und wie die SPD, der wichtigste Konkurrent, ausgeschaltet werden könne.

Auch kaderpolitische Gründe haben die Führung der KPD zu einer Kurskorrektur bewogen. Während die SPD praktisch ihren traditionellen Mitgliederstand wieder erreichen und übertreffen konnte (680 000 im März 1946 gegenüber 580 000 im Jahre 1932), war die KPD nun eine Partei mit überwiegend neuen Mitgliedern (fast 600 000 im März 1946 gegenüber 100 000 1932). Die alten Kader bestimmten zwar die Politik, zahlenmäßig waren sie aber in der Minderheit. Die Besetzung der Führungspositionen in Staat, Verwaltung, Wirtschaft und Bildung wurde rein rechnerisch ein Problem, das durch die Einschmelzung der SPD gelöst werden sollte.

Gespaltene SPD

Während die KPD im Herbst 1945 geschlossen Kurs auf die Vereinigung nahm, war die SPD zerstritten. Hier gab es zwar noch immer Anhänger der Einheitspartei, sie beriefen sich auf die gemeinsame antifaschistische Grundeinstellung und die Erfahrungen unter Hitler sowie auf das Bekenntnis der KPD zur Demokratie und zu den bürgerlichen Freiheiten. Diese Haltung nahmen wichtige Landesvorsitzende der Partei ein, so Buchwitz in Sachsen oder Hoffmann in Thüringen. Doch breite Kreise der SPD, die im Juni 1945 unter der »Einheit« eher eine Wiedereingliederung der Kommunisten in eine einheitliche Sozialdemokratie (die freilich ihre Politik nach den geschichtlichen Erfahrungen neu bestimmen sollte) verstanden hatten, waren gegenüber einer »paritätischen« Vereinigung skeptisch eingestellt. Vor allem konnten sie sich eine Vereinigung nur im Reichsmaßstab vorstellen, aber nicht allein in der SBZ, denn dies hätte ja eine Spaltung der SPD bedeutet.

In den drei Westzonen hatte inzwischen Kurt Schumacher die Sozialdemokraten gegen jede Einheit mit den Kommunisten zusammengeführt. Er erklärte, ohne die antidemokratische Haltung der Kommunisten wären die Nazis 1933 nicht an die Macht gekommen, und er warnte vor dem KPD-Konzept der *»Einheitspartei«*. Das sei nur die Suche *»nach dem großen Blutspender«*. Dahinter stehe die Absicht, der SPD eine kommunistische Führung aufzuzwingen.[12] Dieser Beurteilung konnten und wollten sich die meisten SPD-Führer in der SBZ nicht anschließen, sie mußten ja Rücksicht auf die sowjetische Besatzungsmacht nehmen. Die SMAD aber verstärkte ihren Druck auf die Sozialdemokratie.

Die »Sechziger-Konferenz«

Am 20. und 21. Dezember 1945 traten je dreißig Vertreter von SPD und KPD aus der sowjetisch besetzten Zone zur »Sechziger-Konferenz« in Berlin zusammen. Die Sozialdemokraten beharrten darauf, eine Vereinigung könne nur im gesamtdeutschen Rahmen vollzogen werden. Grotewohl faßte in zehn Punkten die Vorbehalte der SPD zusammen. Er bemängelte die weit stärkere Förderung der KPD durch die Besatzungsmacht, u. a. die Hilfe beim organisatorischen Aufbau der Partei und ihrer Presse, er hob den wesentlich größeren zahlenmäßigen und sonstigen Einfluß der KPD in allen Organen der SBZ, besonders in den Verwaltungen, hervor. Die KPD handele vielfach »nicht im Geiste der von ihr selbst bekundeten demokratischen

Grundsätze und der vereinbarten guten Zusammenarbeit. Es mehrten sich die Zeugnisse eines undemokratischen Drucks auf die Sozialdemokraten.« Gemeinsame Wahllisten, wie sie die KPD verlangte, lehnte Grotewohl ab. Notwendig sei die absolute Gleichberechtigung mit der KPD. Andere Redner verwiesen auf Repressalien der Besatzungsmacht. Der Sozialdemokrat Klingelhöfer deutete sogar Erschießungen von SPD-Mitgliedern durch die Rote Armee an.[13]
Die KPD-Vertreter, vor allem Wilhelm Pieck, versuchten, die SPD-Funktionäre durch formale Zugeständnisse zu beruhigen. Doch am Abend des ersten Konferenztages war keine Einigung in Sicht. In der Nacht bearbeiteten Kommunisten und SMAD-Offiziere SPD-Teilnehmer. Überraschend gab Max Fechner am nächsten Morgen bei der Eröffnung der Sitzung bekannt, eine Kommission habe eine gemeinsame Erklärung erarbeitet. Wie erstaunlich dies selbst für einige Kommunisten war, geht aus den Erinnerungen des Thüringer KP-Funktionärs Werner Eggerath hervor: *»Doch als am Abend die Beratung unterbrochen wurde, hatte ich wenig Hoffnung, daß es am anderen Tage zu positiven Ergebnissen kommen würde. Zu deutlich waren Einflüsse sichtbar, denen mit noch so guten Argumenten nicht zu begegnen war. Wie groß aber war mein Erstaunen am anderen Morgen, als Genosse Hermann Matern, mein Tischnachbar, schmunzelnd erklärte, daß es heute bald zu Ende wäre und in den Hauptfragen schon Übereinstimmung bestünde. Er behielt recht, gegen Mittag erfolgte die Abstimmung über eine sehr positive Erklärung, und am frühen Nachmittag konnten wir wieder nach Weimar fahren.«*[14]
Die Erklärung der Sechziger-Konferenz beruhte auf einem kommunistischen Entwurf, aber wichtige Abänderungsvorschläge der Sozialdemokraten wurden berücksichtigt. Gestrichen waren die von den Kommunisten gewünschten gemeinsamen Listen beider Parteien bei Wahlen ebenso wie die von den Kommunisten geforderten gemeinsamen Funktionärskonferenzen; schließlich wurde jede regionale Verschmelzung abgelehnt.
In der Entschließung der Sechziger-Konferenz war indes allgemein von der *»Erweiterung und Vertiefung der Aktionseinheit«* als *»Auftakt«* zur *»Verschmelzung«* von SPD und KPD die Rede. Die KPD interpretierte dies als eine möglichst rasch zu vollziehende Vereinigung in der SBZ. Der ZA der SPD sah sich deshalb gezwungen, in einem Schreiben vom 12. Januar 1946 zur *»Klarstellung«* von *»Inhalt und Sinn«* der Entschließung mitzuteilen, die Einheit könne nur *»von den Parteitagen für ganz Deutschland beschlossen werden. Bis dahin bleiben die beiden Parteien selbständig«*. Am 15. Januar 1946 beschloß der ZA der SPD ausdrücklich, es dürfe keine Vereinigung in Bezirken oder Besatzungszonen geben, darüber habe nur ein Reichsparteitag zu entscheiden. Untere Organe, etwa der SPD-Unterbezirks-Vorstand Rochlitz, verlangten sogar eine Urabstimmung.[15] Die Kommunisten verstärkten nun ihren Druck auf die Sozialdemokratie. Dort, wo sich Ablehnung zeigte, griff die SMAD massiv ein, sie verbot die Verbreitung der ZA-Entschließung, erteilte Sozialdemokraten nicht nur Redeverbote, sondern verhaftete sogar Einheitsgegner.

Beispiel Thüringen

Beispielhaft für die Schwierigkeiten der Sozialdemokraten in der SBZ war ihre Situation in Thüringen, auf die hier – auch anhand bisher unveröffentlichter Dokumente – kurz eingegangen werden soll. In Thüringen war unter Führung des aus dem KZ Buchenwald zurückgekehrten Hermann L. Brill am 8. Juli 1945 ein »Bund demokratischer Sozialisten« gegründet worden, der auf eine Verschmelzung mit der KPD hinarbeitete; doch wie überall lehnten das die Kommunisten zu diesem Zeitpunkt ab. Grundlage der Politik Brills war das Buchenwalder »Manifest demokratischer Sozialisten« vom April 1945. Eine kämpferische Demokratie sowie Sozialisierung der Wirtschaft waren die Ziele. Brill wurde am 24. Juli vom SMA-Chef Thüringens, Iwan Kolesnitschenko, vorgeladen. Über diese Unterredung berichtete Brill in einer Niederschrift.[16] Der sowjetische Generalmajor habe dabei jede Sozialisierungsforderung zurückgewiesen. *»Er ging dann von der Sozialisierungsfrage ab und kam auf Punkt 2 ›Aufbau der Volksrepublik‹ zurück. Auch in diesem Punkt bestand nach seiner Meinung erheblicher Widerspruch zwischen [dem] Buchenwalder Manifest und dem Aufruf des Zentral-Ausschusses der Sozialdemo-*

kratischen Partei Deutschlands und dem Aufruf des Zentralkomitees der Kommunistischen Partei Deutschlands. Er unterstellte, daß unsere Forderungen eine Rückkehr zum parlamentarisch-demokratischen System der Weimarer Republik bedeute und somit die Voraussetzung für die Neuformierung der faschistischen Kräfte.«

Unter dem Druck der SMA durfte sich schließlich in Thüringen anstelle des »Bundes demokratischer Sozialisten« nur ein Landesverband der SPD bilden, allerdings blieb Brill dessen Vorsitzender.

Kolesnitschenko schrieb später in seinen Erinnerungen, bei dieser Unterredung mit Brill habe er an der Haltung des stellvertretenden SPD-Vorsitzenden, Heinrich Hoffmann, bemerkt, daß im Landesvorstand keine »Einheit« herrsche.[17] Auf seine Anweisung hin habe der Leiter des »Politsektors« Sklajarenko »genaue Informationen« über Hoffmann gesammelt. Offensichtlich gelang es der SMA, Hoffmann und andere für ihre Politik zu gewinnen und so die SPD-Leitung zu spalten.

Nach Beginn der kommunistischen Einheitskampagne schickte Brill das »Rundschreiben Nr. 18« an alle SPD-Kreisverbands- und Ortsvereinsvorsitzenden. Darin distanzierte er sich klar von der KPD-Politik. Er stellte fest, die KPD sei zur *»Einheitsfronttaktik«* zurückgekehrt, die immer den Zweck gehabt habe, *»die SPD zu zerstören, die KPD zur alleinherrschenden Partei der Arbeiterklasse zu machen und darüber hinaus für den Staat das Einpartei-System einzuführen«*. Über die praktische Politik der KPD hieß es in dem Rundschreiben: *»In einer ganzen Reihe von Fällen ist sie an unsere Ortsvereine mit dem Antrag auf gemeinsame Funktionär- und Mitgliederversammlungen herangetreten. In diesen Veranstaltungen bringen die Vertreter der KPD bedeutungslose Entschließungen ein, die nur den Zweck haben können, den organisatorischen Zusammenhalt unserer Partei zu zerstören. Weitere Übergriffe der KPD haben sich angeschlossen. Es hat in einem Ort ein Vertreter der KPD fertiggebracht, in einer Mitgliederversammlung unserer Partei zu erklären, die Einigung des Proletariats sei da, der ganze Ortsverein müsse sofort in die KPD eintreten. Er hat sich dabei alle Papiere unseres Vorstandes und einen Kassenbestand von RM 700,– angeeignet.«*[18]

Da Brill, der vermutlich als einziger SPD-Vertreter Thüringens an der Sechziger-Konferenz teilgenommen hatte, an der Linie des ZA festhielt, nach der eine Vereinigung nur ein Reichsparteitag vollziehen könne, konspirierte der Leiter der Thüringer Kommunisten, Werner Eggerath, mit Heinrich Hoffmann.[19] Auch die SMA schaltete sich ein. Brill war bedroht, er flüchtete am 29. Dezember 1945 aus der SBZ. Eine Tagung des Landesvorstands der SPD am 31. Dezember bestimmte August Frölich zu Brills Nachfolger, doch die SMA lud nun Heinrich Hoffmann vor. Dieser hielt das Ergebnis in einer Niederschrift vom 31. 12. 1945 fest:

»Schließlich erhielt ich folgende Direktiven (denn anders kann man die Wünsche des Obersten ja nicht bezeichnen):

1. *Der Name Dr. Brill soll weder in Resolutionen noch in der Zeitung mehr erwähnt werden.*
2. *Die Resolution des Landes-Vorstandes und mein Leitartikel zu den Berliner Beschlüssen sollen aber eindeutige Sätze gegen Saboteure der Einigungsbestrebungen enthalten.*
3. *August Frölich wird von der S.M.A. nicht als geschäftsführender Landes-Vorstand [richtig: Vorsitzender, H. W.] anerkannt, wohl aber als Vorsitzender des Kontrollausschusses.*
4. *Die S.M.A. wünscht, daß der Landes-Vorstand aus seinen Reihen einen geschäftsführenden Vorsitzenden wählt.*
5. *Die S.M.A. würde es begrüßen, wenn der Landes-Vorstand einen jüngeren Genossen mit modernen Anschauungen als Landes-Vorsitzenden wählen würde.*
6. *Die S.M.A. erwartet baldigen Bericht über die vom Landes-Vorstand getroffenen Maßnahmen. Sie sichert der S.P.D. jegliche Hilfe und Unterstützung zu, wenn diese ihren Wünschen Rechnung trägt.«*[20]

Anschließend wurde August Frölich zur SMA bestellt. Über diese Unterredung mit Major Babenko berichtete er unter anderem:

»Es folgt die weitere Frage: Wie stehen Sie zu der Berliner Entschließung [d. h. der Sechziger-Konferenz, H. W.]?

Ich: Ich bejahe sie. Im Rahmen der Reichseinheit soll die Einheit auf einem Reichsparteitag beschlossen werden. Es sollen gemeinschaftlich die Vorarbeiten in Ausschüssen und in der Verwaltung auf be-

stimmten Gebieten zur Vereinigung getroffen werden.

M. B.: *Von unten nach oben, nicht auf Befehl von oben.*

Ich: *Nicht Zusammenschluß in Ortsvereinen, Kreisen, Provinzen, Ländern oder Zonen, sondern in allen vier Zonen auf Reichsparteitagen, die von gewählten Delegierten beschickt werden sollen.*

M. B.: *In der Entschließung steht nichts von Reichsparteitag.*

Ich: *Anders halte ich einen Beschluß für den Zusammenschluß nicht für gut und möglich.*

M. B.: *Heißen Sie Rundschreiben Nr. 18 gut? Sie werden es ablehnen.*

Ich: *Ich muß es erst noch einmal lesen.*

M. B.: *Am 2. Januar um 10 Uhr kommen Sie zum General?*

Ich: *Davon weiß ich nichts.*

M. B.: *Sie und Herr Hoffmann.*

Ich: *Ich kann Ihnen mitteilen, daß Herr Dr. Brill aus eigenem Willen zum heutigen Tage von seinem Amt zurückgetreten ist. Diese Mitteilung wäre Ihnen sonst am 2. Januar schriftlich zugegangen.*

M. B.: *Sie werden das Rundschreiben nicht gutheißen.«*[21]

Da die SMA die alleinige Macht besaß, konnte sie Druck ausüben und die Führer und Funktionäre der politischen Parteien einschüchtern. Die Parteiführer und -funktionäre (vor allem auf Landes- oder Kreisebene) mußten befürchten, abgesetzt und schlimmstenfalls sogar verhaftet zu werden, wenn sie die Anweisungen der Besatzungsbehörden nicht befolgten. Die SMA erteilte nicht nur schriftliche, sondern auch mündliche »Befehle«, sie konnte sogar die Auflösung von Parteiorganisationen verfügen. Da die Parteien ihre gesamten Aktivitäten, selbst Mitgliederversammlungen (dies übrigens in allen vier Zonen), 1945 und 1946 der Besatzung melden mußten, waren sie ständig unter Kontrolle und leicht zu nötigen. Die Unterredungen der SMA-Offiziere in Thüringen mit Hoffmann und Frölich machen deutlich, daß die Besatzungsbehörden auch darüber bestimmten, wer den Vorsitz in einer Parteiorganisation übernehmen konnte. Für das Verhältnis zwischen SMA und der SPD war es typisch, daß Major Babenko zu Frölich, den die Thüringer Sozialdemokraten gerade zu ihrem Vorsitzenden bestimmt hatten, über das Rundschreiben Nr. 18 von Brill befehlsmäßig sagte: *»Sie werden es ablehnen!«*

Mit solchen Methoden wurde die SPD überall in der SBZ unter Druck gesetzt, um die mittlere und untere Ebene zu verunsichern und dort mit der Vereinigung beginnen zu können. Vielfach von sowjetischen Ortskommandanten erzwungen, schlossen sich bereits im Februar und März 1946 in verschiedenen Gemeinden Sozialdemokraten und Kommunisten zusammen.

Erzwungene Einheit

Die Lage des Berliner ZA wurde aussichtslos. Eine Unterredung zwischen Grotewohl und Schumacher am 8. Februar 1946 in Braunschweig ergab tiefe Differenzen, ein Reichsparteitag der SPD war nicht durchführbar. Mit anderen Führern des ZA schwenkte Grotewohl nun um. Am 10. Februar 1946 traf sich der ZA mit Funktionären der Landesorganisationen. Nach einer turbulenten Debatte stimmte die Mehrheit für die rasche Vereinigung in der SBZ. Allerdings beharrten die Berliner Sozialdemokraten – begünstigt von der besonderen Situation der von allen vier Alliierten besetzten Stadt – weiterhin auf ihrer Selbständigkeit. Eine Urabstimmung sollte die Vereinigung bremsen. Die SMAD verhinderte eine Abstimmung in Ost-Berlin, in West-Berlin brachte sie klare Ergebnisse. Von 32 000 SPD-Mitgliedern (nach anderen Angaben 39 000) gingen 23 000 zur Abstimmung, über 19 000 (82 Prozent) waren gegen die Vereinigung, 62 Prozent bejahten allerdings eine weitere Zusammenarbeit mit der KPD. Wie im Ostsektor von Berlin war auch in der Sowjetischen Besatzungszone den SPD-Mitgliedern die Urabstimmung verwehrt, sie wurden – ob sie wollten oder nicht – in die SED überführt. In Ost-Berlin blieb die SPD bis zur Selbstauflösung 1961 formal zugelassen.

Die Kommunisten waren bemüht, den Sozialdemokraten die Vereinigung mit verschiedenen ideologischen Zugeständnissen zu erleichtern. Sie propagierten für die SED einen »besonderen deutschen Weg«, einen »demokratischen

Weg« zum Sozialismus, was als deutliche Distanzierung von der Praxis der Sowjetunion verstanden wurde. Alle Funktionen in der SED sollten paritätisch besetzt werden. Die KPD-Führung zeigte sich auch zu weiteren programmatischen Kompromissen bereit. In ihrem ersten Programmentwurf hatten die Kommunisten gefordert, die Einheitspartei müsse sich »eindeutig auf den Boden der fortschrittlichsten Gesellschaftslehre, des Marxismus und seiner Weiterentwicklung in der imperialistischen Epoche, des Leninismus«, stellen.[22] Mit dieser Forderung scheiterte die KPD in der gemeinsamen Programmkommission. Die SPD-Vertreter lehnten den Hinweis auf den Leninismus ab, so blieb die ganze Passage weg. In den »Grundsätzen und Zielen« fand der KPD-Vorschlag keinen Platz, die Einheitspartei solle sich *»eins mit der Arbeiterklasse der Sowjetunion, die . . . den sozialistischen Staat geschaffen und die sozialistische Planwirtschaft verwirklicht hat«,* erklären. Bei ihrer Gründung bekannte sich daher die SED zwar zum Marxismus, aber nicht zum Marxismus-Leninismus, und sie berief sich nicht auf das sowjetische Modell. Überdies wollte die Einheitspartei eine demokratische Massenpartei und keineswegs eine – nach dem Prinzip des »demokratischen Zentralismus« organisierte – Kaderpartei sein.

2. Die SED als sozialistische Massenpartei 1946–1948

Nach ihrer Gründung im April 1946 präsentierte sich die SED zunächst als sozialistische Partei, wie sie aus dem Kompromiß zwischen Kommunisten und Sozialdemokraten hervorgegangen war. Sie war tatsächlich eine Massenpartei: 1946 hatte sie 1,3 Millionen Mitglieder, ehemalige Sozialdemokraten und Kommunisten. Dazu stießen schnell zahlreiche neue Anhänger. Mitte 1948 zählte die SED fast 2 Millionen Mitglieder, etwa 16 Prozent der erwachsenen Bevölkerung in der SBZ. Die Kommunisten hielten sich vorerst formal an die Zugeständnisse, die sie den Sozialdemokraten bei den Vereinigungsverhandlungen gemacht hatten: keine Festlegung auf den Leninismus und das sowjetische Modell, Bekenntnis zu einem besonderen deutschen und demokratischen Weg zum Sozialismus.

In der praktischen Politik aber setzten sich die Kommunisten mehr und mehr mit ihrer Ideologie und ihren Organisationsprinzipien durch. Als die Sowjetunion nach Ausbruch des Kalten Krieges 1948 die Rücksicht auf die westlichen Alliierten fallenließ und in den von ihr besetzten und beherrschten Ländern offen die Stalinisierung proklamierte (kommunistischer Putsch in Prag, Kominformresolution gegen Jugoslawien und den »Titoismus«), war in der SED der Umformungsprozeß zur kommunistischen Kaderpartei unter sowjetischer Vormundschaft schon in vollem Gange.

Hegemonieansprüche

Die Zweifel an der Glaubwürdigkeit kommunistischer Demokratiebekenntnisse wurden von der Bevölkerung und den übrigen Parteien sofort auf die SED übertragen. Tatsächlich war die SED genau wie zuvor die KPD der verlängerte Arm der sowjetischen Besatzungsmacht und paßte sich der jeweiligen Moskauer Linie bedingungslos an. Kritik an der sowjetischen Besatzungspolitik, insbesondere an Übergriffen der Roten Armee, wurde nicht geduldet. Mit Hilfe der SMAD erhielt die SED alle Schlüsselpositionen in Staat, Wirtschaft und Gesellschaft und baute sie stetig aus, obwohl sie bei den Wahlen im Herbst 1946 nur knapp die Hälfte der Stimmen erreichte.
So war es kein Wunder, daß sich die Einheitspartei vor allem mit dem Vorwurf konfrontiert sah, sie erstrebe ein »Einparteisystem«. Wilhelm Pieck nannte dies auf der Gründungskonferenz der Berliner SED-Parteiorganisation »dummes Geschwätz«. Und auf dem Gründungsparteitag der SED wiederholte Pieck, die neue Partei werde keineswegs die *»Diktatur des Einparteiensystems aufrichten«*.[23] Auch noch der II. Parteitag der SED im September 1947 behauptete in seiner Entschließung: *»Entgegen allen Verdächtigungen lehnt die SED jede Alleinherrschaft ab.«*[24]
Doch von Anfang an erhob die Einheitspartei einen Hegemonieanspruch im Parteiensystem. Zunächst vermittelte sie diesen nur intern ihren Funktionären. Bereits auf der 2. Tagung des Parteivorstandes im Mai 1946 erklärte Franz Dah-

lem, der SED gehöre *»die Führung beim demokratischen Neuaufbau Deutschlands auf allen Gebieten: in der Politik, der Selbstverwaltung, der Wirtschaft und in der kulturellen Entwicklung des Landes«*[25].

Auf ihrem II. Parteitag 1947 erklärte die SED dann offen, sie sei *»die führende Kraft«*[26]. Als die SED ein Jahr später ihren Hegemonieanspruch in der SBZ noch deutlicher formulierte, kam es darüber zu öffentlichen Diskussionen und Gegenpositionen in der Presse von CDU und LDPD.[27]

Die SED zeigte mit der Forderung nach Vorherrschaft im Parteiensystem, wie sehr sie weiter traditionellen kommunistischen Intentionen folgte. Trotz der These vom besonderen deutschen Weg zum Sozialismus[28] war der Kompromißcharakter der SED-Ideologie also keineswegs so fest gegründet, wie es schien.

Immerhin: Noch war der Marxismus die Basis der theoretischen Konzeption der SED, die Haltung zum Leninismus blieb zunächst distanziert. Das vom Gründungsparteitag angekündigte Parteiprogramm wurde zurückgestellt, die »Grundsätze und Ziele« galten formal weiter. In den »Grundsätzen und Zielen« wurde (bis in einzelne Formulierungen) der angestrebte Sozialismus im Sinne von Marx interpretiert: Verwandlung des kapitalistischen Eigentums an den Produktionsmitteln in gesellschaftliches Eigentum, eine »für und durch die Gesellschaft betriebene Produktion«, Befreiung der Arbeiterklasse, die damit *»die ganze Gesellschaft für immer von Ausbeutung und Unterdrückung befreit«*, und zwar durch freie Ausübung der Rechte und Entfaltung der Fähigkeiten der Menschen. Schließlich erklärte die SED, sie kämpfe *»um diesen neuen Staat auf dem Boden der demokratischen Republik«*.

Der II. Parteitag der SED

Solche Thesen in den »Grundsätzen und Zielen« wurden vom II. Parteitag der SED (20. bis 24. September 1947) ausdrücklich bestätigt. Die 1 111 Delegierten (darunter 271 aus Westdeutschland) bekannten sich in einer Entschließung *»zum Marxismus als der wissenschaftlichen Grundlage der Arbeiterbewegung«*[29], der Leninismus blieb dabei unerwähnt. Frühere Sozialdemokraten unterstrichen auf dem II. Parteitag noch, daß die SED *»mit den wissenschaftlichen Erkenntnissen des Marxismus auf Grund ihrer Grundsätze und Ziele«* Politik mache (Gniffke) und die *»Methoden der russischen Revolution von 1917«* unmöglich *»schematisch auf den fortschrittlichen und revolutionären Kampf in Deutschland zu übertragen«* seien (Meier).[30] Da die SPD unter Schumacher im Westen vom Marxismus abrückte, sei der *»Geist der alten marxistischen Partei unter August Bebel«* nur noch in der SED lebendig.[31] Allerdings sprach Otto Grotewohl auf dem II. Parteitag bereits von einer *»Fortentwicklung des Marxismus«*, und darunter verstand er vor allem die Werke von Lenin und Stalin. Freilich sollte der Leninismus *»nicht schematisch auf Deutschland übertragen«* werden.[32] Das Einschwenken des ehemaligen Sozialdemokraten Grotewohl auf den »Leninismus« bedeutete also noch keine völlige Akzeptierung der Dogmen Stalins.

Doch Wilhelm Pieck stellte in seinem Schlußwort bereits eindeutig fest: *»Die Diskussion war beherrscht von dem Gedanken und dem Willen zur Einheit der Arbeiterbewegung auf der Grundlage des Marxismus-Leninismus.«* Für Ulbricht schließlich war der II. Parteitag ein Zeichen dafür, *»daß wir auf dem Wege sind, eine Partei neuen Typus zu werden«*. Er verlangte, die Genossen müßten *»von der Lehre des Marxismus-Leninismus überzeugt sein«*[33]. Im November 1947 schrieb Ulbricht ausdrücklich, die SED sei auf dem besten Wege, eine Partei neuen Typus zu werden, geleitet von der *»Theorie von Marx, Engels, Lenin und Stalin«*[34].

Dominanz der Kommunisten

In der Praxis hatten inzwischen die Kommunisten, die in der Schulungsarbeit den Ton angaben, längst Lenins Gedanken verbreitet. Schon im Mai 1946 hatte die Funktionärzeitschrift »Neuer Weg« Lenins Werk »Zwei Taktiken der Sozialdemokratie in der demokratischen Revolution« als Schulungsthema genannt und erklärt, daß *»für uns«* mehr denn je der Leninsche Grundsatz gelte: *»Die Wahrheit ist immer konkret.«* Und im Juli 1946 untersuchte das theoretische Organ »Einheit«: »Was lehrt uns Lenins ›Was tun?‹«.

Doch noch mußten die Kommunisten Rücksicht auf die Parität nehmen. Fred Oelßner, damals neben Paul Lenzner (früher SPD) im Parteivorstand der SED Abteilungsleiter für Schulung, schilderte später mit bemerkenswerter Offenheit, wie schwer ihnen das fiel: Das *»Paritätsprinzip wurde anfangs auch auf unseren Verlagsplan angewandt.«* Dies bedeutete, daß neben den Werken Lenins auch sozialdemokratische Theoretiker verlegt werden mußten. *»Die Losung war sozusagen: Für einen Lenin einen Kautsky! Später haben wir oft über dieses Kuriosum gelächelt, aber damals machte uns das einige Schwierigkeiten.«*[35] Die Kommunisten halfen sich, wie Oelßner berichtete, damit, daß lediglich historische Werke Kautskys herausgegeben wurden. Hilferdings »Finanzkapital« durfte nur mit einer kritischen Einleitung verbreitet werden. Dem mußten aber beide im Zentralsekretariat für Ideologie verantwortlichen Sekretäre zustimmen. Der Kommunist Anton Ackermann war natürlich einverstanden, aber zur Überraschung Oelßners auch der Sozialdemokrat Otto Meier.

Solche Beispiele zeigen, daß trotz der formalen Parität in der SED auf vielen Gebieten die Kommunisten dominierten. In der Parteispitze, dem Zentralsekretariat, arbeiteten nach dem Gründungsparteitag die Kommunisten Anton Ackermann, Franz Dahlem, Hermann Matern, Paul Merker, Wilhelm Pieck, Elli Schmidt und Walter Ulbricht mit den Sozialdemokraten Max Fechner, Erich Gniffke, Otto Grotewohl, August Karsten, Käthe Kern, Helmut Lehmann und Otto Meier paritätisch zusammen. Diese Führung wurde nach dem II. Parteitag um den Kommunisten Walter Beling und den Sozialdemokraten Friedrich Ebert erweitert. Die Parität bestand auch im größeren Führungsorgan, dem Parteivorstand (80 Personen, darunter 20 Westdeutsche), und setzte sich in den Landes- und Kreisvorständen fort. Freilich wurde sie im hauptamtlichen Parteiapparat nicht durchgehalten. Hier waren zwar die Leitungen der Abteilungen paritätisch besetzt, doch bei den Mitarbeitern überwogen von Anfang an die Kommunisten. Der umfangreiche Apparat des Parteivorstandes gliederte sich zunächst in die Abteilungen Organisation (Leiter Bruno Fuhrmann, früher KPD, und Joseph König, früher SPD), Personalpolitik (Philip Daub, KPD, Alexander Lösche, SPD), Werbung und Schulung (Fred Oelßner, KPD, Paul Lenzner, SPD), Frauen (Elli Schmidt, KPD, Käthe Kern, SPD), Jugend (Paul Verner, KPD, Ernst Hoffmann, SPD), Wirtschaft, Landwirtschaft, Genossenschaften, Landes- und Provinzialpolitik (Anton Plenikowski, KPD, Arthur Dahlke, SPD), Kommunalpolitik (Arthur Wyschka, KPD, Hugo-Otto Zimmer, SPD), Kultur und Erziehung, Arbeit- und Sozialfürsorge, Gesundheitswesen, Justiz (Karl Polak, KPD, Reinhold Schäfermeier, SPD), Geschäftsabteilung (Lore Staimer, KPD), Internationale Zusammenarbeit (Grete Keilson, KPD), Kasse (Alfred Oelßner, KPD).

Rasches Wachstum der Partei

Die Mitgliedschaft der SED wuchs rasch an, zu den 1,3 Millionen Mitgliedern vom April 1946 kamen bis zum II. Parteitag im September 1947 fast 500 000 neu hinzu. Den stärksten Zuwachs hatte die SED in Thüringen und Brandenburg, den geringsten in Berlin. Die 1,8 Millionen Mitglieder waren 1947 in 11 355 Orts- und 12 631 Betriebsgruppen organisiert, 48 Prozent der Mitglieder waren Industriearbeiter, 18 Prozent Angestellte, 6 Prozent Bauern und 14 Prozent Hausfrauen, Rentner usw. Der Anteil der Frauen in der SED betrug 24 Prozent. In der SBZ gehörte jeder 4. Industriearbeiter, jeder 3. Angestellte und jeder 3. Lehrer der Einheitspartei an.[36] Versuche der SED, auch in Westdeutschland Einfluß zu bekommen, scheiterten. Die im Frühjahr 1947 gegründete »Arbeitsgemeinschaft SED-KPD« konnte sich nur auf Kommunisten stützen.

Einheit Deutschlands als Ziel?

Im Mittelpunkt der SED-Propaganda stand damals – es war die Zeit zahlreicher alliierter Konferenzen über die Zukunft Deutschlands – die deutsche Einheit.

In einem Beschluß des Parteivorstands der SED vom September 1946 hieß es, das deutsche Volk könne *»nicht leben ohne die Wiederherstellung der Einheit Deutschlands«.* Die SED *»als die* *größte Partei Deutschlands«* schlug einen Meinungsaustausch aller Parteien vor, dabei sollte auch über die *»Grundrechte«* des Volkes beraten werden.[37] Den entsprechenden Katalog baute die SED zu einem Verfassungsentwurf aus, den der Parteivorstand der Öffentlichkeit im November 1946 vorstellte. Die spätere DDR-Verfassung beruhte dann weitgehend auf diesem Papier. Im März 1947 propagierte die SED sogar einen »Volksentscheid« für die Einheit Deutschlands mit der Forderung *»einer gesamtdeutschen demokratischen Regierung«*.[38] Auch der II. Parteitag im September 1947 bestimmte den »Kampf um die Einheit Deutschlands« zur Hauptaufgabe der Partei.

In der Praxis freilich zeigte sich, daß die SED diese Forderung eher als Mittel zur Mobilisierung benutzte, so wie sie auch den Begriff »Antifaschismus« instrumentalisierte, um ihre Machtpositionen auszubauen. Der Versuch, durch eine gesamtdeutsche Ministerpräsidentenkonferenz im Juni 1947 in München der drohenden Spaltung Deutschlands entgegenzuwirken, scheiterte schließlich ebenso an der Haltung der SED wie an der der westdeutschen politischen Kräfte.[39] Die Machtsicherung in der SBZ hatte nunmehr für die SED-Führung wie für die Sowjetunion Vorrang vor dem immer wieder proklamierten gesamtdeutschen Ziel.

Wahlen 1946

Die SMAD hatte beim Aufbau der Verwaltungen in der SBZ zwar Vertreter aller zugelassenen Parteien berücksichtigt, aber von Anfang an wurden den Kommunisten die politischen Schlüsselstellungen übertragen. Das galt für die lokalen Organe und Landesverwaltungen ebenso wie für die im Juli 1945 errichteten Zentralverwaltungen. Im Herbst 1946 sollten die unteren und mittleren Instanzen durch Wahlen ihre Legitimation erhalten. Die SED erhoffte sich eine Mehrheit der Abgeordneten auf allen Ebenen. Es kam zu einem heftigen Wahlkampf der Parteien, in dem die SED in Abwehrstellung zur CDU und deren Losung vom »Sozialismus aus christlicher Verantwortung« nicht nur Toleranz gegenüber den Kirchen versprach, sondern ihre Reihen auch für Christen öffnen wollte und sogar die Oder-Neiße-Grenze in Frage stellte.

Die ersten Gemeindewahlen fanden am 1. September 1946 in Sachsen statt. Die Ausgangspositionen für die SED waren günstig, weil die Arbeiterparteien hier traditionell einen Vorsprung hatten. Mit Hilfe der SMAD, die CDU und LDPD durch verzögerte Registrierung der Ortsgruppen und daraus folgende Ablehnung ihrer Wahlvorschläge, Benachteiligung bei der Papierzuteilung usw. behinderte, erreichte die SED zwar 53 Prozent der Stimmen, sie verfehlte aber die Mehrheit in Städten wie Leipzig, Dresden, Zwickau usw. Ähnlich verliefen die Gemeindewahlen in den übrigen Ländern. Die Kreis- und Landtagswahlen am 20. Oktober 1946 erbrachten ein genaueres Bild der Kräfteverhältnisse. Die SED erhielt in Sachsen, Thüringen und Mecklenburg jeweils 49 Prozent der Stimmen, in Sachsen-Anhalt 45,8 und in Brandenburg 43,9 Prozent. In den letztgenannten beiden Ländern bekamen CDU und LDP zusammen mehr Sitze als die SED. Das Ergebnis entsprach nicht den Erwartungen und Zielen der SED, auch wenn die Wahlen zeigten, daß die Partei noch starken Rückhalt in der Bevölkerung besaß.

Echter Gradmesser für die Einstellung der Bevölkerung waren die Wahlen in Groß-Berlin, an denen sich auch die SPD beteiligen konnte. Dort erlitt die SED eine deutliche Niederlage. Mit 19 Prozent der Stimmen blieb sie weit hinter der SPD (48 Prozent) und auch der CDU (22 Prozent) zurück.

Anfang Dezember 1946 konstituierten sich die von den Landtagen bestimmten neuen Landesregierungen. In den fünf Ländern gehörten 21 Minister der SED an, der LDP acht und der CDU neun. Die wichtigsten Positionen erhielt wiederum die SED. In vier Ländern stellte sie den Ministerpräsidenten und den Innenminister (letztere alles ehemalige Kommunisten), in allen Ländern war der Kultusminister Mitglied der SED. Da die SED in den Landtagen aber über keine gesicherte Mehrheit verfügte, versuchte sie, mit Hilfe der SMAD die Rolle der zentralen Instanzen aufzuwerten.

Im Juni 1947 wurde die Deutsche Wirtschaftskommission (DWK) eingerichtet (Befehl Nr. 138 der SMAD). Das war die erste zentrale Zonenverwaltung. Sie entwickelte sich schnell zu einem entscheidenden kommunistischen Macht-

instrument und wurde der Vorläufer der DDR-Regierung. Das Sekretariat der DWK unter Führung von Heinrich Rau war fast ausschließlich mit SED-Funktionären besetzt. Rau selbst unterstrich, daß die DWK das »gesamte wirtschaftliche Leben« in der SBZ leitete[40] und so auch über die Länderregierungen bestimmen konnte. Die DDR-Geschichtsschreibung sieht in der Schaffung der DWK und in ihrem Ausbau den *»wesentlichen Schritt«*, um den *»demokratischen Zentralismus«* durchzusetzen.[41]
Mit der Konstituierung des »Deutschen Volkskongresses« (und später seines Organs »Volksrat«) schuf sich die SED Ende 1947 ein weiteres Instrument zur Durchsetzung ihrer Politik. Während die LDP den Volkskongreß mittrug, verweigerte sich die CDU-Führung. Daraufhin setzte die SMAD im Dezember 1947 die beiden CDU-Vorsitzenden Jakob Kaiser und Ernst Lemmer ab. Dieser schwerwiegende Eingriff der Besatzungsmacht in das Parteiensystem legte erneut die Machtverhältnisse bloß.

3. Die SED als »Partei neuen Typus« 1948–1955

Was sich 1947 schon angekündigt hatte, wurde 1948 offenbar: Die Anti-Hitler-Koalition war endgültig auseinandergebrochen. Der Kalte Krieg forcierte die Integration der deutschen Besatzungszonen in den jeweiligen Block und bewirkte damit die Spaltung Deutschlands. Nach und nach übertrugen alle Besatzungsmächte ihr eigenes System auf ihre Zonen, was im Westen auf weitgehende Zustimmung der Bevölkerung stieß, während sich im Osten die Gegnerschaft an den Flüchtlingszahlen ablesen ließ.
Stalins Hoffnung, daß sich die Amerikaner aus Europa zurückziehen würden und Westeuropa unter sowjetischen Einfluß geriete, erfüllte sich nicht. Die Amerikaner blieben und schlossen mit Westeuropa, unter Einschluß Westdeutschlands, ein Bündnis. Stalin reagierte mit der Einverleibung Osteuropas in das Sowjetimperium. Die These von den »unterschiedlichen Wegen zum Sozialismus« wurde verworfen, die Sowjetunion hatte nun als alleiniges Modell für alle kommunistischen Parteien zu gelten. Stalin rechtfertigte dies mit der neuen These von den »zwei Lagern in der Welt«, dem »imperialistischen Kriegslager« im Westen und dem »demokratischen Friedenslager« im Osten. Den Ländern Osteuropas und der SBZ/DDR wurde, zum Teil mit Hilfe blutiger Säuberungen (Rajk-Prozeß in Ungarn, Kostoff-Prozeß in Bulgarien, Slansky-Prozeß in der Tschechoslowakei) das stalinistische System aufgezwungen. Die SED mußte, wie die übrigen kommunistischen bzw. Einheitsparteien des Sowjetblocks, zu einer »Partei neuen Typus« umgeschmolzen werden, die das sowjetische Vorbild pries und den Stalinkult mitmachte. Das bedeutete, daß alle Zugeständnisse an die Sozialdemokraten nun auch formal zurückgenommen wurden. Die »Sozialistische Einheitspartei Deutschlands« wurde in eine kommunistische Kaderpartei verwandelt, in der »Sozialdemokratismus« ein politisches Verbrechen war und der »besondere deutsche Weg zum Sozialismus« als antisowjetische Abirrung gebrandmarkt wurde.
Mit der Gründung der DDR im Oktober 1949 übernahm die SED als Staatspartei schrittweise die Staatsgewalt von der sowjetischen Besatzungsmacht. Sie übertrug bis 1953 weitgehend das stalinistische Modell auf die DDR. Die durch Stalins Tod und den 17. Juni 1953 ausgelöste Krise verunsicherte die Parteiführung vorübergehend, ließ aber die stalinistischen Strukturen im Kern unversehrt. Ulbricht konnte die Krise sogar benutzen, um sich seiner Widersacher zu entledigen und seine Herrschaft zu festigen.

Die SED wird kommunistische Kaderpartei

Die SED zählte 1948 fast zwei Millionen Mitglieder. Der Anteil der Frauen und Jugendlichen hatte sich erhöht, bei Frauen von 21,5 Prozent bei der Gründung auf 24,1 Prozent Ende 1947, bei den Mitgliedern unter 30 Jahren von 17 auf 21 Prozent. Jeder neunte erwachsene Einwohner der SBZ war SED-Mitglied. Zwanzig Prozent der Arbeiter, aber 40 Prozent der vom Staat abhängigen Personen, z. B. Lehrer, gehörten nun der Einheitspartei an.[42] Ein Drittel der Mitglieder war früher in der SPD. Von diesen ehemaligen Sozialdemokraten standen viele ebenso im Gegensatz zur Führung wie eine größere Anzahl enttäuschter Altkommunisten. Diese Kräfte wollte die Parteispitze nach dem Kurswechsel ausschalten, um jede potentielle Opposition im Keim zu ersticken.

Rein formal erfolgte die Änderung der Parteistruktur durch die Aufhebung des Prinzips, alle Vorstände paritätisch mit ehemaligen Sozialdemokraten und Kommunisten zu besetzen. In den Grundeinheiten war das Paritätsprinzip schon vor dem II. Parteitag 1947 weitgehend abgeschafft. Die 16. Tagung des Parteivorstandes im Januar 1949 beschloß, die Parität ganz aufzugeben. Gravierender waren indes die Parteisäuberungen. Schon im Juli 1948 faßte der Parteivorstand einen Beschluß über die »Säuberung der Partei von feindlichen und entarteten Elementen«. Wer sich weigerte, am *»Parteileben«* teilzunehmen, war nun auszuschließen. *»Beschleunigte Ausschlußverfahren«* waren durchzuführen gegen solche Mitglieder, die *»eine parteifeindliche Einstellung«* oder »sowjetfeindliche Haltung« zeigten. Es genügte der *»begründete Verdacht«*. Widerstand gegen die neue Parteilinie galt als *»parteifeindlich«* oder als antisowjetische Propaganda. Parteimitglieder, die an der alten Politik festhalten wollten, wurden ausgeschlossen und sogar als *»Agenten«* strafrechtlich verfolgt. Dies galt vor allem für Sozialdemokraten. So schreiben SED-Historiker noch heute unumwunden über die Säuberung 1948 in Leipzig: *»Es wurden zwei Sonderkommissionen gebildet, die die parteifeindliche Tätigkeit der rechtssozialdemokratischen Vertreter und anderer Parteifeinde untersuchten. Im Laufe des zweiten Halbjahres 1948 wurde nicht nur die Führung des ›Volkshauskreises‹ [einer Gruppe von Sozialdemokraten in der SED, H. W.] aus der SED [in der Vorlage steht fälschlich SPD, H. W.] ausgeschlossen, sondern auch eine Reihe Mitglieder und Funktionäre, die eine opportunistische Politik betrieben.«*[43] 1948 und in den folgenden Jahren wurden Zehntausende früherer Sozialdemokraten aus der SED ausgeschlossen und Tausende inhaftiert (immerhin wurde in der DDR selbst am 21. Juni 1956 offiziell bekanntgegeben, daß *»691 Personen, die früher oder jetzt der SPD angehörten«*, amnestiert wurden). Parteiführer wie Erich Gniffke und Ernst Thape flohen 1948 nach Westdeutschland. Der Anteil ehemaliger Sozialdemokraten in den Vorständen ging rapide zurück. Unter den Mitarbeitern des Zentralsekretariats befanden sich im März 1949 nur noch 10 Prozent frühere Sozialdemokraten.[44]

Die 13. Tagung des Parteivorstandes im September 1948 führte eine Zentrale Parteikontroll-Kommission (ZPKK) ein und entsprechende Institutionen in jedem Landes- und Kreisverband. Die mächtige ZPKK, die Hermann Matern von 1948 bis zu seinem Tod 1971 leitete, diente Ulbricht als Instrument, mit dem er sich in der Folgezeit aller innerparteilichen Gegner entledigte. Er war nun der starke Mann in der SED. Wie in kommunistischen Parteien üblich, trat ab Januar 1949 ein Politbüro an die Parteispitze. Mitglieder dieses neuen Führungsgremiums wurden die Kommunisten Ulbricht, Pieck, Dahlem und Merker sowie die ehemaligen Sozialdemokraten Grotewohl, Ebert und Lehmann, Kandidaten wurden Ackermann (Kommunist) und Steinhoff (Sozialdemokrat): fünf Kommunisten neben vier ehemaligen Sozialdemokraten. Das Sekretariat leitete mit Hilfe des hauptamtlichen Apparates die operative Arbeit.

Der »demokratische Zentralismus« wurde zum Prinzip des Parteiaufbaus erklärt. In der Praxis bedeutete das die Herrschaft der jeweils höheren Leitung über die untere Instanz. Fraktionen und Gruppierungen in der SED waren streng verboten. Im Februar 1949 wurde eine »Kandidatenzeit« für Mitglieder eingeführt. Erst nach einer Bewährungszeit von mindestens einem Jahr konnte ein Antragsteller als Parteimitglied aufgenommen werden. Er brauchte dazu außerdem zwei »Bürgen«.

In ihrer Organisationsstruktur war die SED nun eine kommunistische Partei nach dem Muster der Stalinschen KPdSU. Sie übernahm auch deren Mechanismen und Arbeitsmethoden: Kritik und Selbstkritik, Anleitung durch Instrukteure, Macht der Sekretäre und insbesondere die Prinzipien der Kaderarbeit mit der »Nomenklatur«, also die Auswahl, Heranbildung und Einsetzung der Funktionäre durch die Kaderabteilungen der oberen Organe.

Gleichzeitig entschied sich die SED aber auch für die ideologischen Positionen der KPdSU Stalins. Zunächst wurde der besondere Weg zum Sozialismus und damit ein Grundsatz der Einheitspartei verworfen.

Anton Ackermann, der sich für den »besonderen Weg zum Sozialismus« exponiert hatte, mußte im September 1948 Selbstkritik üben und erklären, die Theorie vom *»besonderen deutschen Weg«* sei eine Konzession an *»antisowjeti-*

sche Stimmungen«, ja sogar ein Zurückweichen vor der *»wilden antikommunistischen Hetze«*, eine *»Abgrenzung von der Sowjetunion«*, was zu bekämpfen sei.[45]
Die SED trennte sich also nicht nur von organisatorischen Prinzipien ihrer Gründung (Parität), sondern auch von ideologischen, wie der These vom deutschen Weg zum Sozialismus. Umschrieben wurden Strukturveränderungen mit dem Schlagwort, die SED müsse eine »Partei neuen Typus« werden, was eine völlige Angleichung an die Praxis der KPdSU und die Lehren von Lenin und Stalin bedeutete.
Der Marxismus-Leninismus wurde endlich auch offiziell zur verbindlichen Ideologie der Partei erklärt, die »Partei neuen Typus« als marxistisch-leninistische Kampfpartei definiert.

Instrument Parteischulung

Die neue Politik sollte Mitgliedern und Funktionären über ein Schulungsnetz vermittelt werden, das die SED nun beschleunigt aufbaute. Typisch war das Thema der Mitgliederschulung im September 1947: »Wie schaffen wir die Partei neuen Typus?« In einem dafür vorgelegten »Bildungsheft« wurde die *»von Lenin und Stalin geschaffene Partei der Bolschewiki«* den SED-Mitgliedern als *»Musterbeispiel«* vorgeführt, *»straffe Parteidisziplin«* als wichtiges Merkmal genannt. Als nächste Schritte auf dem Weg der SED zur Partei neuen Typus galten die Schaffung eines aktiven Funktionärkorps, die Säuberung von feindlichen *»Elementen«* und vor allem eine positive Einstellung zur Sowjetunion.[46]
In der SED-Schulung wurde von nun an besonders Stalin zum Idol erhoben. Die von Fälschungen strotzende (und ab 1956 von der Chruschtschow-Führung angegriffene und verfemte) »Geschichte der KPdSU(B)-Kurzer Lehrgang« wurde Pflichtlektüre jedes SED-Mitglieds. Der Parteivorstand bildete eigens ein »Büro für das Studium der Geschichte der KPdSU(B)«. Später rückte gar eine verlogene Lebensgeschichte Stalins in den Mittelpunkt der Schulung.

Die 1. Parteikonferenz der SED

Erster Höhepunkt der Stalinisierungs-Kampagne war ihre 1. Parteikonferenz vom 25. bis 28. Januar 1949. Die 384 Delegierten nahmen nach Referaten von Pieck, Ulbricht und Grotewohl eine Entschließung an, worin es hieß, die SED könne ihre Aufgabe, *»den demokratischen Neuaufbau in der Ostzone zu festigen und von dieser Basis aus den Kampf für die demokratische Einheit Deutschlands«* zu führen, nur erfüllen, wenn sie eine Kampfpartei *»unter dem unbesiegbaren Banner von Marx, Engels, Lenin und Stalin«* werde.[47] Für die *»Partei neuen Typus«* nannte Grotewohl sechs Merkmale: Erstens müsse sie die *»bewußte Vorhut«*, zweitens die *»organisierte Vorhut«* der Arbeiterklasse und drittens die *»höchste Form«* der Organisation sein; viertens beruhe sie auf dem *»demokratischen Zentralismus«*, fünftens werde sie durch den *»Kampf gegen den Opportunismus«* gestärkt, sechstens sei sie vom *»Geist des Internationalismus durchdrungen«*.[48]
Hinter diesen Begriffen stand die These, die SED müsse die Führungspartei im politischen System werden, denn sie vertrete die »Arbeiterklasse« und besitze eine »wissenschaftliche« Theorie (»bewußte« Vorhut). Da sie sich zur »höchsten Form« der Organisation erklärte, mußten sich ihr die »Massenorganisationen« und die anderen Parteien unterstellen. Der »Geist des Internationalismus« bedeutete, die Führungsrolle der Sowjetunion und der KPdSU voll zu akzeptieren.
Mit der Einschwörung auf Stalin und die KPdSU, der Zurückdrängung der Sozialdemokraten und der Verdammung ihrer Ideologie sowie der Durchsetzung des Zentralismus und des Stalinschen Marxismus-Leninismus bestand nun eine Kontinuität der SED zur Tradition der alten KPD, aber es gab einen Bruch mit der sozialdemokratischen Tradition und mit den Prinzipien, die der Vereinigung von KPD und SPD zur SED zugrunde lagen.

Staatspartei der DDR

Mit der Gründung der DDR am 7. Oktober 1949 – bei deren Vorbereitung hatte Stalin die SED-Führung aktiv eingeschaltet[49] – konnte die SED zur führenden Staatspartei werden. In der DDR-Regierung übernahmen SED-Führer die wichtigsten Funktionen. Pieck wurde Präsident,

Grotewohl Ministerpräsident, Ulbricht stellvertretender Ministerpräsident. Die Volkskammer, die die Regierung berief, war nicht aus Wahlen hervorgegangen, sondern aus dem von Parteien und Massenorganisationen nominierten sogenannten Volkskongreß, der sich zur Volkskammer konstituierte. Die SED-Fraktion verfügte in der Volkskammer zwar nominal nicht über die Mehrheit, sie besaß diese aber dennoch, weil viele Angehörige der Fraktionen der »Massenorganisationen« (wie FDGB, FDJ oder Kulturbund) ebenfalls Mitglieder der SED waren.
Inzwischen war es der SED mit Hilfe der SMAD gelungen, die wichtigsten Organisationen, vor allem den Freien Deutschen Gewerkschaftsbund (FDGB), der 1945 als Einheitsgewerkschaft gebildet worden war, voll unter Kontrolle zu bekommen. Dies galt auch für die Freie Deutsche Jugend (FDJ) oder den Kulturbund sowie den 1947 gegründeten Demokratischen Frauenbund (DFD). Schließlich konnte die SED im Parteiensystem der DDR auch dadurch dominieren, daß neben Behinderungen der Aktivitäten der beiden bürgerlichen Parteien (bis hin zur Auflösung etwa der LDPD-Organisation Leipzig im Dezember 1948)[50] 1948 auch zwei neue Parteien (Demokratische Bauernpartei und Nationaldemokratische Partei) gebildet wurden, die von ehemaligen Kommunisten geführt wurden und völlig von der SED abhängig waren.
Vor allem gelang es der SED, den Staatsapparat systematisch mit ihren eigenen Kadern zu besetzen. Rückschauend bestätigt die DDR-Geschichtsschreibung: *»Ebenso wie in der Regierung übernahmen im gesamten Staats- und Wirtschaftsapparat erfahrene und im Klassenkampf bewährte Mitglieder der SED die entscheidenden Positionen.«*[51]
Was Wilhelm Pieck bei Gründung der SED so vehement bestritten hatte, wurde nun Wirklichkeit: Die DDR wird seither, trotz formaler Existenz von insgesamt fünf Parteien, von einer einzigen regiert, genauer: von ihrem Politbüro und dem Parteiapparat, da die innerparteiliche Demokratie in der SED abgeschafft worden war.
Die Volksvertretungen übten lediglich Scheinfunktionen aus. Die SED beherrschte den Staatsapparat, die Justiz und die Massenorganisationen. Die Anleitung und die Kontrolle des Bildungswesens, der Medien und der Kultur sicherten der Partei das Meinungsmonopol. Der Marxismus-Leninismus Stalinscher Prägung wurde für den Staat zur »herrschenden Ideologie« erklärt. Damit fehlte in der DDR das Recht auf Meinungsfreiheit ebenso wie politische Freiheiten; jede Opposition wurde verfolgt, was für die Bevölkerung Rechtsunsicherheit und Willkürherrschaft bedeutete. Grundlage dieses Regimes war die verstaatlichte und geplante Wirtschaft mit materieller Privilegierung einer bürokratischen Oberschicht.
Obwohl die SED auf ihrer 1. Parteikonferenz im Januar 1949 noch erklärt hatte, in der SBZ entstehe – um die Einheit Deutschlands nicht zu gefährden – keine »Volksdemokratie«, wurde nach Gründung der DDR ähnlich wie in den osteuropäischen Volksdemokratien doch das sowjetische Modell übernommen. Seit der 2. Parteikonferenz im Juli 1952 sprach die SED offen von der volksdemokratischen Staatsmacht.

Der III. Parteitag der SED

Der III. Parteitag der SED vom 20. bis 24. Juli 1950 entwickelte Konzeptionen, mit denen sowohl die Wirtschaft als auch die Kulturpolitik weiter an die UdSSR angeglichen werden sollten. Ein neues Parteistatut sollte die Stalinisierung der Partei abstützen. Die 2200 Delegierten vertraten 1 750 000 Mitglieder. Den Bericht des Parteivorstandes erstattete Pieck, die Hauptreferate hielten Grotewohl über den »Kampf um den Frieden« und die »Nationale Front« sowie Ulbricht zum Fünfjahrplan der Volkswirtschaft. Der Parteitag wählte zum ersten Mal statt des Parteivorstandes ein Zentralkomitee (ZK), dessen Politbüro 15 Personen angehörten: Zu den neun Vollmitgliedern zählten neben den Kommunisten Ulbricht, Pieck, Dahlem, Matern, Oelßner, Rau und Zaisser nur noch zwei ehemalige Sozialdemokraten, nämlich Grotewohl und Ebert. Von den sechs Kandidaten hatte nur einer, Mückenberger, früher der SPD angehört, Ackermann, Herrnstadt, Honecker, Jendretzky und Elli Schmidt kamen aus der KPD. Walter Ulbricht, nun zum Generalsekretär gewählt, blieb bis 1971 die dominierende Person in Partei und Staat.
Der vom Parteitag geforderte »Kampf gegen Spione und Agenten«, vor allem gegen das Ost-

büro der SPD, »Tito-Clique« und »Trotzkisten« war der Auftakt für eine umfassende Parteisäuberung. Nach eingehender Überprüfung wurden 1950/51 150 696 Parteimitglieder aus der SED ausgeschlossen, 18 000 in den Kandidatenstand zurückversetzt. Gleichzeitig begann die erste große Säuberung in der Führungsspitze.

Säuberungen

Paul Merker, Mitglied des ersten Politbüros, wurde zusammen mit anderen Altkommunisten ausgestoßen. In dieser Periode war die Parteiführung bestrebt, die Einheit und Zentralisierung der SED vor allem durch Einschüchterung zu sichern und damit ihre Funktionäre zu disziplinieren.

Die Säuberungen liefen parallel zu Schauprozessen in anderen »Volksdemokratien«. Solche Schauprozesse, die nur auf absurden Geständnissen der Angeklagten – ehemals führenden Kommunisten – beruhten, hatte Stalin von 1936 bis 1938 gegen die meisten Mitkämpfer Lenins (Sinowjew, Radek, Bucharin, Rykow usw.) durchführen lassen. Bei diesen Säuberungen war damals fast das gesamte Führungskorps der Lenin-Ära sowie 1 Million Mitglieder der KPdSU ausgeschaltet worden. Die meisten Führer wurden zum Tode verurteilt und hingerichtet. Die Mehrzahl der verhafteten Parteimitglieder verschwand in den Lagern des Gulag und ging dort zugrunde. Dies war das »Vorbild« der Säuberungen in Osteuropa.

Im September 1949 mußten in Budapest der frühere ungarische Innenminister Laszlo Rajk und sieben hohe kommunistische Funktionäre vor Gericht, im Oktober 1949 wurden in Sofia neben Traitscho Kostoff, dem ehemaligen »zweiten Mann« nach Dimitroff, zehn weitere leitende Kommunisten abgeurteilt. Sämtliche Angeklagten (außer Kostoff, der dies standhaft verweigerte) »gestanden«, für Jugoslawien und die USA spioniert und gegen die Volksdemokratien konspiriert zu haben, alle wurden hingerichtet. Im Rahmen der Entstalinisierung wurden später freilich alle rehabilitiert, die Anschuldigungen gegen sie als falsch verworfen.

Eine zentrale Rolle in diesen Verfahren spielte die Zusammenarbeit mit den Amerikanern Noel und Hermann Field, die im 2. Weltkrieg kommunistische Emigranten unterstützt hatten. Diese Verbindung wurde nun auch den deutschen Kommunisten, die im westlichen Exil waren, insbesondere Paul Merker, zum Verhängnis. Nachdem in Prag im November 1952 der frühere Generalsekretär der KPČ, Rudolf Slansky, und zehn weitere Angeklagte verurteilt und hingerichtet worden waren (drei andere erhielten lebenslänglich), begann auch die SED einen Schauprozeß gegen kommunistische Führer wie Merker und Dahlem vorzubereiten, der nur unterblieb, weil Stalin im März 1953 starb.

Die 2. Parteikonferenz der SED

Höhepunkt der Stalinisierung der DDR war die 2. Parteikonferenz der SED vom 9. bis 12. Juli 1952. Generalsekretär Ulbricht proklamierte vor über 2000 Delegierten und Gastdelegierten den planmäßigen Aufbau des Sozialismus in der DDR. Er erklärte, die politischen und ökonomischen Bedingungen in der DDR seien so weit entwickelt, daß dieses Ziel nunmehr zu realisieren sei. Dazu müßten vor allem die *»volksdemokratischen Grundlagen der Staatsmacht«* gefestigt werden. Eine *»Verschärfung des Klassenkampfes«* sei unvermeidlich, und deshalb sei es notwendig, *»feindliche Agenten unschädlich«* zu machen.[52] Die SED versprach, unter *»Führung der Arbeiterklasse«* den Sozialismus in der DDR zu verwirklichen, doch zeigte der Verlauf der 2. Parteikonferenz, daß die SED nicht nur das sowjetische Grundmodell für sich akzeptierte, sondern darüber hinaus alle stalinistischen Methoden bis hin zu den Säuberungen. Der stärkste Gegenspieler Ulbrichts, Franz Dahlem, wurde 1952 schrittweise ausgeschaltet und im Mai 1953 offiziell abgesetzt.

Auch weiterhin wurde die Herrschaft der Partei ideologisch verbrämt. So behauptete die Parteiführung, mit dem Marxismus-Leninismus als wissenschaftliche Theorie sei sie im Besitz der Wahrheit, kenne die Gesetze der Geschichte, und unter Ausnutzung dieser Gesetzmäßigkeiten werde sie den Übergang zum Sozialismus vollziehen. Kern der Ideologie war der Totalitätsanspruch der Partei, der in dem Satz gipfelte: *»Die Partei, die hat immer recht«* – wie der

Refrain eines Liedes von Louis Fürnberg aus Anlaß des III. Parteitags lautete. Priorität erhielt nach der 2. Parteikonferenz der *»ideologische Kampf«,* die Schaffung *»sozialistischen Bewußtseins«* und die Verdrängung der *»bürgerlichen Ideologie«,* was durch *»noch gründlicheres«* Studium der Werke Stalins erreicht werden sollte.[53] Die Verbreitung des Marxismus-Leninismus war zu forcieren, um einen zuverlässigen Funktionärstamm heranzubilden; ideologische Ausrichtung erschien wichtiger als Sachverstand.

Deutschlandpolitisch forderte die 2. Parteikonferenz die Bevölkerung Westdeutschlands zum *»nationalen Befreiungskampf gegen die amerikanischen, englischen und französischen Okkupanten«* und zum *»Sturz ihrer Vasallenregierung in Bonn«* auf. Ulbricht proklamierte die Aufstellung bewaffneter Streitkräfte der DDR (die es in Form der Kasernierten Volkspolizei längst gab) und versprach, diese würden der revolutionären Volksbewegung in Westdeutschland Rückhalt und Mut im *»Kampf für den Sturz der Bonner Vasallenregierung«* geben.

Sicherung der SED-Herrschaft

Nach der SED-Version herrschte nun in der DDR die Arbeiterklasse im Bündnis mit der Klasse der Bauern sowie der Schicht der »Intelligenz«. Tatsächlich bestimmten die hauptamtlichen Mitarbeiter, die Apparate der Partei, Staat, Sicherheitsorganen, Wirtschaft und Medien. Dabei spielte der Parteiapparat, seine hauptamtlichen Kader, die entscheidende Rolle. Bereits 1948 umfaßte dieser Parteiapparat 20 000 Personen, er wuchs in den folgenden Jahren noch an.[54] Gestützt auf die Aktivität dieses Apparats, hatte die SED bis 1953 das Herrschaftssystem der Sowjetunion auf die DDR übertragen können. Als Machthebel dienten ihr dabei: 1. der Parteiapparat, 2. der Staatsapparat (Regierung, Verwaltung, Justiz, politische Polizei, Armee, Medien usw.), 3. die Massenorganisationen sowie die anderen Parteien, die als »Transmissionsriemen« die Verbindung zu allen Bevölkerungsschichten herstellen und diese anleiten sollten.

Grundsätzlich benutzte die SED zur Herrschaftssicherung drei Methoden, die sie ebenfalls von der Sowjetunion Stalins übernommen hatte. Erstens wurden Gegner mit Terror niedergehalten. Der Staatssicherheitsdienst und die Justiz richteten sich gegen eine Minderheit, die aktiv das System ändern wollte. Während der Säuberungen war Gewalt auch ein Mittel zur Disziplinierung der SED selbst. Zweitens praktizierte die Führung das Mittel der Neutralisierung, womit »unpolitische« Menschen, die weder Gegner noch Anhänger des Systems waren, bei allmählich wachsendem Wohlstand und einem Mindestmaß an persönlichem Freiraum passiv gehalten werden sollten. Drittens war die Ideologie nicht nur Bindeglied der herrschenden Elite, sie wurde auch benutzt, um durch Indoktrination – vor allem der Jugend – neue Anhänger zu gewinnen. Die Ideologie diente ferner – neben der Anleitung des politischen und sozialen Handelns – als Rechtfertigungs- und Verschleierungsinstrument der Führung.

»Neuer Kurs«

Ausgerichtet war die Ideologie auf den Personenkult um Stalin. Typisches Beispiel war, daß Ulbricht auf der 2. Parteikonferenz sein Schlußwort mit dem Ruf beendete: *»Wir werden siegen, weil uns der große Stalin führt!«*[55]

Der Tod Stalins am 5. März 1953 schockierte daher die SED-Spitze um so mehr, als die neue Sowjetführung (Malenkow, Molotow, Berija) von der SED eine Kurskorrektur, die Abkehr von der harten Linie verlangte.

Im Politbüro der SED drängten nun die vom sowjetischen Sicherheitschef Berija favorisierten Altkommunisten Wilhelm Zaisser und Rudolf Herrnstadt nicht nur auf eine flexiblere Innen- und Deutschlandpolitik, sie zielten sogar auf eine Ablösung Ulbrichts.

Am 9. Juni 1953 beschloß das Politbüro der SED auf Geheiß Moskaus den »Neuen Kurs« in der DDR. Die SED-Führung gestand ein, von Partei und Regierung seien *»in der Vergangenheit eine Reihe von Fehlern«* begangen worden.[56] Zwangsmaßnahmen gegen Bauern, selbständige Gewerbetreibende und Intellektuelle mußten nun ebenso zurückgenommen werden wie

Preissteigerungen. Der Aufbau der Schwerindustrie sollte gebremst, die Konsumgüterproduktion gefördert werden, um eine Besserung des Lebensstandards zu erreichen.

Aufstand vom 17. Juni 1953

Doch um die Mißstimmung der Bevölkerung aufzufangen, war es bereits zu spät. Vor allem wuchs der Unmut der Arbeiterschaft, da der Beschluß über eine zehnprozentige Erhöhung der Arbeitsnormen in Industrie und Bauwesen vom 14. Mai nicht revidiert wurde. Aus einem Streik der Bauarbeiter in der Berliner Stalin-Allee am 16. Juni entwickelte sich dann am 17. Juni ein Arbeiteraufstand in der DDR. In mehr als 250 Städten und Orten kam es zu Streiks und Demonstrationen, wobei die wichtigen Industriegebiete die Zentren der Erhebung waren. In Halle-Merseburg, einem ehemaligen Zentrum der KPD, und in Magdeburg, einer früheren SPD-Hochburg, konnten Streikkomitees der Arbeiter vorübergehend die Macht übernehmen. Während der Aufstand mit wirtschaftlichen Forderungen begann, prägten ihn bald politische Parolen, so der Ruf nach freien Wahlen.
Die Aufstandsbewegung radikalisierte sich rasch. Sie wurde mit militärischer Gewalt niedergeschlagen.[57] Nur das Eingreifen der sowjetischen Besatzungstruppen verhinderte den Sturz der Regierung in Ost-Berlin.
Die Behauptung vom »Arbeiterstaat« DDR und von der »Arbeiterpartei« SED war durch den Aufstand der Arbeiter als Legende enthüllt worden. Eine wichtige Rechtfertigung der SED-Herrschaft geriet ins Wanken. Beim Aufstand hatte sich gezeigt, daß sich Mitglieder und auch Funktionäre der SED unter den Streikenden befanden oder sich mit ihnen solidarisierten. Die Parteiführung mußte z. B. konstatieren, daß selbst Parteischüler eines »Propagandistenlehrgangs« nicht »fest zur Partei stehen«, daß vor allem frühere sozialdemokratische Betriebsräte und Gewerkschafter die aufständischen Arbeiter anführten.[58]

Neue Säuberung der SED

Auf staatlicher Ebene zog die SED-Führung aus dem 17. Juni die Konsequenz, den Transformationsprozeß zunächst zu verlangsamen und am »Neuen Kurs« festzuhalten. Die Partei selbst aber sollte durch eine Säuberung schlagkräftiger gemacht werden. Spitzenfunktionäre wie Adelbert Hengst, Sekretär des ZK (er hatte sich mit den Streikenden solidarisiert), wurden wegen *»parteiwidrigen Verhaltens«* aus der SED ausgeschlossen. Ebenso verloren die SED-Funktionäre Bernd Weinberger (Minister für Landmaschinenbau) oder der Gewerkschaftsführer Alex Starck ihre Posten. Max Fechner, einer der früheren Vorsitzenden des ZA der SPD, wurde als Justizminister abgesetzt und sogar verhaftet, weil er öffentlich auf die Verfassungsmäßigkeit des Streikrechts der Arbeiter verwiesen hatte.[59]
Der Aufstand, der vor allem Ulbricht stürzen sollte, stärkte die Position des Generalsekretärs. Im Juli 1953 wurden seine Gegenspieler Zaisser und Herrnstadt aus der Parteiführung (und im Januar 1954 auch aus der SED) ausgeschlossen. Auch Ackermann, Jendretzky und Elli Schmidt wurden ihrer Spitzenfunktionen enthoben. Eine umfassende Reinigung des Parteiapparats folgte in den nächsten Monaten. Von den 1952 gewählten Mitgliedern der SED-Bezirksleitungen mußten bis 1954 über 60 Prozent ausscheiden, von den 1. und 2. Kreissekretären sogar über 70 Prozent.[60]
Nicht nur der hauptamtliche Parteiapparat, auch die Parteiorganisation selbst wurde gesäubert. Bis Ende 1953 hatten Untersuchungskommissionen bei persönlichen Aussprachen die Einstellung jedes einzelnen Parteimitglieds zu erforschen. Daraufhin wurden zahlreiche Mitglieder ausgeschlossen oder erhielten Parteistrafen. Viele dieser Funktionäre hatten vor 1933 der KPD angehört, in Leipzig 59 Prozent, sogar 71 Prozent in Halle.
Aufgrund der Schwierigkeiten mit ehemaligen Sozialdemokraten und Kommunisten stützte sich die Führung nun stärker auf die jüngeren Mitglieder. Nach einer gründlichen Parteischulung sollten diese einen neuen, zuverlässigen Funktionärskader bilden. Im September 1953 stellte das Politbüro fest, ein großer Teil der 1,2 Millionen Mitglieder habe *»keine politische Ausbildung und Parteistählung«*, viele seien passiv, hätten sozialdemokratische Ansichten, es wirkten sogar *»feindliche Elemente«* in der Partei.[61]
Ein *»Parteiaktiv«* aus 150 000 bis 200 000 Mit-

gliedern sollte diesen Zustand durch Einflußnahme auf allen Ebenen beenden. Die Parteiaktivs setzten sich aus hauptamtlichen Mitarbeitern der Partei, des Staates und der Massenorganisationen zusammen, sie wurden (obwohl im Statut nicht vorgesehen) zum Rückgrat der SED und verdrängten die letzten Reste innerparteilicher Demokratie.
Die neue Funktion der SED als Staatspartei widerspiegelte sich in ihrer veränderten sozialen Zusammensetzung. Waren im Mai 1947 noch fast 48 Prozent der Mitglieder Arbeiter, ging dieser Anteil auf 39 Prozent im Jahre 1954 zurück. In Berlin betrug er bereits 1953 nur 23,6 Prozent, in Erfurt 38 Prozent.[62]

Der IV. Parteitag 1954

Der IV. Parteitag der SED (30. 3. bis 6. 4. 1954) bekannte sich zur Führungsrolle der KPdSU. Die 1779 Delegierten (die 1,4 Millionen Mitglieder vertraten) beschlossen ein neues Statut, die SED berief sich darin auf die Tradition der KPD. Entsprechend der sowjetischen Forderung nach »kollektiver Führung« wurde Walter Ulbricht »Erster Sekretär« der SED, den Titel Generalsekretär gab es nicht mehr. Dem Politbüro gehörten Friedrich Ebert, Otto Grotewohl, Hermann Matern, Fred Oelßner, Wilhelm Pieck, Heinrich Rau, Karl Schirdewan und Willi Stoph an, Erich Honecker blieb Kandidat. Zweiter Mann der Partei war nun Schirdewan. Mit dieser Führung wollte die SED die Anpassung an die sowjetische Entstalinisierung vollziehen, jedoch ohne wesentliche eigene Vorstellungen aufzugeben. Nach wie vor reihte sie Stalin unter die »Klassiker« des Marxismus-Leninismus ein. Die Entschließung der 25. ZK-Tagung vom Oktober 1955[63] zum Beispiel sprach weiter von der *»Lehre von Marx, Engels, Lenin und Stalin«* als ideologischer Grundlage der Partei.
Auch in der Personalpolitik wurde noch 1955 *»die Durchsetzung der Lenin-Stalinschen Kaderprinzipien«* verlangt. Und die angebliche »Wissenschaftlichkeit der Politik der Partei« belegte die SED immer noch mit Aussagen aus Stalins Schriften.[64]

4. Die SED und die Entstalinisierung 1956–1961

10 Jahre nach Kriegsende hatte die SED ihre Organisation zu einer zentralistisch geführten kommunistischen Partei ausgebaut. Zugleich konnte sie mit Hilfe der Sowjetunion ihre Herrschaft in der DDR festigen, auch wenn es ihr nicht gelungen war, für ihre »führende Rolle« die Anerkennung der Bevölkerung und damit eine solide Basis der Macht zu schaffen. Dieser Mangel an Konsens beruhte vor allem auf der Übernahme der stalinistischen diktatorischen Praxis. Als Chruschtschow auf dem XX. Parteitag der KPdSU im Februar 1956 mit seiner Geheimrede über Stalins Verbrechen die Entstalinisierung einleitete, traf dies die unvorbereitete SED wie ein Schock. Auch jetzt versuchte Ulbricht noch, die Kritik an Stalin auf das unumgänglich Nötige zu beschränken und die Diskussion auf Wirtschaftsprobleme umzulenken, um der Auseinandersetzung über die eigene stalinistische Politik zu entgehen. Doch mit der Rückendeckung des »Tauwetters« in der Sowjetunion, ermutigt durch die radikale antistalinistische Entwicklung in Polen und Ungarn, wuchs in der SED die Opposition gegen den Ulbricht-Kurs. In der Intelligenz (Harich-Gruppe), aber auch in der Parteiführung (Schirdewan – Wollweber) bildeten sich Gruppierungen, die eine konsequente Abkehr vom Stalinismus und die Ablösung Ulbrichts forderten sowie neue Konzeptionen eines »dritten Weges« diskutierten. Erst die Niederschlagung der Ungarischen Revolution durch sowjetische Panzer im November 1956 gab der Ulbricht-Führung die Möglichkeit, die Opposition durch Verhaftung und Maßregelung ihrer Anführer zu zerschlagen und die eigene Herrschaft wieder zu stabilisieren.

Die nächste Krise wurde durch die katastrophale wirtschaftliche Entwicklung ausgelöst (Scheitern des Siebenjahresplans, Kollektivierung der Landwirtschaft). Die daraus folgende Massenflucht wurde durch Chruschtschows ultimative Berlin-Politik noch forciert. Sie führte schließlich im August 1961 zum Mauerbau in Berlin. Dies wurde ein historischer Einschnitt in der Entwicklung der SED und der DDR, dessen Tragweite sich aber erst später herausstellte.

Die 3. Parteikonferenz 1956

Am 4. März 1956, eine Woche nach dem XX. Parteitag der KPdSU, erschien in »Neues Deutschland« ein Artikel von Walter Ulbricht. Der SED-Chef berichtete über die Korrektur *»bestimmter theoretischer Fehler«* Stalins durch das ZK der KPdSU, darunter die These von der Verschärfung des Klassenkampfes beim Aufbau des Sozialismus, die auch der SED seit 1948 zur Rechtfertigung von Säuberungen, Verfolgungen und Geheimpolizeiterror gedient hatte. Der Hauptverantwortliche dafür, Walter Ulbricht, erklärte nun, Stalin habe zwar nach dem Tode Lenins Verdienste beim Aufbau des Sozialismus und beim Kampf gegen Parteifeinde erworben, später aber der KPdSU und dem Sowjetstaat bedeutende Schäden zugefügt. *»Zu den Klassikern des Marxismus kann man Stalin nicht rechnen.«* Ulbricht empfahl, die Lehren des XX. Parteitages auszuwerten, aber nur *»soweit sie auf unsere Verhältnisse anwendbar sind«*.
Dieser Artikel löste in der Partei, insbesondere bei jungen Menschen, die jahrelang mit dem Auswendiglernen der Schriften Stalins und den absurdesten Lobpreisungen des »großen Lehrmeisters« indoktriniert worden waren, Empörung aus. Vor der 3. Parteikonferenz, die der SED die Linie des XX. Parteitages vermitteln sollte, sammelte sich Zündstoff an. Aber der Parteiapparat verstand es, mit einer geschickten Regie den Unmut niederzuhalten.
Am 17. März, eine Woche vor der Konferenz, erklärte Walter Ulbricht auf der Ost-Berliner SED-Bezirksdelegiertenkonferenz, die Parteiführung habe schon 1953 bei den Staatssicherheitsorganen Ansätze zu Gesetzesverletzungen und Verfolgungen korrigiert. Seitdem gebe es keine ungesetzlichen Verhaftungen und keine Verletzung der innerparteilichen Demokratie.
Am 24. März traten in Ost-Berlin 2300 Delegierte zur 3. Parteikonferenz zusammen. Probleme des Stalinismus, die alle bewegten, standen nicht auf der Tagesordnung. Statt dessen befaßte sich die Konferenz mit der Direktive für den zweiten Fünfjahrplan 1956 bis 1960. Nur Karl Schirdewan sprach von einer *»Korrektur der Fehler und Irrtümer Stalins«* und forderte, bei der *»Würdigung«* Stalins *»unsere bisherigen Anschauungen einer Revision«* zu unterziehen. Allein der Schriftsteller Willi Bredel, Mitglied des ZK, wagte es, Stalin direkt zu kritisieren. Er ging auch selbstkritisch mit der SED ins Gericht. Die Parteischulung nannte er *»geistige Massenübungen«* der Dogmatiker. Doch seine Ausführungen fanden kaum Resonanz. Dagegen verteidigte der Vorsitzende der ZPKK, Hermann Matern, Ulbricht gegen alle *»Verleumdungen«* und verlangte, die SED müsse sich *»noch fester, noch geschlossener«* hinter das ZK stellen.[66]
Nach dem Muster des XX. Parteitages der KPdSU wurde das Thema Stalin nur auf einer geschlossenen Sitzung behandelt, wo die Delegierten von Karl Schirdewan über die Rede Chruschtschows informiert wurden. Das Politbüro erklärte in einem Beitrag im »Neuen Deutschland« vom 29. April 1956, in der SED habe es keinen Personenkult und keine Massenrepressalien gegeben, daher wurde eine »rückwärtsgewandte Fehlerdiskussion« nicht zugelassen. Die 28. ZK-Tagung im Juli 1956 rief zwar zur Überwindung des Dogmatismus in der ideologischen Arbeit auf, doch ihre Generallinie änderte die Partei nicht. Immerhin mußte die Führung frühere Beschlüsse gegen den »Titoismus« aufheben, die ehemaligen Parteiführer Dahlem, Ackermann, Jendretzky und Elli Schmidt rehabilitieren, Fechner aus dem Gefängnis entlassen und seine strafrechtliche Verfolgung für ungerechtfertigt erklären lassen. Doch politischen Einfluß konnten die Ulbricht-Gegner nicht mehr erlangen.

Opposition des »dritten Weges«

In der Partei selbst aber häuften sich die Angriffe gegen den Stalinismus und seinen bisherigen Repräsentanten Ulbricht. Bei der Suche nach neuen Wegen kam es vor allem an den Universitäten zu heftigen Auseinandersetzungen mit Vertretern der Parteiführung. Mit Ernst Bloch und Robert Havemann gab es nun Leitbilder für eine Opposition des »dritten Weges«, die antistalinistisch, aber nicht antikommunistisch war, die sich ebenso gegen den Kapitalismus wie die Herrschaftsstrukturen der DDR und der UdSSR richtete. Die »marxistische« Schulung in der DDR hatte das System gestützt und treue

Anhänger der SED herangebildet, aber gleichzeitig auch marxistische Rebellen erzogen, die nun innerhalb der SED wirkten und durch Reformen und Demokratisierung einen »menschlichen Sozialismus« aufbauen wollten. Jahrelang waren der jungen Generation und den Parteikadern Wertvorstellungen vermittelt worden, nach denen der Kampf gegen Ausbeutung und Unterdrückung, der Einsatz für soziale Gerechtigkeit, Freiheit und Emanzipation die Leitlinien der Politik bestimmen sollten. Den Alltag der DDR erfuhren sie völlig anders. Statt der theoretischen Ideale existierten Ausbeutung und Unterdrückung ebenso wie Lüge und Karrierismus. In diesem Widerspruch zwischen Theorie und Praxis lag für einen Teil der geschulten Kader genügend Anlaß zum Revoltieren.

Eine typische Oppositionsgruppe dieser Art bildeten SED-Funktionäre um den Parteiphilosophen Wolfgang Harich, sie verfaßten eine »Plattform«, in der es hieß: *»Wir wollen auf den Positionen des Marxismus-Leninismus bleiben. Wir wollen aber weg vom Stalinismus.«*[67]

Harich, der die »Plattform« dem Sowjetbotschafter Puschkin überbracht hatte, und die Mitglieder seiner Gruppe wurden am 29. November 1956 verhaftet und im März bzw. Juli 1957 zu hohen Zuchthausstrafen verurteilt. Daß die Gruppe so lange agieren konnte, verdankte sie möglicherweise der Tatsache, daß sich eine Opposition in der Parteiführung selbst bildete. Der zweite Mann der SED, Karl Schirdewan, der Chef des Staatssicherheitsdienstes, Ernst Wollweber, und der ZK-Sekretär für Wirtschaft, Gerhart Ziller, traten für weitreichende Reformen und die Ablösung Ulbrichts ein. Unterstützung erfuhr diese Gruppe im Politbüro vom Parteiideologen Fred Oelßner sowie vom stellvertretenden Regierungschef Fritz Selbmann. Doch nachdem sich auf einer kommunistischen Weltkonferenz in Moskau im November 1957 die dogmatische Linie durchgesetzt hatte, gelang es Ulbricht, seine Widersacher auszuschalten. Die 35. Tagung des ZK im Februar 1958 verurteilte die Schirdewan-Opposition, deren Anhänger verloren ihre Parteifunktion (Ziller hat im Dezember 1957 Selbstmord begangen).

Über die Auseinandersetzungen im Politbüro hatte die SED-Mitgliedschaft eineinhalb Jahre lang kein Wort erfahren. Dennoch war sie nun aufgerufen, diese Opposition zu verdammen, ohne deren Vorstellungen im einzelnen zu kennen. Nach wie vor blieb der Parteiaufbau der SED strikt am stalinistischen Führungsprinzip ausgerichtet. Die Machtkonzentration bei der Führungsspitze, dem Politbüro und dem Sekretariat, und die hierarchische Organisationsstruktur charakterisierten auch weiterhin den Führungsstil der Partei. Mit dieser erstarrten Struktur glaubte die SED, die auf sie einstürmenden Probleme von Wirtschaft und Gesellschaft lösen zu können.

Der V. Parteitag 1958

Vom 10. bis 16. Juli 1958 tagte der V. Parteitag der SED. Durch die Ausschaltung der Opposition hatte Ulbricht seine Position in der Partei gefestigt, sie sollte für ein Jahrzehnt unumstritten bleiben. Während der Vorbereitungen zum V. Parteitag war wiederum fast ein Drittel der hauptamtlichen Funktionäre der Bezirksleitungen ausgewechselt worden. Nun zeigte der Parteitag, daß sich die SED-Führung nach den Turbulenzen von 1956 und 1957 konsolidiert hatte. Daher wollte sie – wenn auch behutsamer als 1952 – den »Aufbau des Sozialismus« wieder forcieren. Die Wirtschaftspolitik stand im Vordergrund des Parteitages. Allerdings verstieg sich Ulbricht zu völlig unrealistischen Wirtschaftszielen: Als *»ökonomische Hauptaufgabe«* sollte die DDR beim *»Pro-Kopf-Verbrauch«* aller *»wichtigen Lebensmitel und Konsumgüter«* in *»wenigen Jahren«* die Bundesrepublik überholen.[68] (Zur gleichen Zeit proklamierte Chruschtschow für die Sowjetunion das Ein- und Überholen der USA.)

Der Parteitag (die 1600 Delegierten vertraten 1,4 Millionen Mitglieder) wollte indes auch demonstrieren, daß die SED nicht nur eine »Wirtschaftspartei« war. Ideologie rückte wieder stärker in den Mittelpunkt.

Nachdem die Moskauer Konferenz der Kommunistischen Parteien im November 1957 bereits die Verbreitung des Marxismus-Leninismus zum »entscheidenden Kettenglied« erklärt hatte, galt nun auch für die SED die *»sozialistische Erziehung«* der Menschen als *»Schlüssel, um die nächsten ökonomischen und politischen Aufgaben zu lösen«*.[69] Aufgabe des dialektischen und historischen Materialismus sollte es sein nachzuweisen, daß die DDR ein Ergebnis der Gesetzmäßigkeit der Geschichte sei, die Politik der SED auf objektiven Weltgesetzen beruhe und sich daher mit schicksalshafter Unabwendbarkeit durchsetze. Dazu erklärte Ulbricht auf dem V. Parteitag: *»Bei der Bildung des sozialistischen Bewußtseins ist die Aneignung des dialektischen Materialismus vor allem aus zwei Gründen erforderlich: 1. weil der dialektische Materialismus die einzige wissenschaftliche Weltanschauung vermittelt und damit das Rüstzeug gibt, den Sozialismus praktisch aufzubauen, 2. weil er die theoretische Grundlage der sozialistischen Ethik und Moral darstellt.«*[70] In den folgenden Jahren bildete der dialektische Materialismus daher die Basis der SED-Schulung.

Nach dem Muster der christlichen 10 Gebote verkündete Ulbricht auf dem Parteitag »10 Grundsätze der sozialistischen Ethik und Moral«, die unter anderem Verbundenheit mit den sozialistischen Ländern, Verteidigung der »Arbeiter-und-Bauern-Macht« der DDR oder Verbesserung der Arbeitsleistung forderten. Sie enthielten auch solche Allgemeinplätze: *»Du sollst sauber und anständig leben und Deine Familie achten.«*[71]

Die neue Ulbricht-Führung

Der V. Parteitag wählte ein neues ZK mit 110 Mitgliedern und 44 Kandidaten, das ein von 9 auf 13 Mitglieder und von 5 auf 8 Kandidaten erweitertes Politbüro bestätigte. Mitglieder des Politbüros wurden Ebert, Grotewohl, Honekker, Leuschner, Matern, Mückenberger, Neumann, Norden, Pieck, Rau, Stoph, Ulbricht und Warnke. Zwölf Jahre nach dem Gründungsparteitag befanden sich von den damaligen 14 Leitungsmitgliedern (Zentralsekretariat) nur noch vier in der Führungsspitze (Grotewohl, Matern, Pieck und Ulbricht); im Politbüro waren nur noch drei ehemalige Sozialdemokraten (Ebert, Grotewohl und Mückenberger). Inzwischen konnten Nachwuchspolitiker wie Honecker in die Führung vorrücken. Doch nur zwei Frauen, Edith Baumann und Luise Ermisch, gehörten als Kandidaten dem Politbüro an. Selbst im ZK blieben die Führer aus der Zeit der SED-Gründung nur eine Minderheit. Von den 60 Mitgliedern des ersten Parteivorstandes kamen nur noch 19 in das ZK von 1958. Die meisten Sozialdemokraten, aber auch viele Kommunisten der Gründerzeit waren durch Aufsteiger aus dem Parteiapparat abgelöst worden. Dies widerspiegelte die Wandlungen in der Mitgliedschaft: Waren es bei Gründung 1,3 Millionen, so 1948 ca. 2 Millionen, aber 1951 nur noch 1,2 Millionen gewesen und 1958 wieder 1,4 Millionen. Mehrere hunderttausend Mitglieder der Frühzeit sind also ausgeschieden und durch neue Kader ersetzt worden. Ebenso hatte sich die soziale Struktur verändert: 1947 waren 48 Prozent Arbeiter, 1957 nur noch 33,8 Prozent; 1947 gab es andererseits 22 Prozent Angestellte und Intellektuelle, 1957 aber fast doppelt so viele, 42,3 Prozent.[72] Die Funktion der SED als Staatspartei zeigte sich zunehmend auch in ihrer Struktur.

Die Kontinuität der SED war indes in Walter Ulbricht personifiziert, der seit ihrer Umwandlung in eine »Partei neuen Typus« 1948 der entscheidende Mann war. Er paßte sich allen Veränderungen der sowjetischen Politik rasch an, vermied aber dramatische Kurswechsel wie die Entstalinisierung. Diese Wendigkeit war seine Stärke. Verschiedentlich hatte er aber auch einfach Glück. Nur der 17. Juni 1953 und die Ungarische Revolution von 1956 bewahrten ihn vor der drohenden Absetzung, die in Moskau bereits beabsichtigt war. Wegen der Unruhen im Ostblock unterließ die Kreml-Führung die geplanten Experimente in der DDR, statt dessen konnte Ulbricht seine jeweiligen Gegenspieler ausschalten. Nach dem Tod von Pieck wurde Ulbricht im September 1960 auch Vorsitzender des Staatsrates, seine Machtfülle war nicht mehr zu überbieten. Staatsmännisches Geschick bewies er freilich erst in den sechziger Jahren.

Die übrigen Parteien waren inzwischen bereit, die Politik der SED uneingeschränkt mitzutragen. Hatten NDPD und DBD sich schon seit ihrer Gründung 1948 voll der Politik der SED untergeordnet, so inzwischen auch CDU und LDPD (deren Mitgliederbestand indessen stark zurückging). Der 9. Parteitag der CDU im Oktober 1958 bekräftigte die Mitarbeit der CDU beim *»Aufbau des Sozialismus«* unter der *»Führung der Arbeiterklasse und ihrer Partei«* – also der SED. Und der 10. Parteitag der CDU im Mai 1960 verankerte die Unterordnung der Par-

tei unter die SED verbindlich in der Satzung der Partei.[73] Die gleiche Entwicklung vollzog auch die LDPD, deren 8. Parteitag im Juli 1960 ebenfalls die Führungsrolle der SED akzeptierte.[74]
Die SED hatte eine Konsolidierung des von ihr geschaffenen Parteiensystems erreicht. Dies bedeutete aber auch, daß die vier übrigen Parteien zu ausführenden Organen der SED degradiert waren wie die Massenorganisationen (FDGB, FDJ, DFD usw.), die diesen Prozeß bereits früher vollzogen hatten.
Neben der Unterordnung der Parteien und Massenorganisationen unter ihre »führende Rolle« wollte die SED als Hegemonialpartei zur Sicherung ihrer Herrschaft vor allem den Staat strenger reglementieren. Folgerichtig nannte Ulbricht im Januar 1959 auf der 4. Tagung des ZK bei den Aufgaben für die *»sozialistische Umwälzung«* an erster Stelle die *»Entwicklung der volksdemokratischen Staatsmacht«*.[75]

Die Krise 1960/61

In den Jahren 1958 und 1959 schien es, als gelänge es der SED, breite Kreise der Bevölkerung politisch zu neutralisieren. Gegen die innerparteiliche Opposition ging die Führung zwar scharf vor, zugleich versuchte sie aber mit einer konsumfreundlicheren Wirtschaft und mehr Rücksicht auf Bedürfnisse und Wünsche der Bürger ihr Verhältnis zur Bevölkerung zu entspannen. Die Flüchtlingszahlen sanken 1958, und viele Menschen schienen sich mit dem Regime zu arrangieren. Doch die Berlin-Drohungen Chruschtschows, die Kollektivierung der Landwirtschaft und Schwierigkeiten der Wirtschaft verursachten neue Mißstimmungen. Die SED reagierte darauf mit einem härteren Kurs, und so kam es zu einer neuen Krise.
Davon blieb auch die Parteiorganisation nicht unberührt. Zwischen 1958 und 1961 wurden 105 Spitzenfunktionäre der 15 SED-Bezirksleitungen abgesetzt, darunter sieben 1. Sekretäre und 16 weitere Sekretäre.[76] Vor allem aber nahm wegen der Verhärtung der SED-Politik die Massenflucht wieder zu. Während 1959 143 000 Personen flüchteten, waren es 1960 bereits knapp 200 000. Im Januar und Februar 1961 flohen 30 200 Personen (darunter die Hälfte unter 25 Jahre alt!), und die Lage für die DDR wurde immer bedrohlicher. Ulbrichts Vorschlag, um West-Berlin eine Stacheldrahtbarriere zu errichten, wurde indes auf einer Tagung des Warschauer Paktes im März 1961 von mehreren kommunistischen Führern und auch von Chruschtschow abgelehnt. Nach dem katastrophalen Anschwellen der Flüchtlingszahlen (Juli: 30 444) entwarf die DDR mehrere Alternativpläne zur Abriegelung West-Berlins.[77] Am 4. August gab das ZK der SED eine Direktive an die unteren Leitungen, sich in *»hoher Kampfbereitschaft«* zu halten.[78] Die nach dem 17. Juni 1953 aufgebauten bewaffneten »Kampfgruppen« der SED waren alarmiert. Zur gleichen Zeit, vom 3. bis 5. August, tagten die Ersten Sekretäre der kommunistischen Parteien der Warschauer-Pakt-Staaten in Moskau. Sie stimmten nun dem Plan »Mauerbau« zu, in der Nacht zum 13. August erfolgte die Abriegelung der DDR.

5. Die SED in der Spätphase Ulbrichts 1961–1970

Die Abriegelung der DDR brachte die SED in eine den anderen osteuropäischen kommunistischen Parteien vergleichbare Lage: Die Grenzen waren geschlossen, die Massenflucht war unterbunden, die Bevölkerung mußte sich arrangieren. Die Partei konnte nun aber wirtschaftliche und politische Mißerfolge nicht mehr mit »Abwerbung« und westlicher Einflußnahme über die »offene Grenze« erklären, sie mußte selber die Verantwortung dafür übernehmen.
Noch in anderer Hinsicht begann Anfang der sechziger Jahre ein neuer Abschnitt in der Geschichte der SED. Der politische und soziale Transformationsprozeß – Umwandlung des privatkapitalistischen Eigentums in Industrie und Landwirtschaft in staatliches bzw. genossenschaftliches Eigentum, die Verdrängung der selbständigen Gewerbetreibenden und Landwirte war abgeschlossen, die Anpassung des politischen Systems an das sowjetische Vorbild – war vollzogen. Jetzt galt es, das System funktionstüchtig zu machen. Dazu war zweierlei nötig: Sachverstand und ein Minimalkonsens mit der Bevölkerung. Zwei typische Herrschaftsmethoden aus den vierziger und fünfziger Jahren waren

zur Bewältigung der neuen Aufgaben untauglich: Kaderauswahl nach ausschließlich politisch-ideologischer Zuverlässigkeit, Massenterror gegen die Bevölkerung.

Die zweite Entstalinisierung

In der Sowjetunion hatte Chruschtschow im Oktober 1961 auf dem XXII. Parteitag mit einer diesmal öffentlichen Anprangerung der Verbrechen der Stalinzeit eine zweite Entstalinisierungswelle ausgelöst. Die SED fürchtete in der erhitzten Atmosphäre nach dem Mauerbau eine Stalinismus-Diskussion, die die politische und moralische Autorität der Partei mit ihrer stalinistischen Führung vollends ruinieren mußte. Sie reagierte mit einer wohlerwogenen Mischung aus verbaler Verurteilung sowjetischer Verfehlungen, Reinwaschung der eigenen Seite und Beseitigung der äußerlichen Beweise des »Personenkults« um Stalin: Die nach ihm benannten Straßen und Betriebe sowie die neue Industriesiedlung Stalinstadt bei Fürstenberg an der Oder wurden wieder umbenannt, das riesige Stalin-Denkmal in Ost-Berlin verschwand.
In einer Stellungnahme zum XXII. Parteitag behauptete das SED-Zentralorgan »Neues Deutschland« am 12. November 1961, daß es *»in unserer Partei und unserer Volksmasse nicht zu schwerwiegenden und tragischen Verletzungen der innerparteilichen Demokratie, niemals zu Massenrepressalien . . . gekommen ist«*. Auf der 14. ZK-Tagung Ende November[79] verurteilte Ulbricht *»entschieden«* die *»unter Führung Stalins begangenen Fehler und Verbrechen«* und den *»schädlichen Personenkult«*. In der SED selber habe sich kein Personenkult entwickeln können. (Zur gleichen Zeit veröffentlichte die Parteipresse zahlreiche Ergebenheitsadressen für Ulbricht.)

Ideologische Schwerpunkte – Bausteine für ein neues Programm

Kurz vor und unmittelbar nach dem Mauerbau kam es zunächst zu einem schlimmen Rückfall in stalinistischen Massenterror. SED-Funktionäre und die Partei-Presse führten eine regelrechte Hetzkampagne gegen »Grenzgänger«, DDR-Bürger, die bis zur Mauer in West-Berlin gearbeitet hatten. Die SED-Zeitungen berichteten in einer rohen Sprache, wie Menschen wegen »feindlicher« Äußerungen verprügelt worden seien.
Gegen Jahresende ebbte diese Welle von Haß und Terror wieder ab. Die Partei wandte sich der ideologischen Aufrüstung zu. Das erste ideologische Schwerpunktthema war die Gleichberechtigung der Frau.
Im Dezember 1961 veröffentlichte das Politbüro der SED ein Kommuniqué »Die Frau – der Frieden und der Sozialismus«. Die »öffentliche Aussprache« darüber beherrschte lange Zeit die Propaganda der Partei. Die Forderungen des Kommuniqués zeigten, daß die Verwirklichung der Gleichberechtigung, die ja seit Gründung der DDR Verfassungsgrundsatz war, sehr im argen lag. 68 Prozent der arbeitsfähigen Frauen waren damals berufstätig, aber überwiegend auf minderqualifizierten und deshalb schlecht bezahlten Arbeitsplätzen und kaum in Führungspositionen. Das Kommuniqué erklärte die Gleichberechtigung der Frau nun zu einem *»unabdingbaren Prinzip des Marxismus-Leninismus«* und zu einer *»Angelegenheit der ganzen Gesellschaft«*. Vor allem die Qualifizierung der Frauen sollte beschleunigt verbessert werden. Die Belastungen der berufstätigen Frauen sollten abgebaut, der Weg in Führungspositionen erleichtert werden. Die SED selber hatte allen Grund, ihr eigenes Kommuniqué ernst zu nehmen. 23,5 Prozent der Parteimitglieder waren Frauen, aber im ZK gab es nur 10 Prozent, und unter den Vollmitgliedern des Politbüros befand sich keine einzige Frau. Ziel der Kampagne war es, noch mehr Frauen für die Teilnahme am Arbeitsprozeß zu gewinnen.
Im März 1962 verabschiedeten die SED und der Nationalrat der Nationalen Front das »Nationale Dokument«. Es enthielt die neue Linie für die Deutschlandpolitik der SED nach dem Mauerbau. Die Wiederherstellung der deutschen Einheit, die anderthalb Jahrzehnte lang als Hauptaufgabe der Gegenwart galt, wurde nun in eine ferne Zukunft vertagt: Sie sei erst nach dem Sieg des Sozialismus in der DDR und in Westdeutschland möglich. Der Aufbau des Sozialismus sei die historische Mission der SED,

sie könne damit nicht auf das zurückgebliebene Westdeutschland warten. Damit war die in der bisherigen Geschichte der SED immer wiederkehrende Auseinandersetzung darüber, ob die Wiedervereinigung oder die soziale Umgestaltung Vorrang haben sollte, zugunsten der letztgenannten Position entschieden. (Vgl. hierzu auch den Beitrag von Jens Hacker »SED und nationale Frage« in diesem Band, S. 43.)

Die DDR wisse sich *»im Einklang«* mit den *»Entwicklungsgesetzen der menschlichen Gesellschaft«* – diese These des Nationalen Dokuments war auch der Tenor des dritten Dokuments, mit dem sich das ZK der SED sogar mehrfach beschäftigte. Eine Kommission unter Vorsitz Walter Ulbrichts verfaßte einen »Grundriß der Geschichte der deutschen Arbeiterbewegung«. Er wurde vom ZK im Juli 1962 erstmals beraten und im April 1963 gebilligt. Der »Grundriß« war noch ganz im stalinistischen Geist geschrieben, mit Fälschungen und der Eliminierung von »Parteifeinden«. Zugleich bildete der »Grundriß« das Exposé für eine achtbändige Geschichte der deutschen Arbeiterbewegung, die im April 1966 publiziert wurde. Zwar waren nun die plumpen Fälschungen aufgegeben worden, aber noch immer zeigte sich, daß die Geschichtsschreibung der Legitimation der SED-Herrschaft dienen sollte. Im Selbstverständnis der SED führte eine gerade Linie von Marx und Engels über Bebel, Liebknecht und Luxemburg zu Thälmann und schließlich Ulbricht. Die Geschichtsschreibung sollte den »wissenschaftlichen Nachweis« erbringen, *»daß die SED . . . das gesetzmäßige, historisch-notwendige Ergebnis der geschichtlichen Entwicklung der letzten 120 Jahre ist«*[80]. Die SED wollte also ihre Politik historisch legitimieren, die Geschichtsbetrachtung wurde Teil der Ideologie.

Höhepunkt der programmatischen Kampagne war das vom VI. Parteitag 1963 angenommene Programm, das erste Parteiprogramm, das sich die SED 17 Jahre nach ihrer Gründung, gab.

In ihrem Programm berief sich die SED auf die Weltanschauung des Marxismus-Leninismus, ihr Ziel war offiziell die klassenlose Gesellschaft und der neue Mensch. Gestützt auf eine exakte Strategie und Taktik, wollte sie dies verwirklichen. Die Geschichte wurde im Sinne von Marx und Lenin als Geschichte von Klassenkämpfen gedeutet, wobei sich nun im Weltmaßstab Kapitalismus und Sozialismus gegenüberstehen. Um den Kapitalismus – im 20. Jahrhundert Imperialismus – zu überwinden, sei es erforderlich, daß die Arbeiter unter Führung der marxistisch-leninistischen Partei die politische Macht erobern und den Sozialismus aufbauen. Nach der SED-Interpretation hatte in der DDR in den sechziger Jahren bereits das *»Zeitalter des Sozialismus begonnen«*[81]. Das SED-Programm nannte als konkrete Aufgaben: Steigerung der Produktion und Arbeitsproduktivität, sozialistische Beziehungen zwischen den Menschen, aber auch die *»Wiederherstellung der nationalen Einheit Deutschlands«*[82].

Der VI. Parteitag 1963

Der VI. Parteitag, der vom 15. bis 21. Januar 1963 in Ost-Berlin stattfand, nahm außer dem Parteiprogramm, das Ulbricht erläuterte, auch ein neues Statut an, das Erich Honecker begründete. Der Parteitag wurde aber auch zu einem Forum der Auseinandersetzungen im Weltkommunismus. Die SED-Delegierten schrien den Vertreter der KP Chinas nieder, deren Anhänger aus Indonesien, Burma, Malaysia und Thailand kamen erst gar nicht zu Wort. In der Kontroverse zwischen der KPdSU (Chruschtschow nahm am Parteitag als Gast teil) und der KP Chinas bekannte sich die SED uneingeschränkt zur Position der Sowjetunion.

Der VI. Parteitag wählte ein neues ZK, das von 111 auf 121 Mitglieder und von 44 auf 60 Kandidaten erweitert wurde. Als Mitglieder des Politbüros bestätigte das ZK Friedrich Ebert, Paul Fröhlich, Otto Grotewohl, Kurt Hager, Erich Honecker, Bruno Leuschner, Hermann Matern, Erich Mückenberger, Alfred Neumann, Albert Norden, Willi Stoph, Walter Ulbricht, Paul Verner und Herbert Warnke. Fünf der bisherigen Kandidaten, darunter die beiden Frauen (Edith Baumann und Luise Ermisch), wurden nicht wiedergewählt. Jüngere Akademiker und Wirtschaftler wie Erich Apel, Werner Jarowinsky und Günter Mittag rückten erstmals neben erfahrenen Apparatfunktionären als Kandidaten ins Politbüro auf. Ihre Wahl unterstrich, welch große Bedeutung die Parteifüh-

rung der Bewältigung der ökonomischen Probleme beimaß, signalisierte aber auch eine veränderte Kaderpolitik Ulbrichts, den Trend, die Parteipolitik zu versachlichen und Spezialisten heranzuziehen.
Dies war auch notwendig, weil der Führungsanspruch der SED immer umfassender wurde. Nach eigener Aussage leitet die Partei *»das gesamte gesellschaftliche Leben der Republik und ist für den gesamten Komplex der politischen, ideologischen, wissenschaftlichen, technischen, ökonomischen und kulturellen Arbeit verantwortlich«*[83].
Bei der Verwirklichung der Direktiven des VI. Parteitages wuchsen – so verlautet die SED heute – ihre Befugnisse im Staat. Ihre Beschlüsse wurden *»unmittelbare Arbeitsgrundlage der Staatsorgane«*[84].

NÖS – Das neue Wirtschaftssystem

Die SED hatte erkannt, daß sie die in ihrer Mehrheit gegen sie eingestellte Bevölkerung politisch neutralisieren mußte, um ihre Herrschaft zu stabilisieren. Das ging nur über eine langfristig angelegte Verbesserung des Lebensstandards. Deshalb wurde die Effektivität der Wirtschaft Kernstück der neuen Parteistrategie. Die SED beschloß, nicht ohne Anstöße und Rückendeckung aus der UdSSR, eine grundlegende Änderung ihrer Wirtschaftspolitik. Im Juni 1963 verkündete Ulbricht im Namen des Präsidiums des Ministerrates das »Neue Ökonomische System der Planung und Leitung«. Kurz darauf veranstaltete das ZK eine große Wirtschaftskonferenz, auf der Erich Apel, der Wirtschaftssekretär des ZK, das neue System erläuterte. An die Stelle von administrativer Steuerung durch zentrale Mengenvorgaben sollte ein System indirekter Steuerung mittels sogenannter ökonomischer Hebel treten: Selbstkosten, Preis, Gewinn, Kredit, Löhne, Prämien. Den Betrieben wurde größere Selbständigkeit zugestanden. Ziel war »eine gewisse Selbstregulierung der Wirtschaft« auf der Grundlage des Plans. Im Mittelpunkt sollte die »materielle Interessiertheit« des einzelnen Arbeiters wie des Betriebes stehen, der Gewinn wurde eine der wichtigsten Kennziffern.

Rasche, greifbare Wirtschaftserfolge konnten naturgemäß nicht erreicht werden. Aber der ökonomisch inkompetente Parteiapparat sah bald seine Autorität gegenüber den Wirtschaftsfachleuten schwinden und sein Leitungsmonopol in Gefahr geraten. Ende 1965 verkündete die SED deshalb eine zweite Etappe der Wirtschaftsreform, die vor allem durch wieder stärkere zentralistische Tendenzen gekennzeichnet war.

Die kurze Phase einer liberaleren Kulturpolitik

Im Gefolge der Wirtschaftsreform lockerte die SED 1964/65 auch die Zügel in der Kulturpolitik. Nach den Repressalien von 1962 und 1963 (Entlassung Peter Huchels, Kafka-Diskussion) wurden nun Bücher und Filme zugelassen, die freimütiger Mißstände aufgriffen, z. B. die Gründe für »Republikflucht« darstellten und ein realistischeres Bild von der widersprüchlichen Wirklichkeit insbesondere der Arbeitswelt zeichneten (Christa Wolf, Günter Kunert, Stefan Heym, Wolf Biermann, Erik Neutsch und viele andere). Robert Havemann hielt vor überfüllten Sälen seine berühmten Vorlesungen an der Humboldt-Universität. Auch hier wuchs der Partei die Entwicklung rasch über den Kopf. Auf der 11. ZK-Tagung im Dezember 1965 beendete das Politbüro (Sprecher: Erich Honecker) mit einem Generalangriff auf die Kulturinstitutionen, die *»schädliche Tendenzen«* wie Nihilismus, Skeptizismus, Unmoral geduldet hätten, diese relativ liberale Phase der Kulturpolitik. Repressalien gegen unbotmäßige Intellektuelle waren wieder an der Tagesordnung (z. B. Verbot von Büchern wie Kants »Aula«, Filmen wie Manfred Bielers »Das Kaninchen bin ich«, Ausschluß von Havemann aus der Partei und dem Lehrkörper der Humboldt-Universität).
Erfolge zeigte der Ausbau des Bildungssystems, für den die SED in dieser Zeit ebenfalls die Weichen stellte. Im Februar 1965 beschloß dann die Volkskammer das »Gesetz über das einheitliche sozialistische Bildungssystem«, das die Einheit von Bildung und Erziehung vorschrieb, mit dem Erziehungsziel einer »sozialistischen Persönlichkeit«, das aber auch eine umfassende fachliche Ausbildung ermöglichen sollte.

Der dauernde Wechsel zwischen »harter« und »liberaler« Politik in der DDR bewies gerade in den sechziger Jahren, daß diese Wandlungen von der jeweils gültigen Linie der SED bestimmt wurden, die zwischen Dogmatismus und Ausbau ihrer Herrschaft einerseits und Flexibilität und verstärkter Effektivität in Wirtschaft und Gesellschaft andererseits pendelte. Trotz aller Schwankungen ihrer Strategie und Taktik blieb die organisatorische Struktur der »Partei neuen Typus« erhalten.

Der VII. Parteitag 1967

Vom 17. bis 22. April 1967 tagte der VII. Parteitag, in dessen Mittelpunkt wieder Wirtschaftsfragen standen. Walter Ulbricht, Erich Honekker und Willi Stoph waren die Referenten des Politbüros. Drei neue Begriffe tauchten auf:

1. Das »Ökonomische System des Sozialismus« (ÖSS). Es wurde als Weiterentwicklung des NÖS interpretiert und gewährte den zentralen Planungsinstanzen wieder mehr Spielraum, zum Beispiel für strukturpolitische Schwerpunktaufgaben; Organisations- und Leitungswissenschaften wurde neben der Wissenschaftlich-Technischen Revolution (WTR) eine Schlüsselrolle zugewiesen; politisch-ideologische Fragen und die Führungsrolle der SED erhielten wieder größeres Gewicht.
2. Das »entwickelte gesellschaftliche System des Sozialismus«. Damit wurde die aktuelle Phase der gesellschaftlichen Entwicklung in der DDR bezeichnet, in Anlehnung an die Systemtheorien in der Wirtschaft und Organisationswissenschaft. Der Begriff löste die Definition »umfassender Aufbau des Sozialismus« vom VI. Parteitag ab.
3. »Sozialistische Menschengemeinschaft«. Damit wurde ausgedrückt, daß es in der DDR-Gesellschaft angeblich keine antagonistischen Widersprüche mehr gebe.
   Diese ideologischen Neuerungen wurden nach Ulbrichts Sturz 1971 nach und nach zurückgenommen.

Der VII. Parteitag signalisierte die Konsolidierung der Partei. Die Mammutveranstaltung (2082 Delegierte vertraten über 1,7 Millionen Mitglieder und Kandidaten) wählte ein ZK aus 131 Mitgliedern und 50 Kandidaten. Sowohl eine Verjüngung des ZK (54 Mitglieder oder Kandidaten waren unter 40 Jahre alt) als auch das Überwiegen von Fachleuten zeigten die neue Tendenz in diesem Gremium, das die DDR-Eliten repräsentierte. Ihrer sozialen Herkunft, dem erlernten Beruf nach waren lediglich 20 Prozent Industriearbeiter. Unter den 181 Mitgliedern und Kandidaten gab es nicht mehr einen einzigen, der noch als Produktionsarbeiter tätig war. Bezeichnend auch, daß nur noch sechs der ZK-Mitglieder 1946 aus der SPD zur SED gekommen waren.

In der Spitzenführung, dem Politbüro, fanden gegenüber 1963 geringe Veränderungen statt. Anstelle der verstorbenen Mitglieder Otto Grotewohl und Bruno Leuschner waren Gerhard Grüneberg und Günter Mittag schon vorher von Kandidaten zu Mitgliedern aufgerückt. Nun wurde auch Horst Sindermann Vollmitglied. Alle Kandidaten von 1963 (Apel hatte 1965 Selbstmord begangen) wurden 1967 wiedergewählt, hinzu kamen die jüngeren Wirtschaftsexperten Walter Halbritter und Günther Kleiber. Das Nachrücken weiterer jüngerer Kräfte mit wissenschaftlicher Ausbildung auch in die oberste Führungsspitze signalisierte, daß sich die SED in einem Wandlungsprozeß von einer bürokratischen Apparatpartei zu einer Staatspartei mit modernem Führungsstil und veränderter sozialer Zusammensetzung befand.

Neue Strukturen und alte Methoden der SED

Von den knapp 1,8 Millionen Mitgliedern, die die SED 1967 zählte, waren 45 Prozent Arbeiter, 16 Prozent Angestellte und 12 Prozent Angehörige der »Intelligenz«. Arbeiter und Angestellte (80 Prozent der Bevölkerung) waren unter-, die Intelligenz (7 Prozent der Bevölkerung) überrepräsentiert, doch war der Arbeiteranteil in der Partei wieder gestiegen. In den sechziger Jahren verdoppelte sich die Zahl der SED-Mitglieder mit Hochschulabschluß auf 20 Prozent. Die Zahl der jungen Mitglieder unter 30 Jahren war auf 20 Prozent gewachsen, die Zahl der Frauen auf 26 Prozent. Vor allem im Funktionärkader gab es beträchtliche Veränderungen. So konnte Honecker 1970 berichten, daß 70 Prozent der Mitglieder der Bezirksleitungen, 51

Prozent der Funktionäre der Kreisleitungen und 31 Prozent aller Leitungskader der Grundorganisationen einen Hoch- oder Fachschulabschluß hatten. Bei den hauptamtlichen Funktionären besaßen 95 Prozent auf der Kreisebene diesen Abschluß[85], wobei einschränkend bemerkt werden muß, daß auch die Abschlüsse von Parteischulen dazu gerechnet wurden. Gerade diese veränderte Zusammensetzung des Funktionärkorps widerspiegelte den Wandel der SED und den zunehmenden Einfluß der neuen Eliten in der Partei.

Die Mechanismen, mit denen die Partei gelenkt wurde, blieben allerdings fast unverändert die aus der Stalin-Ära. Der Sekretär des Büros des Politbüros, Otto Schön, machte dazu 1965 – dies ist ein bemerkenswerter Ausnahmefall[86] – einige detaillierte Angaben. Er berichtete, daß das Politbüro *»alle Grundsatzfragen«* entscheidet, das Sekretariat die *»Auswahl der Kader«* vornimmt und der Apparat des ZK (der in ca. 40 Abteilungen mit entsprechenden *»Sektoren«* unterteilt ist und in Ost-Berlin residiert) die *»Durchführung der Beschlüsse und Weisungen der Parteiführung durch ein umfassendes System der Kontrolle der nachgeordneten Parteiorgane, der Parteiorganisationen, . . . der Staatsmacht sowie der zentralen Leitungen der Massenorganisationen sichert«*. Darüber hinaus, so schrieb Schön, erarbeiten die Abteilungen des zentralen Apparats Analysen, um Politbüro und Sekretariat *»über die wichtigsten Ereignisse, Vorkommnisse, Festlegungen und Schlußfolgerungen schnell und gründlich«* zu informieren.

Mit diesen Auskünften bestätigte ein Vertreter der Parteispitze, daß alle Entscheidungen für die Partei wie für den Staat vom Politbüro und ZK-Sekretariat getroffen und deren Realisierung mit Hilfe des Parteiapparats kontrolliert wurden (und werden). Dieser straffe Zentralismus als dominierendes Prinzip sollte durch die Wahl aller Organe von unten nach oben abgeschwächt werden. Doch in der Praxis galt und gilt weiter die Methode, daß der jeweils übergeordnete Apparat die Funktionäre nach dem System der Nomenklatur (d. h. der alleinigen Zuständigkeit für die Besetzung von Führungspositionen der oberen Leitungen) die Kader einsetzt oder absetzt. Bei den Wahlen überprüfen die übergeordneten Instanzen die Kandidaten für die Vorstände und Sekretariate, geben dafür Direktiven und nehmen mit ihren Instrukteuren unmittelbaren Einfluß auf die Parteiwahlen. So bleibt der Zentralismus voll erhalten.

Diese traditionellen Praktiken sollten in den sechziger Jahren durch einen »wissenschaftlichen« Arbeitsstil ergänzt werden. Honecker forderte 1970[87], *»verstärkt moderne Führungsmethoden und -techniken, neue Methoden der Information und der Bewußtseinsanalyse, die elektronische Datenverarbeitung«* anzuwenden und die *»Kybernetik, Pädagogik, Psychologie und Soziologie in der Parteiarbeit«* zu nutzen. Die Information der Führung sollte ein parteieigenes »Institut für Meinungsforschung« verbessern. Diese Techniken sollten freilich die zentralistische Willensbildung nicht ersetzen, sondern lediglich effektiver machen. Damit plante die Führung, nicht nur die Parteiorganisation zu stärken, sie wollte auch ihre »führende Rolle« in Staat, Wirtschaft und Kultur festigen. In Artikel 1 der DDR-Verfassung von 1968 war diese führende Rolle festgeschrieben. Und im offiziellen Verfassungskommentar wurde es zur »Gesetzmäßigkeit« erklärt, daß der Sozialismus nur unter Führung der SED zu realisieren sei, ja, es war sogar von einem weiteren »Wachstum« ihrer Führungsrolle die Rede.[88]

Die Ereignisse in der Tschechoslowakei 1968 bestärkten die SED-Führung in ihrer Auffassung, daß eine Lockerung der Parteikontrolle über die Gesellschaft ihre Herrschaft als Ganzes gefährde. Die Ulbricht-Führung stellte sich von Anfang an gegen Dubcek und erklärte, dessen Politik sei eine *»Preisgabe der Positionen des Sozialismus zugunsten der Konterrevolution«* (»Neues Deutschland« vom 24. Juli 1968). Trotz der fatalen Erinnerung an den Überfall deutscher Truppen 1938 scheute sich die SED-Spitze nicht, DDR-Truppen am Einmarsch des Warschauer Pakts in die ČSSR teilnehmen zu lassen und dies als *»leuchtendes Beispiel des sozialistischen Internationalismus«* zu feiern (»Neues Deutschland« vom 21. August 1968).

Ideologische Wandlungen

Da die SED die Legitimation ihrer Herrschaft in der DDR auch aus der Behauptung ableitete, unter ihrer Führung werde der Sozialismus verwirklicht, versuchte sie diesen Terminus zu präzisieren. Im Parteiprogramm von 1963 wurde der Begriff noch mit den herkömmlichen Thesen umschrieben, Sozialismus sei Überwindung der Ausbeutung durch Vergesellschaftung der Produktionsmittel und Planung der Wirtschaft, er bietet jedem die Möglichkeit, seine Fähigkeiten zu entwickeln und nach seinen Leistungen zu leben, und er stütze sich auf eine demokratische Staatsmacht. 1970 konkretisierte und verengte die SED die Definition. Sozialismus wurde nunmehr dargestellt als die »Verwirklichung der führenden Rolle« der SED »im gesamten gesellschaftlichen Leben«. Sozialismus bedeutete ferner nicht nur gesellschaftliches Eigentum und Planung und Leitung der Produktion, sondern auch *»das feste Bündnis, die enge Freundschaft mit der Sowjetunion«*, vor allem aber die Anerkennung, *»daß die Sowjetunion zum Grundmodell der sozialistischen Gesellschaft geworden«* sei[89]. Mit solchen Interpretationen, die den Sozialismus auf das sowjetische Modell reduzierten und die Führungsrolle der SED hervorhoben, stimmte die Realität der DDR eher überein als mit den Vorstellungen von Marx über den Sozialismus als universellen Humanismus, auf die sich die SED formal weiter berief.

Allerdings hatte inzwischen Ulbricht versucht, grundlegende Aussagen der Ideologie zu revidieren. Nachdem die DDR als zweitstärkste Industriemacht im RGW zum Juniorpartner der Sowjetunion aufgestiegen war, wuchs das Selbstbewußtsein ihrer Führung, insbesondere Ulbrichts. So war die SED bestrebt, von der bisherigen unkritischen Nachahmung des sowjetischen Modells loszukommen. Ulbricht begann, ideologisch verbrämt, sogar die politische Eigenständigkeit der DDR hervorzuheben.

Auf einer wissenschaftlichen Tagung zum 100. Jahrestag der Veröffentlichung des »Kapital« von Karl Marx im September 1967 entwickelte Ulbricht die These, der *»Sozialismus«* sei nicht – wie Marx oder Lenin meinten – eine relativ kurze Übergangsphase vom Kapitalismus zum Kommunismus, der klassenlosen Gesellschaft, sondern eine *»relativ selbständige sozialökonomische Formation in der historischen Epoche des Übergangs vom Kapitalismus zum Kommunismus im Weltmaßstab«*.[90]

Hinter dieser Revision der geltenden Theorie verbarg sich eine politische Absicht. Die Sowjetunion war angeblich schon seit 1936 auf dem Weg vom Sozialismus zum Kommunismus und damit den anderen kommunistisch regierten Ländern, die den Sozialismus erst aufbauten, um eine ganze Epoche voraus. Bildet jedoch der Sozialismus eine eigenständige historische Periode wie z. B. der Kapitalismus, dann befanden sich die DDR und die Sowjetunion in der gleichen Formation, der Vorsprung der Sowjetunion schmolz zusammen. Eine sowjetische Führungsrolle gegenüber der SED war dann nicht mehr zwangsläufig.

Auf einer wissenschaftlichen Tagung zum 150. Geburtstag von Karl Marx 1968 ging Ulbricht noch einen Schritt weiter. Nun erklärte er, daß *»System des Sozialismus in der DDR«* sei die *»volle Einstellung einer hochindustriellen Gesellschaft«* auf die *»sozialistische Produktionsweise und auf die Dynamik der wissenschaftlich-technischen Revolution«*[91]. Diese These baute die SED noch aus: Erst sie habe bewiesen, daß der Marxismus-Leninismus *»auch für industriell hochentwickelte Länder volle Gültigkeit hat«*.[92]

Nach den ideologischen Vorstellungen der SED galt es, sich von der völligen Anpassung an die Sowjetunion zu lösen und der DDR selbst Modellcharakter für fortgeschrittene Industrieländer zu verleihen. Dieser Idee diente auch die von Ulbricht propagierte »sozialistische Menschengemeinschaft«, die in der DDR angeblich realisiert wurde. *»Die sozialistische Menschengemeinschaft, die wir Schritt um Schritt verwirklichen, geht weit über das alte humanistische Ideal hinaus.«* Das *»deutsche Wunder«* zeigte sich für Ulbricht in der *»Wandlung des Menschen«* in der DDR.[93] Die SED erstrebte so am Ende der sechziger Jahre eine gewisse politische und ideologische Unabhängigkeit von der UdSSR. Sie hatte die Zusammensetzung ihres Funktionärkorps verändert und versucht, ihre Leitungsmethoden zu modernisieren. Sie stand vor dem Dilemma, als Führungspartei der DDR die komplizierten Fragen einer modernen Industriegesellschaft bewältigen zu müssen, d. h., die Effektivität der Wirtschaft ständig zu steigern, aber zugleich ihre politische Macht zu sichern, ja auszubauen und alle Bereiche der Gesellschaft zu lenken und zu kontrollieren.

Die Ablösung Ulbrichts

In den Jahren 1969 und 1970 geriet die DDR-Wirtschaft infolge unrealistischer Pläne, vor allem durch die unausgewogene Strukturpolitik, in eine schwere Krise. Auf der 14. ZK-Tagung im Dezember 1970 mußte die Partei ernste Versorgungsmängel und Planungsfehler zugeben. Der Volkswirtschaftsplan 1970 konnte nicht erfüllt, die Ziele des neuen Fünfjahrplanes mußten drastisch reduziert werden.
Die Verantwortung dafür wurde Ulbrichts Maßlosigkeit angelastet und seinem Ehrgeiz, »seine« DDR zum Modell für einen westlichen Sozialismus zu machen. Hinzu kam, daß Ulbricht zunehmend gegen die sowjetische Entspannungspolitik opponierte, insbesondere gegen sowjetische Kompromisse in den Viermächteverhandlungen um Berlin. So vereinigten sich sowjetische Interessen mit Bestrebungen in der SED-Führung, den alt und starrsinnig gewordenen Zuchtmeister loszuwerden. Auf der 16. ZK-Tagung am 3. Mai 1971 war Ulbricht gezwungen, seinen Rücktritt zu erklären und Erich Honekker als seinen Nachfolger zu empfehlen. Das ZK billigte beides einstimmig.

6. Die SED unter Honecker 1971–1986

Die SED spricht von dem Jahr 1971 so, als habe die eigentliche Geschichte der DDR erst mit dem VIII. Parteitag der SED begonnen, während in Wirklichkeit die Kontinuität etwa der Parteistruktur bis in die fünfziger Jahre reicht. Doch war in der Tat die Ablösung Ulbrichts ein tiefer Einschnitt sowohl in Inhalt und Methoden der SED-Politik als auch im Bewußtsein der Bevölkerung. Ulbricht war lange Zeit der meistgehaßte Mann in der DDR (»Der Spitzbart muß weg«), auch wenn die DDR in den sechziger und siebziger Jahren unter seiner Führung zur zweitstärksten Wirtschaftsmacht des Ostblocks mit dem höchsten Lebensstandard aufstieg.
Der Nachfolger Erich Honecker war, trotz seiner stalinistischen Vergangenheit, für die Bevölkerung und weite Kreise der Partei ein Hoffnungsträger. Tatsächlich begann mit ihm ein neues Kapitel der SED-Geschichte.
Realistischere Planziele, stärkere Orientierung auf Verbesserung der Lebensverhältnisse, sozialpolitische Maßnahmen zugunsten der unteren Einkommensschichten und der kinderreichen Familien, Lockerung des Meinungszwangs, Duldung des Empfangs westlicher Rundfunk- und Fernsehstationen, eine tolerantere Kulturpolitik kennzeichneten vor allem die erste Hälfte der siebziger Jahre. In der zweiten Hälfte kam es nach der KSZE-Schlußakte von Helsinki zu einem harten Rückschlag, der u. a. zum Exodus einer Vielzahl prominenter Schriftsteller und Künstler führte.
Ideologisch orientierte sich die Honecker-Führung zunächst wieder stärker an der KPdSU. Ulbrichts Sonderthesen wurden revidiert, die Führungsrolle der sowjetischen Partei wieder akzeptiert. In Erwartung ideologischer Aufweichungserscheinungen als Folge der Vertragspolitik proklamierte Honecker die »Abgrenzung« von der Bundesrepublik bis zur Herausbildung von zwei deutschen Nationen. Trotzdem sind im Laufe der Vertragspolitik die innerdeutschen Beziehungen auf allen Gebieten besser geworden. Der Arbeitsstil der SED wurde sachlicher. Ansätze einer Partizipation von unten, mit denen die komplizierter werdenden Aufgaben gemeistert werden sollten, brachten indes keine Einschränkung der führenden Rolle der SED, die Partei konnte vielmehr ihre dominierende Stellung auf allen Gebieten noch erweitern. Aus den vielfältigen ideologischen und organisatorischen Problemen der SED im »realen Sozialismus« ergaben sich wechselnde Konzeptionen in Gesellschaft, Wirtschaft, Kultur und Politik sowie strukturelle Veränderungen innerhalb der Partei selbst, die hier nur skizziert werden können. Der SED fehlt auch 40 Jahre nach ihrer Gründung die breite Unterstützung der Bürger. Die Hegemonie der SED beruht immer noch auf den Machtmitteln des Staates und vor allem auf der Garantie durch die Sowjetunion.

Der VIII. Parteitag 1971

Vom 15. bis 19. Juni 1971 tagte in Ost-Berlin der VIII. Parteitag der SED. Die über 2000 Delegierten repräsentierten 1,9 Millionen Mitglieder und Kandidaten. Die Eröffnungsansprache des erstmals nicht anwesenden Walter Ulbrichts verlas Hermann Axen, den Bericht des ZK erstattete Erich Honecker. Er grenzte sich von den früheren überzogenen Plänen ab und sagte, das Wirtschaftssystem könne *»allzu viele außerplanmäßige Wunder«* nicht verkraften. Als generelle Zielsetzung nannte Honecker, die SED habe *»alles zu tun für das Wohl des Menschen, für das Glück des Volkes, für die Interessen der Arbeiterklasse und aller Werktätigen«*[94]. Zur *»Hauptaufgabe«* wurde die Einheit von Wirtschafts- und Sozialpolitik erhoben. Dies hieß, die Führung der SED versprach den Bürgern der DDR soziale Verbesserungen, soweit diese durch wirtschaftliches Wachstum abgedeckt waren.

Der Parteitag wählte ein ZK aus 135 Mitgliedern und 54 Kandidaten. Im neuen Politbüro gab es wenig Veränderungen: Werner Krolikowski und Werner Lamberz, beide seit Dezember 1970 Kandidaten, rückten zu Mitgliedern des Führungsorgans auf, der Chef des Ministeriums für Staatssicherheit, Erich Mielke, und der FDGB-Vorsitzende Harry Tisch wurden Kandidaten. Das Politbüro bestand damit aus den Mitgliedern Axen, Ebert, Grüneberg, Hager, Honecker, Krolikowski, Lamberz, Mittag, Mückenberger, Neumann, Norden, Sindermann, Stoph, Ulbricht, Verner und Warnke. Ulbricht erhielt die im Statut nicht vorgesehene Funktion eines »Vorsitzenden« der SED, doch besaß er keine politische Bedeutung mehr, die Macht lag in den Händen des Ersten Sekretärs des ZK, Erich Honecker.

Die SED betonte, ihr VIII. Parteitag sei ein Einschnitt ihrer Geschichte, sogar eine *»besonders wichtige Zäsur in der Geschichte der DDR«.*[95] Dies wird heute so dargestellt: *»Der VIII. Parteitag nimmt in der Geschichte unserer Partei und unseres Landes vor allem deshalb einen herausragenden Platz ein, weil er auf qualitativ neue Weise die umfassende Realisierung des Sinns des Sozialismus in den Mittelpunkt der Politik der Partei . . . rückte, weil sich unsere Partei mit diesem Parteitag konsequent der besseren Befriedigung der materiellen und kulturellen Bedürfnisse der Arbeiterklasse und der anderen Werktätigen zuwandte.«*[96] Dieses Engagement der SED konnte indes nicht verdecken, daß die Partei vor allem ein Machtinstrument blieb. Das System sollte in seinen Grundzügen erhalten, aber durch Reformen effektiver gestaltet werden. Die ideologische Absicherung erfolgte vor allem durch ein bewußtes Verdrängen der Ulbricht-Ära.

Veränderungen in Ideologie und Praxis

Durch Überpointierung einer »neuen« Phase und Übergehen der Ulbricht-Ära in der Traditionslinie der SED sollten unangenehme Seiten der Entwicklung in Vergessenheit geraten, vor allem die stalinistischen Praktiken der fünfziger und die Distanzierung zur Sowjetunion Ende der sechziger Jahre. Damit ereilte nun Ulbricht das Schicksal früherer »Parteifeinde«, auch er wurde für fast ein Jahrzehnt aus der Geschichte »getilgt«. Während sein Name z. B. in der ersten Auflage des ideologischen Standardwerkes »Politisches Grundwissen« 1970 noch rund hundertmal erwähnt wurde, erschien er in der 2. Auflage von 1972 nicht ein einziges Mal.[97]

Honecker erklärte die *»ideologische Arbeit«* zum *»Hauptinhalt der Tätigkeit unserer Partei«*[98], doch wesentliche Thesen der Ulbricht-Zeit wurden fallengelassen. Der SED-Ideologe Kurt Hager verwarf den Begriff der *»sozialistischen Menschengemeinschaft«,* da dieser die *»tatsächlich noch vorhandenen Klassenunterschiede«* verwische. Als ebenso falsch erklärte Hager die Ulbrichtsche Definition der DDR als *»entwickeltes gesellschaftliches System«,* richtig sei vielmehr die von der KPdSU verwendete Bezeichnung *»entwickelte sozialistische Gesellschaft«*[99]. Vor allem kritisierte Hager Ulbrichts Darstellung vom *»Sozialismus als relativ selbständige Gesellschaftsformation«,* die *»nicht haltbar«* sei.

Das ideologische Kerndogma der SED blieb freilich unverändert. Auch nach 1971 behauptete die Partei, daß sie den Marxismus-Leninismus in der Praxis anwende, ihre Politik deshalb wissenschaftlich begründet sei und daß sie daher »immer recht« habe.

Die so begründete »führende Rolle« der SED sollte weiterhin durch *»eiserne Disziplin«*[100] der Mitglieder und Funktionäre verwirklicht werden. In der Parteispitze setzte sich auch wieder die Vorstellung vom Primat der Politik gegenüber technokratischen Tendenzen durch. Während in den sechziger Jahren unter den neu aufgenommenen Kandidaten des Politbüros und den neuen ZK-Mitgliedern zunehmend Fachleute (vor allem Wirtschaftler) waren, rückten in den siebziger Jahren wieder Funktionäre mit einer typischen Apparatkarriere nach.

Über die Organisation und die Sozialstruktur

Ende 1972 veröffentlichte die SED folgende Zahlen[101]: Die 1 902 809 Mitglieder und 47 612 Kandidaten waren in 15 Bezirksorganisationen, 262 Stadt-, Stadtbezirks- und Kreisparteiorganisationen mit 54 000 Grundorganisationen organisiert. Von den Mitgliedern waren 56,6 Prozent Arbeiter, 5,7 Prozent Genossenschaftsbauern, 17,9 Prozent Angehörige der Intelligenz und 12,8 Prozent Angestellte. Der Anteil der Frauen hatte sich auf 29,4 Prozent erhöht, fast die Hälfte der Mitglieder war unter 40 Jahre alt. 25 Prozent besaßen eine abgeschlossene Hoch- oder Fachschulausbildung, 18 Prozent hatten eine mehr als 3 Monate dauernde Parteischule besucht.
Bis 1976 stieg die Zahl der Arbeiter in der Partei weiter, zugleich aber auch die der »Intelligenz«. Zwischen 1966 und 1976 wuchs der Anteil der Arbeiter von 45 auf 56 Prozent, der der Intelligenz von 12 auf 20 Prozent, Angestellte waren von 16 auf 12 Prozent und Bauern von 6,4 auf 5,2 Prozent verringert.[102] Die SED bemühte sich also, stärker dem herkömmlichen Bild einer »Arbeiterpartei« zu entsprechen. (Der Begriff »Arbeiter« wurde hier allerdings nicht nur von der Tätigkeit, sondern ebenso von der Herkunft her definiert. Anders ein Bericht des ZK der SED vom Januar 1986, vgl. weiter unten S. 39.) Doch der Trend zur Dominanz von Fachleuten mit Hoch- und Fachschulabschluß ging weiter.

Der IX. Parteitag der SED 1976

Vom 18. bis 22. Mai 1976 fand in Ost-Berlin der IX. Parteitag der SED statt. Die rund 2500 Delegierten vertraten 2 Millionen Mitglieder und Kandidaten. Der Parteitag billigte einstimmig ein neues Parteiprogramm, ein neues Parteistatut und die Direktive für den Fünfjahrplan bis 1980. Wie auf vorhergegangenen Parteitagen kam es nicht zu einschneidenden personellen Veränderungen in den Führungspositionen (diese fanden vorher oder nachher statt), wohl aber wurden für die Mitgliedschaft durch neue Direktiven und Beschlüsse Wegmarken gesetzt. Der IX. Parteitag bestätigte ausdrücklich die Politik Honeckers, er erhielt nun den Titel eines Generalsekretärs, und seine Position als Partei- und Staatsführer (seit 1971 war er auch Vorsitzender des Verteidigungsrates, 1976 wurde er noch Vorsitzender des Staatsrates) hatte sich deutlich konsolidiert.
Der Parteitag bestätigte ein ZK, das auf 145 Mitglieder (Durchschnittsalter: 55 Jahre) und 57 Kandidaten erweitert wurde. Das Politbüro vergrößerte sich auf 19 Mitglieder und neun Kandidaten. Die früheren FDJ-Funktionäre Werner Felfe und Konrad Naumann wurden neue Mitglieder, Erich Mielke rückte vom Kandidaten zum Mitglied auf, Verteidigungsminister Heinz Hoffmann war bereits 1973 Mitglied geworden. Unter den neuen Kandidaten befanden sich ebenfalls ehemalige FDJ-Funktionäre wie Joachim Herrmann, Egon Krenz und Ingeburg Lange. Nachdem Lamberz 1978 tödlich verunglückte, rückte Herrmann zum Mitglied auf, nach dem Tod von Ebert 1980 dann Horst Dohlus.

Das neue Parteiprogramm

Das vom IX. Parteitag beschlossene und bis heute gültige SED-Programm[103] ist gegenüber dem Programm von 1963 pragmatischer abgefaßt. Es ist in fünf Abschnitte gegliedert. Zunächst wird die aktuelle Weltsituation geschildert, danach werden die Ziele der SED in Wirtschaft, Staat, Wissenschaft, Bildung und Kultur beschrieben, der dritte Teil behandelt außen- und militärpolitische Aufgaben, der vierte Teil befaßt sich mit der Rolle der SED, im Schlußabschnitt wird der »Kommunismus« als Ziel der Partei thematisiert. Gerade aus diesem Teil geht die Bedeutung des Programmdenkens für die Kommunisten hervor. Die Idee des Endziels, die klassenlose Gesellschaft, soll als Kraft auf die Anhängerschaft ausstrahlen. Doch sind die Vorstellungen von dieser Gesellschaft wenig konkret und anschaulich. Nachdem das KPdSU-Programm Chruschtschows mit der Verheißung, bis 1980 sei in der Sowjetunion ein wesentlicher Schritt zum Kommunismus erreicht, in nebelhafte Ferne gerückt war, mußte auch die SED allgemeiner bleiben. So enthält das Programm vor allem eine Festschreibung der Politik der SED unter Honecker. Die Hegemonie von KPdSU und UdSSR ist anerkannt. Die SED gilt als »freiwilliger Kampfbund« und soll für die Effektivität des Systems der DDR mobilisiert werden, die ökonomischen Aufgaben bleiben weiterhin im Zentrum der Parteiarbeit. Außenpolitisch tritt die SED für Frieden und Koexistenz ein. Verschwunden sind im Vergleich zum Programm von 1963 alle Thesen von der Einheit Deutschlands, entsprechend war bereits 1974 die DDR-Verfassung von 1968 »berichtigt« worden.

Die SED gab sich auf ihrem IX. Parteitag auch ein neues Statut. Zum wiederholten Male bezeichnete sie sich als der »bewußte und organisierte Vortrupp der Arbeiterklasse« und berief sich auf Marx, Engels, Lenin sowie auf die Tradition der deutschen Arbeiterbewegung. Rechte und Pflichten der Mitglieder konkretisiert das Statut aufgrund des Prinzips des »demokratischen Zentralismus«. Neu ist, daß man nun aus der SED austreten kann. Die einzelnen Parteiorgane vom ZK bis zu den Grundorganisationen und ihre allgemeine Aufgabenstellung sind festgeschrieben. Auch das neue Statut ändert nichts an den Strukturen der Partei, die Macht der Führung und des Apparates sowie der Zentralismus blieben unangetastet.

Doch auch in der DDR wurden die Ideen des Eurokommunismus – Unabhängigkeit von der Sowjetunion und politische Freiheiten im Sozialismus – bekannt, unter anderem, weil die SED-Führung im Juni 1976 eine Konferenz europäischer Kommunisten in Ost-Berlin ausrichtete und die Mitgliedschaft anhand der dort gehaltenen, von der SED veröffentlichten Reden authentische Informationen erhielt. Robert Havemanns Auftreten als demokratischer Kommunist, die Kritik Rudolf Bahros in seinem Buch »Die Alternative« und andere oppositionelle Stimmen, die sich auf die KSZE-Schlußakte von Helsinki beriefen, veranlaßten die SED-Führung erneut zu Repressionen, ließen aber auch verschiedene Strömungen in der Partei erkennen. Die Verhärtung der DDR-Kulturpolitik, deren deutliches Anzeichen die Ausbürgerung von Wolf Biermann im November 1976 war, verstärkte eher die oppositionellen Tendenzen.

Der X. Parteitag 1981

Die Instabilität des Systems der DDR war Ende der siebziger Jahre nicht zuletzt von erneuten wirtschaftlichen Schwierigkeiten hervorgerufen worden. Der X. Parteitag der SED, der vom 11. bis 16. April 1981 in Ost-Berlin stattfand, sollte einen neuen Aufschwung stimulieren.

Die knapp 2700 Delegierten, die 2 172 000 Mitglieder (darunter 57,6 Prozent Arbeiter) vertraten, bestätigten die Generallinie der SED. Erich Honecker erstattete den Rechenschaftsbericht, Willi Stoph begründete den neuen Fünfjahrplan. Honecker betonte erneut, die SED sei die *»führende Kraft«*, und er prognostizierte eine *»ständige Erhöhung der führenden Rolle der Partei in allen Sphären der Gesellschaft«*.[104] Einen wichtigen Platz wies er der Kaderauslese und -ausbildung sowie ihrer Qualifizierung und ideologischen Ausrichtung zu. Ein Drittel aller Parteimitglieder hatte nun bereits eine Hoch- oder Fachschule absolviert. Über 80 Prozent der 80 230 Parteisekretäre von 78 677 Grundorganisationen hatten eine Parteischule von über einem Jahr besucht, 64,5 Prozent galten als »Hoch- oder Fachschulkader«.[105] Durch Qualifizierung sollten die Funktionäre befähigt werden, sich auf dem *»entscheidenden Kampffeld«* der Partei zu bewähren, nach den Worten von Horst Dohlus *»die Wirtschaft«*.[106]

Eine fast unveränderte Leitungsmannschaft mußte die dringendsten Probleme der Partei in Wirtschaft und Gesellschaft lösen. Das vom Parteitag gewählte ZK wurde nochmals um 11 auf 156 Personen vergrößert, dabei wurden nicht weniger als 126 der bisherigen ZK-Mitglieder bestätigt (die Zahl der Kandidaten blieb bei 57). Auch im Politbüro gab es nur geringe Änderungen, es wurde allerdings von 19 auf 17 Mitglieder und von neun auf acht Kandidaten verkleinert. Der verstorbene Grüneberg blieb ohne Nachfolger, der langjährige ZK-Sekretär Norden mußte aus dem Politbüro ausscheiden. In den Jahren 1983 und 1984 kam es dann zu einem Revirement im obersten Führungsgremium. So stieg im November 1983 Egon Krenz vom Kandidaten zum Mitglied auf, als Jüngster wurde er »zweiter Mann« nach Honecker. Er löste Paul Verner ab, der dann im Mai 1984 ganz aus dem Politbüro ausschied. Nun rückten Herbert Häber sowie die bisherigen Kandidaten Werner Jarowinsky, Günther Kleiber und Günther Schabowski zu Politbüro-Mitgliedern auf.

Die SED Ende der achtziger Jahre

Die personellen Veränderungen (die im Vorfeld des XI. Parteitages fortgesetzt wurden) zeigten, daß es Honecker gelungen war, seine Stellung weiter auszubauen. Zugleich galt es für die Führung, die Organisationsarbeit der Partei zu verbessern. Allerdings wurden immer wieder die gleichen Aufgaben gestellt, wiederholten sich laufend die Kampagnen und drehte sich die Arbeit eigentlich ständig im Kreise. Dies ging beispielsweise aus einer Rede Honeckers vor den 1. Kreissekretären der SED am 18. Februar 1983 hervor.[107] Wieder einmal propagierte er als *»Hauptgegenstand«* der Parteiarbeit die *»Wirtschaftsstrategie«* und rief zur »Steigerung der Arbeitsproduktivität« auf.
In diesem Sinne verwies Honecker auch auf das von der SED proklamierte Karl-Marx-Jahr 1983. Mit solchen ideologischen Kampagnen versuchte die Führung vor allem, den Zusammenhalt der Kader zu fördern und zu bewahren. Zum Marx-Jahr veröffentlichte die SED Thesen, in denen Marx geehrt, vor allem aber der »reale Sozialismus« der DDR als konsequente Anwendung seiner Theorien ausgegeben wurde. Indessen bleibt der Kontrast zwischen der SED, für die sich der »Sozialismus« auf die Allmacht ihrer Partei reduziert, und der Konzeption von der Emanzipation des Menschen bei Marx für die SED-Führung weiterhin gefährlich, da aus dem kritischen Geist der Ideen von Marx immer wieder Opposition innerhalb der Partei entstehen kann.
Insgesamt wird indes die SED als Machtelite zusammengehalten. Der Leiter der Abteilung Kader im ZK-Apparat, Fritz Müller, konnte 1981 berichten, die Ausbildung der Funktionäre habe sich weiter verbessert. In diesem Zusammenhang teilte er mit, daß 339 000 »Nomenklaturkader« des ZK, der Bezirks- und Kreisleitungen Weiterbildungslehrgänge besuchten.[108] Mit diesen Zahlenangaben ist belegt, daß von den 2,2 Millionen SED-Mitgliedern rund eine halbe Million zum Nomenklaturkader gehören, d. h., daß sie hauptamtliche Funktionen in Partei, Staat, Wirtschaft usw. ausüben und so den Kern der Machtelite bilden.
Detaillierte Informationen über die Zusammensetzung der SED enthielt ein Bericht des Sekretariats des ZK vom Januar 1986.[109] Die knapp 2,3 Millionen Mitglieder und Kandidaten waren danach in 58 573 Grundorganisationen erfaßt. Die Zahl der »Arbeiter« hatte sich von 57,6 (X. Parteitag) auf 58,2 Prozent im Januar 1986 erhöht. Erstmals wurde allerdings bei diesen »Arbeitern« die wirkliche Zahl von »Produktionsarbeitern« mit 37,9 Prozent der Mitglieder angegeben. In den bisherigen Statistiken war die wirkliche Zahl der Arbeiter also um 20 Prozent zu hoch, hier waren alle Parteiangestellten, ein Teil der (14 Prozent) Rentner usw. mit einbezogen und so 460 000 Mitglieder zu den »Arbeitern« gerechnet worden, obwohl sie im eigentlichen Sinn keine waren. Zu den »Angehörigen der Intelligenz« zählten nun 22,4 Prozent, zu den Angestellten 7,7 Prozent, Bauern waren 4,8 Prozent, Studenten und Schüler 2,1 Prozent und Hausfrauen 0,9 Prozent.
Im Laufe ihrer Entwicklung hatte sich die Zusammensetzung der Partei gewandelt. Die Zahl der Industriearbeiter war von 48 Prozent (1947) auf 33,8 Prozent (1957) gefallen und ist mit jetzt 37,9 Prozent fast auf diesem Stand geblieben. Erheblich ging die Zahl der Angestellten zurück, die 1947 zusammen mit der »Intelligenz« 22 Prozent ausmachten, 1967 noch 16 Prozent betrug und 1986 auf nur 7,7 Prozent abgesunken ist. Freilich wurde diese Zahl retuschiert, weil ja die Angestellten von Partei und Massenorganisationen unter »Arbeiter« aufgeführt sind.
Den stärksten Zuwachs verzeichnete die »Intelligenz«. Von 12 Prozent im Jahre 1967 auf 22,4 im Jahre 1986 hat sich ihr Anteil in 20 Jahren beinahe verdoppelt. Dies zeigt deutlich, wie die neue Funktion der SED als Führungspartei einer zunehmend wissenschaftlich-technisch orientierten Gesellschaft in der Zusammensetzung der Mitgliedschaft ihren Niederschlag findet.
Einen Hochschulabschluß besaßen 1986 371 000 und einen Fachschulabschluß 503 000 Mitglieder, zusammen rund 30 Prozent, das sind dreimal soviel wie Anfang der sechziger und 50 Prozent mehr als Anfang der siebziger Jahre.
Ebenso ist es der Partei gelungen, den Frauenanteil zu erhöhen, dennoch blieben die Frauen immer unterrepräsentiert. Bei Gründung der SED waren 21,5 Prozent der Mitglieder Frauen, 1947 24,1 Prozent, 1967 26 Prozent, schließlich

1986 35 Prozent. Hingegen hatte sich die Zahl der Mitglieder unter 30 Jahren wenig verändert, waren es bei Gründung 17 Prozent, so Ende 1947 21, 1967 21,3 und 1986 23 Prozent.

Die Mitglieder sind inzwischen auch gut geschult, 1,9 Millionen haben eine Parteischule über drei Monate Dauer besucht, 15 000 sind Absolventen der Parteihochschule »Karl Marx«. Von den einst 1,3 Millionen Gründungsmitgliedern befinden sich nur noch knapp 200 000 in der SED, und 5140 der heutigen Mitglieder nahmen am Widerstandskampf gegen Hitler teil.

Die soziale Zusammensetzung wies die SED bei ihrer Gründung als klassische Arbeiterpartei aus, doch die Gründungsmitglieder spielen in der sozialen Struktur der heutigen Partei keine Rolle mehr. Die jetzige Mitgliedschaft entspricht nach Herkunft und Zusammensetzung der neuen Rolle der Hegemonialpartei.

Die Mitgliedschaft der SED ist groß, jeder sechste erwachsene Bürger der DDR gehört der Partei an. Neben einem beträchtlichen Teil von Arbeitern (»Produktionsarbeiter«) befinden sich vor allem die Eliten von Staat, Wirtschaft und Kultur sowie die Funktionäre der Massenorganisationen in den Reihen der Führungspartei. Diese Kader, vor allem die »Parteiaktivs«, sollen die Herrschaft der SED nicht nur sichern, sondern helfen, sie weiter auszubauen.

Das bestätigte erneut der XI. Parteitag, zu dem vom 17. bis 21. April 1986 über 2500 Delegierte in Ost-Berlin zusammentraten. Generalsekretär Honecker erstattete wieder den Bericht des ZK, und er betonte abermals, *»daß sich die führende Rolle der Partei beim Aufbau des Sozialismus ständig erhöht«*.[110] Die 165 Mitglieder des ZK (und 57 Kandidaten), unter deren Leitung diese »führende Rolle« ausgebaut werden soll, sind zum großen Teil dieselben, die bereits der X. Parteitag gewählt hatte (und wiederum sind in diesem Gremium nur 10 Prozent Frauen, und zwar sechs Betriebsdirektoren, aber nur zwei Brigadiere, also Arbeiter vertreten).

Die Spitzenführung, das Politbüro, zählt jetzt 22 Mitglieder und 5 Kandidaten. Die wichtigsten Veränderungen waren bereits 1983 und 1984 erfolgt, das 11. ZK-Plenum im November 1985 hatte weitere wichtige Personalentscheidungen vorgenommen, so z. B. die Ablösung von Konrad Naumann. Die Hälfte der 27 Mitglieder und Kandidaten ist erst nach Ulbrichts Absetzung in das Führungsgremium eingezogen, aus den fünfziger Jahren gibt es nur noch sechs (Honecker, Stoph, Mückenberger, Neumann, Hager und Sindermann) an der Spitze.

Diese Parteiführung will die DDR effektiver gestalten. Doch will sie dabei die »revolutionären Umwälzungen« Gorbatschows in der UdSSR nicht nachvollziehen, weil sie darin eine Gefahr für ihre Rolle als Hegemonialpartei und damit für die Stabilität der DDR sieht. Auf Dauer wird sich die SED freilich kaum von der Politik der KPdSU abkoppeln können, wird auch sie sich wieder einmal wandeln müssen.

Ein Blick auf die vierzigjährige Geschichte der SED zeigt frühe Veränderungen der Einheitspartei, ihre Stalinisierung, läßt aber auch Brüche in der späteren Entwicklung erkennen, bei gleichzeitiger Kontinuität als Führungspartei der DDR. Mit Hilfe der UdSSR konnte sie ihre Herrschaft auf- und ausbauen. Die Geschlossenheit der Führungselite, das Einordnen der Funktionäre in hierarchische Strukturen der Partei waren Voraussetzungen für ihr Funktionieren. Ihre Politik mit dem Ziel wirtschaftlichen Wachstums in der DDR, der Ausbau eines Netzes sozialer Sicherheit, die Verbesserung des Bildungssystems mit Aufstiegschancen für die Jugend und die aktive Friedenspolitik kamen ihrem Image zugute.

Doch der Gegensatz zwischen Partei und Bevölkerungsmehrheit, das Fehlen politischer Demokratie, Rechtssicherheit und Meinungsfreiheit sowie immer wiederkehrende Schwächen und Engpässe der Wirtschaft sind Gründe sowohl für ständige Erschütterungen der Macht der SED als auch für die verschiedenen Schwankungen im Kurs der Parteiführung. Der Widerspruch von Ideologie und Praxis schließlich verursachte auch in der Partei selbst stets erneut Krisen. Dieses Spannungsverhältnis zwischen Stabilität und Instabilität war kennzeichnend für die Geschichte der SED und wird es wohl auch für die Zukunft bleiben.

Anmerkungen

1 Bericht über die Verhandlungen des 15. Parteitages der KPD. 19./20. April 1946 in Berlin. Berlin 1946, S. 210.
2 Protokoll des Vereinigungsparteitages der Sozialdemokratischen Partei Deutschlands (SPD) und der Kommunistischen Partei Deutschlands (KPD) am 21. und 22. April 1946 im »Admiralspalast« in Berlin. Berlin 1946, S. 12.
3 Protokoll, ebd. S. 161.
4 Der Gründungsaufruf ist mehrfach abgedruckt, vgl. Hermann Weber (Hrsg.): Der deutsche Kommunismus. Dokumente. Köln – Berlin 1963, S. 431 ff.
5 »Volkszeitung« (KPD Sachsen), Nr. 2 vom 13. 7. 1945.
6 Zur Blockpolitik vgl. jetzt Siegfried Suckut (Hrsg.): Blockpolitik in der SBZ/DDR 1945–1949. Die Sitzungsprotokolle des zentralen Einheitsfront-Ausschusses. Quellenedition. (Mannheimer Untersuchungen zu Politik und Geschichte der DDR, Bd. 3). Köln 1986.
7 Vgl. Günter Benser: Wie die SED entstand. Berlin (Ost) 1986, S. 20.
8 Während die Mitgliederentwicklung der KPD durch neuere DDR-Veröffentlichungen inzwischen einigermaßen geklärt ist, gibt es für die SPD noch immer sich widersprechende Daten. So schreibt Benser, a. a. O. (Anm. 7), S. 20, die SPD habe im Dezember 1945 419 000 Mitglieder gezählt; hingegen heißt es in der von der SED-Parteihochschule »Karl Marx« herausgegebenen Schrift: Brüder, in eins nun die Hände. 40 Jahre Sozialistische Einheitspartei Deutschlands, Berlin (Ost) 1986, S. 24, die SPD »hatte im Dezember etwa 376 000« Mitglieder. Diese Zahl für ihre 12 Bezirke im Dezember hatte die SPD vor dem Gründungsparteitag der SED selbst mitgeteilt. In den Unterlagen für die Delegierten gab es einen (gedruckten) Überblick »Mitgliederzahlen«. Dort sind für den 31. 12. 45 376 000 (31. 1. 46: 513 000) SPD-Mitglieder angegeben (die Unterlagen im Privatarchiv Hermann Weber, vgl. auch Akten Ostbüro der SPD 0301 I und 0301 II im Archiv der Friedrich-Ebert-Stiftung, Bonn). Vgl. auch Hans-Joachim Krusch: »Für eine neue Offensive«, in: »Beiträge zur Geschichte der Arbeiterbewegung«, 22. Jg. 1980, Heft 3, S. 360. – Günter Benser: Die KPD im Jahre der Befreiung. Berlin (Ost) 1985, S. 276 ff. – Werner Müller: »Die Gründung der SED«, in: Vor 40 Jahren. Zur erzwungenen Vereinigung von SPD und KPD in der SBZ 1946. Hrsg. Vorstand der SPD, Bonn 1986, S. 6. – Hermann Weber: »Traditionslinien und Neubeginn der deutschen Parteien 1945 – am Beispiel der ›Arbeiterparteien‹«, in: Max Kaase (Hrsg.): Politische Wissenschaft und politische Ordnung. Opladen 1986, S. 312 f.
9 Archiv der sozialen Demokratie der Friedrich-Ebert-Stiftung, Akten Ostbüro, 0394. – Eröffnungsansprache des Genossen Max Fechner, in: Wo stehen wir, wohin gehen wir? Der historische Auftrag der SPD. Berlin 1945, S. 7. – Vgl. Erwin Könnemann (Hrsg.): »Der Kampf um die Schaffung der einheitlichen revolutionären Partei der Arbeiterklasse in den ehemaligen Ländern der sowjetischen Besatzungszone Deutschlands«, in: Wissenschaftliche Beiträge der Martin-Luther-Universität Halle-Wittenberg. 1982, 64, S. 83. – K. Urban und J. Schulz: Die Vereinigung von KPD und SPD zur SED in der Provinz Brandenburg. Potsdam 1985, S. 107.
10 Rede des Vorsitzenden der SPD, Otto Grotewohl, am 14. September 1945 vor den Funktionären der Partei in der »Neuen Welt«, Wo stehen wir . . ., a. a. O. (Anm. 9), S. 34.
11 Über diese Tagung berichtete erstmals Krusch, a. a. O. (Anm. 8), in der BzG 1980, S. 351 ff.
12 Kurt Schumacher: Reden – Schriften – Korrespondenzen 1945–1952. Hrsg. W. Albrecht. Berlin-Bonn 1985, S. 311.
13 Vgl. Gert Gruner und Manfred Wilke (Hrsg.): Sozialdemokraten im Kampf um die Freiheit. Die Auseinandersetzungen zwischen SPD und KPD in Berlin 1945/46. Stenographische Niederschrift der Sechziger-Konferenz am 20./21. Dezember 1945. München 1981.
14 Werner Eggerath: »In Thüringen wird die Einheit geschmiedet«, in: Wir sind die Kraft. Berlin (Ost) 1959, S. 442.
15 Protokoll, a. a. O. (Anm. 13), S. 191 f. – Zur Geschichte der SED-Kreisparteiorganisation Rochlitz, 1984, S. 29.
16 »Niederschrift« Brills über die Unterredung am 24. 7. 1945. Eine Kopie stellte freundlicherweise Herr Prof. Rüdiger Griepenburg (Osnabrück) zur Verfügung.
17 Iwan Sosonowitsch Kolesnitschenko: Im gemeinsamen Kampf für das neue antifaschistisch-demokratische Deutschland entwickelte und festigte sich unsere unverbrüchliche Freundschaft. Erfurt 1985, S. 30 f. Bei ihm liest sich die Unterredung mit Brill so: »Als ich ausführlich die im abenteuerlichen ›Buchenwald Manifest‹ enthaltenen Fehler aufzeigte, in dem die sofortige Einführung des Sozialismus in Deutschland gefordert wurde . . . bemerkte ich, daß Hoffmann, ein verschmitztes Lächeln verbergend, meinen Argumenten offensichtlich zustimmte.« Laut Niederschrift Brills (vgl. Anm. 16) war indes Hoffmann gar nicht bei der Unterredung anwesend, sondern Kolesnitschenko, weitere vier sowjetische Offiziere und der Dolmetscher der Thüringer Landesregierung, Herr Peters.
18 Das Rundschreiben wurde von Prof. Griepenburg zur Verfügung gestellt. Vgl. auch Frank Moraw: Die Parole der »Einheit« und die Sozialdemokratie, Bonn 1973, S. 134.
19 Eggerath, a. a. O. (Anm. 14), S. 442 ff.
20 Niederschrift Hoffmanns vom 31. 12. 1945. Archiv der sozialen Demokratie der Friedrich-Ebert-Stiftung, Bonn, NL Brill 1/2.
21 Niederschrift von August Frölich, ebenda.
22 Über den Programmentwurf, den die KPD vorlegte, berichtet erstmals Hans-Joachim Krusch: »Von der Dezemberkonferenz 1945 zur Februarkonferenz 1946. Programmatische Arbeit der KPD vor der Gründung der SED.« In: Beiträge zur Geschichte der Arbeiterbewegung, 28. Jg. 1986, Heft 1, S. 16 ff., die Zitate S. 20.
23 Einstimmig beschlossen: SED Groß-Berlin. Die Bildung der SED in der Hauptstadt Deutschlands. Berlin o. J. (1946), S. 35. – Protokoll, a. a. O. (Anm. 2), S. 19.
24 Protokoll der Verhandlungen des 2. Parteitages der Sozialistischen Einheitspartei Deutschlands, 20.–24. 9. 1947 in der Deutschen Staatsoper Berlin. Berlin 1947, S. 531.
25 Erstmals zitiert in »Beiträge zur Geschichte der Arbeiterbewegung«, 25. Jg. 1983, Heft 4, S. 562.
26 Protokoll 2. Parteitag, a. a. O. (Anm. 24), S. 542.
27 Vgl. Suckut, a. a. O. (Anm. 6), S. 251 ff.
28 Vgl. Dietrich Staritz: »Ein ›besonderer deutscher Weg‹ zum Sozialismus?«, in: Arbeitsbereich Geschichte und Politik der DDR, Universität Mannheim (Hrsg.): Ziele, Formen und Grenzen der »besonderen« Wege zum Sozialismus. Studien und Materialien, Bd. 2, Mannheim 1984, S. 127 ff.
29 Protokoll 2. Parteitag, a. a. O. (Anm. 24), S. 545.
30 Ebd., S. 103, S. 219.
31 Ebd., S. 220.
32 Ebd., S. 292 f. In der »Einheit«, 2. Jg. 1947, Heft 11, S. 1087, hob auch der frühere Sozialdemokrat Fechner als »bedeutsames Moment« des II. Parteitags hervor »das einmütige Bekenntnis zum unverfälschten Marxismus wie auch die Anerkennung seiner Fortsetzung und Anwendung auf unsere Zeit durch Lenin und Stalin unter Berücksichtigung der deutschen Verhältnisse«.
33 Protokoll 2. Parteitag ebd., S. 235, 479.
34 Walter Ulbricht: »Die große Lehre«, in: Einheit, 2. Jg. 1947, Heft 11, S. 1075.
35 Fred Oelßner: »Vom Bildungsabend zum Parteilehrjahr«, in: Die ersten Jahre. Berlin (Ost) 1979, S. 32.
36 Vgl. Bericht des Parteivorstandes der SED an den 2. Parteitag. Berlin 1947, S. 29 ff.
37 Dokumente der Sozialistischen Einheitspartei Deutschlands, Bd. 1. Berlin 1948, S. 85 ff.
38 Ebd., S. 153 ff.
39 Vgl. dazu Hermann Weber: Geschichte der DDR, München 1985, S. 148 ff.
40 Interview Heinrich Raus vom 9. 9. 1948, vgl. Heinrich Rau: Für die Arbeiter-und-Bauernmacht. Ausgewählte Reden und Aufsätze. Berlin (Ost) 1984, S. 200.
41 Zur Wirtschaftspolitik der SED. Hrsg. Institut für Gesellschaftswissenschaften beim ZK der SED. Berlin (Ost) 1984, S. 194.
42 Vgl. Archiv der sozialen Demokratie der Friedrich-Ebert-Stiftung, NL Gniffke 32. – Bericht des Parteivorstandes der SED an den 2. Parteitag. Berlin 1947, S. 5 ff.
43 Dokumente der Sozialistischen Einheitspartei Deutschlands, Bd. II. Berlin (Ost) 1952, S. 84 f. Vgl. auch Archiv der sozialen Demokratie, ebd., Akten Ostbüro, 0302 I. – Winfried Mül-

ler: Über die politisch-ideologische Auseinandersetzung der Leipziger Parteiorganisation. »Wissenschaftliche Zeitschrift« der PH Leipzig, II 1985, S. 35.
44 Von 500 Angestellten waren nur 48 ehemalige SPD-Mitglieder. Archiv der sozialen Demokratie der Friedrich-Ebert-Stiftung, Akten Ostbüro, 0302 I.
45 »Neues Deutschland«, Nr. 223 vom 24. 9. 1948.
46 »Sozialistische Bildungshefte«, Heft 9, 1948. Wie schaffen wir eine Partei neuen Typus?, S. 3, 15.
47 Protokoll der 1. Parteikonferenz der Sozialistischen Einheitspartei Deutschlands, 25.–28. 1. 1949 im Haus der Deutschen Wirtschaftskommission zu Berlin. Berlin (Ost) 1949, S. 530 f.
48 Ebd., S. 378.
49 Vgl. Weber, Geschichte der DDR, a. a. O. (Anm. 39), S. 36 ff.
50 Vgl. Führende Kraft des demokratischen Neuaufbaus. Leipzig 1985, S. 199, 322.
51 DDR. Werden und Wachsen. Berlin (Ost) 1974, S. 160.
52 »Neues Deutschland«, Nr. 163 vom 13. 7. 1952.
53 Ebd.
54 Vgl. Weber, Geschichte der DDR, a. a. O. (Anm. 39), S. 219 f.
55 Protokoll der Verhandlungen der II. Parteikonferenz der Sozialistischen Einheitspartei Deutschlands. 9. – 12. Juli 1952 in der Werner-Seelenbinder-Halle zu Berlin. Berlin (Ost) 1952, S. 464.
56 Dokumente der Sozialistischen Einheitspartei Deutschlands, Bd. IV. Berlin (Ost) 1954, S. 428.
57 Vgl. zum 17. Juni Arnulf Baring: Der 17. Juni 1953. Köln 1983. – Ilse Spittmann und Karl Wilhelm Fricke (Hrsg.): 17. Juni 1953. Arbeiteraufstand in der DDR. Köln 1982.
58 Vgl. z. B. »Neuer Weg«, Organ des ZK der SED für alle Parteiarbeiter. Jg. 1953, Nr. 14/15, S. 16 und Nr. 16, S. 13 f.
59 Vgl. K. W. Fricke: Warten auf Gerechtigkeit. Kommunistische Säuberungen und Rehabilitierungen. Köln 1971, S. 92 ff.
60 Vgl. Martin Jänicke: Der dritte Weg. Die antistalinistische Opposition gegen Ulbricht seit 1953. Köln 1964, S. 38 f.
61 Dokumente der SED, Bd. IV, a. a. O. (Anm. 56), S. 508 f.
62 »Neuer Weg«, Jg. 1953, Nr. 18, S. 5.
63 Zu Einzelheiten aus dem Protokoll dieser Tagung vgl. Weber, Geschichte der DDR, a. a. O. (Anm. 39), S. 266 ff.
64 »Neuer Weg«, Jg. 1955, Nr. 9, S. 549 und Nr. 6, S. 307.
65 »Neues Deutschland«, Nr. 55 vom 4. 3. 1956.
66 Protokoll der Verhandlungen der 3. Parteikonferenz der Sozialistischen Einheitspartei Deutschlands vom 24. März bis 30. März 1956 in der Werner-Seelenbinder-Halle zu Berlin. Berlin (Ost) 1956, Bd. 1, S. 311 ff., S. 542 ff., Bd. 2, S. 988.
67 Vgl. die Auszüge in: Hermann Weber (Hrsg.): DDR. Dokumente zur Geschichte der Deutschen Demokratischen Republik 1945–1985. München 1986, S. 227 ff.
68 Protokoll der Verhandlungen des V. Parteitages der Sozialistischen Einheitspartei Deutschlands, 10. bis 16. Juli 1958 in der Werner-Seelenbinder-Halle zu Berlin. Berlin (Ost) 1958, Bd. 1, S. 70.
69 »Neuer Weg«, Jg. 1958, Nr. 16, S. 1218.
70 Protokoll V. Parteitag, a. a. O. (Anm. 68), S. 157.
71 Vgl. Weber, DDR. Dokumente, a. a. O. (Anm. 67), S. 237.
72 Vgl. DDR-Handbuch. 3. Aufl., Köln 1985, Bd. 2, S. 1185 f.
73 Dokumente der CDU, Bd. III. Berlin (Ost) 1960, S. 95. – Dokumente der CDU, Bd. IV. Berlin (Ost) 1962, S. 130 f.
74 Vgl. Weber, DDR, a. a. O. (Anm. 67), S. 246 f.
75 Walter Ulbricht: Der Weg zur Sicherung des Friedens und zur Erhöhung der materiellen und kulturellen Lebensbedingungen des Volkes. Aus dem Referat auf der 4. Tagung des ZK der SED am 15. 1. 1959. Berlin (Ost) 1959, S. 55.
76 Jänicke, Der dritte Weg, a. a. O. (Anm. 60), S. 185.
77 Vgl. zum Mauerbau J. Rühle und G. Holzweißig: 13. August 1961. Die Mauer von Berlin. Köln 1981. Zu den Alternativen dort S. 16.
78 Vgl. dazu S. Prokop: Übergang zum Sozialismus in der DDR. Entwicklungslinien und Probleme der Geschichte der DDR in der Endphase der Übergangsperiode vom Kapitalismus zum Sozialismus und beim umfassenden sozialistischen Aufbau (1958–1963). Berlin (Ost) 1986, S. 82.
79 »Neues Deutschland«, Nr. 327 vom 28. 11. 1961.
80 »Neuer Weg«, Jg. 1966, Nr. 4, S. 205 f.
81 Protokoll der Verhandlungen des VI. Parteitages der Sozialistischen Einheitspartei Deutschlands. 15.–21. Januar 1963 in der Werner-Seelenbinder-Halle zu Berlin. Berlin (Ost) 1963, Bd. 4, S. 297.
82 Ebd., S. 330 f.
83 H. Dohlus: Der demokratische Zentralismus – Grundprinzip der Führungstätigkeit der SED bei der Verwirklichung der Beschlüsse des Zentralkomitees. Berlin (Ost) 1965, S. 6.
84 Staats- und Rechtsgeschichte der DDR. Grundriß. Berlin (Ost) 1983, S. 177.
85 Erich Honecker: Die Verwirklichung der Leninschen Lehre von der führenden Rolle der Partei durch die SED in der DDR. Berlin (Ost) 1970, S. 71 f.
86 Otto Schön: Die höchsten Organe der Sozialistischen Einheitspartei Deutschlands. Berlin (Ost) 1963, 2. Aufl. 1965. Vgl. zum Politbüro auch Weber, Geschichte der DDR, a. a. O. (Anm. 39), S. 475 ff.
87 Honecker, Die Verwirklichung der Leninschen Lehre, a. a. O. (Anm. 85), S. 78.
88 Verfassung der Deutschen Demokratischen Republik. Dokumente, Kommentar. Hrsg. von Klaus Sorgenicht u. a., Berlin (Ost) 1969, Bd. 1, S. 225 ff.
89 »Geschichtsunterricht und Staatsbürgerkunde«, Berlin (Ost), 12. Jg. 1970, Heft 12, S. 1058 f.
90 »Neues Deutschland«, Nr. 252 vom 13. 9. 1967.
91 Walter Ulbricht: Die Bedeutung und die Lebenskraft der Lehre von Karl Marx für unsere Zeit. Berlin (Ost) 1968, S. 39.
92 Politisches Grundwissen. Hrsg. Parteihochschule »Karl Marx« beim ZK der SED. Berlin (Ost) 1970, S. 620.
93 Das System der sozialistischen Gesellschafts- und Staatsordnung in der DDR. Dokumente. Berlin (Ost) 1969, S. 245.
94 Protokoll der Verhandlungen des VIII. Parteitages der Sozialistischen Einheitspartei Deutschlands. 15. bis 19. Juni 1971 in der Werner-Seelenbinder-Halle zu Berlin. Berlin (Ost) 1971, Bd. 1, S. 34.
95 »Staat und Recht«, 23. Jg. 1974, Heft 7, S. 1083.
96 »Beiträge zur Geschichte der Arbeiterbewegung«, 28. Jg. 1986, Heft 2, S. 151 f.
97 Vgl. Karl Wilhelm Fricke: Wird Ulbricht zur Unperson? »Deutschland Archiv«, 6. Jg. 1973, S. 234.
98 »Neuer Weg«, 28. Jg. 1973, Nr. 22, S. 1009 f.
99 Kurt Hager: Zur Theorie und Politik des Sozialismus. Reden und Aufsätze. Berlin (Ost) 1972, S. 173 ff.
100 Politisches Grundwissen. 2. überarb. Aufl. Berlin (Ost) 1972, S. 540.
101 »Einheit«, 28. Jg. 1973, Heft 10, S. 1189.
102 »Einheit«, 31. Jg. 1976, Heft 7, S. 816. – »Neues Deutschland« Nr. 119 vom 19. 5. 1976.
103 Protokoll der Verhandlungen des IX. Parteitages der Sozialistischen Einheitspartei Deutschlands im Palast der Republik in Berlin, 18.–22. 5. 1976, Berlin (Ost) 1976, Bd. 2, S. 209 ff.
104 Protokoll der Verhandlungen des X. Parteitages der Sozialistischen Einheitspartei Deutschlands im Palast der Republik in Berlin, 11.–16. 4. 1981. Berlin (Ost) 1981, Bd. 1, S. 132.
105 »Neuer Weg«, 36. Jg. 1981, Nr. 7, S. 288 a.
106 »Neuer Weg«, 36. Jg. 1981, Nr. 9, S. 326.
107 »Neuer Weg«, 38. Jg. 1983, Nr. 5, S. 169 ff.
108 »Theorie und Praxis«. Wissenschaftliche Beiträge der Parteihochschule »Karl Marx« beim ZK der SED. 30. Jg. 1981, Heft 2, S. 35 f.
109 »Neues Deutschland«, Nr. 7 vom 9. 1. 1986.
110 »Neues Deutschland«, Nr. 91 vom 18. April 1986.

Jens Hacker

SED und nationale Frage

I. Vorbemerkung

Die Frage nach der deutschen Nation ist in der DDR seit 1949 sehr viel häufiger und intensiver gestellt worden als in der Bundesrepublik Deutschland. Während in den deutschlandpolitischen Vorstellungen der Bundesrepublik bis Mitte 1969 nicht der Begriff der »deutschen Nation«, sondern der des deutschen Volkes eine zentrale Rolle gespielt hat, argumentierten und operierten Politik und Wissenschaft der DDR seit der Konstituierung der beiden Gemeinwesen in Deutschland mit dem Nationsbegriff. Die DDR war sich frühzeitig ihres nationalen Dilemmas bewußt. Ständig haben sie und die sie unterstützenden Philosophen, Ideologen und Juristen versucht, die »nationale Frage« in Deutschland neu zu interpretieren. Dabei sah sich die DDR von Anfang an weitgehend auf sich allein gestellt, da ihre »Bruderstaaten« mit dieser Problematik nicht konfrontiert waren. Die Stellung der DDR unterscheidet sich in einem wichtigen Punkt von der der übrigen zum Ostblock gehörenden Länder: Sie existierten als Staaten bereits, bevor sie aufgrund der Kriegs- und Nachkriegsereignisse in den sowjetischen Machtbereich gelangt sind und die UdSSR jeweils einen Regimewechsel erzwang. Die aus der sowjetischen Besatzungszone (SBZ) hervorgegangene DDR sieht sich seit ihrer Ausrufung am 7. Oktober 1949 mit einem zweiten deutschen Staat konfrontiert, dessen politische Legitimation unzweifelhaft ist: der Bundesrepublik Deutschland. Im Gegensatz zu den anderen Ländern des sowjetischen Machtbereichs konnte und kann sich die Führung der DDR nicht auf ein nationales Selbstverständnis berufen. In ihrer über 35jährigen Geschichte ist es der SED-Führung nicht gelungen, die Identität zwischen ihrem politischen und nationalen Anspruch herzustellen.

Angesichts der Tatsache, daß die hier betroffenen wissenschaftlichen Disziplinen – vornehmlich die Philosophie, die Historiographie und die Staats- und Völkerrechtslehre – das nationale Selbstverständnis der DDR zu begründen und zu rechtfertigen haben, wäre es realitätsfremd, beide Bereiche – also Politik und Wissenschaft – getrennt zu behandeln. Eine Periodisierung des Themas hat die repräsentativen und verbindlichen Aussagen von Politik und Wissenschaft in einem engen Zusammenhang zu behandeln. Um die Wandlungen und Schwankungen im nationalen Selbstverständnis der SED herauszuarbeiten, empfiehlt es sich, mehrere Phasen voneinander zu unterscheiden.

Für die SED hat die »nationale Frage« seit ihrer Gründung im April 1946 eine wichtige Rolle gespielt. Schon vorher hat es in der SBZ bemerkenswerte politische Äußerungen zu nationalen Problemen gegeben. Eine Prüfung der einschlägigen Dokumente ergibt, daß für das Selbstverständnis der SED die »nationale Frage« in Deutschland nicht abstrakt, losgelöst von den gesellschaftlichen Gegebenheiten behandelt werden kann. Für die Führung der Einheitspartei gehören Nation und Sozialismus, also die politische, ökonomische und soziale Struktur eines national geeinten oder (wieder) zu vereinigenden deutschen Staates engstens zusammen.

Die weitreichenden Wandlungen der nationalen Doktrin der SED seit Ende 1969 sind vornehmlich auf die damals von der SPD/FDP-Bundesregierung eingeleitete »neue Deutschlandpolitik« zurückzuführen. Die DDR-Führung fühlte sich vor allem herausgefordert, als Bundeskanzler Willy Brandt bei seinem Amtsantritt den Begriff der Nation mit dem Konzept besonderer Beziehungen zwischen den beiden Staaten in Deutschland verknüpfte.

Die folgenden Darlegungen orientieren sich an

den Wandlungen der nationalen Terminologie und Doktrin, weniger an den Versuchen der Historiker in der DDR, die Geschichte des eigenen Staates und der SED[1] sowie der Außenpolitik, der seit langem die Deutschlandpolitik zugeordnet wird[2], zu periodisieren.

II. Die Entwicklung der nationalen Doktrin der SED

Nicht nur für die Zeit bis 1949, sondern bis in die erste Hälfte der sechziger Jahre stand die Fortexistenz der ungeteilten deutschen Nation außerhalb jeder Diskussion in der SBZ/DDR. Im Verlauf der sechziger Jahre wurde die These von der Spaltung der deutschen Nation entwickelt und gefragt, ob die Stalinsche Definition von 1913 (s. S. 9 XXX) noch geeignet sei, die Situation in Deutschland zu erfassen. Für Völkerrechtler ergaben sich vor allem Schwierigkeiten bei der Bestimmung der Subjekte des Selbstbestimmungsrechts. Noch die zweite DDR-Verfassung vom 6. April 1968 basierte auf der These vom Fortbestand der deutschen Nation. Ende 1969/Anfang 1970 vollzog die SED eine entscheidende Wende auf dem Wege zur Zwei-Nationen-These, die dann Erich Honecker nur wenig modifiziert hat, nachdem er 1971 die Nachfolge Walter Ulbrichts angetreten hatte. In eine neue Phase trat die Entwicklung der nationalen Doktrin der SED im Herbst 1974, als alle gesamtnationalen Bezüge aus der revidierten Verfassung vom 7. Oktober eliminiert wurden. Honecker sah sich am 12. Dezember genötigt, erstmals den Begriff der »Nationalität« einzuführen und ihn von der Staatsbürgerschaft abzugrenzen. Den beiden führenden Nationsexperten der SED, Alfred Kosing und Walter Schmidt, blieb es dann überlassen darzulegen, wie die Begriffe Nation und Nationalität auf die Situation in Deutschland anzuwenden seien.

1. Nationale Manifestationen aus der SBZ (1945–1949)

Daß die KPD und später die SED in der SBZ von der Fortexistenz der deutschen Nation auch nach der militärischen Kapitulation Deutschlands ausgegangen sind, kann nicht überraschen. Auffällig ist nur, daß man von Anfang an keinen Zweifel daran ließ, *»daß nur die deutsche Arbeiterklasse der deutschen Nation die Perspektive einer friedlichen und demokratischen Entwicklung zu weisen vermochte und daß nur ihre Politik Garantien für die Sicherung der demokratischen Einheit der deutschen Nation bot«*[3]. Beispielsweise heißt es in dem Kommuniqué über die Bildung einer Einheitsfront der antifaschistisch-demokratischen Parteien vom 14. Juli 1945:

»Nur durch einen grundlegenden Umschwung im Leben und im Denken unseres ganzen Volkes, nur durch Schaffung einer antifaschistisch-demokratischen Ordnung ist es möglich, die Nation zu retten.«[4]

Im neueren DDR-Schrifttum wird kompromißlos festgestellt, die KPD in der SBZ sei sich völlig im klaren gewesen, *»daß die endgültige Lösung der sozialen und nationalen Probleme, die Beseitigung von Ausbeutung, Krisen und Kriegen nur im Sozialismus möglich ist. Aber sie ging davon aus, daß die reale Situation in Deutschland keine Voraussetzungen dafür bot, unmittelbar die politische Macht der Arbeiterklasse zu errichten und den Sozialismus aufzubauen«*.[5]

Günter Benser und Heinz Heitzer bemerken, *»die enge Verknüpfung von Einheit der Arbeiterbewegung und demokratischer Einheit der Nation«* sei *»keine nachträgliche Erkenntnis der marxistischen Geschichtsschreibung. Wenn in westdeutschen Publikationen behauptet wird, die Gründung der SED wäre der Grabstein auf der deutschen Einheit gewesen, so können wir nur wiederholen, was die zur Einheit drängenden Kommunisten und Sozialdemokraten . . . in dem historischen Beschluß der ersten Sechziger-Konferenz vom 20./21. Dezember 1945«*[6] vereinbart hätten und in dem von der *»nationalen deutschen Einheit«* die Rede sei. Beide Autoren werfen den Gegnern der *»Vereinigung der beiden Arbeiterparteien«* vor, sie negierten *»die unlösliche Verkettung der nationalen Interessen mit der Herstellung der Einheit der Arbeiterklasse«*.

Eine wichtige und neue nationale Variante verkündete Otto Grotewohl in seinem Referat »Der Kampf um die nationale Einheit und um die Demokratisierung Deutschlands« auf dem II. Parteitag der SED im September 1947 in Berlin. Darin führte er aus:

»Als vor 100 Jahren das deutsche Bürgertum sich anschickte, seinen geschichtlichen Weg anzutreten, war ihm von der Geschichte die Aufgabe gestellt, im revolutionären Kampfe um die Macht die deutsche Nation zu schaffen und ihre Führung zu übernehmen. Das deutsche Bürgertum hat vor dieser Aufgabe kläglich versagt. Nach einem kurzen revolutionären Anlauf verriet es die Nation an die partikularistischen Herrschaftsinteressen der deutschen Fürsten . . . Damit ist das deutsche Bürgertum endgültig als die geschichtlich führende und tragende Klasse in Deutschland abgetreten. Die Aufgabe, die Führung der Nation zu übernehmen, ist damit in Deutschland endgültig und maßgeblich auf die Arbeiterklasse übergegangen.«[7]

Nach Ansicht Grotewohls könne *»niemand anders als die deutsche Arbeiterklasse der Schöpfer, der Träger und der Repräsentant einer neu sich aus den Trümmern der Vergangenheit erhebenden deutschen Nation sein«*. Da die SED sich als die berufene Vertretung der deutschen Arbeiterklasse verstand (und versteht), hat Grotewohl hier erstmals die Führung der deutschen Nation durch die SED proklamiert. Soweit ersichtlich, hat er diesen hohen Anspruch später nicht in so dezidierter Weise wiederholt. So erklärte er auf der 1. Parteikonferenz der SED Ende Januar 1949, die SED vertrete *»die berechtigten nationalen Ansprüche des deutschen Volkes, die mit den friedlichen Interessen keiner einzigen Nation im Widerspruch stehen. Wir sind national, aber nicht nationalistisch . . . Unser Internationalismus dient dem Frieden. Auf diesem Wege befinden wir uns in einer großen, im steten Wachstum befindlichen Gemeinschaft, an deren Spitze die Sowjetunion als die Führerin der Friedensmacht steht.«*[8]

In dem Manifest der 1. Parteikonferenz der SED vom 28. Januar 1949 ist von der *»historischen Aufgabe«* die Rede, *»die nationale Rettungs- und Einigungsbewegung zu organisieren und zu führen«*[9]. Die Spaltung Deutschlands hätten die *»imperialistischen Westmächte«* zu verantworten; im *»Abkommen«* von Potsdam vom 2. August 1945 hätten sich die Regierungen der UdSSR, der USA und Großbritanniens und später die Regierung Frankreichs verpflichtet, *»Deutschland als eine Einheit zu behandeln, seine Umwandlung in einen demokratischen und friedlichen Staat zu erleichtern . . .«*[10].

Kennzeichnend für diese Argumentationskette ist die einseitige Auslegung der alliierten Abmachungen über den Nachkriegsstatus Deutschlands. Sie ist hinreichend bekannt und bedarf hier keiner Erörterung. Festzuhalten gilt, daß in allen nationalen Proklamationen der SBZ der Fortbestand der ungeteilten deutschen Nation außerhalb jeder Diskussion stand. Die Historiographie in der DDR hat später immer wieder betont, die SED habe von Anfang an *»den unlöslichen Zusammenhang zwischen Einheit der Arbeiterklasse, demokratischer Erneuerung der deutschen Nation und Sicherung der nationalen Einheit«* erkannt: *»Durch die Vereinigung von KPD und SPD zur Sozialistischen Einheitspartei Deutschlands entstand eine mächtige Partei, die stets den Emanzipationskampf der Arbeiterklasse richtig mit dem Ringen um die Lösung unserer nationalen Probleme verband.«*[11]

2. Die These von der ungeteilten deutschen Nation (1949–1962)

Die SED hielt auch nach der Konstituierung der Bundesrepublik Deutschland am 23. Mai 1949 und nach Ausrufung der Deutschen Demokratischen Republik am 7. Oktober 1949 an ihrem kämpferischen Konzept in der Deutschlandfrage fest und stellte die Fortexistenz der ungeteilten deutschen Nation nicht in Frage. So hieß es in der Entschließung »Die gegenwärtige Lage und die Aufgaben der SED«, die der III. Parteitag am 24. Juli 1950 annahm:

»Die Herstellung und Festigung der Einheit der deutschen Arbeiterklasse ist die entscheidende Aufgabe im nationalen Kampf um die Wiedererlangung der Einheit Deutschlands. Erfüllt von der tiefen Sorge um die Zukunft der deutschen Nation, hat die deutsche Arbeiterklasse das Banner des nationalen Kampfes entrollt, der das deutsche Volk auf dem neuen, friedfertigen und demokratischen Wege in eine bessere Zukunft führen wird. Die deutsche Arbeiterklasse wird im Bündnis mit allen Werktätigen ihre historische Pflicht erfüllen, diesen Entwicklungsweg der deutschen Nation zu erkämpfen . . .«[12]

Einen Schritt weiter ging die SED im Beschluß der 2. Parteikonferenz vom 12. Juli 1952, der die Periode der »Schaffung der Grundlagen des Sozialismus« in der DDR einleitete: *»Der nationale Befreiungskampf gegen die amerikanischen, englischen und französischen Okkupanten in Westdeutschland und für den Sturz ihrer Vasallenregierung in Bonn ist die Aufgabe aller friedliebenden und patriotischen Kräfte in Deutschland.«*[13]

An der Entwicklung der nationalen Doktrin der SED in den fünfziger Jahren erscheinen vornehmlich zwei Aspekte von Interesse: einmal die Tatsache, daß die 1953/54 entwickelte These von den in Deutschland existierenden zwei Staaten keine Auswirkungen auf die nationale Position Ost-Berlins gehabt hat[14], und zum anderen der Vortrag »Die heutige Bedeutung der nationalen Frage«, den Fred Oelßner, damals Mitglied des Politbüros und Sekretär für Propaganda des Zentralkomitees der SED sowie Chefredakteur der theoretischen Zeitschrift der Einheitspartei, »Einheit«, am 4. April 1951 im Haus der Kultur der Sowjetunion zu Berlin gehalten hat und der bis 1954 in 6 Auflagen erschienen ist[15].

Oelßner war wohl der erste Autor in der DDR, der sich ernsthaft mit der berühmten und immer wieder zitierten Definition auseinandergesetzt hat, die Stalin 1913 in seinem Aufsatz »Nationale Frage und Sozialdemokratie« gegeben hat. Der Aufsatz wurde ein Jahr später als besondere Broschüre unter dem Titel »Nationale Frage und Marxismus« veröffentlicht:

»Eine Nation ist eine historisch entstandene stabile Gemeinschaft von Menschen, entstanden auf der Grundlage der Gemeinschaft der Sprache, des Territoriums, des Wirtschaftslebens und der sich in der Gemeinschaft der Kultur offenbarenden psychischen Wesensart... Fehlt nur eines dieser Merkmale, so hört die Nation auf, eine Nation zu sein ... Nur das Vorhandensein aller Merkmale zusammen ergibt eine Nation.«[16]

Oelßner hat Stalins *»klassische Definition der Nation«* auf die Situation in Deutschland angewandt und ist zu dem Ergebnis gelangt, *»daß wir mit diesen vier grundlegenden Merkmalen der Nation, die uns Stalin lehrt, nicht beweisen können, daß die deutsche Nation aufgehört habe zu existieren«*[17]. Oelßner identifiziert sich mit Stalins Kritik an Vorschlägen, den von ihm entwikkelten vier Merkmalen der Nation ein fünftes, nämlich das Vorhandensein eines eigenen, abgesonderten Nationalstaates, hinzuzufügen. Oelßners Schlußfolgerung:

»Wer ... behauptet, daß die deutsche Nation nicht mehr existiert, daß sie vorübergehend außer Existenz gesetzt sei, der unterstellt ... bewußt oder unbewußt ein solches fünftes Merkmal mit all den Konsequenzen, die sich daraus ergeben. Das heißt, er begibt sich letzten Endes auf die Position der imperialistischen Unterdrücker... Derjenige, der behauptet, daß die deutsche Nation nicht mehr existiere, unterschätzt gewaltig die Stabilität der Nation. Man soll doch nicht glauben, daß eine Nation in fünf oder zehn Jahren einfach von der Erde verschwinden könne! Die Geschichte hat bewiesen, daß eine Nation nicht so rasch verschwinden kann.«[18]

Darüber hinaus erinnerte Oelßner an die bereits von Karl Marx und Friedrich Engels 1848 im Kommunistischen Manifest aufgestellte und von Lenin weiterentwickelte These: *»In dem Maße, wie die Exploitation des einen Individuums durch das andere aufgehoben wird, wird die Exploitation einer Nation durch die andere aufgehoben. Mit dem Gegensatz der Klassen im Innern der Nation fällt die feindliche Stellung der Nationen gegeneinander.«*[19]

Zu ergänzen ist hier nur jener Passus aus dem Kommunistischen Manifest, der diesen Aussagen vorangestellt ist: *»Indem das Proletariat zunächst sich die politische Herrschaft erobern, sich zur nationalen Klasse erheben, sich selbst als Nation konstituieren muß, ist es selbst noch national, wenn auch keineswegs im Sinne der Bourgeoisie.«*[20]

Auf das Kommunistische Manifest geht die These zurück, nach der in einer Nation zwei Nationen existieren können, nämlich die bürgerliche und die sozialistische. An diesen Gedanken hat Lenin angeknüpft und gemeint, jede Nation bestehe aus zwei Nationen, der bourgeoisen und der proletarischen. Da Marx und Engels glaubten, die mit der proletarisch-sozialistischen Revolution verbundene Emanzipation der Völker mache nationale Konflikte hinfällig, ordneten sie folgerichtig die nationale der sozialen Emanzipation unter. Für die Argumentation der SED in den fünfziger Jahren und später gilt es festzuhalten, daß Lenin zwar die nationalen Interessen den proletarisch-sozialistischen unterordnete, er zugleich aber der nationalen Selbstbe-

stimmung die Priorität vor der sozialen Selbstbestimmung des Proletariats einräumte.[21]
Die SED ließ damals und später bei ihrem Eintreten für die *»Wiedervereinigung unseres Vaterlandes«* und ihren dazu unterbreiteten Vorschlägen keinen Zweifel daran, daß sie wie die KPdSU *»niemals an eine Einheit schlechthin, sondern stets an eine ›demokratische Wiedervereinigung‹ dachte. In der leninistischen Revolutionstheorie gelten dabei demokratische Vorstufen nur als unumgängliche Voraussetzung für spätere ›sozialistische Umwälzungen‹. Diese Vorstellung lag den sowjetischen Angeboten von 1952 zugrunde und wurde bis 1955 noch als kurz- oder mittelfristig realisierbar angesehen.«*[22]
Diese wichtige Feststellung, daß die SED die Wiederherstellung der nationalen Einheit Deutschlands nicht schlechthin, sondern – ebenso wie die sowjetische Führung – nur unter bestimmten Voraussetzungen zuzulassen bereit war, ließe sich mit zahlreichen offiziellen Äußerungen belegen. Hier sei nur auf zwei besonders repräsentative Stellungnahmen Walter Ulbrichts hingewiesen. So erklärte Walter Ulbricht am 30. März 1954 auf dem IV. Parteitag der SED: *»Die wichtigste Aufgabe zur Wiederherstellung der Einheit eines demokratischen und friedliebenden Deutschlands ist die Festigung der demokratischen Ordnung in der Deutschen Demokratischen Republik, der Basis der Kräfte des Friedens und der Demokratie in ganz Deutschland.«*[23]
Auf der 3. Parteikonferenz der SED sagte Ulbricht am 24. März 1956: *»Wir stellen gegenwärtig keine sozialistischen Forderungen für ganz Deutschland, sondern erklären, daß bei der Wiedervereinigung die sozialistischen Errungenschaften der Deutschen Demokratischen Republik nicht nur gesichert werden müssen, sondern daß sie die Voraussetzung sind, um eine friedliche und demokratische Entwicklung in ganz Deutschland zu gewährleisten. Als Sozialisten sagen wir offen, daß unser Ziel, das den gesellschaftlichen Entwicklungsbedingungen entspricht, ein sozialistisches Gesamtdeutschland ist.«*[24]
In der zweiten Hälfte der fünfziger Jahre entsprach der Ansicht vom Fortbestand der deutschen Nation die These, daß man von der Koexistenz beider deutscher Staaten nicht sprechen könne. So schrieb Otto Reinhold, seit 1954/55 Leiter des Lehrstuhls für Politische Ökonomie an der Parteihochschule der SED und seit 1963 Direktor des Instituts für Gesellschaftswissenschaften beim Zentralkomitee der SED, im Frühjahr 1956 in der »Einheit«:
»Da wir . . . in Deutschland trotz aller unterschiedlichen Entwicklung in Ost- und Westdeutschland eine Nation und eine Arbeiterklasse haben, müßte eine Übertragung der Koexistenz auf Deutschland faktisch darauf hinauslaufen, daß zwischen deutschen Arbeitern und anderen deutschen Werktätigen einerseits und den deutschen Militaristen andererseits Beziehungen der friedlichen Koexistenz entwickelt würden. Allen friedliebenden deutschen Werktätigen ist jedoch verständlich, daß es zwischen ihnen und den deutschen Militaristen keine Koexistenz geben kann.«[25]
In einer 1959 im Ostberliner Dietz-Verlag erschienenen Broschüre für SED-Funktionäre hieß es dazu noch unmißverständlicher: *»Die Anwendung des Prinzips der friedlichen Koexistenz auf das Verhältnis zwischen den beiden deutschen Staaten würde bedeuten, den Klassenstandpunkt der Arbeiterklasse zu verlassen, den Massen jede klare Orientierung über das künftige einheitliche Deutschland zu nehmen, würde bedeuten, die marxistisch-leninistische Theorie der nationalen Frage als eine Teilfrage der proletarischen Revolution zu revidieren und die nationale Mission der DDR zu negieren.«*[26]
Ihre Position in der »nationalen Frage« änderte die SED auch nicht, als sie 1956/57 die »deutsche Frage« von der staatsrechtlichen auf die völkerrechtliche Ebene transponierte und in der Folgezeit zahlreiche Varianten eines Konföderationskonzepts für beide deutsche Staaten vorlegte.[27]
Dies ist auch insofern verständlich, als die UdSSR, die erst ab 1955 die Zwei-Staaten-These vertritt[28], noch in ihrem Entwurf für einen Friedensvertrag mit Deutschland vom 10. Januar 1959 von der *»deutschen Nation«* und der *»Wiederherstellung der nationalen Einheit Deutschlands«*[29] sprach. Auf der bisher letzten Deutschlandkonferenz der Außenminister der vier Mächte (11. Mai bis 20. Juni und 13. Juli bis 5. August 1959) in Genf unterbreitete Molotow noch einmal den sowjetischen Entwurf eines Friedensvertrags, ohne die sowjetische Einstellung zur nationalen Frage in Deutschland zu mo-

difizieren. So konnten auch der Verlauf und das Scheitern dieser Konferenz keine Auswirkungen auf die nationale Doktrin der DDR haben.[30]

Daß die SED bis Anfang der sechziger Jahre es strikt ablehnte, die Zwei-Staaten-These auf die »nationale Frage« zu übertragen, verdeutlichte Ulbricht unmißverständlich in seinem Referat auf der 11. Tagung des Zentralkomitees der SED am 15. Dezember 1960. Darin sagte er:

»Die westdeutschen Imperialisten haben die friedliche Wiedervereinigung abgeschrieben . . . Da aber ein Krieg für sie Selbstmord ist und auch die anderen Westmächte nicht das Bedürfnis haben, sich in ein solches Abenteuer hineinziehen zu lassen, rechnen die Bonner Politiker, wie das auch kürzlich ihr Staatsphilosoph Jaspers schrieb, mit dem Bestehen von zwei deutschen Staaten auf lange Dauer. Herr Jaspers spricht sogar von der Entstehung zweier deutscher Nationen. Wir halten auch diese Perspektive für falsch . . . Dort, das ist meine feste Überzeugung, wo sich erst einmal eine moderne Nation herausgebildet hat, ist trotz vorübergehender Spaltung die Wiederherstellung der Einheit der Nation historisch unvermeidlich.«[31]

3. Die These von der Spaltung der deutschen Nation in zwei Staaten (ab 1962)

Nach dem Bau der Mauer in Berlin im August 1961 sollte es noch einige Monate dauern, bis sich die DDR-Führung entschloß, das eigene nationale Selbstverständnis ein wenig zu modifizieren, ohne dabei die Fortexistenz der deutschen Nation in Frage zu stellen. Vom gesteigerten Selbstbewußtsein zeugten vor allem die Rede Ulbrichts vom 25. März 1962, in der er das vom Nationalrat der Nationalen Front des Demokratischen Deutschland verabschiedete »Nationale Dokument« begründete, und seine Darlegungen vom 17. Juni 1962. Am 25. März 1962 wiederholte Ulbricht zunächst die immer wieder vorgetragene Behauptung, *»unsere Maßnahmen zur Sicherung der Grenzen vom 13. August«* hätten *»die beabsichtigten politischen und militärischen Provokationen der westdeutschen Ultras vereitelt«*. Dann betonte er:

»Der Sieg des Sozialismus in der Deutschen Demokratischen Republik – das ist durch die ganze Entwicklung hinlänglich bewiesen – steht im Einklang mit den nationalen Interessen des ganzen deutschen Volkes. Er ist darüber hinaus sogar Voraussetzung für eine glückliche Lösung der nationalen Frage, für die Überwindung der Spaltung. Die weitere Voraussetzung für die Wiederherstellung der Einheit der Nation ist die Überwindung der Herrschaft des Imperialismus und Militarismus in Westdeutschland durch die Arbeiterklasse im Bündnis mit allen friedliebenden und demokratischen Kräften.«[32]

Nachdem das »Nationale Dokument« am 25. März zur Veröffentlichung freigegeben und *»der gesamten Bevölkerung der DDR zur öffentlichen Beratung«*[33] vorgelegt worden war, nahm der Nationalkongreß der Nationalen Front am 17. Juni 1962 das Dokument einstimmig an. Bei dieser Gelegenheit befaßte sich Ulbricht noch einmal ausführlich mit der deutschen Frage. Dabei wiederholte er seine These, die Politik der DDR entspreche *»den Lebensinteressen und nationalen Interessen des ganzen deutschen Volkes«*. Er fügte jedoch hinzu: *»Um den in der DDR staatlich organisierten Kern der deutschen Nation wird sich die große Mehrheit auch der westdeutschen Bevölkerung gruppieren.«*[34]

Obwohl es nun der SED um die »Wiederherstellung der Einheit der Nation« ging, nahm Ulbricht in seiner Rede vom 17. Juni 1962 den Marxschen Gedanken von den zwei Nationen in einer Nation auf, indem er ausführte: *»Die Grenze zwischen den beiden Deutschlands ist nicht identisch mit den Staatsgrenzen. Die Scheidelinie verläuft vielmehr mitten durch Westdeutschland.«* Das Protokoll seiner Rede vermerkte hier *»lebhafter Beifall«*.[35]

Im »Nationalen Dokument« vom 25. März 1962, das »Die geschichtlichen Aufgaben der DDR und die Zukunft Deutschlands« überschrieben ist, ist Ulbrichts These, die DDR vertrete die ganze Nation, fortentwickelt worden. Im »Nationalen Dokument« heißt es:

»Als die westdeutschen Imperialisten mit Hilfe der Westmächte ihren Separatstaat gründeten, die Einheit der Nation sprengten und sich anschickten, Westdeutschland gänzlich aus dem deutschen Nationalverband herauszulösen, antworteten die in der Nationalen Front des demokratischen Deutschlands vereinten fortschrittlichen Kräfte

unter Führung der Arbeiterklasse mit der Gründung der Deutschen Demokratischen Republik.«[36]
An anderer Stelle wurde betont, daß der sozialistische deutsche Staat die Zukunft der ganzen Nation verkörpere, *»daß nur durch den Sieg des Friedens und des Sozialismus in ganz Deutschland die nationale Frage gelöst werden kann«*. Das deutsche Volk könne *»nur wiedervereinigt werden, nachdem in Westdeutschland die friedliebenden Kräfte den deutschen Imperialismus überwunden haben und das Volk seine Geschicke in die eigenen Hände genommen hat«*[37].
Daß die SED Anfang 1962 ihre erste einschneidende Wandlung in der »nationalen Frage« vollzog, verdeutlichte auch der Ostberliner »Nations«-Experte Alfred Kosing. Er kritisierte als erster die Stalinsche Definition aus dem Jahre 1913[38], da sie nicht mehr genüge, die Nation zu charakterisieren. Sie reduziere die Nation auf eine Zusammenfassung von Merkmalen, berücksichtige aber nicht die Rolle der Nation im gesellschaftlichen Leben, kläre nicht die Entwicklungsgesetze der Nation und zeige vor allem nicht die Wandlung der Nation unter Führung der Arbeiterklasse zur sozialistischen Nation. Damit hatte Kosing der Stalinschen Definition eine neue, ideologisch begründete Komponente hinzugefügt. Festzuhalten bleibt, daß er seine neue These nicht mit anderen Zitaten der Klassiker des Marxismus-Leninismus begründet hat. Kosing legte aber besonderen Wert auf die Feststellung, daß es nur *eine* deutsche Nation gebe: *»In der modernen Epoche kann die gegenwärtige Spaltung der deutschen Nation in zwei Staaten nicht zur Bildung von zwei Nationen führen, sondern sie wird schließlich durch die Herausbildung einer einheitlichen sozialistischen Nation überwunden werden.«*[39]
Andere namhafte Repräsentanten der SED, z. B. das ZK-Mitglied Hanna Wolf, verwarfen damals Stalins Begriffsbestimmung als *»formal und abstrakt«*.[40] Kosing und andere Kritiker gingen insoweit über Ulbricht hinaus, als dieser in seinen Reden vom 15. Dezember 1960 sowie vom 25. März und 17. Juni 1962 jede Kritik an der Nationsdefinition Stalins vermieden hatte. Ihm kam es damals darauf an, die Politik der DDR mit *»den nationalen Interessen des ganzen deutschen Volkes«* zu identifizieren.

Noch schärfer als das »Nationale Dokument«, enthielt das vom VI. Parteitag der SED im Januar 1963 verabschiedete erste Parteiprogramm einen gesamtnationalen Anspruch. Darin wurden wiederum *»die westdeutsche Großbourgeoisie«* und die *»imperialistischen Westmächte«* beschuldigt, *»die Westzonen vom deutschen Nationalverband«* abgespalten zu haben: *»Während der imperialistische westdeutsche Staat im Widerspruch zu den geschichtlichen Erfahrungen und den Erfordernissen der deutschen Nation steht, ist die Deutsche Demokratische Republik der rechtmäßige deutsche Staat, der die wahren Interessen der Nation vertritt.«*
Die *»historische Mission«* der DDR bestehe darin, *»durch die umfassende Verwirklichung des Sozialismus in dem ersten deutschen Arbeiter-und-Bauern-Staat die feste Grundlage dafür zu schaffen, daß in ganz Deutschland die Arbeiterklasse die Führung übernimmt, die Monopolbourgeoisie auch in Westdeutschland entmachtet und die nationale Frage im Sinne des Friedens und des gesellschaftlichen Fortschritts gelöst wird«*. Für eine freie Entscheidung des deutschen Volkes in beiden Teilen Deutschlands über seine Lebensform ist in dem »Nationalen Dokument« kein Platz:
»Der vollständige und umfassende Aufbau des Sozialismus in der Deutschen Demokratischen Republik ist eine grundlegende Bedingung für die Lösung der nationalen Frage in Deutschland und damit auch für die Wiedervereinigung der in zwei Staaten gespaltenen Nation. Er entspricht dem objektiven Entwicklungsgesetz der Nation in der modernen Epoche und berücksichtigt die Lehren der deutschen Geschichte.«[41]
Mehrere DDR-Autoren haben sich noch bis in die Mitte der sechziger Jahre mit der Frage auseinandergesetzt, ob und inwieweit die Stalinsche Definition aus dem Jahre 1913 auf die Situation in Deutschland noch anwendbar sei. Für sie ergaben sich vor allem Schwierigkeiten bei der Bestimmung der Subjekte des Selbstbestimmungsrechts[42]: Sollte das das deutsche Volk in seiner Gesamtheit sein, oder war es jeweils die Bevölkerung der beiden deutschen Staaten? Der Völkerrechtler Rudolf Arzinger behauptete, es gebe zwei getrennte Staatsvölker in beiden deutschen Staaten als Subjekte des Völkerrechts. In seiner Habilitationsschrift be-

merkte er, es sei heute wohl anerkannt, daß die Stalinsche Begriffsbestimmung, wenn auch die in ihr genannten Elemente von wesentlicher Bedeutung seien, unzureichend sei: *»Das wird auch dadurch bestätigt, daß sie es nicht ermöglicht, die gegenwärtige Lage der deutschen Nation richtig zu erfassen.«*[43] Arzinger gab wenigstens zu, daß in dieser Hinsicht eine Lücke in der Theorie des historischen Materialismus bestehe, was jedoch für das Problem der Subjekte des Selbstbestimmungsrechts im Völkerrecht nicht entscheidend ins Gewicht falle.

In der DDR beharrten bis 1967 alle Autoren, die versuchten, neue nationale Formeln für die Situation in Deutschland zu entwickeln, auf der Feststellung, daß es *nur eine*, wenn auch gespaltene deutsche Nation gebe. Die Spaltung der deutschen Nation könnte, so argumentierte man, trotz der Existenz zweier Staaten nicht zur Bildung von zwei Nationen in Deutschland führen.

So wurde in dem ersten Antrag des Staatsrats auf Mitgliedschaft der DDR in der Organisation der Vereinten Nationen (UNO) vom 28. Februar 1966 festgestellt, beide deutsche Staaten bildeten eine Nation.[44] Der »Entwurf eines Vertrages über die Herstellung und Pflege normaler Beziehungen zwischen der Deutschen Demokratischen Republik und der Bundesrepublik Deutschland«, den Ministerpräsident Willi Stoph seinem an Bundeskanzler Kurt Georg Kiesinger am 18. September 1967 gerichteten Schreiben beigefügt hat, sprach von den *»souveränen Staaten deutscher Nation«*[45].

Das Jahr 1967 bildet eine wichtige Zäsur in der Entwicklung der nationalen Frage, da die SED jetzt nicht nur eine grundlegende Umgestaltung der politischen, sozialen und ökonomischen Verhältnisse in der Bundesrepublik Deutschland als Voraussetzung für eine »Vereinigung« Deutschlands forderte, sondern erstmals die Wiederherstellung der staatlichen Einheit Deutschlands als *»nicht real«* bezeichnete. Diese Thesen wurden im »Material zur Diskussion zur Vorbereitung des VII. Parteitags der SED« verbreitet.[46] In seiner Rede auf dem VII. Parteitag der SED am 17. April 1967 bediente sich Ulbricht teilweise der gleichen Wendungen. Auch er apostrophierte die *»Vereinigung Deutschlands«* als *»nicht real«* und verlangte die *»demokratische Umgestaltung Westdeutschlands«* als Vorbedingung einer »Vereinigung beider deutscher Staaten«.[47]

Ulbrichts weitere Aussagen zeugten von dem inzwischen gewandelten historischen Selbstverständnis der DDR. So stellte er fest:

»Westdeutsche Historiker haben unlängst wieder auf die Tatsache aufmerksam gemacht, daß in der geschichtlichen Vergangenheit der deutschen Nation noch niemals alle ihr zugehörigen Völker und Stämme in einem Staat vereinigt waren. Gerade die staatliche Vielfalt, in die sich die deutsche Nation gliederte, prägte das geschichtliche Bild von Jahrhunderten. Die von Bismarck und dem preußischen Militarismus 1871 mit Blut und Eisen erzwungene preußisch-kleindeutsche Lösung des imperialistischen Deutschen Reiches trug seit seiner Geburt den Keim des Untergangs in sich ... Heute besteht die Nation im wesentlichen aus den deutschen Staatsvölkern zweier voneinander unabhängiger deutscher Staaten ... Eine Einheit der deutschen Nation unter der Führung der Imperialisten ist nicht möglich.«[48]

Damit übernahm Ulbricht zum ersten Mal die von Rudolf Arzinger entwickelte These, nach der in den beiden Staaten Deutschlands je ein Staatsvolk lebe. Allerdings stellte der SED-Chef auch jetzt noch nicht die Existenz der deutschen Nation in Frage.[49]

4. Die DDR – ein »sozialistischer Staat deutscher Nation« (1968/69)

Obwohl sich die Führung der DDR seit dem Antritt der Bundesregierung der Großen Koalition mit Bundeskanzler Kurt Georg Kiesinger und dem Minister für gesamtdeutsche Fragen Herbert Wehner am 1. Dezember 1966 zahlreichen deutschlandpolitischen Initiativen gegenübersah[50], hielt sie – wie bereits ausgeführt – 1967 an ihren zuvor entwickelten nationalen Grundpositionen fest. Allerdings deuteten mehrere weitreichende gesetzgeberische Akte und die offiziellen Begründungen, in denen der besondere »sozialistische« Charakter der Staatsordnung der DDR betont wurde, darauf hin, daß auf längere Sicht wohl auch das nationale Selbstverständnis der SED durch eine stärkere Akzentuierung der sozialen und gesellschaftlichen Komponente modifiziert werden müsse.[51] Staats- und Völkerrechtler der DDR standen vor neuen Aufgaben, nachdem sich die DDR-Regierung entschlossen hatte, mit dem »Gesetz über die Staatsbürgerschaft der DDR« vom 20. Februar 1967 die DDR staatsrechtlich in besonders eklatanter Weise von der Bundesrepublik Deutschland abzugrenzen.[52]

Die Krönung der auf eine separate Staats- und Rechtsordnung gerichteten Entwicklung brachte die neue Verfassung der DDR vom 6. April 1968, deren Ausarbeitung Ulbricht erstmals am 2. Mai 1967 vor der Volkskammer angekündigt hatte.[53] Darin wurde die nationale Situation in Deutschland aus der Sicht der SED neu definiert. In der Verfassung vom 6. April 1968 wurde aber bis zu ihrer gravierenden Änderung vom 7. Oktober 1974 mehrfach und an wichtiger Stelle der Begriff »deutsche Nation« gebraucht. Die DDR verstand sich – wie Artikel 1 ihrer Verfassung betonte – als ein *»sozialistischer Staat deutscher Nation«*. In der Präambel war von den *»Lebensinteressen der Nation«* die Rede, während in Artikel 8 Absatz 2 von der *»Überwindung der vom Imperialismus der deutschen Nation aufgezwungenen Spaltung Deutschlands«* gesprochen wurde. Schließlich war die Formel von der »deutschen Nation« noch in Artikel 9 der Verfassung verankert.

Die in der Verfassung der DDR verwandte Formel, die DDR sei ein *»sozialistischer Staat deutscher Nation«*, schloß die Existenz eines zweiten Staates deutscher Nation, also der Bundesrepublik Deutschland, nicht aus. Für die SED-Führung hatte das mehrere Vorteile: Einmal erlaubte sie es ihr, die nach ihrer Ansicht spezifischen »sozialistischen« Charakteristika ihrer Staatsordnung neu zu interpretieren. Zum anderen ließ die Formel *»sozialistischer Staat deutscher Nation«*, also das Festhalten an der These von den zwei Staaten einer Nation, der DDR-Führung den nötigen Spielraum, die Deutschlandpolitik oder zumindest einzelne ihrer Aspekte nicht uneingeschränkt der Außenpolitik zuordnen zu müssen.

Daß führende Verfassungsjuristen der DDR diese damit verbundene Problematik damals erkannt haben, verdeutlicht der von Klaus Sorgenicht, Wolfgang Weichelt, Tord Riemann und Hans-Joachim Semler herausgegebene Kommentar »Verfassung der Deutschen Demokratischen Republik«. Darin wird betont, die DDR habe sich *»seit ihrer Gründung ... für die Interessen der Nation und ihrer Einheit eingesetzt«* und werde auch weiterhin *»nachdrücklich die Lebensinteressen der ganzen deutschen Nation ... vertreten«*. Das friedliche Nebeneinanderbestehen der DDR und Westdeutschlands könne nur gesichert werden, *»wenn ihren Beziehungen, die* der Sache nach *völkerrechtliche Beziehungen sein müssen, die im zwischenstaatlichen Verkehr geltenden Normen des Völkerrechts zugrunde gelegt werden«*[54].

Nachdem schon 1967 die *»Vereinigung«* der beiden Staaten in Deutschland als *»nicht real«* bezeichnet worden war, konnte Artikel 8 der DDR-Verfassung vom 6. April 1968 nicht überraschen, in dem *»die schrittweise Annäherung der beiden deutschen Staaten bis zu ihrer Vereinigung auf der Grundlage der Demokratie und des Sozialismus«*, also auf kommunistischer Grundlage, postuliert wurde. Dies entspreche der Erkenntnis, *»daß der historische Fortschritt, das heißt der Übergang zum Sozialismus, an Westdeutschland nicht vorübergehen wird«*[55].

5. Von W. Ulbricht zu E. Honecker: vom »sozialistischen deutschen Nationalstaat« (1970) zur These von der »Herausbildung der sozialistischen Nation« in der DDR (ab 1971)

Am 28. Oktober 1969 sah sich die SED erstmals in der »nationalen Frage« herausgefordert, als Bundeskanzler Willy Brandt in seiner ersten Regierungserklärung von der *»Aufgabe der praktischen Politik in den jetzt vor uns liegenden Jahren«* sprach, *»die Einheit der Nation dadurch zu wahren, daß das Verhältnis zwischen den Teilen Deutschlands aus der gegenwärtigen Verkrampfung gelöst wird«*[56]. In seinem ersten Bericht zur Lage der Nation qualifizierte Brandt dann die Formel von der Existenz zweier Staaten in Deutschland und den zwischen ihnen existierenden Sonderbeziehungen durch den Begriff der Nation. Dazu stellte er am 14. Januar 1970 fest: *»Im Begriff der Nation sind geschichtliche Wirklichkeit und politischer Wille vereint. Nation umfaßt und bedeutet mehr als gemeinsame Sprache* *und Kultur, als Staat und Gesellschaftsordnung. Die Nation gründet sich auf das fortdauernde Zusammengehörigkeitsgefühl der Menschen eines Volkes . . . Die beiden Staaten auf deutschem Boden sind nicht nur Nachbarn, sondern sie sind Teile einer Nation mit weiterhin zahlreichen Gemeinsamkeiten.«*[57]

Nicht nur die prononcierte Berufung der SPD/FDP-Bundesregierung auf die These von der »Einheit der Nation«, sondern auch andere zentrale Aspekte der »neuen Deutschlandpolitik« brachten die DDR-Führung in einige Verlegenheit. So betonte Brandt am 28. Oktober 1969 nachdrücklich, eine völkerrechtliche Anerkennung der DDR durch die Bundesregierung könne nicht in Betracht kommen: *»Auch wenn zwei Staaten in Deutschland existieren, sind sie doch füreinander nicht Ausland; ihre Beziehungen zueinander können nur von besonderer Art sein.«*

Sechs Wochen nach der Regierungserklärung Bundeskanzler Brandts nahm das Zentralkomitee der SED auf seiner 12. Tagung am 12. und 13. Dezember 1969 zum ersten Mal offiziell und verbindlich Stellung zum deutschlandpolitischen Programm der SPD/FDP-Koalition, das der DDR erstmals die Staatsqualität attestierte. Bei dieser Gelegenheit erklärte der SED-Chef noch unmißverständlich, *»eine Vereinigung des sozialistischen deutschen Staates mit dem noch unter Herrschaft des Monopolkapitals befindlichen westdeutschen Staat«* sei *»unmöglich«*. So konnte es nicht überraschen, daß in dem Vertragsentwurf, den der Vorsitzende des DDR-Staatsrates, Walter Ulbricht, am 17. Dezember 1969 Bundespräsident Gustav Heinemann sandte, jede Bezugnahme auf die deutsche Nation fehlte.[58]

Am 19. Januar 1970, fünf Tage nach dem ersten Bericht Bundeskanzler Brandts zur »Lage der Nation«, wandte sich Ulbricht auf einer internationalen Pressekonferenz vehement gegen die These von der »Einheit der Nation« und verkündete eine neue nationale Eigenformel für die DDR:

»Das ist die historische Realität: Die Deutsche Demokratische Republik ist ein sozialistischer deutscher Nationalstaat, *die westdeutsche Bundesrepublik ist ein kapitalistischer NATO-Staat, dessen ehemalige Adenauer-Regierung sogar solche Grundrechte wie die Regelung der Beziehungen zur DDR den imperialistischen Westmächten übertragen hat. Es ist ein Staat mit beschränkter nationaler Souveränität . . .*

Wenn gegenwärtig Herr Brandt in mystischer Weise von einer Einheit der Nation spricht, so braucht er diese unrealistische Behauptung, um der Herstellung normaler gleichberechtigter völkerrechtlicher Beziehungen mit der DDR aus dem Wege zu gehen. Herr Brandt sollte sich übrigens klarwerden, daß auch in der westdeutschen Bundesrepublik von einer Einheit der Nation nicht die Rede sein kann. Zwischen den Krupps und den Krauses, zwischen den Milliardären und Multimillionären und dem werktätigen Volk gibt es keine nationale Einheit. Sie hat es auch im untergegangenen Deutschen Reich nicht gegeben . . .«[59]

Während Bundeskanzler Brandt bei seinen beiden Treffen mit Ministerpräsident Willi Stoph am 19. März 1970 in Erfurt und am 21. Mai 1970 in Kassel seine These von der »Einheit der Nation« wiederholte, ließ die DDR-Führung keinen Zweifel daran, daß sie nicht zu dieser von ihr früher gleichfalls vertretenen nationalen Position zurückzukehren gedachte.[60] In Punkt 10 des von Brandt in Kassel unterbreiteten Zwanzig-Punkte-Katalogs wurde festgestellt, daß der angestrebte innerdeutsche Vertrag von den Folgen des Zweiten Weltkriegs und von der besonderen Lage Deutschlands und der Deutschen ausgehen müsse, *»die in zwei Staaten leben und sich dennoch als Angehörige einer Nation verstehen«*.

Nachdem Ulbrichts neue nationale Formel von der DDR als dem »sozialistischen deutschen Nationalstaat« in zahlreichen offiziellen Ostberliner Kommentaren wiederholt worden war, bereicherte er sie schon Ende 1970 um eine weitere Variante. In seiner Rede zur Vorbereitung des 25. Jahrestags der SED am 17. Dezember 1970, die das »Neue Deutschland« erst am 14. Januar 1971 veröffentlicht hat, stellte Ulbricht fest:

»Die bürgerliche deutsche Nation, die sich im Prozeß des Übergangs vom Feudalismus zum Kapitalismus entwickelt und die im Rahmen eines einheitlichen Staates von 1871 bis 1945 bestanden hatte, existiert nicht mehr. Die DDR ist der sozialistische deutsche Nationalstaat, *in ihr vollzieht sich der Prozeß der Herausbildung einer* soziali-

stischen Nation. *Dafür sind bereits unwiderrufliche Tatsachen entstanden. Die BRD ist ein imperialistischer Staat der NATO und verkörpert den verbliebenen Teil der alten bürgerlichen deutschen Nation unter den Bedingungen des staatsmonopolistischen Herrschaftssystems.«*[61]

Walter Ulbrichts Nachfolger an der Spitze der SED, Erich Honecker, hat bezeichnenderweise nur Ulbrichts These von der sich in der DDR entwickelnden »sozialistischen Nation«, nicht jedoch die Formel von der DDR als dem »sozialistischen deutschen Nationalstaat« übernommen. In seinem Rechenschaftsbericht an den VIII. Parteitag der SED im Juni 1971, wenige Wochen nach dem Rücktritt Ulbrichts am 3. Mai 1971, führte Honecker aus:

»Die herrschenden Kreise in der BRD suchen ihre revanchistische Linie von den bereits erwähnten ›innerdeutschen Beziehungen‹ mit der betrügerischen Behauptung zu stützen, es bestehe unverändert eine einheitliche deutsche Nation. Davon kann selbstverständlich keine Rede sein. Was die nationale Frage betrifft, so hat hierüber bereits die Geschichte entschieden.

Man muß bei der Einschätzung der nationalen Frage von ihrem Klasseninhalt ausgehen . . . Mit der Errichtung der Arbeiter-und-Bauern-Macht und dem Aufbau der sozialistischen Gesellschaft entwickelt sich ein neuer Typus der Nation, die sozialistische Nation. Im Gegensatz zur BRD, wo die bürgerliche Nation fortbesteht und wo die nationale Frage durch den unversöhnlichen Klassenwiderspruch zwischen der Bourgeoisie und den werktätigen Massen bestimmt wird, der – davon sind wir überzeugt – im Verlauf des welthistorischen Prozesses des Übergangs vom Kapitalismus zum Sozialismus seine Lösung finden wird, entwickelt sich bei uns in der Deutschen Demokratischen Republik, im sozialistischen deutschen Staat, die sozialistische Nation.«[62]

Während die Entschließung des VIII. Parteitags der SED in ihrer einleitenden zeithistorischen Rückschau feststellte, die DDR habe *»ihre Wesensmerkmale als sozialistischer deutscher Nationalstaat weiter ausgeprägt«*, wurden *»die Ziele der Außenpolitik der DDR«* u. a. so umschrieben: *»Zwischen der sozialistischen DDR, in der sich die sozialistische deutsche Nation entwickelt, und der monopolkapitalistischen BRD, in der die alte bürgerliche Nation existiert, kann und wird es niemals sogenannte besondere ›innerdeutsche Beziehungen‹ geben.«*[63]

Da 1971 in der DDR die »nationale Frage« für lange Zeit neu definiert wurde, gilt es zweierlei festzuhalten: Es war Walter Ulbricht, dessen nationales Credo den Weg zur Zwei-Nationen-These wies, indem er erstmals die Formel vom *»Prozeß der Herausbildung einer sozialistischen Nation«* in der DDR verwandte und damit die flexible nationale Parole aus der Verfassung vom 6. April 1968 aufgab. Mit dem von Ulbricht gleichfalls erhobenen nationalen Alleinvertretungs-Anspruch in der Rede vom 17. Dezember 1970 – die DDR sei *»der sozialistische deutsche Nationalstaat«* – hat sich Honecker von Anfang an nicht identifiziert, auch wenn er in die Entschließung des VIII. Parteitags der SED aufgenommen worden ist.

6. Die »nationale Frage« im Grundlagenvertrag und deren Interpretation durch das Bundesverfassungsgericht in der Sicht der DDR (1972/73)

Im Vorfeld der Verhandlungen über die vertragliche Regelung des innerdeutschen Verhältnisses ließ die SED keine Gelegenheit aus, der im Kasseler Zwanzig-Punkte-Katalog Brandts vom 21. Mai 1970 entwickelten und in der Folgezeit wiederholten These von der Einheit der Nation vehement zu widersprechen. Stereotyp betonten hohe Ostberliner Funktionäre, *»das von Bonn immer wieder ins Spiel gebrachte Gerede von der ›einheitlichen Nation‹«* sei *»nichts anderes als eine Fiktion«*[64]. Daß es der Bundesregierung nicht gelang, den Begriff der Nation oder der deutschen Nation oder gar die These von der Einheit der Nation im Grundlagenvertrag vom 21. Dezember 1972 zu verankern, konnte nicht überraschen. Im Grundlagenvertrag ist auch nicht vom deutschen Volk, sondern nur von den *»Menschen in den beiden deutschen Staaten«* die Rede. Während – wie schon dargelegt – im Vertragsentwurf der DDR vom 17. Dezember 1969 jede Bezugnahme auf die deutsche Nation fehlte, einigten sich beide Seiten auf die Feststellung eines »Konsenses über den Dissens«[65]. In der Präambel des Grundlagenvertrags heißt es:

»*. . . ausgehend von den historischen Gegeben-*

heiten und unbeschadet der unterschiedlichen Auffassungen der Bundesrepublik Deutschland und der Deutschen Demokratischen Republik zu grundsätzlichen Fragen, darunter zur nationalen Frage . . .«

Die hier verwandte Formel *»nationale Frage«* erlaubt es beiden Seiten, an ihrer jeweiligen nationalen Position festzuhalten und – wie es die DDR in der Zwischenzeit getan hat – neue nationale Varianten zu entwickeln. Auch wenn in der ersten Hälfte der siebziger Jahre gelegentlich hohe SED-Funktionäre von den *»voneinander unabhängigen deutschen Staaten und Nationen«*[66] gesprochen haben, hat sich SED-Chef Honecker immer an die vorsichtigere These von 1971 gehalten, in der DDR entwickele oder bilde sich die »sozialistische Nation« erst heraus.

Die Hoffnung der SED, mit der Verankerung des Konsenses über den Dissens in der »nationalen Frage« die Bundesregierung zu einer Aufgabe ihrer These von der »Einheit der Nation« bewegen zu können, zerstörte das Bundesverfassungsgericht in seinem Urteil über den Grundlagenvertrag vom 31. Juli 1973. Darin betonte das höchste deutsche Gericht, daß der Begriff der *»deutschen Nation«* auch einen rechtlichen Gehalt habe und von der *»deutschen Nation«* nur gesprochen werden dürfe, *»wenn darunter auch ein Synonym für das ›deutsche Staatsvolk‹ verstanden wird . . .«*[67]

In mehreren in der DDR verfaßten Kommentaren wurden die Nationsthese und andere Aussagen des Karlsruher Gerichts nachdrücklich zurückgewiesen. Dabei sprach man wiederum von der Fiktion der *»Einheit der Nation«*. Daß das Bundesverfassungsgericht viel weiter gegangen ist und die *»deutsche Nation«* nur als Synonym für das *»deutsche Staatsvolk«* gelten lassen will, wurde in diesen Stellungnahmen gar nicht erst notiert.[68]

7. Die Absage der DDR an die deutsche Nation in der revidierten Verfassung vom 7. Oktober 1974

Über die Frage, ob und in welcher Form die SED-Führung das 25jährige Jubiläum der DDR am 7. Oktober 1974 zum Anlaß nehmen werde, die »nationale« Verselbständigung und Abgrenzung voranzutreiben und die Tabuisierung der Begriffe »Deutschland« und »deutsch« zu forcieren oder gar zu vollenden, ist viel spekuliert worden. Ost-Berlin entschied sich mit dem am 27. September 1974 von der Volkskammer beschlossenen Gesetz zur Ergänzung und Änderung der Verfassung vom 6. April 1968 für eine radikale »Lösung« der »nationalen Frage«: Es kündigte die Mitgliedschaft in der deutschen Nation auf und eliminierte den »Vereinigungs«-Anspruch aus der Verfassung. Von einer weiteren Tabuisierung der Begriffe »Deutschland« und »deutsch« hat man dagegen abgesehen: Noch gibt es die »Deutsche Demokratische Republik«, die »Sozialistische Einheitspartei Deutschlands« und das »Neue Deutschland«. Wesentlich gravierender und einschneidender als die Absage an die Nation ist die Neufassung jener Bestimmungen der Verfassung, in denen die totale Ostorientierung der Außenpolitik der DDR verankert worden ist.[69]

Seit dem 7. Oktober 1974 ist die DDR nicht mehr ein *»sozialistischer Staat deutscher Nation«* oder ein »sozialistischer deutscher Nationalstaat«, sondern – wie es in dem geänderten Artikel 1 der Verfassung nun heißt – ein *»sozialistischer Staat der Arbeiter und Bauern«*. Die damals auf eine politische und nationale Abgrenzung gerichtete Politik der DDR fand auch in der modifizierten Präambel der Verfassung vom 7. Oktober 1974 insoweit ihren Ausdruck, als darin betont wurde, das *»Volk der Deutschen Demokratischen Republik«* habe ». . . *sein Recht auf sozial-ökonomische, staatliche und nationale Selbstbestimmung verwirklicht . . .«*

8. Die Differenzierung zwischen den Begriffen »Nation«, »Nationalität« und »Staatsbürgerschaft« (ab 1974)

Die SED-Führung mußte bald einsehen, daß die rigorose Streichung der nationalen Formeln aus der DDR-Verfassung die Fortexistenz der deutschen Nation nicht in Frage stellen konnte. So sah sich Honecker bereits auf der 13. Tagung des Zentralkomitees der SED am 12. Dezember 1974 genötigt, zu den bisherigen nationalen Parolen und Thesen eine neue Variante beizusteuern, die die Revision der Verfassung in bemerkenswerter Weise korrigierte. Auf der einen Seite wiederholte er die schon zuvor immer wieder vorgetragene und bis heute vertretene Ansicht, nach der sich in der DDR die *»sozialistische Nation«* entwickele, *»die sich in allen entscheidenden Merkmalen von der bürgerlichen Nation in der Bundesrepublik Deutschland unterscheidet«*.

Andererseits differenzierte Honecker erstmals zwischen der Staatsbürgerschaft und der Nationalität der Bürger der DDR. Er sagte, daß die Staatsbürger der DDR *»der Nationalität nach in der übergroßen Mehrheit«* Deutsche seien: *»Es gibt also keinen Platz für irgendwelche Unklarheiten beim Ausfüllen von Fragebogen, die hier und dort benötigt werden. Die Antwort auf diesbezügliche Fragen lautet schlicht und klar und ohne jede Zweideutigkeiten: Staatsbürgerschaft – DDR, Nationalität – deutsch. So liegen die Dinge.«*[70]

Damit knüpfte Honecker an die Definition der herkömmlichen deutschen Staatsrechtslehre an, die das Staatsvolk als Summe aller Staatsangehörigen und – wie es Rudolf von Laun formuliert hat – das *»Volk im natürlichen Sinne«* als *»Nationalität«*, als eine *»unabhängig von Recht und Staat gegebene gesellschaftliche Gruppe«* definiert[71]. Bis zum 12. Dezember 1974 hat die DDR den Begriff »Nationalität« nicht auf die nationale Situation in Deutschland angewandt.

In den folgenden Jahren wurden namhafte und auf dem Gebiet der nationalen Frage ausgewiesene Philosophen und Ideologen sowie Staatsrechtler, die über die nötige Flexibilität und Anpassungsfähigkeit verfügen, beauftragt, ein Konzept zu entwickeln, das auf folgenden Feststellungen basieren sollte: In der DDR entwikkelt sich die »sozialistische Nation«, während in der Bundesrepublik Deutschland die »kapitalistische Nation« fortbesteht. Diese Thesen waren nicht neu. Unschlüssig schien man in der Frage zu sein, ob nur die sich in der DDR herausbildende »sozialistische Nation« oder auch die in der Bundesrepublik Deutschland fortexistierende »kapitalistische Nation« »deutscher Nationalität« seien.

Nachdem sich Alfred Kosing fast zehn Jahre lang nicht mehr zur »nationalen Frage« geäußert hatte, ist er Anfang 1974 mit einem Beitrag hervorgetreten, den er erstmals gemeinsam mit seinem Kollegen Walter Schmidt verfaßt hat. Darin ging es beiden Autoren noch nicht um die Differenzierung zwischen »Nation« und »Nationalität«, sondern in einer Fehlinterpretation der Entschließung des VIII. Parteitages der SED vom Juni 1971 um den Nachweis, daß bereits *»zwei selbständige, in ihrem sozialen Wesen gegensätzliche deutsche Nationen«* existierten.[72]

In ihrem programmatischen Aufsatz »Nation und Nationalität in der DDR«, der am 15. Februar 1975 im »Neuen Deutschland« erschienen ist (abgedruckt in Deutschland Archiv, Heft 11/1975, S. 1221–1228), haben Kosing und Schmidt viel Mühe darauf verwandt, die Begriffe »Nation« und »Nationalität« voneinander abzugrenzen. Darin vertraten sie die Ansicht, daß die ethnischen Faktoren, die Sprache, die Sitten, Gebräuche, Lebensgewohnheiten usw. zwar eine notwendige Seite der Nation und des Nationalen, aber nicht bestimmend seien. Sie seien das Resultat einer langwierigen geschichtlich-ethnischen Entwicklung, die bis in die Entstehungszeit der Klassengesellschaft zurückreiche.

Beide Autoren bezeichneten den Gesamtkomplex ethnischer Eigenschaften, Züge und Merkmale einer Bevölkerung als »Nationalität«: *»Der Begriff der Nationalität ist also enger als der Nationsbegriff, denn er umfaßt nur eine der Komponenten der Nation und überdies nicht die ausschlaggebende. Der Begriff der Nation ist wesentlich umfassender, denn er umschließt die Gesamtheit der sozial-historischen Faktoren in der Einheit mit dem Ethnischen.«*

Wichtig war Kosings und Schmidts Schlußfolgerung: Eine Nation kann sich aus mehreren Nationalitäten bilden; andererseits könnten aus einer Nationalität auch verschiedene Nationen hervorgehen. Als Beispiel führten sie die Entwicklung im deutschsprachigen Raum an. Allerdings attestierten sie nur der *»sozialistischen Nation in der DDR«*, nicht der in der Bundesrepublik Deutschland verbliebenen *»bürgerlichen Nation«* das Attribut Nationalität.

In seinem 1976 erschienenen Buch *Nation in Geschichte und Gegenwart* hat Kosing dann dem Thema »Nation und Nationalität« ein eigenes Kapitel gewidmet. Darin wiederholte er die erstmals von Honecker am 12. Dezember 1974 vertretene These, daß die Bürger der DDR *»in ih-*

rer überwiegenden Mehrheit ihrer Herkunft, ihrer Sprache, ihren Lebensgewohnheiten und ihren Traditionen – kurz ihrer ethnischen Charakteristik, ihrer Nationalität – nach Deutsche« seien: *»Daher ist es berechtigt zu sagen, daß die sozialistische Nation in der DDR deutscher Nationalität ist.«*[73]

Kosing konzedierte hier nun, im Unterschied zum Februar 1975, auch der Mehrheit der Bürger der Bundesrepublik Deutschland die »deutsche Nationalität«, da sie die gleiche Sprache spreche und *»im großen und ganzen«* die gleichen ethnischen Merkmale hätte: *»Die sozialistische Nation in der DDR und die kapitalistische Nation in der BRD unterscheiden sich nicht ihrer ethnischen Charakteristik, ihrer Nationalität nach, sondern ihren sozialen Grundlagen und Inhalten nach, weil es sich um zwei qualitativ verschiedene historische Typen der Nation handelt. Die Nation in der DDR ist die sozialistische deutsche Nation, und die Nation in der BRD ist die kapitalistische deutsche Nation.«*[74]

Kosing warnte vor einer Überbewertung ethnischer Aspekte. Seine Ausführungen zum Verhältnis sozialer und ethnischer Faktoren machten deutlich, daß es *»von den Gesellschaftswissenschaften in der DDR noch gründlicher zu erforschen ist«.*[75]

Kosings Hinweis, daß auch die »kapitalistische Nation« in der Bundesrepublik Deutschland »deutscher Nationalität« sei, war deshalb neu, weil er 1975 – um es noch einmal zu wiederholen – nur die sich in der DDR herausbildende »sozialistische Nation« unter den Begriff »deutsche Nationalität« zu subsumieren bereit war.

Erich Honeckers These vom 12. Dezember 1974 fand auch Eingang in das neue Programm der SED vom 22. Mai 1976, in dem es heißt, daß die Bürger der DDR *»in ihrer übergroßen Mehrheit deutscher Nationalität«*[76] seien. Davon unterschieden werden die *»Bürger sorbischer Nationalität«.* Festzuhalten gilt, daß Kosings These, nach der neben der »sozialistischen Nation« in der DDR auch die »kapitalistische Nation« in der Bundesrepublik Deutschland »deutscher Nationalität« sei, keinen Niederschlag in der Ostberliner Deutschlandpolitik gefunden hat.

So wurde in der dritten, wesentlich überarbeiteten und 1978 erschienenen Auflage (und auch in der vierten und fünften Auflage) des *Kleinen politischen Wörterbuches* nur die »sozialistische Nation in der DDR« mit dem Attribut »deutsche Nationalität« versehen[77]. Und in der von Gerhard Riege, seit Jahren der führende DDR-Jurist für Fragen der Staatsangehörigkeit in Deutschland, und Hans-Jürgen Kulke gemeinsam verfaßten, 1979 herausgebrachten Studie wird im Stichwort »Nationalität« nicht einmal die sich in der DDR herausbildende »sozialistische Nation« aufgeführt.[78] Wie schwierig es gerade aus staatsrechtlicher Sicht ist, in der »deutschen Frage« mit den Begriffen »Nation« und »Nationalität« operieren zu sollen, zeigt auch die jüngste Monographie Gerhard Rieges zur Staatsbürgerschaft der DDR.[79]

Die 30. Wiederkehr der Ausrufung der DDR am 7. Oktober 1979 nahm die SED-Führung zum Anlaß, noch einmal und dezidiert die nationale Situation in Deutschland mit Hilfe der Begriffe »Nation« und »Nationalität« zu definieren.

In Heft 9/10 1979 der »Einheit« haben sich Alfred Kosing und Walter Schmidt dazu so geäußert:

»Die Nation umfaßt ökonomische, politische, soziale und ideologische Beziehungen, die Klassencharakter besitzen, und ethnische Bindungen, die über mehrere Gesellschaftsformationen hinweg wirken, in einer dialektischen Einheit, wobei die sozial-klassenmäßigen Faktoren und Komponenten für die Entstehung, den Entwicklungsgang und den sozial-historischen Typ der Nation bestimmend sind. Demgegenüber bezeichnet die Nationalität lediglich die Gesamtheit der ethnischen Eigenschaften, Merkmale und Bindungen einer Bevölkerung und der sie bildenden Klassen, Gruppen und Individuen.«[80]

Gerade diese Definition verdeutlicht, wie sehr sich beide Autoren von der Definition Stalins aus dem Jahre 1913 entfernt haben, die – wie dargelegt – von der *»Gemeinschaft der Sprache, des Territoriums, des Wirtschaftslebens und der sich in der Gemeinschaft der Kultur offenbarenden psychischen Wesensart«* ausging. Das nationale Selbstverständnis der DDR weicht nicht nur grundlegend von diesen Kriterien ab, sondern räumt auch den »sozial-klassenmäßigen Faktoren und Komponenten« absolute Priorität ein, die bei Stalin noch gar keine Rolle gespielt haben.

Die nationale Situation in den beiden Staaten

Deutschlands umschreiben Kosing und Schmidt so: *»In der BRD blieb die alte kapitalistische Nation bestehen; in der DDR dagegen brachte der Sozialismus seine eigene, ihm adäquate nationale Entwicklungsform hervor, die sozialistische deutsche Nation . . . Die Nation in der DDR ist ihrem sozialhistorischen Typ nach sozialistisch und ihrer Nationalität nach deutsch, während die Nation in der BRD ihrem sozialhistorischen Typ nach kapitalistisch und ihrer Nationalität nach ebenfalls deutsch ist.«*[81]

In der ersten Hälfte der achtziger Jahre ist die Diskussion über das »Begriffspaar« Nation und Nationalität in der DDR stark in den Hintergrund getreten.[82] Das gilt gleichfalls für die in den siebziger Jahren propagierte These von der *»Annäherung der sozialistischen Nation in der DDR an die anderen sozialistischen Nationen«*, die auch in die erneuerten Bündnisverträge der DDR mit der UdSSR vom 7. Oktober 1975 und mit Bulgarien, Polen, der Tschechoslowakei und Ungarn von 1977 aufgenommen worden ist. Im Programm der SED von 1976 heißt es dazu: *»Die Sozialistische Einheitspartei Deutschlands leitet planmäßig den Prozeß der weiteren Entwicklung der sozialistischen Nation in der Deutschen Demokratischen Republik, ihres Aufblühens auf den gesellschaftlichen Grundlagen des Sozialismus und ihrer Annäherung an die anderen sozialistischen Nationen.«*[83]

III. Fazit

Zweifellos darf man der SED-Führung bescheinigen, daß sie in der »nationalen Frage« Phantasie bewiesen und keine Scheu vor Konstruktionen gehabt hat. Dennoch war Walter Ulbricht schlecht beraten, als er sich 1969/70 durch die »neue Deutschlandpolitik« der SPD/FDP-Bundesregierung herausgefordert sah und mit der These von der »Herausbildung der sozialistischen Nation« die Weichen zur »Zwei-Nationen-These« stellte. Ebenso schlecht beraten war aber auch die SED-Führung unter Erich Honekker, als sie sich 1974 entschloß, alle gesamtnationalen Bezüge aus der revidierten Verfassung zu eliminieren. Die Bemühungen von SED-Ideologen um eine Unterscheidung von »Nation« und »Nationalität«, bei der die »Nation« ausschließlich auf soziale Komponenten und die »Nationalität« auf eine ethnische Charakteristik reduziert werden, vermögen nicht zu überzeugen. *»Diese Haarspalterei war . . . nur ein Rückzugsgefecht, da auch in der propagandistischen Literatur der DDR an anderer Stelle der Begriff ›Nationalität‹ schlicht als ›Zugehörigkeit eines Menschen zu einer Nation‹*[84] *erläutert wird.«*[85]

Wolfgang Seiffert hat die Frage gestellt, warum sich die SED die Probleme einer solchen »Zwei-Nationen-Theorie« überhaupt aufgeladen hat. Hierfür sei ausschlaggebend gewesen, *»daß die SED-Führung 1969/70 mit dem Entspannungsprozeß in Europa konfrontiert wurde, auf den sie nicht vorbereitet war und der nach dem Eingeständnis einiger ihrer führenden Vertreter – für die SED ›zu früh‹ kam. Die SED, die sich unter Ulbricht bemüht hatte, sich allmählich von der unkritischen Übernahme des sowjetischen Modells zu lösen, erlitt in ihrer Reformpolitik Rückschläge; überzogene Pläne und Disproportionen in der Strukturpolitik verursachten eine wirtschaftliche Krise.«*[86]

Ulbrichts Nachfolger Honecker habe sich einerseits vor die Notwendigkeit gestellt gesehen, mit der UdSSR in der Entspannungspolitik »Gleichklang« herzustellen, andererseits vor der Gefahr, daß die Formel der Brandt-Scheel-Regierung »Zwei Staaten – eine Nation« angesichts der nun wieder massenhaft stattfindenden Begegnungen der Deutschen aus beiden deutschen Staaten sich in der DDR-Bevölkerung zur Hoffnung auf die Wiedervereinigung Deutschlands verdichten könnte: *»Aus diesen Befürchtungen und Einschätzungen der SED-Führung entstand die Politik der nationalen Abgrenzung gegenüber der Bundesrepublik, mit der sich die SED in Widerspruch zu ihrer eigenen Vergangenheit setzte.«*[87]

Diese Einschätzung mag richtig sein. Mit Nachdruck sei jedoch noch einmal darauf hingewiesen, daß es nicht erst Honecker, sondern bereits Ulbricht war, der die These von der DDR als dem »sozialistischen deutschen Nationalstaat« entwickelt und mit der weiteren Formel von der »Herausbildung der sozialistischen Nation« die nationale Abgrenzung entscheidend eingeleitet hat.

In einer zentralen Frage hat sich hingegen die SED bisher einen hohen Grad von Flexibilität bewahrt: Bis heute hat sich die Spitze der Partei davor gehütet, den Prozeß der Herausbildung oder/und Entwicklung der »sozialistischen Nation« in der DDR für abgeschlossen zu erklären. Man spricht von einem *»langwierigen historischen Prozeß«*, ohne bisher verraten zu haben, unter welchen Voraussetzungen und Bedingungen dieser abgeschlossen werden kann.

Alfred Kosing meinte in einem 1981 erschienenen Beitrag, mit der durch den VI. Parteitag der SED (1963) eingeleiteten Entwicklungsperiode, *»die durch den umfassenden Aufbau des Sozialismus und die weitere Gestaltung der entwickelten sozialistischen Gesellschaft charakterisiert ist . . ., setzte sich der Herausbildungsprozeß der sozialistischen deutschen Nation weiter fort . . . Diese Entwicklung zeugt davon, daß der gesetzmäßige Prozeß der Herausbildung der sozialistischen deutschen Nation sich allmählich seinem Abschluß nähert, weil nun bereits alle Grundlagen und Inhalte der nationalen Beziehungen und des nationalen Lebens in der DDR sozialistisch umgestaltet sind und die Nation damit eine neue Qualität erhalten hat.«*[88]

An dieser kühnen These ist am bemerkenswertesten, daß Alfred Kosing nicht davor zurückschreckt, seine Definition der »sozialistischen Nation« ausschließlich auf die gesellschaftlich relevanten Beschlüsse von SED-Parteitagen zurückzuführen, und andere Argumente gar nicht mehr zu berücksichtigen bereit ist. Bisher hat die Einheitspartei – soweit ersichtlich – dieses Argument Alfred Kosings nicht übernommen.

In den häufigen Veränderungen der nationalen Positionen der SED spiegelt sich auch und gerade das nationale Dilemma der DDR wider. Solange die UdSSR nicht bereit ist, auf ihr Mitspracherecht in der »deutschen Frage« und auf die Verwendung des Rechtsbegriffs »Deutschland« zu verzichten – was sie hinsichtlich der fortbestehenden Vier-Mächte-Rechte und -Verantwortlichkeiten auch nur gemeinsam mit den drei Westmächten könnte[89] –, und damit die »deutsche Frage« politisch und rechtlich »offen« bleibt, weiß die SED-Führung, daß die DDR als ihr Herrschaftsgebiet und als unabhängiger »sozialistischer deutscher Staat« in seiner Existenz nicht endgültig abgesichert ist.

Erinnert sei hier daran, daß sich die UdSSR in allen entscheidenden vertraglichen Abmachungen mit der DDR – ähnlich wie die drei Westmächte gegenüber der Bundesrepublik Deutschland – ihre Rechte vorbehalten hat, die »Deutschland« oder »Deutschland als Ganzes« betreffen. Das gilt vor allem für den »Souveränitäts«-Vertrag vom 20. September 1955 und die beiden Bündnispakte zwischen der Sowjetunion und der DDR vom 12. Juni 1964 und 7. Oktober 1975. Auch wenn es die sowjetische Seite vermied, in den Verträgen mit der DDR von 1964 und 1975 das Bezugsobjekt der Vier-Mächte-Verantwortung, »Deutschland« oder »Deutschland als Ganzes«, zu umschreiben, hat sie nie verhehlt, daß sie in allen »Deutschland« betreffenden Fragen nach wie vor mitreden will.[90]

Wie sehr es auch die neue sowjetische Führung unter Michail Gorbatschow mit den Statusfragen ernst nimmt, verdeutlichte sie im April 1985, als die DDR-Führung den Versuch unternahm, die offizielle Bezeichnung der in der DDR stationierten sowjetischen Truppen, die »Gruppe der sowjetischen Streitkräfte in Deutschland« lautet, durch den Terminus »Sowjetische Streitkräfte in der DDR« zu ersetzen. Am 16. April 1985 hat Armeegeneral Michail Saizew in einer Rede unmißverständlich klargestellt, daß die offizielle Bezeichnung der von ihm befehligten sowjetischen Truppen in der DDR nach wie vor »Gruppe der sowjetischen Streitkräfte in Deutschland« (GSSD) laute.[91] Bei der GSSD erkennt die UdSSR immer noch uneingeschränkt den »Deutschland«-Begriff an.

Da die Teilung Deutschlands weder rechtlich noch politisch »festgeschrieben« ist, waren auch die »Vereinigungs«-Parolen und die Abgrenzungsstrategie der DDR gegenüber der Bundesrepublik Deutschland stets Wandlungen unterworfen. Trotz der ersatzlosen Streichung des »Vereinigungs«-Auftrags in der revidierten DDR-Verfassung von 1974 und des Verzichts auf eine gesamtdeutsche Perspektive im SED-Programm von 1976 hat die DDR die Option auf ein »sozialistisches« Gesamtdeutschland nicht aufgegeben. Das SED-Programm besagt nur, *»daß alle Länder der Erde unausweichlich zum Sozialismus und Kommunismus gelangen werden«.* Damit hat sich die SED eine Tür offengelassen, um eines Tages, wenn es ihr opportun erscheinen sollte, wieder eine gesamtdeutsche Perspektive zu formulieren.

In den Jahren von 1978 bis Anfang 1981 hat Honecker die Möglichkeit nicht ausgeschlossen, die beiden Staaten in Deutschland auf der Grundlage des Sozialismus zu vereinen.[92] Inzwischen hat er die erstmals 1967 verkündete These seiner Partei, die *»Vereinigung Deutschlands«* sei *»nicht real«*[93], übernommen und verschärft, indem er sich wiederholt und vehement gegen die Bonner These von der *»offenen deutschen Frage«* gewandt und die *»Vereinigung von Sozialismus und Kapitalismus«* als *»ebenso unmöglich wie die von Feuer und Wasser«*[94] bezeichnet hat. Auch andere hohe politische Repräsentanten der DDR haben bei verschiedenen Gelegenheiten diese These wiederholt.[95]

Das bedeutet: Für die SED ist die »deutsche Frage« nicht offen, solange die beiden Staaten in Deutschland durch gegensätzliche politische, ökonomische und soziale Systeme geprägt sind und »entgegengesetzten Militärbündnissen« angehören. Eine Wiedervereinigung oder Vereinigung der beiden Staaten in Deutschland wird damit – ganz im Sinne Walter Ulbrichts – für den Fall nicht ausgeschlossen, in dem die progressiven Kräfte in der Bundesrepublik Deutschland die dort nötige »demokratische Umgestaltung« vollzogen haben.

Kompliziert wird die Situation für die SED-Führung noch dadurch, daß sie im deutsch-deutschen Vertragswerk seit 1972 die innerdeutsche Kommunikation in gewissem Umfang konzediert hat und zumindest auf eine begrenzte ökonomische Kooperation mit der Bundesrepublik Deutschland existentiell angewiesen ist. Auch dieses Faktum setzt ihrer Abgrenzungsstrategie Grenzen. Eine weitere gravierende Schwierigkeit ergibt sich für die SED-Führung daraus, daß der überwiegende Teil der Bevölkerung im eigenen Machtbereich ihre nationale Abgrenzungsstrategie nicht akzeptiert. Nur darauf ist es zurückzuführen, daß sich Honecker – wie dargelegt – zwei Monate nach der einschneidenden Verfassungsrevision am 12. Dezember 1974 genötigt sah, auf den Begriff »Nationalität« zurückzugreifen, der zum festen und traditionellen Bestand der »bürgerlichen« deutschen Staatsrechtslehre gehört.

Mit ihrer Zwei-Nationen-Formel hat die Führung in Ost-Berlin das Legitimationsdefizit der SED nicht verkleinert, sondern vergrößert. Der Versuch, die »sozialistische DDR« in die deutsche Geschichte einzubetten, soll auch dazu dienen, eine tragfähigere Legitimationsgrundlage zu schaffen. Ob dazu jedoch die selektive Erarbeitung der deutschen Geschichte ausreicht, bleibt fraglich.[96]

Allerdings sollte man auch in der Zukunft den möglichen Grad von Flexibilität der SED-Führung in der »nationalen Frage« nicht unterschätzen. Als Honecker in seinem vielzitierten Schreiben vom 5. Oktober 1983 Bundeskanzler Helmut Kohl für ein »atomwaffenfreies Europa« zu gewinnen suchte, schloß er mit dem Satz: *»Wir schließen uns im Namen des deutschen Volkes dem an.«*[97] Und in dem Beitrag, in dem das »Neue Deutschland« vom »festlichen Auftakt zum bevorstehenden 25. Jahrestag unserer Nationalen Volksarmee« berichtete, hieß es: *»Die Nationale Volksarmee der DDR ist die einzige deutsche Armee, die diesen Namen verdient.«*[98]

Die SED-Führung wird sich auch künftig nicht scheuen, sich trotz ihrer vergeblichen Politik der nationalen Abgrenzung »deutsch« zu gerieren, wenn es ihr opportun erscheint – und zwar nicht nur mit Blick auf die eigene Bevölkerung, sondern auch auf das Gewicht in der engeren »sozialistischen Gemeinschaft« und vor allem gegenüber der Ordnungsmacht UdSSR. Die in der Bundesrepublik gelegentlich geäußerte Ansicht, die DDR habe *»längst den Irrtum des Versuchs, sich als eigenständige, von der deutschen Geschichte abgekoppelte ›sozialistische Nation‹ zu begreifen, aufgegeben«*[99], ist nicht zutreffend. Hingegen ist zu konstatieren, *»daß das ideologische Konstrukt ›sozialistische Nation‹ (DDR) nach einer Phase rigider, eigenstaatlicher Abgrenzung nun (wieder) zu einer solchen der selektiven Integration der deutschen Geschichte sich zu beweisen und zu behaupten sucht«*[100]. Ob die vorläufig noch partielle *»Revitalisierung der gemeinsamen deutschen Geschichte«*[101] langfristig die Zwei-Nationen-These tangieren wird, gilt es abzuwarten.

Anmerkungen

1 Vgl. zur Problematik, die Geschichte der DDR zu periodisieren, aus dem umfangreichen Schrifttum: Geschichte der DDR. Von einem Autorenkollektiv unter Leitung von Rolf Badstübner. Berlin (Ost) 1984; Geschichte der Sozialistischen Einheitspartei Deutschlands. Abriß. Berlin (Ost) 1978, Frankfurt/M. 1978. Auch die bundesdeutsche Historiographie hat sich diesen Fragen gewidmet. Vgl. beispielsweise Alexander Fischer und Hermann Weber: »Periodisierungsprobleme der Geschichte der DDR«, in: Deutschland Archiv 1979. Sonderheft »30 Jahre DDR«. Zwölfte Tagung zum Stand der DDR-Forschung in der Bundesrepublik, 5. bis 8. Juni 1979. Referate, S. 17–26; Christina von Buxhoeveden: Geschichtswissenschaft und Politik in der DDR. Das Problem der Periodisierung. Köln 1980; Hermann Weber: Geschichte der DDR. München 1985, S. 7–9; Gert-Joachim Glaeßner: »Schwierigkeiten beim Schreiben der Geschichte der DDR. Anmerkungen zum Problem der Periodisierung«, in: Deutschland Archiv, Jg. 17/1984, S. 638–650.
2 Vgl. aus dem neueren Schrifttum die beiden vom Institut für Internationale Beziehungen, Potsdam-Babelsberg, herausgegebenen Bände: Außenpolitik der DDR – Sozialistische deutsche Friedenspolitik. Berlin (Ost) 1982; Geschichte der Außenpolitik der DDR. Abriß. Berlin (Ost) 1984.
3 So Günter Benser/Heinz Heitzer: »Die nationale Politik der SED 1945–1955«, in: Zeitschrift für Geschichtswissenschaft, Jg. 14/1966, S. 709–731 (709).
4 Text bei Walter Ulbricht: Zur Geschichte der neuesten Zeit. Die Niederlage Hitler-Deutschlands und die Schaffung der antifaschistisch-demokratischen Ordnung. Bd. I, 1. Halbbd. Berlin (Ost) 1955, S. 380 f.; zit. auch bei Ernst Deuerlein (Hrsg.): DDR – Geschichte und Bestandsaufnahme. München 1966, S. 49 f.
5 So Geschichte der Sozialistischen Einheitspartei Deutschlands. Abriß. Frankfurt/M. 1978, S. 80. Vgl. dazu auch G. Benser: »Zur historischen Bedeutung des Aufrufs des Zentralkomitees der KPdSU vom 11. Juni 1945«, in: Zeitschrift für Geschichtswissenschaft, Jg. 33/1985, S. 302 bis 315. Vgl. auch den »Entwurf einer Verfassung für die Deutsche Demokratische Republik«, den die SED am 14. November 1946 vorgelegt hat und in dessen Präambel es heißt: »In der Gewißheit, daß nur durch eine demokratische Volksrepublik die Einheit der Nation . . . gewährleistet ist . . .« Text in: Dokumente der Sozialistischen Einheitspartei Deutschlands. Bd. I. Berlin (Ost) 1952, S. 114–137 (114).
6 G. Benser/H. Heitzer, a. a. O. (Anm. 3), S. 713.
7 Text in: Protokoll der Verhandlungen des II. Parteitages der SED. 20. bis 24. September 1947 in der Deutschen Staatsoper zu Berlin. Berlin (Ost) 1947, S. 255.
8 Text in: Protokoll der 1. Parteikonferenz der SED. 25. bis 28. Januar 1949 im Haus der Deutschen Wirtschaftskommission zu Berlin. Berlin (Ost) 1949 (2. Aufl. 1950), S. 354 f.
9 Text, ebenda, S. 511.
10 So die Erklärung »Über die Schuld und Verantwortlichkeit der Spalter Deutschlands« des Politbüros der SED vom 1. Oktober 1949. Text in: Dokumente der SED. Bd. II. Berlin (Ost) 1951, S. 346–350. Vgl. auch die Entschließung des Parteivorstands der SED »Die Nationale Front des demokratischen Deutschland und die Sozialistische Einheitspartei Deutschlands« vom 4. Oktober 1949. Text, ebenda, S. 351 bis 381; G. Benser/H. Heitzer, a. a. O. (Anm. 3), S. 721–724.
11 So G. Benser/H. Heitzer, ebenda, S. 720.
12 Text in: Protokoll der Verhandlungen des III. Parteitages der SED. 20. bis 24. Juli 1950. Bd. 2, Berlin (Ost) 1951, S. 235. Vgl. dazu auch das »Programm der Nationalen Front des demokratischen Deutschland« vom 15. Februar 1950. Text in: Dokumente zur Staatsordnung der Deutschen Demokratischen Republik. Ausgewählt und herausgegeben von Günter Albrecht. 2. Band. Berlin (Ost) 1959, S. 522–537 (522, 537), in dem von »der . . . nationalen Unabhängigkeit . . .« und den ». . . Lebensinteressen der Nation« die Rede ist.
13 Text in: Dokumente der SED. Bd. IV. Berlin (Ost) 1954, S. 71, und Protokoll der Verhandlungen der II. Parteikonferenz der SED. 9. bis 12. Juli 1952 in der Werner-Seelenbinder-Halle zu Berlin. Berlin (Ost) 1952, S. 490. Vgl. dazu auch W. Ulbrichts Referat »Die gegenwärtige Lage und die neuen Aufgaben der SED« vom 9. Juli 1952 auf dieser Konferenz. Text in: Protokoll . . ., ebenda, S. 32: ». . . Die Deutsche Demokratische Republik ist das Bollwerk des nationalen Befreiungskampfes des deutschen Volkes gegen den Imperialismus und damit gleichzeitig das Fundament des Kampfes für ein einheitliches, demokratisches, friedliebendes und unabhängiges Deutschland.« Vgl. auch die Entschließung »Der Weg zur Lösung der Lebensfragen der deutschen Nation« des IV. Parteitages der SED vom 5. April 1954. Text in: Protokoll der Verhandlungen des IV. Parteitages der SED. 30. März bis 6. April 1954 in der Werner-Seelenbinder-Halle zu Berlin. Bd. 2. Berlin (Ost) 1954, S. 1097–1113 (1099 f.): »Die SED ist in Übereinstimmung mit der Mehrheit des Volkes der Meinung, daß der Spaltung Deutschlands und der Herabwürdigung seines westlichen Teils zu einem Protektorat der USA ein für allemal ein Ende bereitet werden muß. Statt dessen soll ein einiges, friedliebendes Deutschland zum Bestandteil des einigen, friedliebenden Europas werden.«
14 Vgl. dazu mit Nachweisen Jens Hacker: Der Rechtsstatus Deutschlands aus der Sicht der DDR. Köln 1974, S. 133 bis 148.
15 Fred Oelßner: Die heutige Bedeutung der nationalen Frage. Mit einem Nachwort zur Neuauflage 1954. 6. Aufl. Berlin (Ost) 1954. Der Verlag spricht darin von einer Auflage von 201.–220. Tausend. Vgl. zum Werdegang Fred Oelßners die Angaben in: Namen und Daten. Biographien wichtiger Personen der DDR. Bearbeitet von Günther Buch. Berlin/Bonn 1973, S. 209.
16 Text bei Josef W. Stalin: Werke. Band 2. Berlin (Ost) 1953, S. 272. Stalin hat seine Nationsdefinition beim Wiederabdruck seiner Schriften in seinen Gesammelten Werken 1946 leicht verändert. Vgl. dazu Erwin Oberländer: »Der sowjetische Nationsbegriff«, in: Aus Politik und Zeitgeschichte, Beilage zur Wochenzeitung »Das Parlament« vom 20. März 1968, S. 3–19 (4, Anm. 7). Stalins Nations-Definition und die Haltung der UdSSR zu dieser Problematik sind Gegenstand zahlreicher Untersuchungen. Vgl. dazu beispielsweise Boris Meissner: »Der sowjetische Nationsbegriff und seine politische und rechtliche Bedeutung«, in: Boris Meissner und Jens Hacker: Die Nation in östlicher Sicht. Berlin 1977, S. 7–39.
17 F. Oelßner, a. a. O. (Anm. 15), S. 8.
18 F. Oelßner, ebenda, S. 9. An anderer Stelle (S. 29–35) behandelt er die Frage »Worin besteht die nationale Frage heute in Deutschland?« Oelßner hat sich auch nicht gescheut, seine These von der »Stabilität der Nation« mit dem »Beispiel der polnischen Nation« zu stützen: »Sie war in zwei, drei Teile zerrissen; jahrhundertelang sind die einzelnen Teile unterdrückt worden, ohne daß die Polen ihren Charakter als Nation verloren hätten. Im Gegenteil, gerade im Kampf um die Wiederherstellung der Einheit der Nation im Kampf um die Schaffung eines einheitlichen Nationalstaates entwickeln sich alle nationalen Eigenschaften eines solchen Volkes, stärken sich seine nationalen Elemente. Und darum können und müssen wir sagen: Die deutsche Nation besteht noch fort und sie wird fortbestehen . . .« (S. 9).
19 Das »Kommunistische Manifest« ist in zahlreichen Dokumentationen wiedergegeben. Hier zitiert aus: Karl Marx:

Die Frühschriften. Hrsg. von Siegfried Landshut. Stuttgart 1953, S. 545; F. Oelßner, ebenda, S. 13.
20 Text, ebenda.
21 Vgl. dazu Lenins Bericht über das Parteiprogramm auf dem VIII. Parteitag der KPR (B) vom 19. März 1919. Text bei W. I. Lenin: Ausgewählte Werke. Band II. Berlin (Ost) 1955, S. 506–525 (513–515). Vgl. zur Gesamtproblematik mit weiterführenden Nachweisen B. Meissner, a. a. O. (Anm. 16); Dettmar Cramer: »Einheitspartei und Nation«, in: Deutschland Archiv, Jg. 5/1972, S. 457–464.
22 So D. Cramer, ebenda, S. 460 f.
23 Text in: Protokoll der Verhandlungen des IV. Parteitages der SED. 24. März bis 6. April 1954 in der Werner-Seelenbinder-Halle zu Berlin. Bd. 1. Berlin (Ost) 1954, S. 62 f. Vgl. dazu auch G. Benser/H. Heitzer, a. a. O. (Anm. 3), S. 728.
24 Text in: Protokoll der Verhandlungen der 3. Parteikonferenz der SED. 24. März bis 30. März 1956 in der Werner-Seelenbinder-Halle zu Berlin. Bd. 1. Berlin (Ost) 1956, S. 202. Vgl. dazu Carola Stern: »Deutsche Einheit auf Eis – Die 3. Parteikonferenz der SED und die Wiedervereinigung«, in: SBZ-Archiv, Jg. 7/1956, S. 130–132.
25 Otto Reinhold: »Das Leninsche Prinzip der friedlichen Koexistenz und die Beziehungen zwischen den beiden deutschen Staaten«, in: Einheit, Jg. 11/1956, S. 433–440 (440).
26 W. Horn: Der Kampf der SED um die Festigung der DDR und den Übergang zur zweiten Etappe der Revolution (1949 bis 1952). Berlin (Ost) 1959, S. 19. Vgl. dazu auch Hans Schimanski: »Sozialismus auf Stottern«, in: SBZ-Archiv, Jg. 13/1962, S. 377–380 (378 f.). Weitere Nachweise bei J. Hacker, a. a. O. (Anm. 14), S. 445–447.
27 Vgl. dazu im einzelnen J. Hacker: »Die ›deutsche Konföderation‹ – Ein untaugliches Mittel für die Wiederherstellung eines freien und demokratischen Gesamtdeutschlands«, in: Aus Politik und Zeitgeschichte, Beilage zur Wochenzeitung »Das Parlament«, B 42 vom 19. Oktober 1968, S. 3–30.
28 Vgl. dazu die Nachweise bei J. Hacker, a. a. O. (Anm. 14), S. 136–145.
29 Text in: Europa-Archiv, Jg. 14/1959, S. D 22.
30 Vgl. dazu auch Roland W. Schweizer: »Die DDR und die Nationale Frage. Zum Wandel der Positionen von der Staatsgründung bis zur Gegenwart«, in: Aus Politik und Zeitgeschichte. Beilage zur Wochenzeitung »Das Parlament«, B 51–52 vom 21. Dezember 1985, S. 37–54 (38–43), der drei Phasen voneinander unterscheidet: 1. Nationale Einheitspolitik unter den Bedingungen der »sozialistischen Revolution« (1949–1961); 2. Die Zäsur von 1961. Auf dem Weg zum »sozialistischen deutschen Nationalstaat«; 3. Entwicklung und theoretische Fundierung der Zwei-Nationen-Theorie.
31 Text der Rede bei Walter Ulbricht: Zur Geschichte der deutschen Arbeiterbewegung. Aus Reden und Aufsätzen. Bd. IX: 1960–1961. Berlin (Ost) 1966, S. 366 f.
32 Text der Rede in: Neues Deutschland vom 28. März 1962; Auszug in: SBZ-Archiv, Jg. 13/1962, S. 125–127 (125).
33 Vgl. »Neues Deutschland« vom 26. März 1962; zit. bei Alois Riklin/Klaus Westen: Selbstzeugnisse des SED-Regimes. Köln 1963, S. 11.
34 Text der Rede in: Neues Deutschland vom 20. Juni 1962; Auszug in: SBZ-Archiv, Jg. 13/1962, S. 207 f. (208). Vollständiger Text der Rede auch bei W. Ulbricht: Zur Geschichte der deutschen Arbeiterbewegung. Aus Reden und Aufsätzen. Bd. XI: 1961–1962. Berlin (Ost) 1966.
35 Text bei W. Ulbricht, ebenda, S. 505; zit. auch bei R. W. Schweizer, a. a. O. (Anm. 30), S. 45.
36 Text bei A. Riklin/K. Westen, a. a. O. (Anm. 33), S. 37; Text auch in: SBZ-Archiv, Jg. 13/1962, S. 116–124.
37 Text bei A. Riklin/K. Westen, ebenda, S. 34, 42.
38 Vgl. dazu oben mit Nachweis in Anm. 16.
39 Alfred Kosing: »Illusion und Wirklichkeit in der nationalen Frage«, in: Einheit, Jg. 17/1962, H. 5, S. 13–22 (15), abgedruckt in Deutschland Archiv, Heft 3/1974, S. 306–315; ders.: Die nationale Lebensfrage des deutschen Volkes. Berlin (Ost) 1962, S. 14; ders.: »Die DDR in der Geschichte der deutschen Nation«, in: Deutsche Zeitschrift für Philosophie, Jg. 12/1964, S. 1165–1170. Darin gelangte er zu dem gleichen Ergebnis, ohne die Stalinsche Definition zu kritisieren. Weitere Nachweise bei J. Hacker: »Das Selbstbestimmungsrecht aus der Sicht der ›DDR‹«, in: Boris Meissner (Hrsg.): Das Selbstbestimmungsrecht der Völker in Osteuropa und China. Köln 1968, S. 164–186 (177 f.).
40 W. Müller: »Der Marxismus-Leninismus und das Problem der Nation«, in: Neues Deutschland vom 2. Juni 1962. Vgl. dazu auch Manfred Rexin: »Die leidige nationale Frage«, in: SBZ-Archiv, Jg. 13/1962, S. 193. Das 1960 in Moskau und Ost-Berlin erschienene parteioffizielle Lehrbuch »Grundlagen des Marxismus-Leninismus«, S. 177, hielt noch an der Definition Stalins fest und kam zu dem Schluß: »Die nationale Gemeinschaft kann die Klassenunterschiede innerhalb der Nation nicht aufheben ... Andererseits geht die Klassensolidarität über den Rahmen einer einzelnen Nation hinaus.« Vgl. zu der in der UdSSR ab Mitte der sechziger Jahre geführten sehr aufschlußreichen Diskussion über den Begriff der »Nation« Erwin Oberländer: »Der sowjetische Nationsbegriff heute«, in: Osteuropa, Jg. 21/1971, S. 273–279. Die in der sowjetischen Zeitschrift »Fragen der Geschichte« ausgetragene Diskussion wurde Mitte 1970 mit folgenden bemerkenswerten Sätzen abgeschlossen: »Im Verlauf der Diskussion stellte sich völlig richtig heraus, daß die bekannte Definition der Nation, die von J. W. Stalin formuliert wurde, die Zusammenfassung alles dessen ist, was Marx, Engels und Lenin zur Frage nach dem Wesen und den Hauptmerkmalen der Nation gesagt haben.« Dann wird die Definition Stalins wiedergegeben und hinzugefügt: »Es ist bekannt, daß die Arbeit J. W. Stalins, die diese Definition enthält, von W. I. Lenin positiv beurteilt wurde. Diese Definition ist, wie im Verlauf der Diskussion bemerkt wurde, eine wissenschaftliche, marxistische Definition, die einen Teil der marxistisch-leninistischen Nationstheorie bildet.« Zit. nach E. Oberländer, ebenda, S. 277. Verständlicherweise hat Kosing nicht zugegeben, daß die Diskussion in der Sowjetunion mit einem klaren Bekenntnis zur »Nation«-Definition Stalins beendet worden ist.
41 Text bei A. Riklin/K. Westen, a. a. O. (Anm. 33), S. 94, 109, 161. Im Programm und Statut wird die SED als »Partei ... der nationalen Würde und nationalen Einheit« apostrophiert; Text, ebenda, S. 81 und 189.
42 Vgl. dazu mit weiteren Nachweisen J. Hacker, a. a. O. (Anm. 14), S. 50–54, 58–62.
43 R. Arzinger: Das Selbstbestimmungsrecht im allgemeinen Völkerrecht der Gegenwart. Berlin (Ost) 1966, S. 243. Vgl. dazu J. Hacker, ebenda; ders.: »Das Selbstbestimmungsrecht der Völker aus der Sicht der DDR«, in: Gottfried Zieger, Boris Meissner, Dieter Blumenwitz (Hrsg.): Deutschland als Ganzes. Rechtliche und historische Überlegungen. Köln 1985, S. 133–157 (135–137).
44 Text in: Neues Deutschland vom 14. März 1966 und Europa-Archiv, Jg. 21/1966, S. D 190 f. (190).
45 Text des Schreibens und des Vertragsentwurfs in: Neues Deutschland vom 20. September 1967 und SBZ-Archiv, Jg. 18/1967, S. 298–300. In seiner Antwort vom 29. September 1967 betonte Kiesinger: »Nach unserer Überzeugung ist die deutsche Nation, deren Existenz ja auch Sie anerkennen, politisch mündig und soll sich selbst ein Urteil über unsere Standpunkte bilden.«
46 Auszüge aus den parteiinternen Richtlinien veröffentlichte die »Frankfurter Allgemeine Zeitung« in ihrer Ausgabe vom 11. April 1967.

47 Text der Rede in: Neues Deutschland vom 18. April 1967; Protokoll der Verhandlungen des VII. Parteitages der SED. 17. bis 22. April 1967 in der Werner-Seelenbinder-Halle zu Berlin. Bd. 1. Berlin (Ost) 1967, S. 25–287 (64–66); Auszüge in: SBZ-Archiv, Jg. 18/1967, S. 123–128.
48 Text in: Protokoll . . ., ebenda, S. 69–71; SBZ-Archiv, ebenda. Vgl. dazu auch J. Hacker, a. a. O. (Anm. 14), S. 447 bis 449.
49 Vgl. zur völkerrechtlichen Diskussion über die Frage, ob trotz der Existenz zweier Staaten mit je einem Staatsvolk die deutsche Nation noch Träger des Selbstbestimmungsrechts ist, J. Hacker, ebenda, S. 308–312; ders.: a. a. O. (Anm. 43). Beispielsweise hat sich Albert Norden in seinem Beitrag »Arbeiterklasse und Nation«, in: Einheit, Jg. 21/1966, S. 451–466 (464), vehement gegen den Vorwurf gewandt, die DDR vertrete eine »Zwei-Nationen-Theorie«.
50 Vgl. zur Deutschland-Politik der Großen Koalition J. Hakker: Deutsche unter sich – Politik mit dem Grundvertrag. Stuttgart 1977, S. 33–40, mit Nachweisen.
51 Vgl. dazu die Nachweise bei R. W. Schweizer, a. a. O. (Anm. 30), S. 46 f.
52 Vgl. dazu aus der umfangreichen Literatur vor allem Alexander N. Makarov/Hans von Mangoldt: Deutsches Staatsangehörigkeitsrecht. Kommentar. Frankfurt/M. 1981 ff.; Georg Ress: Die Rechtslage Deutschlands nach dem Grundlagenvertrag vom 21. Dezember 1972. Berlin, Heidelberg, New York 1978, S. 200–214; weiterführende Literaturhinweise bei J. Hacker, a. a. O. (Anm. 14), S. 395–397, 403 f.; ders.: a. a. O. (Anm. 50), S. 131–133, mit den Nachweisen in den Anm. 226–228; ders.: »Stand und Perspektiven der deutsch-deutschen Beziehungen«, in: Die außenpolitische Lage Deutschlands am Beginn der achtziger Jahre. Hrsg. vom Göttinger Arbeitskreis. Berlin 1982, S. 61–114 (86–89). Vgl. aus dem umfangreichen Schrifttum der DDR vor allem die Monographie von Gerhard Riege: Die Staatsbürgerschaft der DDR. Berlin (Ost) 1982.
53 Text der Rede in: Neues Deutschland vom 3. Mai 1967.
54 Verfassung der Deutschen Demokratischen Republik. Dokumente, Kommentar. Bd. 1. Berlin (Ost) 1969, S. 312 f. Hervorhebung vom Verf.
55 Vgl. ebenda, S. 313 f.: »Eine Vereinigung kann insbesondere erst möglich werden, wenn in Westdeutschland die grundlegenden Aufgaben der Demokratisierung erfüllt sind, die 1945 vor dem ganzen deutschen Volk standen und die sich aus den Dokumenten der Anti-Hitler-Koalition ergeben.«
56 Text der Regierungserklärung in: Texte zur Deutschlandpolitik. Bd. IV: 28. Oktober 1969–23. März 1970. Hrsg. vom Bundesministerium für innerdeutsche Beziehungen. Bonn 1970, S. 11.
57 Text, ebenda, S. 203, 218.
58 Vgl. dazu Ilse Spittmann: »Die 12. ZK-Tagung und der Vertragsentwurf der DDR«, in: Deutschland Archiv, Jg. 3/1970, S. 101–105; J. Hacker, a. a. O. (Anm. 50), S. 57–62, mit weiteren Nachweisen. Text des Vertragsentwurfs vom 17. Dezember 1969 in: Texte, ebenda, S. 143–147.
59 Text der Rede Ulbrichts auf der internationalen Pressekonferenz in Ost-Berlin in: Texte, ebenda, S. 256–274 (260 bis 262); Deutschland Archiv, Jg. 3/1970, S. 180 f. Hervorhebung vom Verf.
60 Vgl. dazu die Dokumentationen über das Treffen in Erfurt in: Texte, ebenda, S. 327–383; Deutschland Archiv, Jg. 3/1970, S. 505–524, und in Kassel in: Texte zur Deutschlandpolitik. Bd. V: 20. März 1970–24. Juni 1970. Hrsg. vom Bundesministerium für innerdeutsche Beziehungen. Bonn 1970, S. 96–170; Deutschland Archiv, ebenda, S. 620–651.
61 Text (Auszug) auch in: Texte zur Deutschland-Politik. Bd. 6: 29. Juni 1970–26. Januar 1971. Hrsg. vom Bundesministerium für innerdeutsche Beziehungen. Bonn 1971, S. 291 bis 296; Deutschland Archiv, Jg. 4/1971, S. 308–312 (308 f.). Hervorhebungen vom Verf.
62 Text der Rede vom 15. Juni 1971 in: Neues Deutschland vom 16. Juni 1971; Auszüge in: Deutschland Archiv, ebenda, S. 759–771 (770 f.).
63 Text der Entschließung in: Neues Deutschland vom 21. Juni 1971 und Deutschland Archiv, ebenda, S. 877–892 (878, 880). Apodiktisch heißt es außerdem, zwischen der DDR und der BRD vollziehe sich »gesetzmäßig ein Prozeß der Abgrenzung«.
64 So beispielsweise E. Honecker in seiner Rede: »DDR und Kuba fest mit dem Land Lenins vereint«, in: Neues Deutschland vom 20. Juni 1972.
65 Diese Formel verwandte der Prozeß-Bevollmächtigte der Bundesregierung, Prof. Dr. Martin Kriele, in seinem mündlichen Plädoyer am 19. Juni 1973 im Rechtsstreit um den Grundlagenvertrag vor dem Bundesverfassungsgericht. Text in: E. Cieslar/J. Hampel/F. C. Zeitler: Der Streit um den Grundvertrag. Eine Dokumentation. München/Wien 1973, S. 212.
66 So beispielsweise Hermann Axen: »Die Festigung der internationalen Positionen der DDR«, in: Horizont 1973, Nr. 4, S. 3 f. (4). Zurückhaltender äußerte sich Axen in seiner Broschüre »Zur Entwicklung der sozialistischen Nation in der DDR«. Berlin (Ost) 1973, S. 12 f., 21. Weitere Nachweise bei J. Hacker, a. a. O. (Anm. 14), S. 450 f.; ders.: »Das nationale Dilemma der DDR«, in: Boris Meissner und Jens Hacker, a. a. O. (Anm. 16), S. 40–68 (49–52), wo auch wichtige Äußerungen Albert Nordens wiedergegeben werden.
67 Text in: Entscheidungen des Bundesverfassungsgerichts. Tübingen 1974. Bd. 36, S. 19.
68 Vgl. dazu mit weiteren Nachweisen Walter Völkel: »Zur Reaktion der DDR auf das Karlsruher Urteil zum Grundlagenvertrag«, in: Deutschland Archiv, Jg. 7/1974, S. 140 bis 149; J. Hacker, a. a. O. (Anm. 66), S. 52–55.
69 Vgl. dazu I. Spittmann: »Deutschland nur noch Nostalgie? Zur Verfassungsrevision in der DDR«, in: Deutschland Archiv, ebenda, S. 1009 f.; dies.: 25 Jahre DDR – Ihr Platz im Sowjetsystem, ebenda, S. 1121–1126.
70 Text des Berichts E. Honeckers in: Neues Deutschland vom 13. Dezember 1974; Auszug in: Deutschland Archiv, ebenda, Jg. 8/1975, S. 89–107 (93 f.). Vgl. dazu auch Fred Oldenburg: Blick zurück nach vorn – Zum 13. Plenum des Zentralkomitees der SED, ebenda, S. 1–7 (2–4).
71 Rudolf von Laun: »Das Staatsvolk«, in: Gerhard Anschütz und Richard Thoma (Hrsg.): Handbuch des Deutschen Staatsrechts. 1. Band. Tübingen 1930, S. 244–257 (244).
72 Alfred Kosing/Walter Schmidt: »Zur Herausbildung der sozialistischen Nation in der DDR«, in: Einheit, Jg. 29/1974, H. 2, S. 179–188 (179), abgedruckt in: Deutschland Archiv, Heft 3/1974, S. 297–306; A. Kosing: »Theoretische Probleme der Entwicklung der sozialistischen Nation in der DDR«, in: Deutsche Zeitschrift für Philosophie, Jg. 23/1975, S. 237–261, in dem er sich gleichfalls noch nicht mit dem Begriff der Nationalität befaßt hat; darin hat sich Kosing eingehend mit den Nationsthesen auseinandergesetzt, auf denen die »Materialien zum Bericht zur Lage der Nation 1974« (hrsg. vom Bundesministerium für innerdeutsche Beziehungen. Berlin 1974) basieren.
73 A. Kosing: Nation in Geschichte und Gegenwart. Studie zur historisch-materialistischen Theorie der Nation. Berlin (Ost) 1976, S. 177 f.
74 A. Kosing, ebenda, S. 178 f.
75 So Erwin Stüber in seiner Rezension der Studie von A. Kosing in: Einheit, Jg. 31/1976, S. 128–130 (129).

76 Zit. aus: Programm und Statut der SED vom 22. Mai 1976. Mit einem einleitenden Kommentar von Karl Wilhelm Fricke. Köln 1976, S. 91.
77 Kleines politisches Wörterbuch. 3. überarb. Aufl. Berlin (Ost) 1978, S. 616 f.
78 Gerhard Riege/Hans-Jürgen Kulke: Nationalität: deutsch – Staatsbürgerschaft: DDR. Berlin (Ost) 1979, S. 140: »Nationalität: 1. Zugehörigkeit eines Menschen zu einer Nation. 2. Volksgruppe innerhalb eines Mehrnationalitätenstaates«.
79 Vgl. den Nachweis oben in Anm. 52.
80 A. Kosing/W. Schmidt: »Geburt und Gedeihen der sozialistischen deutschen Nation«, in: Einheit, Jg. 34/1979, S. 1068–1075 (1070).
81 A. Kosing/W. Schmidt, ebenda, S. 1071; H. Axen: »Die Herausbildung der sozialistischen Nation in der Deutschen Demokratischen Republik«, in: Probleme des Friedens und des Sozialismus, Jg. 18/1976, S. 291–301, wo er behauptet, daß sich die ethnischen Eigenschaften und Merkmale der Bevölkerung der DDR, das heißt die deutsche Nationalität, logischerweise mit der sozialistischen Nation zu einer Einheit verbunden hätten.
82 Vgl. beispielsweise Walter Schmidt: Nation und deutsche Geschichte in der bürgerlichen Ideologie der BRD. Berlin (Ost) 1980 und Frankfurt/M. 1980, wo er sich mit zahlreichen westdeutschen Autoren auseinandersetzt; der Begriff »Nationalität« spielt in seinen Darlegungen keine Rolle; Kleines politisches Wörterbuch. 4., überarb. und erg. Aufl. Berlin (Ost) 1983, S. 653 f. (654), wo betont wird, in ethnischem Sinne sei die sozialistische Nation in der DDR »deutscher Nationalität«.
83 Text bei K. W. Fricke, a. a. O. (Anm. 76), S. 92. S. dazu auch das Stichwort »Nation« in: Kleines politisches Wörterbuch, ebenda, S. 632–637 (636): »Die Annäherung der sozialistischen Nationen ist ein komplizierter und langwieriger Prozeß. Er erfolgt in allen Lebensbereichen der Gesellschaft und führt allmählich zu einer Angleichung des ökonomischen Entwicklungsniveaus der einzelnen Nationen. Nationale Unterschiede werden jedoch noch lange bestehen bleiben. Sie können erst im Ergebnis einer längeren Entwicklung im Kommunismus verschwinden, nachdem die Annäherung der Nationen zu ihrer völligen Einheit und schließlich zu ihrer Verschmelzung geführt haben wird.« An anderer Stelle werden alle Versuche zurückgewiesen, »die Annäherung der sozialistischen Nationen zu hemmen oder ihre Verschmelzung gewaltsam zu forcieren«. Diese Aussage kann nur Führungen von »Bruderstaaten« meinen, da die »Annäherung« nicht von außen, d. h. von nicht sozialistisch-verfaßten Staaten, gesteuert werden kann. Vgl. zur »Annäherungs«-These aus sowjetischer Sicht, für die seit der Breshnew-Ära gleichfalls reservierte Töne kennzeichnend sind, J. Hacker, a. a. O. (Anm. 66), S. 60–68, ders.: Der Ostblock – Entstehung, Entwicklung und Struktur 1939–1980. 2. Aufl, Baden-Baden 1985, S. 931–934. In dem vom XXVII. Parteikongreß angenommenen neuen Programm der KPdSU, das die Handschrift Michail Gorbatschows trägt, heißt es zur nationalen Situation der UdSSR: »Charakteristisch für die nationalen Beziehungen in unserem Land sind sowohl das weitere Aufblühen der Nationen und Völkerschaften als auch ihre ständige gegenseitige Annäherung auf der Grundlage der Freiwilligkeit, Gleichheit und brüderlichen Zusammenarbeit. Hierbei ist es gleichsam unzulässig, herangereifte objektive Entwicklungstendenzen künstlich zu forcieren oder zu behindern.« Text in: Sowjetunion zu neuen Ufern? 27. Parteitag der KPdSU März '86. Dokumente und Materialien mit einer Einleitung von Gert Meyer. Düsseldorf o. J. (1986), S. 221. Zur Problematik der nationalen »Annäherung« wird dort festgestellt: »Die KPdSU ist überzeugt: Bei uneingeschänkter Wahrung der Gleichberechtigung und gegenseitiger Achtung der nationalen Interessen werden die sozialistischen Länder den Weg eines immer besseren gegenseitigen Verstehens und der gegenseitigen Annäherung gehen. Die Partei wird diesen historisch progressiven Prozeß fördern.«
84 So die Definition bei Riege/Kulke, a. a. O. (Anm. 78).
85 Wolfgang Seiffert: »Die Deutschlandpolitik der SED«, in: wir selbst – Zeitschrift für nationale Identität und internationale Solidarität, Januar-Heft 1986, S. 14–29 (20).
86 W. Seiffert, ebenda.
87 W. Seiffert, ebenda.
88 Alfred Kosing: »Die Dialektik von Nationalem und Internationalem«, in: Dialektik des Sozialismus. Autorenkollektiv. Berlin (Ost) 1981, S. 294–353 (306 f.).
89 Vgl. dazu im einzelnen J. Hacker: »Die deutschlandrechtliche und deutschlandpolitische Funktion der Vier-Mächte-Verantwortung«, in: Dieter Blumenwitz und Boris Meissner (Hrsg.): Staatliche und nationale Einheit Deutschlands – ihre Effektivität. Köln 1984, S. 75–96.
90 J. Hacker, ebenda, S. 80–87.
91 Vgl. dazu im einzelnen Peter Jochen Winters: »General Saizew nimmt es mit Statusfragen genau. Es gibt ›Streitkräfte in Deutschland‹ – nicht in der DDR«, in: Frankfurter Allgemeine Zeitung vom 18. April 1985.
92 Vgl. dazu die Rede E. Honeckers vor den 1. Sekretären der Kreisleitungen der SED vom 17. Februar 1978 (Text in: Neues Deutschland vom 18./19. Februar 1978); Interview Honeckers mit der »Saarbrücker Zeitung« vom 6. Juli 1978 (Abdruck des Interviews aus dem »Neuen Deutschland« vom 7. Juli 1978 in: Deutschland Archiv, Jg. 11/1978, S. 881–889); Rede Honeckers auf der Bezirksdelegierten-Konferenz Berlin (Text in: Neues Deutschland vom 16. Februar 1981, S. 3 f.).
93 Vgl. dazu die Nachweise oben in den Anm. 46 f.
94 So E. Honecker in seinem Beitrag, den er für das sowjetische Parteiorgan »Prawda« anläßlich des 35. Jahrestages der Ausrufung der DDR verfaßt hat; deutsche Übersetzung in: Neues Deutschland vom 6. Oktober 1984. Vgl. dazu auch das Interview E. Honeckers mit der Illustrierten »Stern«, Text in: Stern, Nr. 45 vom 3. November 1983 und in vollem Wortlaut in: Neues Deutschland vom 4. November 1983; Nachdruck in: Deutschland Archiv, Jg. 17/1984, S. 86–93 (92); Erich Honecker: Interview für »Il Messagero«. Dt. Text in: Neues Deutschland vom 9. Juli 1984: »Sozialismus und Kapitalismus kann man nicht vereinen.« Schlußwort E. Honekkers auf dem XIII. Bauernkongreß der DDR. Text in: Neues Deutschland vom 23./24. Mai 1987: »Es gibt, wie wir alle wissen, nichts ›wiederzuvereinigen‹. Sowohl das Wort ›wieder‹ als auch das Wort ›vereinigen‹ ist fehl am Platze. Die DDR und die BRD gehörten nie zusammen, es trennen sie Welten, die sozialistische und die kapitalistische.«
95 Vgl. beispielsweise »Das entschlossene Handeln aller am Frieden Interessierten kann nukleare Gefahr bannen«. Grundsatzerklärung des Außenministers der DDR, Oskar Fischer, auf der 23. Vollversammlung der UNO. Text in: Neues Deutschland vom 6./7. Oktober 1984, S. 8: ». . . es ist weder etwas offen, noch kann es eine Wiedervereinigung geben. Das Volk der DDR hat sich unwiderruflich für den Sozialismus entschieden. Die sozialistische Deutsche Demokratische Republik und die kapitalistische BRD, die zudem entgegengesetzten Militärbündnissen angehören, lassen sich nicht vereinigen, schon gar nicht wiedervereinigen, so wie sich Feuer und Wasser nicht vereinen lassen«; Kurt Hager: Die Künste bereichern und stärken den Bruderbund. Von der Eröffnung der »Tage der Kultur der DDR in der UdSSR«, in: Neues Deutschland vom 11. Oktober 1984, S. 3. Wolfgang Seiffert, a. a. O. (Anm. 85), S. 25, weist mit Nachdruck darauf

hin, daß die Politik der SED »auch in der nationalen Frage alles andere denn eine Aufgabe des Zieles eines kommunistischen Gesamtdeutschlands« bedeute. Vgl. beispielsweise den Aufruf des Zentralkomitees der SED, des Staatsrates, des Ministerrates, des Nationalen Rates der Nationalen Front der DDR zum 35. Jahrestag der Gründung der DDR; Text in: Neues Deutschland vom 21./22. Januar 1984, S. 1 f. (1): »Die revolutionäre Vorhut der deutschen Arbeiterklasse scheute weder Kraft noch Mühe, gemeinsam mit allen fortschrittlichen Kräften *das ganze Deutschland* auf den Weg des Friedens, der Demokratie und des sozialen Fortschritts zu führen.« Hervorhebung vom Verf.

96 Vgl. dazu im einzelnen den Beitrag »SED und Geschichte« von Ulrich Neuhäußer-Wespy in diesem Band.

97 Text des Schreibens in: Neues Deutschland vom 10. Oktober 1983; Nachdruck in: Deutschland Archiv, Jg. 16/1983, S. 1344 f.

98 Text in: Neues Deutschland vom 7. Februar 1981. Ebenso aufschlußreich Ottomar Harbauer: »Was war das für ein Deutscher im Kosmos?«, in: Berliner Zeitung vom 23./24. September 1978: »Das Volk der DDR verfolgt die progressive deutsche Traditionslinie. Deutsch und deutsch – das war nie und ist auch heute nicht ein und dasselbe. Unser Kosmonaut flog als erster Deutscher ins All. Dieser Deutsche, unser Sigmund Jähn, ist ein Angehöriger der sich in unserer Republik entwickelnden sozialistischen deutschen Nation. Der erste Deutsche im Weltraum war kein Bürger der BRD, wo bis jetzt bekanntlich die alte bürgerliche deutsche Nation weiterexistiert.« Weitere Nachweise bei W. Seiffert, a. a. O. (Anm. 85), S. 21–24.

99 So Rupert Scholz: »Der Weg zur Einheit über den Nationalstaat ist nicht verboten«, in Frankfurter Allgemeine Zeitung vom 16. Oktober 1985.

100 So Tilman Mayer in seinem Leserbrief »›Deutschland als Ganzes‹ und die ›sozialistische Nation‹« in: Frankfurter Allgemeine Zeitung vom 21. November 1985. Vgl. dazu auch seine grundlegende Studie; Prinzip Nation. Dimension der nationalen Frage, dargestellt am Beispiel Deutschlands. Opladen 1986.

101 So R. Scholz, a. a. O. (Anm. 99).

Gero Neugebauer

Die führende Rolle der SED
Prinzipien, Strukturen und Mechanismen der Machtausübung in Staat und Gesellschaft

Machtausübung, und darin eingeschlossen die Machtsicherung, stellt regierende Parteien stets vor das Dilemma, Bestehendes sichern und Kommendes bewältigen zu müssen, aus legitimatorischen Gründen Prinzipien treu zu bleiben und sie doch zu verändern, Strukturen so zu gestalten, daß sie nicht verkrusten und entwicklungshemmend wirken, und schließlich die Mechanismen der Machtausübung und Machtsicherung funktionsfähig zu erhalten. Die politische Führungsrolle der SED, d. h. ihre Kompetenz, alle ihr wichtig erscheinenden politischen, wirtschaftlichen und sozialen Fragen zu entscheiden, ist von Anfang an diesem Dilemma ausgesetzt gewesen. Das »Glück« politischer Parteien in parlamentarischen Systemen, eine Regenerationsphase in der politischen Opposition absolvieren zu können, wird ihr nicht zuteil, es ist systemfremd: Die Herrschaft der kommunistischen Partei wird als Gesetzmäßigkeit der gesellschaftlichen Entwicklung verstanden. Der Verlust der Macht durch innergesellschaftliche Willensbildungsprozesse ist nicht vorgesehen und wird, wenn Abweichungen vom »richtigen Weg« in sozialistischen Staaten vermutet werden, gegebenenfalls wie 1956 in Ungarn oder 1968 in der ČSSR durch bewaffnete Interventionen oder wie 1981 in Polen durch massiven politischen Druck verhindert.

Die »führende Rolle« in der Theorie

Die führende Rolle der SED ergibt sich aus der marxistisch-leninistischen Revolutiontheorie, aber im wesentlichen ist sie ein Resultat der Geschichte und der politischen Praxis in der DDR. Zentraler Punkt der theoretischen Begründung ist die These, daß die kommunistische Partei als Avantgarde der Arbeiterklasse deren »historische Mission« erfüllen muß, nämlich die Entwicklung der Gesellschaft zum Kommunismus. Die Arbeiterklasse als *»Totengräber des Kapitalismus und als Schöpfer der neuen, sozialistischen Gesellschaft« (Kleines politisches Wörterbuch)* kann ihre Führungsrolle faktisch nur spielen, wenn die Avantgarde-Partei sie verwirklicht. Lenin hatte dies schon 1902 postuliert: Die Arbeiter könnten von sich aus nur ein gewerkschaftliches Bewußtsein entwickeln, das dem Kampf um die Verbesserung ihrer sozialen Situation entspringt; ein revolutionäres Bewußtsein, das die Kenntnis der Entwicklung und Veränderbarkeit der Gesellschaft einschließt, könne nur durch progressive Angehörige der Intelligenz und durch im Klassenkampf gestählte Arbeiter in die Arbeiterklasse hineingetragen werden.

Diese Konstruktion der organisatorischen und bewußtseinsmäßigen Trennung von sozialer Klasse (Proletariat) und Partei findet – theoretisch – ihr Ende in dem historischen Moment, in dem alle Mitglieder der Gesellschaft prinzipiell über die Fähigkeiten und das Wissen verfügen, an der Leitung der gesellschaftlichen Entwicklung in jeder Position teilzunehmen (hier kommt die berühmte »Köchin« Lenins ins Spiel, die den Staat regieren kann).

Faktisch bleibt die Trennung aber erforderlich, solange dieser Zustand nicht erreicht und eine Arbeitsteilung in der Gesellschaft zur Sicherung ihrer politischen und sozialen Existenz erforderlich ist. Solange bleibt auch die führende Rolle der Partei notwendig, d. h., sie muß die Gesellschaft politisch führen, erziehen und organisieren.

Führen bedeutet dabei, die Richtung der gesellschaftlichen Entwicklung anzugeben und das Verhalten des gesamten politischen Systems so abzustimmen, daß das gewünschte Ziel erreicht wird.
Erziehen heißt, die Massen (das sind die nicht in der Partei organisierten Mitglieder der Gesellschaft) davon zu überzeugen, daß die Partei die Interessen der gesamten Gesellschaft ausdrückt.
Organisieren schließlich heißt, dafür zu sorgen, daß keine *». . . einzige wichtige politische oder organisatorische Frage in unserer Republik von irgendeinem staatlichen* (oder anderen, G. N.) *Organ ohne Direktiven des ZK unserer Partei entschieden (wird)«*[1], und zu erreichen, daß diesem Anspruch Folge geleistet wird.
Die politische Begründung für die führende Rolle der SED könnte, verkürzt gesagt, lauten: Die SED übt die Macht aus, weil sie die Macht ausübt. Der gegenwärtige Zustand ist – von außenpolitischen Entwicklungen und der Zugehörigkeit der DDR zum System des Warschauer Vertrags einmal abgesehen – das Ergebnis eines historischen Prozesses.
Die Entwicklung der SED seit 1946 hat gezeigt, daß die Partei nicht ohne innerparteiliche Auseinandersetzungen und Schwierigkeiten und die Unterstützung der sowjetischen Instanzen, vor allem der Sowjetischen Militäradministration (SMAD), ihre Führungsposition aufgebaut und bewahrt hat.
Die SED hatte bereits beim Aufbau neuer Verwaltungsorgane in der damaligen SBZ damit begonnen, alle wichtigen Führungspositionen im Staats- und Wirtschaftsapparat zu übernehmen, so daß nach der Gründung der DDR im Oktober 1949 de facto »alle Kommandohöhen« von Mitgliedern der SED besetzt waren.
Bei der Entwicklung der Bündnispolitik beschränkte sich die SED nicht darauf, die Leitlinien für das politische und organisatorische Handeln der Parteien und Massenorganisationen im Rahmen des Demokratischen Blocks bzw. der Nationalen Front zu bestimmen, sondern sie besetzte auch die wichtigsten Positionen in den Massenorganisationen, vor allem dem Freien Deutschen Gewerkschaftsbund (FDGB) und der Freien Deutschen Jugend (FDJ).
Nicht nur institutionelle, sondern auch wirtschaftliche und soziale Strukturveränderungen, beispielsweise die Bodenreform, die Entwicklung des volkseigenen Sektors in der Industrie, der Ausbau des Genossenschaftswesens in der Landwirtschaft und im Handwerk, veränderten die Bevölkerungsstruktur, da beispielsweise Großgrundbesitzer, das Großbürgertum sowie selbständige Kaufleute und Handwerker als soziale Gruppe verschwanden oder erheblich schrumpften. Damit wuchs automatisch der Anteil der Arbeiter an der Gesamtgesellschaft. Die forcierte Industrialisierung vergrößerte den Arbeiteranteil weiter. Das erleichterte es der SED zu erklären, sie vertrete die größte soziale Klasse, die Arbeiterklasse, und deshalb komme ihr die führende Rolle in der Gesellschaft zu.

Zusammensetzung der SED (in Prozent)[2]

Gruppe	1947	1957	1966	1976	1986
Arbeiter	48,1	33,8	45,6	56,1	58,1
Genossenschaftsbauern	9,4*	5,0**	6,4	5,2	4,8
Angestellte	17,6	42,3***	16,1	11,5	7,5
Intelligenz	4,4	–	12,3	20,0	22,3

* = Einzelbauern; ** = Genossenschafts- und Einzelbauern; *** = einschl. Intelligenz; Rest = Sonstige (Schüler, Hausfrauen, Rentner).

Die theoretischen (ideologischen) und politischen Rechtfertigungen des Führungsanspruchs der SED verdeutlichen, daß die SED ihre politische Funktion im System der DDR mit anderen Kriterien begründet als eine Partei in einem parlamentarischen System: Das politische Programm der SED entspricht nach ihrem Verständnis den Zielen, die der größten gesellschaftlichen Klasse, der Arbeiterklasse, als historische Mission aufgegeben sind. Eine Entscheidung über die Machtfrage durch Wähler, denen es in der Mehrzahl an entsprechendem »revolutionären Bewußtsein« mangelt, kann von daher nicht akzeptiert werden.
Die SED ist der Auffassung, daß unter ihrer Führung inzwischen in der DDR der Sozialismus aufgebaut worden ist und in der gegenwärtigen Etappe des realen Sozialismus die Voraussetzungen geschaffen werden, die später den Übergang zum Kommunismus ermöglichen. Tatsächlich ist die ökonomische und soziale Entwicklung der DDR, vor allem seit dem Bau der

Mauer 1961, insgesamt so vorangeschritten, daß der Lebensstandard der Bürger der DDR über dem der sozialistischen Nachbarländer liegt und in verschiedenen Bereichen auch Vergleichen mit westeuropäischen Staaten standhält. Nach Meinung der Partei hat sich folglich ihre Politik trotz Rückschlägen, Zielverschiebungen und Kurswechseln bewährt. So sieht sie auch von daher die weitere Ausübung der führenden Rolle als gerechtfertigt und notwendig an.

Die Absicherung der politischen Macht

Bei der Realisierung des ideologisch begründeten Machtanspruchs kommt dem Prinzip des Demokratischen Zentralismus die entscheidende Bedeutung zu. Dieses Prinzip, das ursprünglich nur für den innerparteilichen bzw. -organisatorischen Ablauf von Willensbildungsprozessen bestimmend war, strukturiert nun den gesamten politischen Willensbildungsprozeß in der DDR: *»Der Demokratische Zentralismus ermöglicht es der Arbeiterklasse* (d. h. der SED, G. N.), *ihre führende Rolle in der sozialistischen Gesellschaft und im Staat zu verwirklichen und die Aktivität aller gesellschaftlichen Kräfte zur Durchsetzung der objektiven Gesetzmäßigkeit der gesellschaftlichen Entwicklung zu entfalten . . . Der Demokratische Zentralismus ist die Gewähr für ein absolut reibungsloses und einheitliches Funktionieren des gesellschaftlichen Lebens auf allen Gebieten und in allen Orten des Landes.«*[3] Dieses Prinzip enthebt die SED der Notwendigkeit, ihr Verhältnis zu den anderen Elementen des politischen Systems, in erster Linie zum Staat und zu den Massenorganisationen, stets neu regeln zu müssen. Sie verwirklicht den Demokratischen Zentralismus als tragendes Prinzip der Machtorganisation in der DDR, indem sie die politischen Richtlinien für das Handeln aller Elemente des Systems ausgibt, die Einhaltung kontrolliert und regelt, in welchem Umfang andere Parteien und die Massenorganisationen zum Beispiel in staatlichen Organen vertreten sind oder wie deren innerorganisatorisches Leben gestaltet wird. Abgesichert wird diese allumfassende »Richtlinienkompetenz« unter anderem dadurch, daß in den Statuten und Programmen der genannten Organisationen die führende Rolle der SED ausdrücklich anerkannt wird.[4] Gegenüber dem Staat wird der Führungsanspruch auch verfassungsrechtlich formuliert. So heißt es im Artikel 1 der Verfassung der DDR von 1974: *»Die Deutsche Demokratische Republik . . . ist die politische Organisation der Werktätigen in Stadt und Land unter Führung der Arbeiterklasse und ihrer marxistisch-leninistischen Partei . . .«*[5]

Die Tatsache, daß die SED in erster Linie über den Staat und dessen Organe ihren Führungsanspruch verwirklicht, hat schon früher dazu geführt, daß die SED als »Staatspartei« charakterisiert worden ist. Beigetragen hat dazu, daß die SED selbst den Staat als das Hauptinstrument ihrer Politik betrachtet und ihm daher immer besondere Aufmerksamkeit geschenkt hat.

Anleitung und Kontrolle im Staatsapparat

Wie übt nun die SED ihre führende Rolle im Staat aus? Sie trifft die grundlegenden Entscheidungen zur Durchsetzung ihrer Beschlüsse in den verschiedenen Politikbereichen, sie kontrolliert die Durchführung der Parteibeschlüsse in den Volksvertretungen und im Staatsapparat, und sie schafft durch die Kaderpolitik (Personalpolitik) die personellen Voraussetzungen für die Machtsicherung.

Die zentralen Parteigremien, d. h. das Politbüro und das Sekretariat des ZK, treffen sowohl Entscheidungen im Grundsatz als auch in Einzelangelegenheiten, in bestimmten Fällen wird ein Votum des ZK der SED, wie z. B. im Fall der Volkswirtschaftspläne, herbeigeführt. Das Politbüro nimmt nicht nur die von Abteilungen des Zentralkomitees bzw. von staatlichen Instanzen ausgearbeiteten Entwürfe zur Kenntnis, sondern entscheidet auch über die Vorlage. Dabei kann es sich um die jährlichen Staatshaushaltspläne ebenso handeln wie um *»weitere Maßnahmen zum Schutz der Wälder der DDR«*[6], um *»Aufgaben der Bibliotheken in der entwickelten sozialistischen Gesellschaft«*[7] oder um *»Be- und Entwässerungsmaßnahmen«*[8]. Das bedeutet, daß beispielsweise die Volkskammer eine Gesetzesvorlage erst dann bekommt, wenn vorher ein entsprechender Beschluß im Zentralkomitee der SED gefallen ist. Dies trifft regelmäßig auf die Volkswirtschaftspläne zu. Auch wenn keine Volksvertretung eingeschaltet ist, sondern ein Ministerium beispielsweise direkt tätig wird, dienen die zentralen Parteibeschlüsse als Grundlage für Verordnungen und ähnliches. Die Umsetzung der Parteibeschlüsse in staatliche Entscheidungen durch die Volkskammer, den Ministerrat oder andere zentrale staatliche oder örtliche Organe bewirkt, daß sie danach für alle betroffenen Bereiche bzw. für die Bürger der DDR verbindlich sind. Im übrigen ist es der Parteispitze auch vorbehalten, über die Grundfragen der Struktur und die Zuständigkeiten der einzelnen Ebenen des Staatsapparats zu entscheiden.

Parteiorganisationen im Staatsapparat

Nach dem Parteistatut der SED sind den Parteiorganisationen im Wirtschafts-, Wissenschafts-, Kultur- und Bildungsbereich, in den Ministerien sowie anderen zentralen und örtlichen Staatsorganen Kontrollrechte eingeräumt. In dem zuerst genannten Bereich haben die Parteiorganisationen das Recht *»der Kontrolle über die Tätigkeit der Betriebsleitungen, um ihrer Verantwortung für die politische Leitung der gesellschaftlichen Entwicklung in ihrem Bereich gerecht zu werden«*, während im staatlichen Bereich *»die Tätigkeit des Apparates bei der Verwirklichung der Beschlüsse von Partei und Regierung, bei der Einhaltung der sozialistischen Rechtsnormen«*[9] zu kontrollieren ist. Um diese Kontrollen ausüben zu können, müssen die entsprechenden organisatorischen Voraussetzungen vorhanden sein. In den Betrieben, in staatlichen und wirtschaftlichen Verwaltungen sowie anderen Institutionen, ebenso auch in den Streitkräften, im Polizei- und Sicherheitsapparat sind das die Parteiorganisationen der SED. Die anderen in der DDR existierenden Parteien haben im Produktions- und Arbeitsbereich keine Organisationsmöglichkeit. Das Statut verpflichtet die Parteimitglieder im Staatsapparat, sämtliche Parteibeschlüsse als bindend für ihre Arbeit zu betrachten. Die sehr enge Verzahnung von Partei- und Staatsapparat wird auch dadurch unterstrichen, daß für die Anleitung bestimmter Bereiche Parteikommissionen gebildet werden, in denen Angehörige des Parteiapparates und staatlicher Instanzen zusammenarbeiten. Dies fördert die Vermutung einer exakten Organisation und eines reibungslosen Funktionierens der Kontrolltätigkeit der Partei im Staatsapparat.

Dennoch gibt es immer wieder Hinweise darauf, daß die Parteibeschlüsse im Staatsapparat gelegentlich nur mangelhaft umgesetzt werden. Dafür gibt es eine Reihe von Ursachen, die nicht nur durch die Spezifik bürokratischer Apparate bestimmt sind. Probleme, die der Parteiführung noch unbekannt waren, als sie ihren Beschluß faßte, können dafür ebenso maßgeblich sein wie unterschiedliche Interessenlagen zentraler und regionaler bzw. betrieblicher Instanzen. Gelegentlich geraten Parteileitungen auch in den Verdacht, bei der Ausübung ihres Kontrollrechts faktisch die Tätigkeit der Institution zu übernehmen, deren Arbeit sie kontrollieren sollen. De facto wird jedoch durch die Struktur des Kontrollsystems erreicht, daß die Spitze des Parteiapparats jederzeit über Kontroll- und Informationsbeziehungen auf allen Ebenen des Staatsapparates unmittelbar oder mittelbar über untere Parteiinstanzen in die Arbeit des Staatsapparats korrigierend eingreifen kann.

Der Sonderfall Armee und Sicherheitskräfte

In den Bereichen, die gegebenenfalls die Macht mit Gewalt sichern müssen, nämlich in den Streitkräften sowie im Polizei- und Sicherheitsapparat, sind gesonderte Parteiorganisationen der SED vorhanden. Hier wie übrigens auch bei der Reichsbahn existieren, anders als im üblichen Organisationsaufbau der SED, Politorgane, die die Parteiorganisation der SED anleiten und nach speziellen Instruktionen arbeiten. Die Parteiorganisationen im Staatsapparat unterstehen als Grundorganisation in der Regel der territorial zuständigen Kreisleitung. Dies gilt dann nicht, wenn, wie z. B. im Fall der Zentralen Bank- und Finanzorgane oder des Außenhandels, eine jeweils alle Grundorganisationen dieses Bereichs umfassende eigene Kreisparteiorganisation existiert. So gibt es beispielsweise in Ost-Berlin 11 SED-Kreisleitungen auf territorialer und 12 auf produktions- bzw. administrationsbestimmter Basis.

Die territoriale Unterstellung gilt vor allem für die eigentliche Parteiarbeit (Organisation, Agitation, Schulung, Kampagnen etc.).
In den Fragen, mit denen sich die jeweilige Instanz des Staatsapparats inhaltlich befaßt, unterstehen die Parteiorganisationen der jeweiligen zuständigen Parteileitung: Die Grundorganisation der SED im Rat des Bezirkes Schwerin z. B. untersteht einmal der Kreisleitung der Stadt Schwerin, andererseits der Bezirksleitung Schwerin, da die Tätigkeit des Bezirksrates als höchster Instanz des territorialen Staatsapparats sich auf den gesamten Bezirk erstreckt.
In der Armee ist es anders. Dort gibt es keine Zuordnung zu territorialen Parteiorganisationen, sondern die gesamte Nationale Volksarmee bildet einen eigenen Parteibezirk; Volkspolizei (Ministerium des Innern), Staatssicherheit und Reichsbahn bilden Kreisparteiorganisationen.
Die höchste Instanz des Parteiapparats in der NVA ist die Politische Hauptverwaltung. Ihr Chef ist gleichzeitig Stellvertreter des Ministers für Nationale Verteidigung und Mitglied des ZK der SED. Die Politorgane existieren neben der militärischen Leitungsstruktur der NVA. Die Politarbeiter, das sind die Leiter und Mitarbeiter der Politorgane, die Sekretäre der SED und der FDJ-Organisationen in der NVA (die Freie Deutsche Jugend darf als einzige Massenorganisation in der Armee präsent sein) sowie die gesellschaftswissenschaftlichen Lehrkräfte in den Ausbildungseinheiten und Schulen, sind Parteifunktionäre. Die Leiter der Politorgane sind auf den jeweiligen Ebenen gleichzeitig die verantwortlichen Sekretäre der dortigen Parteiorganisationen. Die wichtigste Aufgabe dieser Politorgane besteht darin, die politisch-ideologische Erziehung der Armeeangehörigen zu organisieren und zu kontrollieren, wie die Parteiorganisationen die Beschlüsse der Partei in die militärische Praxis umsetzen. Eine große Bedeutung für die Vermittlung und Durchsetzung des Parteiwillens hat auch die Tatsache, daß von den Offizieren mehr als 99 Prozent der SED angehören, von den Unteroffizieren sind es ca. 33 und von den Soldaten rund 9 Prozent. Neben der doppelten Parteistruktur bildet die Auswahl und die Erziehung der Offiziere der NVA eine weitere wichtige Voraussetzung dafür, daß die SED ihre führende Rolle in den Streitkräften verwirklichen kann.

Grundzüge der Kaderpolitik

Die Kader spielen eine herausragende Rolle in der Politik der SED. Sie werden als »der größte Schatz der Partei« bezeichnet. Ihre Tätigkeit gilt als »Klassenauftrag«: *»Wir gehen auch in Zukunft davon aus, die führende Rolle der Arbeiterklasse und ihrer marxistisch-leninistischen Partei weiter zu stärken, indem wir Kader heranbilden, die das Leben und Wirken der Arbeiter aus eigener Erfahrung kennen und selbstlos im Auftrag ihrer Klasse handeln.«*[10]
Das Ziel der Kaderpolitik ist es, schreibt ein sowjetischer Autor, Kommunisten in die entscheidenden Stellen im Staatsapparat zu delegieren, damit sie dort in ihrer praktischen Tätigkeit die Politik der Partei durchführen.[11] Solche Eingrenzung könnte vermuten lassen, daß als Kader nur noch jene Personen bezeichnet werden können, die politische Entscheidungspositionen einnehmen und tatsächlich politisch relevante Entscheidungen zu fällen haben, also die sogenannten politischen Eliten.[12] Da im Selbstverständnis der SED faktisch jede Position entscheidend sein kann, deren Inhaber Entscheidungen treffen und Anweisungen erteilen können, vor allem solche im Staatsapparat und in der Wirtschaftsleitung, von Armee und Polizei ganz zu schweigen, ist eher von einem weiten Kaderbegriff auszugehen: *»Zu den Kadern gehören also – kurz gesagt – die besten Kräfte der Arbeiterklasse und des Volkes, die auf Grund ihrer hohen wissenschaftlichen, politischen und fachlichen Kenntnisse befähigt sind, beim Aufbau des Sozialismus auf den verschiedenen Gebieten des gesellschaftlichen Lebens – in der Partei, im Staatsapparat, in der Wissenschaft, in den Massenorganisationen und auf kulturellem Gebiet – die Massen im Kampf um die Lösung der objektiv notwendigen Aufgaben zu organisieren und zu führen. Dazu gehören auch die Nachwuchskräfte, die für diese Arbeitsgebiete planmäßig entwickelt werden.«*[13]
Bezieht man diesen Begriff auf den hier interessierenden Bereich des Staatsapparates, könnte die Vermutung entstehen, jeder Staatsfunktio-

när sei ein Kader im Sinne der Kaderpolitik der SED. Faktisch stimmt das aber nicht für alle Mitarbeiter des Staatsapparates. Zwar definiert auch ein Lexikon aus der DDR Staatsfunktionäre als *»Leiter und Mitarbeiter in den zentralen und örtlichen Staatsorganen, Richter, Staatsanwälte, Leiter von staatlichen Institutionen und Einrichtungen sowie deren Stellvertreter«*[14], aber bei der Erläuterung dieses Personenkreises, zu dem übrigens auch Offiziere gehören, wird deutlich, daß es sich hier um Inhaber von Positionen auf mittleren und höheren Leitungsebenen handelt. Da auch Mitglieder anderer Parteien der DDR im Staatsapparat auf den verschiedenen Ebenen arbeiten und ihnen in den Leitungsgremien einige wenige Positionen quasi reserviert sind, zählen sie ebenfalls zu den Kadern. Kader heißt also, in einer bestimmten Position zu sein und eine bestimmte Funktion auszuüben, ohne in jedem Fall auch gleichzeitig Mitglied der SED zu sein – dennoch ist man auch dann Objekt der Kaderpolitik der SED.

Wandel des Kaderbildes

Die allgemeine Aufgabe des Staatsapparates als Hauptinstrument der SED zur Durchführung ihrer Politik und die spezifischen Aufgaben in den jeweiligen Bereichen, z. B. Innen-, Wirtschafts- oder Außenpolitik, bestimmen die Kaderpolitik der SED im Staatsapparat, d. h. *»Auswahl, Verteilung und Erziehung der Kader«*[15]. Von einem Kader wird demnach Doppeltes verlangt: Seine allgemeine Funktion ist es, die jeweilige aktuelle politische Linie der Partei in seinem Arbeitsbereich zur Geltung zu bringen. Seine spezifische Funktion besteht darin, in einem durch fachliche Kriterien bestimmten Bereich tätig zu sein und dafür die erforderlichen Qualifikationen und das notwendige Fachwissen zu besitzen. Diese beiden Funktionen bzw. ihr Verhältnis zueinander wirken sich aus auf die Art und Weise, wie Kader rekrutiert, qualifiziert und eingesetzt werden; ebenso spiegelt sich in diesem Verhältnis der Wandel der Kaderpolitik der SED wider.

In der Zeit bis 1960/61 ging die SED davon aus, daß die politische Funktion wichtiger und daher die politische Qualifikation bedeutsamer sei als die fachliche. Deshalb hatte ursprünglich die politische Qualifikation, d. h. die Bewährung in Parteifunktionen, den absoluten Vorrang vor fachlichen Fähigkeiten. Im Prinzip ging man davon aus, daß der Kader universell einsetzbar sein müsse, da es sich ja bei wichtigen Entscheidungen im wesentlichen immer um politische Fragen handele. Die fachliche Qualifikation wurde zwar nicht negiert, aber letztlich als nicht entscheidend für den Einsatz betrachtet. Als sich jedoch bereits in der zweiten Hälfte der 50er Jahre abzeichnete, daß die anstehenden Aufgaben immer komplizierter wurden und damit auch die Anforderungen an die Führungs- und Leitungstätigkeit stiegen, mußte die Partei ihre Kaderpolitik darauf einstellen. Politische Kompetenz reichte nun nicht mehr aus. Der Kader mußte auch fachliches Wissen und Urteilsvermögen besitzen, um seine Kontrollaufgaben wahrnehmen zu können. Zwar ging die SED von einem politischen Verständnis des Kaders nicht ab, sie wollte ihn von seiner Rolle als »Parteiarbeiter im Staatsapparat« nicht befreien, aber sie maß der fachlichen Komponente nun stärkere Bedeutung zu. Erleichtert wurde dieser Wandel durch den Generationswechsel im Funktionärsbereich.

Das Bild des traditionellen Parteifunktionärs, der die Allgemeinzuständigkeit der Partei verkörperte, ist für den Parteikader im Staatsapparat inzwischen untypisch geworden. Die Forderung an die Kaderarbeit, *»zum richtigen Zeitpunkt die richtigen Kader mit den notwendigen Kenntnissen, Fähigkeiten, Eigenschaften und Erfahrungen«*[16] zur Verfügung zu stellen, verdeutlicht die nun geforderte Kombination politischer und fachlicher Qualifikationen und relativiert das Einzelkriterium »Parteiarbeiter«, macht es aber nicht bedeutungslos.[17]

Das Nomenklatursystem

Ein weiteres Indiz dafür, daß keineswegs alle Mitarbeiter des Staatsapparats, auch wenn sie Mitglieder der SED sind, von vornherein Objekt der Kaderpolitik sind, ist das Nomenklatursystem. Die Nomenklatur ist eine Art Stellenplan, in dem alle Positionen aufgeführt werden, die als wichtig gelten: *»Nomenklaturfunktionen*

Nomenklatur des Partei-, Staats- und Wirtschaftsapparates

Nomenklatur	Parteiapparat	Staatsapparat	Wirtschaftsapparat
Politbüro	ZK-Mitglieder* Sekretäre des K 1. Sekretäre der Bezirksleitungen Leiter zentraler Parteiinstitutionen*	Staatsrat Ministerrat	
I	Abteilungsleiter (und Stellvertreter) des ZK-Apparates Leitende Mitarbeiter zentraler Parteiinstitutionen Sekretäre der Bezirksleitung Parteiorganisatoren der VVB 1. Sekretär der Kreisleitung* Leiter der Bezirksparteischule Parteiorganisatoren in VVB, Kombinaten und Großbetrieben*	Minister Stellvertretender Minister Stellvertretender Vorsitzender der SPK Leiter und Stellvertreter zentraler Staatsorgane Vorsitzender des Rates des Bezirkes 1. Stellvertreter d. Vors. d. Rates des Bezirks Mitglieder der Räte der Bezirke Leiter der Bezirksinspektion der ABI Vorsitzender des Rates des Kreise	Generaldirektoren der VVB Direktoren wichtiger Großbetriebe und Kombinate Leiter von Großbaustellen Vorsitzende der Bezirkswirtschaftsräte
II	Sekretäre der Kreisleitung Sekretäre von Grundorganisationen aus wichtigen Bereichen* Leiter von Kreis- und Betriebsschulen des Marxismus-Leninismus	Abteilungsleiter, Sektorenleiter, Leiter von Fachabteilungen, Leiter von Stabsorganen zentraler Staatsorgane Leiter von ökonomisch selbständigen Einrichtungen (z. B. Reisebüros, Banken) Abteilungsleiter der Räte der Bezirke 1. Stellvertreter d. Vors. d. Rates des Kreises Mitglieder der Räte der Kreise	Fachdirektoren und Abteilungsleiter von VVB Fachdirektoren wichtiger Großbetriebe und Kombinate Werkdirektoren und stellv. Direktoren mittelgroßer Betriebe und Kombinate (1000–5000 Beschäftigte) Leiter von Zweigbetrieben Hauptbuchhalter Stellv. Vors. und Abteilungsleiter des Bezirkswirtschaftsrates
III	hauptamtliche Mitarbeiter der Kreisleitungen* Sekretäre der Grundorganisationen*	Kreisbaudirektoren Stadtbaudirektoren Abteilungsleiter der Räte der Kreise	Werkdirektoren kleiner Betriebe Fachdirektoren und Abteilungsleiter mittelgroßer Betriebe Fachdirektoren, Meister

Quelle: G.-J. Glaeßner, Herrschaft durch Kader, a. a. O. (Fn. 23), S. 240.
Die Zuordnung der mit einem Stern gekennzeichneten Positionen beruht auf einer Einschätzung des Verfassers.

sind politische und ökonomische Schlüsselfunktionen, die mit besonders bewährten und qualifizierten Kadern besetzt werden müssen.«[18] Wer zu den Nomenklaturkadern gehört, dem ist eine gewisse Exklusivität sicher, auch wenn es sich dabei um Positionen handelt, die auf einer vergleichsweise niedrigen Ebene im Staatsapparat angesiedelt sind. Politische Grundlagen der Kaderpolitik der SED sind Beschlüsse des Sekretariats des ZK der SED aus den Jahren 1965 und 1977 sowie ein Beschluß des Politbüros vom 30. September 1986.[19] Die einzelnen Nomenklatur- und Kaderordnungen werden nicht veröffentlicht. Die »Ordnungen über die Arbeit mit den Kadern« (Kaderordnungen) enthalten die Grundsätze der sozialistischen Kaderpolitik, wer für ihre Durchsetzung verantwortlich ist, welche Maßnahmen vorgesehen sind, um das Bildungsniveau zu erhöhen und die klassenmäßige Erziehung der Mitarbeiter zu sichern. Die »Ordnungen für die Arbeit mit der Kadernomenklatur« (Kadernomenklaturordnungen) enthalten verallgemeinerte Erfahrungen in Hinsicht auf Auswahl, Erziehung und Qualifizierung sowie Vorbereitung und Einsatz der Leitungskräfte.[20]

Die Nomenklatur des Staatsapparates umfaßt alle Leitungsebenen und ordnet bestimmte Positionen auf der jeweiligen Ebene einer besonderen Nomenklaturstufe zu. Ebenso wird bestimmt, wer für die Besetzung der jeweiligen Position verantwortlich ist, d. h., es wird die sogenannte nomenklaturführende Stelle benannt. Zusätzlich wird vermerkt, welche politischen und fachlichen Qualifikationen der Inhaber einer solchen Position besitzen muß, welche Pflichten er gegenüber anderen Gremien, z. B. Vertretungskörperschaften, hat, welche Maßnahmen zur Bildung einer personellen Reserve, der sogenannten Kaderreserve, getroffen werden müssen und anderes mehr.[21]
Die Nomenklatur ist also mehr als ein einfacher haushaltsmäßiger Stellenplan, eher ein Funktionsplan der jeweiligen Institution, der auch die Grundlage für personalpolitische Einzelentscheidungen bildet.
Die einzelnen Bereiche wie der Partei- und Staatsapparat oder die Wirtschaftsleitung haben eigene Nomenklaturordnungen, die in sich differenziert und in verschiedene Stufen gegliedert sind. Das bedeutet aber nicht, daß die nomenklaturführende Stelle im Staatsapparat bei der Besetzung einer Nomenklaturposition von der Partei unabhängig ist. Die SED hält trotz manchen Wandels in verschiedenen Fragen weiterhin an der Forderung Lenins fest: *»Solange die regierende Partei verwaltet, solange diese Partei alle Fragen der verschiedensten Ordnungen entscheiden muß, laßt nicht zu, daß die wichtigsten staatlichen Ernennungen nicht die führende Partei vornimmt.«*[22] Nun ist es zwar so, daß alle arbeitsvertraglichen Seiten eines Beschäftigungsverhältnisses durch die zuständige Kaderabteilung im Staatsapparat erledigt werden, aber diese wird bei Nomenklaturpositionen erst tätig, wenn ein Votum der jeweilig zuständigen Parteileitung vorliegt. Welche Parteileitung zuständig ist, ergibt sich aus den Stufen der Nomenklaturordnung des Staatsapparats, die in drei Ebenen gegliedert ist.
Zur Nomenklatur I (Ministerrat) gehören u. a. Minister, stellvertretende Minister, Vorsitzende der Räte der Bezirke und der Kreise u. a. m.
Zur Nomenklatur II zählen beispielsweise Abteilungsleiter in den Ministerien und anderen zentralen Staatsorganen, Abteilungsleiter in den Räten der Bezirke und erste stellvertretende Vorsitzende der Räte der Kreise.
In die Nomenklatur III fallen u. a. Kreis- und Stadtbaudirektoren sowie Abteilungsleiter der Räte der Bezirke.[23]
Personalentscheidungen in diesen Bereichen nehmen die zuständigen Parteileitungen auf der zentralen bzw. bezirklichen Ebene vor. Auch die Kreisleitungen und selbst die Leitungen der Grundorganisationen sind mit Nomenklaturkadern befaßt. So ist die Kreisleitung Finsterwalde für mehr als 700 Funktionäre, die zur Nomenklatur der Kreisleitung gehören, verantwortlich.[24] Zur Nomenklatur der Leitung einer Grundorganisation in einem Betrieb gehören beispielsweise sogenannte mittlere Leitungskräfte wie Meister oder Leiter von Arbeitsbrigaden und von Jugendforscherkollektiven. Weitere Personengruppen, die auf dieser Ebene zur Nomenklatur einer Parteileitung gehören, sind die Funktionäre gesellschaftlicher Organisationen, d. h. der Gewerkschaften und des Jugendverbandes im Betrieb, wichtige staatliche Leitungsfunktionäre auf diesen Ebenen, Leute, die in der Sowjetunion studiert haben, u. a. Diese breite Erfassung von Personengruppen bedeutet, daß die zuständigen Parteileitungen sich nicht nur mit der Personalentwicklung innerhalb der Parteiorganisation, sondern auch mit der im FDGB, in der FDJ und im Staatsapparat beschäftigen.[25]
Wird jemand in die Nomenklatur aufgenommen, gehört er zu den Nomenklaturkadern und hat zu diesem Zeitpunkt bereits ein Verfahren durchlaufen, für das er selbst einige Voraussetzungen geschaffen, es aber nicht selbst eingeleitet hat. Kaderpolitik setzt bereits ein, wenn es darum geht, Personen auszuwählen und festzulegen, welche Ausbildungs- und Karrierewege sie einschlagen sollen. Allerdings täuscht der möglicherweise entstehende Eindruck, daß damit der Berufsweg eines Kaders vorgeplant und bis zu seinem Eintritt in den »Ruhestand« reglementiert ist. Zum einen ist es relativ schwierig, am Beginn einer Kaderkarriere schon definitiv festzulegen, an welchen Anforderungen die Erziehung und Ausbildung orientiert werden soll. Vielleicht stellt sich erst im Laufe der Ausbildung heraus, ob der künftige Kader für Führungsfunktionen (mittlere und höhere Ebene

mit eigenen Dispositionsbefugnissen) oder nur für Leitungstätigkeiten geeignet sein wird. Eine gewisse Vorentscheidung dafür ist sicherlich der Bildungsabschluß der betroffenen Person. Andere Kriterien können die Zugehörigkeit zu Organisationen oder die Arbeit in bestimmten Institutionen sein. Andererseits spielen auch persönliche Kriterien wie z. B. gemeinsamer Besuch einer Parteischule oder anderer Bildungseinrichtungen, Empfehlungen, verwandtschaftliche Beziehungen oder andere »Seilschaften« eine Rolle, im positiven wie im negativen Sinne.[26]

Die Suche nach Nachwuchs

Die Suche nach Nachwuchs beginnt auf der unteren Ebene und konzentriert sich u. a. auf Absolventen von Hoch- und Fachschulen, Mitglieder von Partei- und Organisationsleitungen in den Betrieben und im Staatsapparat, z. B. des FDGB und der FDJ, aber auch betrieblicher Gremien und Kommissionen, erfaßt also Personen, die durch ihre Tätigkeit und ihre Ausbildung als geeignet erscheinen, später selbst Leitungsaufgaben zu übernehmen. Ein wichtiges Kriterium sind gute Leistungen in der Arbeit, aber auch persönliche Eigenschaften. Gesucht werden also Personen, die auf irgendeine Art Vorbild sind. Dies alles geschieht nicht willkürlich, sondern wird festgelegt in Kaderprogrammen, die für fünf Jahre aufgestellt werden und nach denen die Parteileitungen arbeiten.[27] Entsprechend den abgestuften Kompetenzen der verschiedenen Ebenen des Parteiapparates verdichtet sich auch die Kaderarbeit, je weiter man in der Hierarchie nach oben gelangt. Die Bezirksleitungen der SED legen fest, welche Aufgaben die Kreisleitungen haben, und diese wiederum bestimmen, welche spezifischen Funktionen im Rahmen der Nachwuchspolitik die Grundorganisationen der SED im Staatsapparat und in den Massenorganisationen erfüllen müssen.

Als Nachwuchskader gehört man zum Kaderreservoir und durchläuft einen bestimmten Entwicklungsweg, der nicht nur die Bewährung in Funktionen, sondern auch eine gesellschaftswissenschaftliche Schulung einschließt. Wer in solchen Funktionen erprobt worden ist, eine Parteischule auf der Kreis- oder Bezirksebene absolviert hat und als geeignet erscheint, erfolgreich in einer höheren Funktion zu arbeiten, der ist ein potentieller Anwärter dafür, *»als Reservekader für leitende Funktionen in die Nomenklatur aufgenommen zu werden«*[28]. Er gehört damit zur »Kaderreserve«, d. h., er wird entweder in dem Bereich, in dem er schon tätig ist, aufsteigen oder durch den Wechsel in einen anderen Bereich und gegebenenfalls zusätzliche Ausbildungen eine andere Laufbahn einschlagen. Durch einen solchen Wechsel beispielsweise werden aus Mitarbeitern der FDJ, Abgeordneten von Volksvertretungen auf der Gemeinde- und Kreisebene oder aus länger dienenden Soldaten nach Abschluß ihrer Dienstzeit Mitarbeiter des Staatsapparats.[29]

Wird der Reservekader für eine bestimmte Führungsfunktion vorgesehen, dann erhält er eine auf diese Funktion zugeschnittene politische und fachliche Ausbildung, falls erforderlich, auch ein Hochschulstudium. Da die künftigen Führungskader ja die Politik der Partei im Staatsapparat verwirklichen sollen, wird der politischen Qualifikation ein hoher Stellenwert beigemessen: *». . . der sozialistische Staatsfunktionär (muß) vor allem ein weltanschaulich hochgebildeter politischer Kämpfer für die Verwirklichung der Politik der SED sein.«*[30] Die politische Qualifikation wird im Rahmen von Schulungs- und Weiterbildungsmaßnahmen organisiert. Diese Schulung hat verschiedene Ebenen und reicht von einer Art Grundschulung im Parteilehrjahr – eine in Vorlesungs- bzw. Seminarform organisierte Veranstaltung, die zwischen September und Juli einmal im Monat stattfindet – über die Teilnahme an bestimmten Einzelveranstaltungen, beispielsweise speziellen Seminaren zu einzelnen politischen Fragen, bis hin zum Besuch von Parteischulen mit einer Lehrgangsdauer bis zu zwei Jahren. Die Weiterbildungsmaßnahmen dienen dazu, die Inhaber bestimmter Funktionen entsprechend ihrer jeweiligen Stellung in der Hierarchie bzw. der vorgesehenen Karriere mit den politischen Qualifikationen zu versehen, die als notwendige Voraussetzungen für die ausgeübte oder angestrebte Funktion verlangt werden. Unterstellt, diese Schulung würde tatsächlich das erforderliche revolutionäre Bewußtsein erzeugen, dann bliebe noch das Problem der Differenzierung. Einerseits sollen *»keine Ideologen erzogen werden, die sich hochmütig gegenüber der praktisch-organisatorischen Tätigkeit verhalten, und auch keine Organisatoren, die sich wenig um Ideologie und Politik kümmern«*[31]. Andererseits ist Parteiarbeit häufig stark bestimmt durch Verwaltungs- und Organisationsprobleme, so daß durchaus die Praxis die Schulungsbemühungen relativiert.

Als Schulungsstätten dienen die Betriebs- und Kreisschulen des Marxismus-Leninismus, die Bezirksparteischulen, Sonderschulen, die Parteihochschule »Karl Marx« beim ZK der SED sowie spezifische Institute und Einrichtungen bis hin zur Akademie für Gesellschaftswissenschaften beim ZK der SED. Neben Parteifunktionären nehmen auch Kader im Staatsapparat an den Schulbesuchen teil, die vielfach Voraussetzung für den weiteren beruflichen Aufstieg sind. Der Schulbesuch kann durch Direktstudium, aber auch durch Fernlehrgänge absolviert werden. Die wichtigste Parteischule ist die 1956 gegründete Parteihochschule »Karl Marx«, auf der leitende Parteikader aus allen Bereichen des politischen Systems ausgebildet werden. Im Rahmen eines einjährigen Lehrgangs (Direktstudium) werden leitende Kader weitergebildet. Nach einem erfolgreichen Abschluß sind sie Nomenklaturfunktionäre der übergeordneten Leitung.[32] Wenig Bedeutung für eine Karriere im Staatsapparat hat ein Studium an der Akademie für Gesellschaftswissenschaften beim ZK der SED, während eine Delegierung zur Parteihochschule beim ZK der KPdSU bzw. zu Lehrgängen an der Akademie für Gesellschaftswissenschaften beim ZK der KPdSU Indiz für eine Spitzenfunktion im Partei-, Staats- oder Wirtschaftsapparat ist.

Während seiner Tätigkeit ist der Staatsfunktionär von politischen Weiterbildungsmaßnahmen nicht freigestellt. Es gibt beispielsweise einen Beschluß »Über die Verstärkung der marxistisch-leninistischen Weiterbildung der leitenden Kader im Staatsapparat und in der Wirtschaft«. Darin heißt es über das Ziel dieser Weiterbildung u. a., die Leiter sollen noch besser befähigt werden, *»die Verwirklichung der Parteibeschlüsse mit hohem Verantwortungsgefühl zu organisieren«*[33].

Ein wichtiges Prinzip der Kaderarbeit ist »die Sicherung der führenden Rolle der Arbeiterklasse und ihrer Avantgarde«, d. h. eine soziale Struktur der Kader, die dem Selbstverständnis der SED als Partei der Arbeiterklasse entspricht. Von 1949 bis zum Ende der sechziger Jahre waren ca. 75 Prozent der Kader in leitenden Funktionen des Staats- und Wirtschaftsapparates aus der Arbeiterklasse rekrutiert worden. In den siebziger Jahren hatten die Bemühungen in dieser Richtung analog den Veränderungen der Sozialstruktur der DDR nachgelassen, sie werden nun erneut forciert. Insgesamt ist die SED erfolgreich darin gewesen, die Führungskader aus einer bestimmten sozialen Klasse zu rekrutieren.

Veränderungen in der Sozialstruktur der DDR, des Bildungsniveaus der Bevölkerung und auch der Struktur der Wirtschaft haben dazu geführt, daß der Anteil der Produktionsarbeiter an der Gesamtzahl der Beschäftigten nicht steigt, während die Gruppen der Angestellten und der sozialistischen Intelligenz zahlenmäßig zulegen. Das hat zu einem Absinken des Arbeiteranteils beigetragen. Dazu mag noch kommen, daß die Bezahlung im Staatsapparat nicht dem Niveau entspricht, das mittlerweile in der Industrie erreicht ist. Mancher Nachwuchskader, ohne dessen Zustimmung seine Karriere nicht geplant wird, entschließt sich daher, lieber in der Produktion oder im Wirtschaftsapparat zu bleiben. Letztlich muß auch gefragt werden, ob das Kriterium »Arbeiter« überhaupt noch Bedeutung hat, abgesehen von der statistischen Aussagekraft und ihrer legitimatorischen Bedeutung. Die sozialen und ökonomischen Veränderungen in der DDR sind das Ergebnis der Politik der SED, die als Teil der Gesellschaft von dieser Entwicklung in ihrer eigenen Sozialstruktur nicht unbeeinflußt bleibt.

Letztlich ändert das nichts daran, daß weiterhin die Parteikader das personelle Instrument darstellen, mit dem die SED ihre Machtausübung durch den Staatsapparat sichert. Nicht in erster Linie die soziale Herkunft der Kader im Staatsapparat, sondern deren politische und fachliche Qualifikationen sind nach der Auffassung der SED ausschlaggebend dafür, sie zu befähigen und zu motivieren, aus Überzeugung die Beschlüsse der Partei zu verwirklichen.

Machtsicherung durch Bündnispolitik

Der Staatsapparat stellt zwar das wichtigste, aber nicht das einzige Instrument dar, mit dessen Hilfe die SED ihre Macht ausübt und sichert. Politik spielt sich nicht nur im staatlich organisierten Bereich ab, sondern auch in den verschiedenen Parteien und Massenorganisationen, die die unterschiedlichen Klassen, Schichten und Gruppen der DDR-Gesellschaft organisieren und repräsentieren. Sie sind die Bündnispartner der SED, die durch Bündnispolitik in die sozialistische Gesellschaft integriert werden sollen und in ihrer eigenen politischen und organisatorischen Arbeit die führende Rolle der SED anerkennen.

Die Tatsache, daß die anderen Parteien – CDU, LDPD, NDPD und DBD – den Führungsanspruch der SED anerkennen, bedeutet keinen Verzicht auf eigene Parteipolitik. Das heißt, daß sie für spezifische gesellschaftliche Gruppen, z. B. Christen, Handwerker oder Genossenschaftsbauern, in rudimentärer Form den Versuch einer Interessenvertretung machen, aber stets in Übereinstimmung mit den von der SED formulierten Richtlinien. Sie haben kein Recht, Parteiorganisationen im Staatsapparat oder in den Betrieben zu bilden, und keine Möglichkeiten, eine mit der SED konkurrierende Kaderpolitik im Staatsapparat zu betreiben.[34] Das zeigt sich auch ganz deutlich an der Zusammensetzung beispielsweise des Ministerrates oder des Staatsrates, wo die nichtsozialistischen Parteien entweder nur über je einen Vertreter in der Rolle eines Ministers (Ministerrat) verfügen oder aber die Rolle einer eindruckslosen Minderheit, zum Beispiel im Staatsrat, spielen. Auch in den Räten der Bezirke und der Kreise sind den nichtsozialistischen Parteien bestimmte Positionen, beispielsweise als Stellvertreter, vorbehalten, aber das ist für die jeweilige Politik dieser Parteien oder auch eine eigenständige Kaderpolitik bedeutungslos. Ein Teil der gegenwärtigen Führungsmitglieder und der größte Teil der Nachwuchsfunktionäre kommen ohnehin aus den Reihen der FDJ, die als sozialistische Jugendorganisation politisch und personell das »Kaderreservoir der SED« darstellt und mit dieser verknüpft ist. Damit sichert sich die SED schon frühzeitig auch den Zugriff auf die Führungsfunktionäre der Blockparteien. Allgemein sprechen nicht nur Eingriffe der SED in die Personal-(Kader-)Politik der nichtsozialistischen Parteien in der Vergangenheit, sondern auch die Praxis der politischen Zusammenarbeit der Parteien in der DDR mit der SED (im ZK-Apparat ist dafür die Abteilung »Befreundete Parteien« zuständig) für die Annahme, daß die Führungspositionen dort nur mit Zustimmung des zuständigen Gremiums der SED besetzt werden: Wen das Politbüro nicht schätzt, der wird nicht Vorsitzender der CDU oder LDPD, geschweige denn von NDPD oder DBD.

In den Massenorganisationen, in erster Linie neben der FDJ im FDGB, ist die personelle Einbindung qua SED-Mitgliedschaft *und* Funktion relativ stark. Die Vorsitzenden von FDGB und FDJ auf den verschiedenen Organisationsebenen sind gleichzeitig Mitglieder der Sekretariate der entsprechenden SED-Leitungen, die Sekretäre der jeweiligen Organisationen sind stets Mitglieder der SED und häufig Mitglieder der jeweiligen SED-Leitung; z. B. ist der 1. Sekretär des Zentralrates der FDJ Mitglied im ZK der SED, während der Vorsitzende des FDGB-Bundesvorstandes Mitglied des Politbüros ist.

Die SED verspricht in ihrem Parteiprogramm, daß sie diese und andere gesellschaftliche Organisationen *»bei der Erfüllung ihrer spezifischen Aufgaben unterstützen«*[35] will. Sie tut dies auf sehr unterschiedliche Weise. Die Partei formuliert die organisationspolitischen Ziele, schult die Führungsfunktionäre in ihren Schulen, nimmt Einfluß auf die Tätigkeit der leitenden Apparate und kontrolliert, wie sie die Beschlüsse der Partei in ihren jeweiligen Organisationen vermitteln. Die bereits erwähnten Beispiele bei der Rekrutierung von Nachwuchskadern beziehen sich nicht nur auf den Apparat, sondern beispielsweise auch auf die Auswahl der Personen, die von den Massenorganisationen in die Volksvertretungen (Volkskammer, Bezirks- und Kreistage sowie Stadtbezirksversammlungen und Gemeindevertretungen) entsandt werden. In der Regel sind beispielsweise mehr als vier Fünftel der Fraktionen der Massenorganisationen in der Volkskammer SED-Mitglieder.[36] Die Parteileitungen der SED koordinieren die Kaderprogramme der Massenorganisationen, sie nehmen Einfluß auf die Nominie-

rungsprozesse und kontrollieren über die SED-Gruppen die Tätigkeit der Fraktionen in den Volksvertretungen. Da neben dem FDGB und der FDJ nur noch der Demokratische Frauenbund, der Kulturbund und die Vereinigung der gegenseitigen Bauernhilfe (VdgB) Fraktionen in der Volkskammer haben und von den mehr als 40 existierenden »gesellschaftlichen« Organisationen 26 mit den Blockparteien unter Führung der SED in der Nationalen Front zusammenarbeiten, bleibt die Parteikontrolle nicht auf den parlamentarischen Raum beschränkt. Grundsätzlich kontrollieren die Parteiorganisationen in den jeweiligen Organisationen die gesamte Organisationspolitik; wie umfassend und effektiv, das bleibt dahingestellt.
Richtlinienkompetenz, Kaderpolitik und Kontrolle sind die wichtigsten, keineswegs aber die einzigen Mechanismen, mit denen die SED ihren Anspruch auf die führende Rolle in Staat und Gesellschaft der DDR verwirklicht. Da sich der Anspruch auf die gesamte Gesellschaft erstreckt, versucht die SED, auch die Bereiche zu kontrollieren und zu steuern, in denen die Bürger der DDR nicht Staatsbürger oder Organisationsmitglieder, sondern »Privatleute« sind. Das passiert in erster Linie mit Hilfe der verschiedenen Einrichtungen der Agitations- und Propagandamedien wie Presse, Rundfunk, Fernsehen und Verlagswesen, aber auch dadurch, daß die SED beispielsweise die politisch-ideologischen Richtlinien für das Bildungs- und Erziehungswesen gibt.
In den Medien sichert die SED ihre führende Rolle über die Kaderpolitik: Sie bestimmt bzw. beeinflußt die Besetzung der Leitungspositionen in den Redaktionen – das gilt auch für die Presse der anderen Parteien – und sorgt für eine einheitliche Schulung der Journalisten. Nur kirchliche Zeitungen und Zeitschriften sind in der Lage, sich dieser Instrumentalisierung zu entziehen. Im redaktionellen Bereich soll es allerdings gelegentlich Schwierigkeiten geben bei Versuchen der SED, die Veröffentlichung bestimmter Nachrichten zu verhindern. Außerdem wird die zentrale Lenkung und Kontrolle der Medien im Sinne der SED gewährleistet durch eine Reihe staatlicher Instrumente: das weisungsberechtigte Presseamt beim Ministerrat und die – einzige – DDR-Nachrichtenagentur ADN, die beide für eine einheitliche politische Berichterstattung incl. Leitartikeln und Kommentaren sorgen; die generelle staatliche Lizenzpflicht; die staatliche Kontingentierung von Papier und sonstigen Materialien; das staatliche Vertriebsmonopol durch den Postzeitungsvertrieb. Die Kontrolle der regionalen Medien obliegt den SED-Bezirksleitungen und den Vorsitzenden der (staatlichen) Räte der Bezirke. *»Die politisch-ideologische Einheit in Inhalt und Wirkung wird durch die Anerkennung des von der Partei der Arbeiterklasse beschlossenen Programms des Sozialismus durch alle journalistischen Organe und ihre Herausgeber gewährleistet.«*[37]
Mit den Medien betreibt die SED eine politische Massenarbeit, die auf das Bewußtsein der DDR-Bürger zielt. Die Bürger sollen davon überzeugt werden, daß die Politik der SED und die nach ihren Beschlüssen ablaufenden politischen, wirtschaftlichen und sozialen Prozesse dem Wohl des Bürgers dienen und dieser umgekehrt durch seine Bereitschaft, mit Hilfe seiner Arbeitsleistung die Politik der SED zu unterstützen, eine wesentliche Voraussetzung für die politische und soziale Stabilität der DDR schafft. Die Partei animiert die Bürger, auf verschiedene Weise am politischen System teilzuhaben, macht aber auch permanent deutlich, daß diese Teilhabe/Mitwirkung an die Voraussetzung gebunden ist, die führende Rolle der Arbeiterklasse, d. h. ihrer Partei, der SED, anzuerkennen. Dabei gibt die Partei seit dem VIII. Parteitag 1971 zu, daß die differenzierte Sozialstruktur der DDR-Gesellschaft unterschiedliche Interessen produziert. Dieser Prozeß spiegelt sich auch in der SED wider, aber das bedeutet nicht, daß die SED nun auch pluralistische Partizipationsmodelle zulassen will, um quasi Möglichkeiten zur Austragung von Interessenkonflikten zu erproben. Die Bemerkung, die Volkskammer der DDR sei *». . . ein pluralistisches Parlament auf sozialistischer Grundlage«*[38], kann nur mißverstanden werden, wenn unbeachtet bleibt, was die »sozialistische Grundlage« ist bzw. woraus sie besteht. Organisationsformen, die die Position der Partei als der Instanz, die letztlich allein feststellt, was jeweils gesamtgesellschaftliches Interesse ist, tendenziell gefährden, entsprechen nicht dem Verständnis der

sozialistischen Grundlage des politischen Systems der DDR. Trotz mancher Veränderungen in den Mechanismen und Modalitäten der Machtausübung gilt weiterhin als Ziel der SED, das Grundprinzip der Staats- und Gesellschaftsordnung der DDR: die führende Rolle der Partei beizubehalten und in dem dazu erforderlichen Maß die Entwicklung des politischen System zu gestalten, unerwünschte Einflüsse von außen fernzuhalten und die Instrumente der Machtsicherung weiterzuentwickeln.

Anmerkungen

1 W. Lamberz, Neue Anforderungen an die ideologische Arbeit der Partei, Berlin (DDR) 1969, S. 40.

2 Quelle: G. Neugebauer, Die Rolle der SED, in: Deutschland. Porträt einer Nation. Bd. 2 Gesellschaft – Staat – Recht, Gütersloh 1985, S. 342; die Zahlen für 1986: Neuer Weg, 42. Jg. (1987), H. 9/10, S. 321, 37,8 % der Arbeiter sind »Produktionsarbeiter«.
Die Prozentzahl der Arbeiter differiert zu der Angabe im Bericht des ZK-Sekretariats vom 9. Januar 1986. Dort werden 58,2 Prozent angegeben, außerdem wird erstmalig der Anteil der »Produktionsarbeiter« ausgewiesen: 37,9 Prozent, bezogen auf die Gesamtmitgliedschaft. (Vgl. auch den Beitrag von Hermann Weber in diesem Band, S. 39)

3 Wörterb. zum sozialistischen Staat, Berlin (DDR) 1974, S. 67.

4 Staatsrecht der DDR. Lehrbuch, Berlin (DDR) 1977, S. 115.

5 Verfassung der Deutschen Demokratischen Republik, Berlin (DDR) 1975 (brosch.), S. 3.

6 Erwähnt in: Neuer Weg, H. 11/1983, S. 431.

7 Dito, Neuer Weg, H. 3/1985, Beilage.

8 Dito, Neuer Weg, H. 1/1985, S. 32.

9 Statut der SED, Ziff. 63, in: Protokoll des IX. Parteitages der SED, Berlin (DDR) 1976, Bd. 2, S. 293 f.

10 Ebenda, Bd. 1, S. 138.

11 Vgl. W. I. Schapko, Begründung der Prinzipien der staatlichen Leitung durch W. I. Lenin, Berlin (DDR) 1970, S. 122.

12 Vgl. P. Ch. Ludz, Parteielite im Wandel. Funktionsaufbau, Sozialstruktur und Ideologie der SED-Parteiführung, 3., durchges. Aufl., Köln und Opladen 1970, S. 71.

13 R. Herber/H. Jung, Wissenschaftliche Leitung und Entwicklung der Kader, Berlin (DDR) 1963, S. 11.

14 Wörterbuch . . ., a. a. O. (Anm. 3), S. 139.

15 W. Böhme/B. Stolz, Zur Parteiarbeit in den Staatsorganen, Berlin (DDR) 1973, S. 53.

16 H. Dohlus, Demokratischer Zentralismus im Zeichen wachsender Anforderungen an die Partei, in: Einheit, H. 11/1974, S. 1232.

17 Vgl. dazu im besonderen G. J. Glaeßner, Herrschaft durch Kader. Leitung der Gesellschaft und Kaderpolitik in der DDR am Beispiel des Staatsapparates, Opladen 1977, S. 93 ff. Trotz des »Alters« sind die Publikationen von R. Falke/H. Modrow, Auswahl und Entwicklung von Führungskadern, Berlin (DDR) 1967, und G. Liebe, Entwicklung von Nachwuchskadern für die örtlichen Staatsorgane, Berlin (DDR) 1973, immer noch »Standardwerke« aus der DDR.

18 Autorenkollektiv, Neue Qualität in der Landwirtschaft, Berlin (DDR) 1969, S. 206.

19 Bei diesen Beschlüssen handelt es sich um die »Grundsätze über die planmäßige Entwicklung, Ausbildung, Erziehung und Verteilung der Kader in den Partei-, Staats- und Wirtschaftsorganen sowie in den Massenorganisationen und auf dem Gebiet der Volksbildung und der Kultur« (Beschluß des Sekretariats des ZK der SED v. 17. 2. 1965, Neuer Weg, H. 6/1965, Beilage) und »Über die Arbeit mit den Kadern« (Beschluß des Sekretariats des ZK der SED v. 7. 6. 1977, Neuer Weg, H. 13/1977, Beilage) sowie den »Beschluß zum Bericht der Bezirksleitung der SED Gera über ›Erfahrungen bei der Auswahl, Entwicklung und Befähigung der Kader zur Verwirklichung der Beschlüsse des XI. Parteitages der SED‹ (Beschluß des Politbüros des ZK der SED vom 30. 9. 1986)«, in: Neuer Weg, Beilage z. H. 20/1986.

20 Vgl. H.-J. Brandt, Die Kandidatenaufstellung zu den Volkskammerwahlen der DDR. Baden-Baden 1983, S. 76.

21 Vgl. G. Wagenhaus/W. Havel/H. Bartz, Mehr Tempo und Qualität bei der Entwicklung der Kader im Staatsapparat, Berlin (DDR) 1960, S. 113.

22 Zit. nach W. I. Schapko, a. a. O. (Anm. 11), S. 123.

23 Vgl. G. J. Glaeßner, a. a. O. (Anm. 17), S. 240.

24 Vgl. »Langfristig geplante Arbeit mit den Kadern«, in: Neuer Weg, H. 11/1986, S. 412.

25 Ebenda, S. 414. In einem anderen Beitrag heißt es: »Den Nachwuchs von Kadern für die Massenorganisationen, für staatliche Einrichtungen und für die Nationale Volksarmee mit sichern helfen, ist eine gleichrangige Aufgabe« (gemeint ist die Aufgabe, Parteiapparatnachwuchs zu rekrutieren, G. N.). »Junge Kader gut auswählen und erproben«. Neuer Weg, H. 16/1986, S. 629.

26 Nepotismus ist kein Thema für die kaderpolitische Literatur in der DDR. Beerdigungen oder andere gesellschaftliche Ereignisse privater Natur sind aber ebenso gute »Kadermärkte« wie z. B. zufällige Begegnungen auf Tagungen u. ä. Manche Karriere wurde spontan und nicht planmäßig befördert und beendet, und das nicht nur durch einen frühen Tod.

27 Vgl. u. a., a. a. O. (Anm. 24), S. 412.

28 G. Liebe, a. a. O. (Anm. 17), S. 87.

29 Vgl. »Junge Kader gut auswählen«, a. a. O. (Anm. 25), S. 629, und G. Neugebauer, Partei- und Staatsapparat in der DDR, Opladen 1978, S. 163.

30 M. Ebel/H. Schneider, »Anforderungen an die ökonomischen Kenntnisse und Fähigkeiten von Staatsfunktionären«, in: Staat und Recht, H. 4/1976, S. 393.

31 H. Modrow, »Zur Einheit der ideologischen und organisatorischen Arbeit der Parteiorganisation«, in: Einheit, H. 11 1974, S. 1247.

32 Handmaterial für den Parteisekretär, Berlin (DDR) 1972, S. 108.

33 W. Böhme/H. Stolz, a. a. O. (Anm. 15), S. 31.

34 Vgl. zur Kaderpolitik der nichtsozialistischen Parteien und einiger Massenorganisationen H.-J. Brandt/M. Dinges, Kaderpolitik und Kaderarbeit in den »bürgerlichen« Parteien und den Massenorganisationen in der DDR, Berlin 1984.

35 Protokoll . . ., a. a. O. (Anm. 9), Bd. 2, S. 233.

36 SED-Mitglieder in den Fraktionen der Volkskammer (1.–7. Wahlperiode 1950–1976).

Wahlperiode	Abg. insg.	SED Fkt.	MO Fkt.	davon SED-Mtgl.	= % zu Mandaten MO	SED-Mtgl. ges. u. = % zu Mandaten VK
1	466	110	130			
2	466	117	141*	117	83,0	258/55,3
3	466	117	141**	117	83,0	258/55,3
4	500	127	165**	128	77,6	255/51,0
5	500	127	165	149	90,3	276/55,2
6	500	127	165	149	90,3	276/55,2
7	500	127	165	143	86,7	270/54,0

* incl. WN, VdgB/BHG, ** incl. VdgB/BHG
Quelle: H.-J. Brandt, a. a. O., S. 139.

37 Wörterb. der sozialistischen Journalistik, Leipzig 1973.

38 H. Sindermann, »Überleben der Menschheit – überragendes globales Problem«, in: Einheit, H. 2/1987, S. 113.

Dietrich Staritz

Die SED und die Opposition

I. Vorbemerkung

Einen gedrängten Überblick über Opposition in der DDR zu geben, ist aus mancherlei Gründen schwierig. Einerseits haben Widerstand oder Opposition gegen Ziele und Herrschaftsmethoden der Mächtigen in der DDR im allgemeinen Wissen der Bundesrepublik ihren festen Platz. Sie gelten – nicht ohne Grund – als derart offensichtliche Merkmale der DDR-Geschichte und -Gegenwart, daß es ihrer näheren Analyse eigentlich nicht mehr bedarf, es vielmehr hinreicht, auf sie illustrierend zu verweisen.
Andererseits fehlt es – trotz einer recht breiten Literatur[1] – an Arbeiten, die die unterschiedlichen Motive und Erscheinungsformen von Opposition im Zeitverlauf untersuchen und deren Wandel herausarbeiten. Was bislang vorgelegt wurde, informiert vor allem über die politische Verfolgung und Bestrafung unerwünschten bzw. kriminalisierten Verhaltens und Denkens. Das ist zu einem guten Teil Folge der schwierigen Quellenlage; es rührt aber auch aus dem auf diesem Feld vorherrschenden Forschungsinteresse, das stärker auf die politische Sphäre gerichtet ist als auf deren gesellschaftlichen Bedingungszusammenhang.
Zusätzlich erschwert wird die Wahrnehmung durch die besondere Dimension, die der Oppositionsbegriff seit 1945 in Deutschland hat. Sie trug über die Jahre hin dazu bei, daß in der Bundesrepublik Widerspruch oder Opposition drüben häufig vor dem Hintergrund der Erfahrungen mit der NS-Diktatur gesehen und zuweilen verallgemeinernd der antitotalitären Traditionslinie der Opposition gegen die NS-Diktatur zugeordnet wurde.[2] Dies führte zu einer problematischen Gleichsetzung von kommunistischer und nationalsozialistischer Herrschaft[3], und die verstellte häufig den Blick auf die Spezifika und Entwicklungsbedingungen der Gesellschaft und des politischen Systems der DDR.
Unterschieden wird bisher allenfalls zwischen Opposition als einer *»politischen Gegnerschaft«*, die sich *»relativ offen, relativ legal zu entfalten sucht«*, und Widerstand als deren illegalisierte Form.[4] Dazu wird schlüssig angemerkt, daß politische Gegnerschaft immer dann in Widerstand umschlage, wenn ihr *»die Möglichkeit zu legaler Entfaltung genommen wird«*.[5] Was aber grundsätzlich als gegnerische Haltung oder Handlung zu bewerten ist, entscheidet sich nach dieser Definition nahezu ausschließlich an der Reaktion von Partei und Staat. Ihre Motivationen und Ziele bleiben unberücksichtigt.
Als Boden, auf dem sich Opposition entwickelt, gilt häufig das vermeintlich kaum wandlungsfähige *»totalitär verfaßte Herrschafts- und Gesellschaftssystem«*, in dem *»das Regime alle privaten und gesellschaftlichen Bereiche der Menschen seiner Verfügungsgewalt und Kontrolle zu unterwerfen versucht . . .«*[6]. Diese Begrifflichkeit ist sicherlich zu abstrakt, zu unhistorisch und zu statisch, auch wenn sie (wie zu zeigen sein wird) etliche Momente der Entstehung und Entwicklung von Opposition zutreffend umreißt. Unstrittig ist der unverändert erhobene Anspruch der SED auf politische und geistige Führung der ganzen Gesellschaft, auch wenn dessen Intensität und Reichweite etwa in den achtziger Jahren anders wirken als in den fünfzigern und generell nicht überschätzt werden sollten. Offenkundig ist auch die kaum gemilderte Rechtsunsicherheit, in der sich abweichendes oder oppositionelles Verhalten und Denken entfalten. Verändert aber haben sich sowohl wesentliche Inhalte des Führungsanspruchs, der Erwartungshorizont und ein Teil der Normen der Partei als auch die Methoden der staatlichen Führung und der Repression. Gewandelt haben sich schließlich

vor allem die Beziehungen zwischen Gesellschaft und politischem System und mit ihnen auch Motive und Ziele von Opposition. Diese Zusammenhänge können im folgenden nur angedeutet werden. Im Mittelpunkt der Skizze stehen Erscheinungsformen von Opposition in den verschiedenen Entwicklungsphasen der DDR.

II. Opposition in der Umbruchphase

Die Formierung der politisch-sozialen Ordnung

In den frühen Jahren trat Opposition insbesondere als Ablehnung der Ziele, aber auch der Methoden der politisch-sozialen Umbrüche in Erscheinung. Ihre Träger waren vor allem die Betroffenen der »antifaschistisch-demokratischen Umwälzungen«, der Enteignung des Großbesitzes in Industrie und Landwirtschaft, speziell aber der radikalen Entnazifizierung der Wirtschaft und des öffentlichen Dienstes. Anpassungs- oder Akzeptanzprobleme hatten freilich auch Angehörige der Gruppen, die von den Umwälzungen begünstigt oder durch sie als Bündnispartner gewonnen werden sollten – Arbeiter, Angestellte,Bauern und Neubauern. Viele von ihnen waren – wie die Mehrheit der Deutschen – dem NS-Regime bis kurz vor dessen Niederlage loyal gefolgt und lehnten gleichwohl nach der Kapitulation die Verantwortung für den Krieg und seine Konsequenzen mehrheitlich ab.[7] Zwar waren speziell Arbeiter bereit, die neue Sozialordnung mitzugestalten. Sie setzten Betriebe in Gang, führten sie in Selbstverwaltung, organisierten – häufig spontan – Produktion und Verteilung oder bildeten Betriebsräte, denen weitreichende Mitbestimmungsrechte zugestanden wurden. Doch auch ihnen stellte sich die von den neuen Machteliten als *»demokratischer Neubeginn«* gekennzeichnete Nachkriegssituation häufig als Entwicklung dar, die, bestimmt von der Siegermacht, zunächst mit einer katastrophalen Versorgung begann und mit Beuteaktionen, Vergewaltigungen, Demontagen und Verhaftungen einherging.

Daß die von der Entnazifizierung Betroffenen organisiert opponierten, ist nicht überliefert, das war unter dem Besatzungsregime auch kaum zu erwarten. Schon damals aber begann, was die Herausbildung oppositioneller Potentiale in der DDR-Gesellschaft bis 1961 nachhaltig beeinflussen sollte: Wer – aus welchen Gründen auch immer – nicht bereit war, die politischen oder kulturellen Ziele der KPD/SED oder die Lebensbedingungen hinzunehmen, hatte die Chance, diesen Konflikt auf besondere Weise auszutragen – durch Umzug, später illegalen Weggang oder durch die Flucht in den anderen Teil des Landes. Jene hingegen, die aus wiederum unterschiedlichen Gründen an der Gestaltung der neuen Ordnung politisch mitwirken, ihre Entwicklung beeinflussen und eigene Vorstellungen durchsetzen wollten, sahen sich von Beginn an vor der Schwierigkeit, ihr Engagement gegen den Gestaltungsanspruch der KPD/SED-Führung und der hinter ihr stehenden Besatzungsmacht zu behaupten.

Das waren vor allem die Mitglieder und Funktionäre der demokratischen Parteien und Gewerkschaften, die sich – dem Impuls zur antinazistischen Gemeinsamkeit folgend – für den Wiederaufbau zur Verfügung gestellt hatten. Sie mußten (wie die CDU-Führung unter Andreas Hermes und Walther Schreiber im Konflikt um die Bodenreform oder wie unter Jakob Kaiser und Ernst Lemmer in der Auseinandersetzung um die »Volkskongreß-Bewegung«) erkennen, daß der vermeintlich gegebene antifaschistisch-demokratische Konsens eine demokratische Konfliktaustragung nicht einschloß. Wenn Entscheidungen anstanden, die für SMAD und KPD bzw. SED von politischem Belang waren, wurden sie notfalls auch gegen die Verweigerung der Partner durchgesetzt. Die hatten schließlich auch ihre Entfernung aus den Parteiämtern hinzunehmen.

Schwieriger noch gestaltete sich die Situation derjenigen Sozialdemokraten, die 1945/46 nicht bereit waren, die zwischen den Führungen von KPD und SPD konfliktreich vereinbarten Modalitäten des Zusammenschlusses beider Parteien oder die Einheitspartei selbst zu akzeptieren. Sie wurden mit Redeverboten belegt, hatten sich werbend-drohenden Unterredungen mit SMAD-Offizieren zu stellen, wurden zuweilen verhaftet. Etliche fanden sich in Internierungslagern der Besatzungsmacht wieder (auch in den ehemaligen Konzentrationslagern Buchenwald und Sachsenhausen) – in Gemeinschaft mit denen, gegen die sie eben noch Widerstand geleistet hatten.[8] Doch auch die SPD-Mitglieder, die der Vereinigung zugestimmt hatten, mußten in der SED erfahren, daß dort für ein sozialdemokratisches Politikverständnis bald kein Platz mehr war.

Opposition als Ausdruck einer anerkannten Vielzahl von organisierten Interessen bzw. als legitimer Ausdruck einer kontroversen Meinungs- und Entscheidungsbildung war für die KPD/SED wie für die SMAD – dies wurde schon früh deutlich – allenfalls als Detailkritik akzeptabel. In allen Fragen von politischem Rang aber galt ein Festhalten an eigenen Positionen schnell als Obstruktion, als illegitime politische Gegnerschaft, die häufig unter den Restaurations- oder gar Faschismus-Verdacht gestellt wurde.

Dies zeigte sich auch in den Institutionen, in denen Opposition traditionell ihren Platz hat, in den Parlamenten. In den 1946 gewählten Landtagen der fünf SBZ-Länder wurde ein Kräftespiel zwischen Opposition und Regierung ausgeschlossen. Zum einen dadurch, daß alle Parteien an der Regierung mitwirkten, zum anderen durch die Einbindung von CDU und LDP in die auch regional wirksamen Blockausschüsse, in denen (wie im Zentralen Blockausschuß in Berlin) alle Fragen von politischer Relevanz einmütig vorentschieden werden sollten.[9] Beides verhinderte die öffentliche kontroverse Debatte, schuf selbst dann, wenn intern Meinungsverschiedenheit herrschte, nach außen ein Bild der Harmonie und ließ Opposition zur Ausnahme werden – so wenn sich in Thüringen und Sachsen-Anhalt CDU und LDP doch einmal der Gemeinsamkeit entzogen und etwa 1947 in Thüringen Verstaatlichungsinitiativen der SED zurückwiesen.[10]

Der Klassenkampf von oben

Seit 1948 schließlich, als sich die SED gegen den massiven Einspruch von CDU und LDP anschickte, die Staatsverwaltung zu zentralisieren, mit einer zonal verbindlichen Wirtschaftsplanung begann, die Betriebsräte auflöste, die Gewerkschaften ihrer Kontrolle unterstellte und sich selbst in eine Kaderpartei bolschewistischen Typs umformte, geriet nachgerade jeder Oppositionsanspruch in den Verdacht der Feindseligkeit. Wie ihre Schwesterparteien in Osteuropa sah sich auch die SED nun vor allem als Bündnispartner der KPdSU im Kalten Krieg, erklärte das Sowjetsystem als Ziel ihrer Politik und ging mit Stalin davon aus, daß sich der *»Klassenkampf«* beim *»Aufbau des Sozialismus«* notwendig verschärfe.[11] Noch sprach sie selbst zwar nicht vom Sozialismus als Tagesaufgabe, sondern nur von der antifaschistisch-demokratischen Ordnung, doch das Konzept der KPdSU übernahm sie ganz.

Fortan führte die Partei den »Klassenkampf« nicht nur selbst intensiv – z. B. gegen die Großbauern (mit mehr als 20 ha Nutzfläche), gegen mittlere und kleine Unternehmer, Handel und Handwerk –, sondern neigte dazu, jedes Fehlverhalten und jede Abweichung als Opposition gegen ihre Politik, als Werk des »Klassenfeindes« zu deuten. Unregelmäßigkeiten in der Buchführung etwa oder rechtswidrige Geschäfte, zeittypische »Schiebungen«, wurden als Taten von *»Gegnern und Saboteuren des Aufbaus«* und ihre drakonische Bestrafung als *»Abwehr des Klassenkampfes unserer Gegner«* gewertet.[12] Sie waren schließlich kaum noch unterscheidbar von jenen gewalttätigen Formen des Widerstandes, die, teils im Innern entwickelt, teils von außen gesteuert, tatsächlich auf Sabotage zielten, wie etwa Aktionen der »Kampfgruppe gegen Unmenschlichkeit« (KgU), die von Berlin (West) aus agieren ließ.

Politisch galt die Aufmerksamkeit der Partei speziell den sozialdemokratischen Traditionen in ihren eigenen Reihen sowie in den Gewerkschaften, deren Repräsentanten häufig zu Unrecht verdächtigt wurden, im Kalten Krieg auf der anderen Seite zu stehen, etwa im Dienste des in die SBZ wirkenden »Ostbüros« der SPD. Zusammenkünfte ehemaliger Sozialdemokraten oder Kontakte zur SPD im Westen wurden kriminalisiert, gegen ihre Träger im Juli 1948 eine Parteisäuberung eingeleitet. Otto Grotewohl, der einstige Führer der SPD in der SBZ, begründete den seiner Meinung nach verspäteten Beginn der Kampagne u. a. so: *»Wir haben gedacht, wenn die russische Besatzungsmacht sich um die verbotene illegale Betätigung bekümmert und die Leute verhaftet, dann sind wir sie* *los. Das war ein großer Fehler von uns.«*[13] Im Juni 1949 wurden auch die Führungen von CDU und LDP verpflichtet, aus ihren Parteien alle *»feindlichen«* Kräfte zu entfernen – *»unfruchtbare Kritikaster, berufsmäßige Störenfriede und politische Reaktionäre . . .«*[14]. Funktionäre dieser Parteien wurden inhaftiert und verurteilt, viele verließen die SBZ. Diese Säuberungen folgten auf die Einheitslisten-Wahlen zum 3. Volkskongreß, deren Ergebnis trotz einiger Korrekturen noch immer 33,9 Prozent alarmierende Nein-Antworten auf die suggestive Behauptung *»Ich bin für die Einheit Deutschlands und einen gerechten Friedensvertrag«* aufwies und das oppositionelle Potential schlaglichtartig verdeutlicht hatte.[15] Nach Abschluß der ersten »Säuberung« vom »Sozialdemokratismus« hatten sich zuerst die SED, nach dem Ausschluß der »reaktionären Elemente« auch CDU und LDP zu Parteien eines anderen Typus gewandelt. Die einstige Einheitspartei von Kommunisten und Sozialdemokraten trug nun alle Züge einer kommunistischen Organisation, die Blockparteien waren dabei, sich zu Massenorganisationen, zu Transmissionen des Parteiwillens umzuformen.

Opposition wurde in diesen Jahren häufig auch dort vermutet, wo sie sich gar nicht regte, aber als latent vorhanden galt: seit 1950 bei jenen SED-Mitgliedern z. B., die vor 1933 einmal einer kommunistischen Splittergruppe angehört hatten, etwa der KPO oder dem (trotzkistischen) »Lenin-Bund«. Sie wurden – zusammen mit »Karrieristen« und Fragebogenfälschern – im Rahmen der ersten Mitgliederüberprüfung aus der SED entfernt, 1950 und 1951 insgesamt 150 696 Mitglieder. Weitere 30 000 verließen die Partei freiwillig.[16] Besonderes Mißtrauen galt seit der Eröffnung des Kalten Krieges ebenfalls denen, die während der Nazizeit in westlichen Ländern Zuflucht gefunden hatten. »Westemigranten« – unter ihnen so parteiergebene Führungsgenossen wie Paul Merker oder Franz Dahlem – gerieten seit 1948 in den Verdacht, in eine amerikanische Verschwörung internationalen Ausmaßes verwickelt zu sein: in die offenbar vom sowjetischen Geheimdienst konstruierte Affäre um den US-Bürger und KP-Sympathisanten Noel H. Field. Ihm wurde nachgesagt, er habe während des Krieges zahlreiche KP-Mitglieder für den amerikanischen Geheimdienst angeworben – spätere Spitzenfunktionäre kommunistischer Parteien Osteuropas –, die nun im Geruch standen, mit der seit ihrer Dissidenz im Jahre 1948 geschmähten Führung der jugoslawischen Kommunisten zu sympathisieren, und deshalb nach schaurigen Prozessen hingerichtet wurden.

Wer von den belangten deutschen Kommunisten ernsthaft oppositionellen nationalkommunistischen Gedanken anhing, ist nicht bekannt. Ihr Schicksal aber – der Verlust von Spitzenpositionen oder gar ihre Verhaftung und Verurteilung (zumeist durch den Geheimdienst oder Gerichte der Sowjetunion) – gab Erwägungen für eine stärker national ausgerichtete kommunistischen Politik sicherlich keinen Auftrieb. Und das war mit dieser Säuberung wohl auch bezweckt worden.

Die schließlich erzielte »monolithische« Einheit der Partei war deshalb eher Folge erzwungener als freiwilliger Einsicht. Sie trug aber dazu bei, daß Kritik an der Politik der SED-Führung nur noch selten geäußert wurde. Hinzu kam, daß die Mitgliedschaft in der Einheitspartei, seit diese ihren Führungsanspruch institutionell und personell durchzusetzen begann, zur Voraussetzung für den Aufstieg in staatliche, wirtschaftliche und andere Leitungspositionen wurde.[17] Die SED wandelte sich zu einer Karriereinstitution, in der es besser war, diszipliniert zu gehorchen, als kontrovers zu diskutieren.

Seit 1945 bis zum Beginn der fünfziger Jahre hatten sich mithin nicht nur die Möglichkeiten zur Artikulation von Opposition erheblich verringert, auch der Raum, in dem sie mit einiger Wirksamkeit geübt werden konnte, war extrem geschrumpft. Selbst dort freilich – in den Führungsrängen der Partei – war ihre Legitimität zweifelhaft. Schon im Konzept der Partei neuen Typus galt (und gilt) Opposition allenfalls *vor* einer Mehrheitsentscheidung als akzeptabel. Danach aber setzen sich alle, die gegen die Gebote der Einheit und Geschlossenheit verstoßen, dem Verdacht aus, »Fraktionsbildung« zu betreiben, und müssen mit dem folgenschweren Vorwurf rechnen, gewollt oder ungewollt der Sache des Gegners, des »Klassenfeindes«, zu dienen.

Beginn und Krise des »sozialistischen Aufbaus«

Die II. Parteikonferenz der SED 1952 bedeutete auch für die legale Entfaltungsmöglichkeit von Opposition einen tiefen Einschnitt. Der Beschluß, in der DDR mit der »Schaffung der Grundlagen des Sozialismus« zu beginnen, stellte die Gesellschaft, aber auch die Blockparteien und Gewerkschaften vor das Problem, das damit verbundene neue politische Konzept der SED hinzunehmen. Sie waren darüber hinaus aufgefordert, sich dem nun gänzlich unverhüllt vorgetragenen Führungsanspruch der Einheitspartei zu stellen.

Die geringsten Schwierigkeiten hatten die Gewerkschaften. Sowohl in der FDGB-Spitze als auch in den Industriegewerkschaften dominierten seit 1948 ehemalige Kommunisten oder SPD-Mitglieder, die sich angepaßt hatten.[18] Problematischer war die Situation der Blockparteien. NDPD und DBD, die 1948 mit intensiver politischer und personeller Unterstützung der SED entstanden waren (auch um den Einfluß von CDU und LDP zu unterminieren), hatten sich stets eindeutig der »Partei der Arbeiterklasse« zugeordnet. Die Christ- und Liberaldemokraten hingegen waren auch nach 1948 programmatisch noch relativ eigenständigen Konzepten gefolgt, die CDU der Vorstellung von einem vagen »christlichen Sozialismus«, die LDP einem ebenfalls nicht klar konturierten »neugewordenen Liberalismus«. Sie begriff sich als nichtsozialistische Partei, wollte jedoch – so wurde bereits 1949 beschlossen – gegen *»die Zwecksetzung des Sozialismus«* keine *»Kampfstellung«* einnehmen.[19] Auch die CDU hielt seit 1951 die *»von Karl Marx ausgehende Bewegung, die ihre konsequente Entwicklung in der Sowjetunion gefunden hat«*, für ein Moment von *»beispielgebender Wirkung«*[20]. So gesehen, war die Metamorphose beider Parteien bereits fortgeschritten, und auch ihre sinkenden Mitgliederzahlen[21] zeigten an, daß sie von ihrer Klientel als tendenziell oppositionelle Interessenvertretungen nicht mehr begriffen wurden. Aber erst die Zustimmung ihrer Führungen zum *»Aufbau des Sozialismus«* in der DDR *»unter der Führung der Arbeiterklasse«* im Sommer 1952 dokumentierte ihren Funktionswandel vollends.[22]

Von diesen Organisationen war Widerspruch gegen den Kurs, den die II. SED-Parteikonferenz vorgegeben hatte, nicht zu erwarten. Ihre Führungen machten sich vielmehr öffentlich zu Fürsprechern einer Politik, die nun ganz deutlich zu Lasten aller Schichten ging, aus denen sich die Mitgliedschaft von Blockparteien und Gewerkschaften rekrutierte. Das waren die Bauern und Handwerker, die bedrängt wurden, sich in Genossenschaften zusammenzuschließen, das waren die Gewerbetreibenden und alle übrigen Selbständigen, die mit einer rigorosen Steuerpolitik veranlaßt werden sollten, auf ihre Staatsunabhängigkeit zu verzichten. Das waren schließlich vor allem die Arbeiter, deren Arbeitsnormen um durchschnittlich zehn Prozent zu steigern waren, was entweder (bei gleicher Leistung) eine Lohneinbuße oder (bei gleichem Lohn) eine Leistungssteigerung notwendig machte.

Die zugleich ergehende Aufforderung zum *»täglichen konsequenten Kampf gegen die bürgerlichen Ideologien«* oder das Verlangen nach der *»Entwicklung eines realistischen Kunstschaffens«*[23] machten freilich deutlich, daß es der SED ebenfalls darum ging, ihre Weltanschauung, den Marxismus-Leninismus, in der Gesellschaft durchzusetzen. Damit wurde auch an der ideologischen »Front« die Offensive gesucht.

Sie galt insbesondere den Kirchen und hatte bereits Ende der vierziger Jahre eingesetzt. Speziell die starken evangelischen Landeskirchen, die 1950 noch mehr als 14 Millionen getaufte Anhänger zählten und auch nach DDR-Gründung Gliedkirchen der gesamtdeutschen EKD blieben, hatten sich als wenig anpassungsbereit erwiesen. Ihre prominentesten Vertreter stammten aus der »Bekennenden Kirche«, die im Widerstand gegen das NS-Regime entstanden war. Im Sprachgebrauch der Zeit waren sie also Antifaschisten, doch häufig keineswegs bereit, dem neuen Staat zu geben, was dieser verlangte. Sie sprachen sich gegen die weltliche Einheitsschule aus, warnten vor zu starken Staatseingriffen in die Wirtschaft durch Planung oder waren, wie ihr konservativer Sprecher, der Bischof von Berlin-Brandenburg (zugleich Ratsvorsitzender der EKD), Otto Dibelius, der Meinung, eine politische Ordnung sei nur dann als »freiheitlich« zu kennzeichnen, wenn in ihr das Recht auf Privateigentum anerkannt sei.[24]

Trotz dieser Gegensätze aber hatte sich zwischen Staat und protestantischen Kirchen zunächst ein für beide Seiten erträglicher Modus vivendi herausgebildet. Zwar waren die Kirchen nicht zu einem Büdnispartner geworden, wie es die KPD 1945 noch gehofft hatte, sie waren aber auch nicht der kämpferisch opponierende Gegner, als den sie der Berliner Bischof gern gesehen hätte. Mit Beginn der ideologischen Offensive der SED jedoch verhärteten sich die Positionen. Die Anordnungen, den Marxismus-Leninismus in die Lehrpläne von Schulen und Universitäten zu integrieren oder Religionsunterricht nur noch in Kirchenräumen zu gestatten, und schließlich die Diskriminierung kirchlicher Jugendarbeit durch die Behinderung der »Jungen Gemeinde« schufen – insbesondere seit 1951 – ein Klima der Konfrontation. Es wurde nach der II. Parteikonferenz noch verschärft durch die Verhaftung und Verurteilung von Pfarrern und kirchlichen Mitarbeitern, die Kriminalisierung der Jungen Gemeinde, die nun zuweilen als *»Verbrecherorganisation«* bezeichnet wurde und deren Mitglieder Oberschulen und Universitäten verlassen mußten oder nicht zu ihnen zugelassen wurden (nach kirchlichen Angaben waren etwa 3000 betroffen), sowie durch eine intensive atheistische Propaganda.[25]

Daß die Partei ihren Kurs übersteuert, sich mit ihrem Frontalangriff auf die Gesellschaft übernommen hatte, wurde zuerst an ihrer Reaktion auf die massiven kirchlichen Proteste offenbar. Am 4. Juni 1953 von den Kirchen zu einem Spitzengespräch aufgefordert (schon im April hatten die Kirchen bei der Sowjetischen Kontrollkommission Beschwerde geführt), willigte die DDR-Regierung sofort ein und traf am 10. Juni mit deren Repräsentanten zusammen – einen Tag vor der Veröffentlichung des Kommuniqués des Politbüros, mit dem der »neue Kurs« eingeleitet wurde. Doch auch dieses Treffen, bei dem die Regierung die Rücknahme von Verfolgungen und Restriktionen versprach (und später auch hielt), kam zu spät – ebenso wie das Kommuniqué über den »neuen Kurs«, mit dem die Parteiführung ihre Attacken gegen die Mittelschichten abblies und eine moderatere Innen- und eine konsumfreundlichere Wirtschaftspolitik versprach. Die Partei hatte die Wirkung der Normenkampagne bei den Arbeitern, der von ihr reklamierten sozialen Basis, offenbar unterschätzt. Sie löste damit die bis dahin heftigste Oppositionsbewegung in der DDR aus.

Konturen der Opposition in der Juni-Rebellion

Daß am 17. Juni vor allem Arbeiter protestierten, mit Demonstrationen, Streiks und Protestversammlungen zunächst die Korrektur der Lohnpolitik, dann den Rücktritt der Regierung, auch freie Wahlen und die Einheit Deutschlands forderten, ist oft beschrieben worden. Bekannt ist auch, daß andere Bevölkerungsteile zunächst abseits standen.[26] Einerseits waren ihre Organisationsmöglichkeiten schlechter als die der Arbeiter, andererseits hatte der »neue Kurs« einen Teil ihrer Belastungen aufgehoben. Zudem aber waren die Staatsangestellten und die »neue Intelligenz«, zumeist seit 1945 aus der Arbeiter- und Bauernschaft rekrutiert, aufgrund ihres erst unter den neuen Bedingungen vollzogenen sozialen Aufstiegs kein starker Rebellionsfaktor. Und auch die »alte Intelligenz« (vor 1945 ausgebildete Akademiker) hatte weit weniger materielle Rebellionsgründe als die Arbeiter. Viele von ihnen waren durch »Einzelverträge«, die ihnen hohe Einkommen oder ihren Kindern Studienplätze garantierten, sozial derart gesichert, daß sie – wie viele ihrer jüngeren Kollegen – eher zur Verteidigung als zur Kritik der Verhältnisse neigten. Trotz Bewegung in der ganzen Gesellschaft wurde am 17. Juni mithin deutlich, daß es der SED gelungen war, durch eine gezielte Privilegierung die Vereinheitlichung der in allen Gruppen vorhandenen Oppositionspotentiale zu verhindern.

Als »Volksaufstand« ist der 17. Juni in der SED-Führung damals wohl auch deshalb nicht gewertet worden, sicherlich aber als ein heftiges Dementi des Führungsanspruchs der SED. Doch es wurde rasch wieder verdrängt, was Otto Grotewohl unmittelbar danach gesagt hatte: *»Wenn Massen von Arbeitern die Partei nicht verstehen, ist die Partei schuld, nicht die Arbeiter.«*[27] Die Partei, das war in dieser Zeit vor allem ihr Generalsekretär Walter Ulbricht. Er und seine Freunde hatten die Offensive womöglich gegen den Rat der sowjetischen Berater begonnen und sie erst unter ihrem Druck abgebremst. Sie hatten, so scheint es, die seit Stalins Tod im März 1953 unklare Machtlage in der Sowjetunion genutzt, um in der DDR vollendete sozialistische Tatsachen zu schaffen – vermutlich auch deshalb, weil sie fürchteten, die Stalin-Nachfolger könnten im Interesse einer Entspannung mit dem Westen die DDR als Verhandlungsobjekt anbieten und eventuell für ein neutralisiertes Gesamtdeutschland »eintauschen«.[28]

Diese Politikvariante wurde offenbar in der SED-Führung unterstützt, speziell von zwei Funktionären mit engen Bindungen an den damals wohl einflußreichsten der Stalin-Nachfolger, den sowjetischen Sicherheitschef Lawrentij P. Berija. Wilhelm Zaisser, Minister für Staatssicherheit, und Rudolf Herrnstadt, Chefredakteur des SED-Zentralorgans »Neues Deutschland«, waren bereits vor der Rebellion für einen Kurswechsel eingetreten und hatten dabei auch den Rücktritt Ulbrichts verlangt. Sie fanden Unterstützung sowohl in Moskau wie bei der im Mai 1953 gebildeten »Hohen Kommission«, der Nachfolgeinstitution der Sowjetischen Kontrollkommission, die 1949 anstelle der SMAD gebildet worden war. Eine Mehrheit im SED-Politbüro aber erlangten sie nicht. Hier bestimmte Walter Ulbricht den Kurs, und seine Gruppe holte denn auch zum Schlag gegen die oppositionelle »Fraktion« aus, nachdem in der Sowjetunion Berija gestürzt worden war. Ende Juli wurden Zaisser und Herrnstadt aus dem Politbüro (später auch aus der SED) ausgeschlossen, und jene Spitzenfunktionäre, die sie unterstützt hatten, wie der Berliner SED-Chef und einstige FDGB-Vorsitzende Hans Jendretzky oder der ehedem führende Parteitheoretiker Anton Ackermann, verloren ihre Parteiämter.

Zwar hatte Walter Ulbricht noch im Juli die wesentliche Schuld am Arbeiteraufstand auf sich genommen, erklärt, die Führung habe nicht erkannt, daß der Aufbau des Sozialismus in der DDR – *»in ungefähr einem Drittel Deutschlands«* – nur *»allmählich«* erfolgen könne, und angefügt: *»Ich möchte hier . . . offen feststellen, daß in der Parteiführung ich für diesen Fehler die größte Verantwortung trage.«*[29] Schon kurz darauf aber war diese Einsicht vergessen. Der 17. Juni galt nun als gescheiterter *»faschistischer Putschversuch«*, als Werk von Agenten und Saboteuren, gesteuert vom Klassenfeind – und trotz der mittlerweile stärkeren Betonung der politischen Fehler der SED ist es in der DDR-Geschichtsschreibung dabei geblieben.[30]

Selbstkritik hatten nach dem 17. Juni alle zu üben. Kein Teil des politischen Systems hatte offenbar die Zeichen erkannt, die auf einen eruptiven Ausbruch von Opposition wiesen. Seit ihrem Funktionswandel waren auch die Blockparteien nicht mehr fähig gewesen, als politisches Barometer zu fungieren und die SED über Stimmungen in den Schichten zu unterrichten, in denen sie wirkten. Sie hatten – so sah man es etwa in der NDPD-Führung – geduldet, daß die Regierung ihre Politik *»am Block vorbei«* durchsetzte, waren zu *»bloßen Jasagern«* geworden. Der NDPD-Vorsitzende Lothar Bolz versprach: *»Wir werden uns . . . des lebensklugen russischen Sprichwortes erinnern: Ein diensteifriger Dummkopf ist schlimmer als ein Feind.«*[31] Ähnlich äußerten sich CDU und LDP. Alle wollten den Block beleben, und alle wollten sich auch erneut als Interessenvertreter profilieren.[32] Tatsächlich trat der Block nun etwas häufiger zusammen, bald aber wurde diese Möglichkeit zur Konsultation wieder vernachlässigt. Der *»Lernschock«*, den der 17. Juni ausgelöst hatte[33], blieb in diesem Bereich folgenlos.

Intern zogen alle Blockparteien und Massenorganisationen Konsequenzen. Wer während der Rebellion mehr mit den Aufrührern als mit der Staatsgewalt sympathisiert hatte, mußte mit dem Ausschluß aus seinem Verband rechnen. Funktionäre, die in den Juni-Tagen »geschwankt« hatten, verloren ihre Ämter, bei den Gewerkschaftswahlen 1954 sieben von zehn Funktionären, die am 17. Juni amtiert hatten. Nur ein Fünftel der Mitglieder des FDGB-Bundesvorstandes wurde wiedergewählt, in der SED-Führung immerhin zwei Drittel der Mitglieder und Kandidaten des 1950 bestellten Zentralkomitees.[34] Ein besonderes Exempel wurde am Justizminister Max Fechner statuiert (ehemaliger Sozialdemokrat und 1946 einer der Befürworter der Einheitspartei). Er hatte nach dem 17. Juni die Freilassung von Verhafteten verfügt und öffentlich auf das von der DDR-Verfassung garantierte Streikrecht verwiesen. Er wurde verhaftet und erst 1956 amnestiert. Die Strafverfolgung, die er verhindern wollte, führte zu 1152 Urteilen (die durchschnittliche Strafe lag

bei vier Jahren), acht Angeklagte wurden zu lebenslanger Haft, sieben zum Tode verurteilt.[35]
In den Betrieben – so scheint es – war die Opposition mit dem Ende des Aufstandes noch keineswegs geschlagen. Die Arbeiter nutzten die Betroffenheit der »Partei der Arbeiterklasse«, konnten es verschiedentlich durchsetzen, daß Streikführer nicht als »Agenten« oder »Saboteure« bestraft wurden, und sie verstanden es auch, Forderungen nach besserem Arbeitsschutz, Betriebsessen und medizinischer Versorgung durchzusetzen.[36] Was die Arbeiterschaft in dieser Zeit politisch bewegte, ist häufig gemutmaßt worden. Die Interpretationen reichen von der Annahme eines national motivierten Verlangens nach Wiedervereinigung[37] bis zu linkssozialistischen Zielsetzungen[38], die sich in den räteähnlichen Organisationsformen von Streikkomitees etc. gezeigt hätten. Bezieht man den traditionellen Hintergrund der mitteldeutschen Arbeiterbewegung mit ein, bietet sich auch ein tendenziell sozialdemokratisches Engagement als Deutungsmuster an, eine Orientierung, die sich nicht gegen das staatliche »Volkseigentum«, wohl aber gegen seine undemokratische Verwaltung, nicht gegen Sozialismus als Vergesellschaftungs*prinzip*, sondern gegen seine etatistische *Form* richtete. Aus dieser Haltung rührte wohl stets die Forderung nach Mitbestimmung, die 1945 zur Bildung von Betriebsräten geführt und 1948 Proteste gegen ihre Auflösung provoziert hatte. 1950/51 war es zu Auseinandersetzungen um die »Betriebskollektivverträge« gekommen, Vereinbarungen zwischen den staatlichen Betriebsführungen und den Betriebsgewerkschaftsleitungen, die häufig ohne Konsultation der Arbeiter abgeschlossen wurden.

Opposition in der Entstalinisierungskrise

Die Erinnerungen an die Juni-Rebellion spielten wohl auch 1956/57 mit, als die Parteiführung während der Entstalinisierungskrise die Bildung von betrieblichen »Arbeiterkomitees« anregte. Sie sollten Mitentscheidungsrechte bekommen.[39] Angeboten wurden diese Gremien offenbar aus Sorge, die in Polen (Juli 1956) und Ungarn (Oktober/November 1956) aufbrechenden Konflikte und Kämpfe könnten auf die DDR ausstrahlen und auch hier zu organisierter Arbeiteropposition führen. Die Arbeiter zeigten sich an dieser Form kontrollierter Teilhabe aber desinteressiert. Wichtiger war ihnen die Sicherung der seit dem »neuen Kurs« verbesserten Versorgungslage. Dies trug dazu bei, daß nun sie abseits standen, als es in einer anderen Gesellschaftsschicht, bei den kommunistischen Intellektuellen, zu rumoren begann.
Die kommunistischen Intellektuellen hatten bislang aus Überzeugung oder der Karriere wegen die Politik der Partei mitgetragen und sich auch erst *nach* den Juni-Tagen deutlich, doch mehrheitlich loyal-kritisch zu Wort gemeldet. Erst durch die Mitteilungen über die Verbrechen Stalins, die Nikita Chruschtschow im März 1956 auf dem XX. KPdSU-Parteitag gemacht hatte, waren sie aufgewühlt worden. Auch die SED-Führung hatte sich zu Stalins Verbrechen zu äußern. Sie tat es mit großer Zurückhaltung, bestritt die Notwendigkeit von Kurskorrekturen in der DDR, schwenkte jedoch, folgebereit wie immer, auf die neue Linie der KPdSU ein, auf das Konzept des Systemwettbewerbs mit dem Westen (»friedliche Koexistenz«) und einer behutsamen Lockerung der Repression. Immerhin aber wurden einige Opfer der Parteisäuberungen rehabilitiert (etwa Franz Dahlem, Anton Ackermann und Hans Jendretzky), 700 inhaftierte Sozialdemokraten, rund 15 000 weitere politische Gefangene freigelassen (aufgrund »überhöhter Strafmaße«) und zusätzlich 3300 begnadigt.[40]
In allen Geistes-, Gesellschafts- und Naturwissenschaften begannen intensive Debatten. Sie konnten zunächst relativ offen geführt werden; denn wie die KPdSU hatte sich auch die SED-Führung auf den Kampf gegen »Dogmatismus« und »Personenkult« festgelegt, Begriffe, mit denen die ideologische Begründung und der Stil des Stalinschen Regiments umschrieben wurden. Walter Ulbricht gar hatte sich zum Vorreiter der (verbalen) Entstalinisierung gemacht, als er unmittelbar nach dem sowjetischen Parteitag erklärte, zu den *»Klassikern«* des Marxismus-Leninismus könne man Stalin nicht rechnen.[41] Abstrakte Rhetorik dieser Art sollte eine »Fehlerdiskussion« vermeiden, in deren Mittelpunkt die bisherige Politik der Parteiführung gestanden hätte.

Doch diese Diskussion wurde geführt. Von Wirtschaftswissenschaftlern wie Fritz Behrens und Arne Benary, die nach einer Reform der Wirtschaftsplanung suchten und dabei das herrschende Sozialismusverständnis kritisierten, das davon ausging, *»daß der Staat alles könne und daß jede, auch die privateste Angelegenheit staatlich geleitet und kontrolliert werden müsse«*[42]. In ihrer Sicht kam es nun darauf an, das Handeln der Menschen wie der Betriebe durch maßvolles staatliches Agieren, durch eine ökonomische und nicht politisch-administrative Rahmenplanung zu lenken. Ihr Ziel war eine Synthese von Plan und Markt, und die war nur möglich durch weniger Staat. In die gleiche Richtung zielten Beiträge von Staatsrechtlern (Hermann Klenner), Kulturtheoretikern (Georg Lukács) und Historikern (Joachim Streisand, Jürgen Kuczynski). Kunst- und Literaturwissenschaftler wie Hans Mayer wandten sich gegen die Ende der vierziger Jahre verbindlich gewordene Doktrin des sozialistischen Realismus, der alle Formexperimente mit dem Verdikt des »Formalismus« belegt, die Beschäftigung mit der Moderne oder westlicher Kunst unter den Vorwurf des »Kosmopolitismus« gestellt und etwa den Jazz als besonders böswilligen Export des Kulturimperialismus, der *»amerikanischen Kulturbarbarei«* bewertet hatte.[43] Nicht eine Revision des Marxismus war ihr Ziel, sondern – wie bei Ernst Bloch – das Freilegen seiner demokratischen und humanistischen Wurzeln, das Lösen der Fesseln, die ihm unter der Herrschaft Stalins angelegt worden waren.

Die Überlegungen blieben nicht ausschließlich im Theoretischen. Eine Intellektuellen-Gruppe um Wolfgang Harich, Philosophie-Dozent an der Ostberliner Universität und Chefredakteur der »Deutschen Zeitschrift für Philosophie«, entwarf ein Reformprogramm, in dessen Zentrum die Demokratisierung von Partei und öffentlichem Leben in der DDR, ein Zusammengehen von entstalinisierter SED und sozialistisch erneuerter SPD stand und das auf die Wiedervereinigung eines neutralisierten Deutschland gerichtet war.[44] Zumindest Harich hoffte wohl, daß derlei Erwägungen auch mit Vertretern der Sowjetführung diskutiert werden könnten. Er übergab dem Botschafter Puschkin die Plattform, der jedoch reichte sie Ulbricht weiter, und dieser lud Harich zu einem Gespräch. Drei Wochen später ließ Ulbricht Harich und seine engsten Freunde verhaften. Harich wurde Anfang März 1957 zu zehn Jahren Zuchthaus verurteilt, wegen Bildung einer *»konspirativen staatsfeindlichen Gruppe«*. Kurz darauf ergingen ähnlich (un)begründete Urteile gegen seine Freunde und dabei auch gegen viele, die – wie der Leipziger Schriftsteller Erich Loest – gar nicht zur seither so genannten Harich-Gruppe gehört, aber im Verdacht gestanden hatten, ähnliche Ansichten zu vertreten.[45]

Anlaß für das Zuschlagen der Parteiführung waren die Rebellionen in Polen und Ungarn. Sie hatten zwar in Warschau durch einen Machtwechsel an der Parteispitze eben noch aufgehalten werden können, in Budapest aber brach trotz einer neuen Führung ein Aufstand aus, der Anfang November 1956 von der Sowjetarmee blutig niedergeschlagen wurde. Diese Entwicklung – so sah es die Führungsmehrheit um Ulbricht – habe gezeigt, wohin es führe, wenn die »Demokratisierung« unkontrolliert vonstatten gehe, wenn man es etwa Intellektuellen-Zirkeln gestatte, mit der Macht zu »spielen«. Ungarn und der »Fall Harich« markierten denn auch das Ende des intellektuellen »Tauwetters« in der DDR. Die SED ging in die Offensive und begann eine Kampagne gegen den »Revisionismus«: Alle, die seit dem XX. Parteitag intern oder publizistisch als Kritiker hervorgetreten waren, gerieten in ihren Sog.[46]

Auch in der Parteiführung war es nun möglich, die seit längerem schwelende Opposition zu zerschlagen. Sie hatte – ermuntert durch die im gesamten Ostblock geführte Reformdiskussion und fasziniert von der Möglichkeit, durch eine neue Politik vielleicht doch die Kluft schließen zu können, die zwischen der Machtelite und der Mehrheit der Bürger lag – für Kurskorrekturen auf den verschiedensten Politikfeldern plädiert. Die Exponenten dieser Strömung waren wie 1953 diejenigen Funktionäre, zu denen die dichtesten Informationen aus der Gesellschaft gelangten: der Minister für Staatssicherheit, Ernst Wollweber, der Kaderchef der Partei, Karl Schirdewan, und der ZK-Sekretär für Wirtschaft, Gerhart Ziller. Sie traten für eine Demokratisierung der Partei ein, für eine Milderung des staatlichen Zwanges und warben für eine

Gesellschaftspolitik, die die Chance für eine Wiedervereinigung Deutschlands offenhalten sollte. Diese Ziele mit Walter Ulbricht zu erreichen erschien ihnen unmöglich, sein Sturz vielmehr als Voraussetzung für den Wandel. Wahrscheinlich hofften sie dabei auf Unterstützung durch die Sowjetführung. In ähnliche Richtungen argumentierten einer der Chefideologen der SED, Fred Oelßner, die Wirtschaftsspezialisten Fritz Selbmann und Margarete Wittkowski sowie die für Kulturpolitik und Wissenschaft zuständigen ZK-Sekretäre Wandel und Hager.

Die Funktionäre in der SED-Führung, die mit ihnen sympathisiert hatten, wie der Planungschef Heinrich Rau und (wahrscheinlich) Otto Grotewohl, schreckten aber angesichts der Budapester Situation vor einem Machtkampf zurück, und auch in der Sowjetunion (wo Nikita Chruschtschow sich im Juni 1957 einer »Fraktion« um Molotow, Malenkow und Kaganowitsch entledigt hatte) erschien ein Wechsel in Ost-Berlin nun als wenig opportun. Hier standen jetzt *die* Parteiführungen hoch im Kurs, die die Entstalinisierungskrise gemeistert hatten. Im Frühjahr 1958 wurden die Widersacher endgültig besiegt. Bereits im Oktober 1957 waren Paul Wandel seiner Funktion als ZK-Sekretär enthoben und Kurt Hager nach einer Selbstkritik getadelt worden. Ziller nahm sich im Dezember 1957 das Leben. Im Frühjahr 1958 schließlich wurden die »Fraktion« (Schirdewan, Wollweber, Ziller) sowie jene, die sie unterstützt hatten, parteioffiziell angeklagt und ihrer Ämter enthoben. Erich Honecker, damals noch Kandidat des Politbüros, trug die Entscheidungsgründe vor. Tenor: Die Verurteilten hätten die Ergebnisse des XX. Parteitages »opportunistisch« ausgelegt – die Notwendigkeit einer Demokratisierung über-, die der Machtsicherung dagegen unterschätzt.[47]

Auch in diesem Konflikt war ausgetragen worden, was die Auseinandersetzungen in der SED-Spitze in der Ulbricht-Ära immer wieder bestimmt hatte: der Gegensatz zwischen dem machtbewußten, intelligenten, detailversessenen und wenig skrupulösen Apparatmann[48] und jenen Genossen, die nach Wegen suchten, die Legitimationsdefizite der Parteiherrschaft wenigstens teilweise auszugleichen. Eine grundsätzlich andere Politik hatte keiner verlangt, wohl aber ein anderes Tempo und Methoden, die die Konfrontation mit der Gesellschaft mildern und ein Mehr an Konsultation ermöglichen sollten. Diese Vorstellungen werteten die Sieger als machtgefährdenden »Revisionismus«, und sie verfolgten alle, deren Handeln oder Denken in ähnliche Richtung zu weisen schien.[49] Aber auch die Politik der Parteiführung blieb von diesen Erwägungen nicht unbeeinflußt. Zu stark wirkten auch nach Ungarn die Einflüsse aus den »Bruderparteien«, und zu deutlich war das Bemühen der sowjetischen Führung unter Chruschtschow darauf gerichtet, den gesamten Ostblock rasch zu modernisieren. Das schloß nicht nur das Streben nach einem höheren Lebensstandard durch größere wirtschaftliche Effektivität ein, es setzte auch Herrschaftsformen voraus, die geeignet waren, Kräfte freizusetzen, statt sie zu binden. Trotz der Kritik am Revisionismus wurde deshalb auch in der DDR die Diskussion über effizientere Planungs- und Leitungsmethoden fortgesetzt, wurde nach Wegen gesucht, die gewünschte wissenschaftlich-technische Revolution in Gang zu setzen, achtete die DDR-Wirtschaftspolitik stärker auf den Konsum als zuvor.

Diese Politik blieb nicht ohne Erfolg: Die Neigung zur Westwanderung nahm ab. Waren 1956 noch knapp 280 000 Menschen in die Bundesrepublik gegangen, sank die Zahl 1957 auf 261 622, 1958 auf 204 092 und 1959 auf rund 144 000 ab. Zwar war noch immer jeder zweite Westwanderer jünger als 25 Jahre, und wie zuvor gehörten zwei Drittel zu den Erwerbspersonen. Doch schien es, als sei eine relative Konsolidierung erreicht. Dies deutete sich auch in der Veränderung der Wanderungsgründe an. Im zweiten Halbjahr 1953, nach der Juni-Krise also, war im Westen jeder vierte Ankömmling im Notaufnahmeverfahren als »politischer Flüchtling« anerkannt worden. 1959 wurde nur noch jeder siebte Fortgang als Folge einer *»Zwangslage«* bewertet, *»die durch die politischen Verhältnisse«* bedingt gewesen sei, wie es in der offiziellen Anerkennungsformel hieß.[50] Die Mehrzahl der Zuwanderer entsprach mithin immer weniger dem westlichen Bild vom politisch motivierten Flüchtling. Auch ihre politisch-sozialen Orientierungen hatten sich offenbar verändert. Bei Befragungen ergab sich, daß nur 35

Prozent der geflüchteten Arbeiter *»von marxistischer Ideologie frei«* waren, 29 Prozent zu einem *»dualistischen Wirtschaftssystem«* (mit verstaatlichten Grundstoffindustrien) und mehr als 40 Prozent (beim Produktionsmitteleigentum) zu *»radikal-«* bzw. *»gemäßigt marxistischen«* Positionen neigten. Angestellte vermittelten einen etwas anderen Eindruck. Hier zeigte die Analyse bei immerhin 61 Prozent *»weder sozialistische noch kommunistische Aspekte«*. Doch bei allen – bei Arbeitern, Angestellten und Angehörigen der Intelligenz – fanden die Befrager: *»Gemeinwirtschaftliche Eigentumsvorstellung und betont soziales Empfinden dominieren bis weit in eine prowestliche Grundhaltung hinein.«*[51]

Auch wenn die Kriterien der Interviewer den Befund verzeichnen mochten und zu berücksichtigen ist, daß der Status des politischen Flüchtlings schon aus finanziellen Gründen zurückhaltend zuerkannt wurde, so zeichneten sich in diesen Daten doch die Konturen eines gewandelten Selbstgefühls in der DDR ab, zumal unterstellt werden konnte, daß diese Haltungen bei den in der DDR Gebliebenen stärker ausgeprägt waren.

Auf der Grundlage derartiger Informationen kam denn auch Ernst Richert, einer der seinerzeit scharfsichtigsten DDR-Analytiker, Anfang 1960 zu dem Schluß, in der DDR habe sich *»ein erträglicher Modus vivendi zwischen Führung und Gesellschaft herausgebildet«* – jenes *»Mindestmaß an Loyalität . . ., dessen eine Gesellschaft bedarf, um staatspositiv tätig zu sein«* – auch wenn *»das Gros der Bevölkerung – sicher 90 v. H. oder mehr – ihrer Gesinnung nach nicht als Bolschewisten«* anzusprechen sei.[52] Als ein Element dieser Modus vivendi sah Richert den Umstand, daß in der DDR *»immer weniger Menschen an eine in absehbarer Zeit zu erwartende Wiedervereinigung glauben«*. Damit hatte er gewiß recht. Er übersah aber wohl, daß die nationale Problematik dadurch kaum entschärft war, daß sie vielmehr noch immer und eng mit der sozialen zusammenhing, daß sich viele nur provisorisch in und mit der DDR arrangierten und sich die Option für das andere Deutschland, den besseren Arbeitsplatz, den höheren Lebensstandard oder die größere Chance zu persönlicher Entfaltung offenhielten.

Das zeigte sich, als die SED-Führung erneut in die Offensive ging. Seit Ende 1958 unterstützte und verschärfte sie die sowjetische Kampagne für den Abschluß eines Friedensvertrages und die »Lösung der West-Berlin-Frage«. Sie signalisierte damit, daß sie anstrebte, den Zugang nach West-Berlin und damit die Abwanderungsbewegung in die Halbstadt möglichst schnell unter ihre Kontrolle zu bringen. Die so geweckte Aufbruchstimmung wurde durch den forcierten Abschluß der Kollektivierung der Landwirtschaft im Frühjahr 1960 verstärkt. 1960 verließen ca. 199 000 Deutsche die DDR. Eine Mißernte, Produktionsstörungen (auch) infolge fehlender Arbeitskräfte und die immer militantere Berlin-Agitation taten das übrige: Anfang August gab der Warschauer Pakt grünes Licht für den Mauerbau.

1961 (bis zum 13. August) waren noch einmal ca. 150 000 Menschen »in den Westen« gegangen – seit 1950 also insgesamt etwa drei Millionen.[53] Natürlich hatte diese Ost-West-Wanderung dem Prestige der DDR weder im Innern noch im Ausland gedient. Es war von ihr aber auch, wie Ralf Dahrendorf 1960 anmerkte, eine *»latente Stabilisierungswirkung«* ausgegangen. Potentielle Konfliktträger (Dahrendorf: *»Mobilität ist sozialer Konflikt als individuelle Entscheidung«*)[54] verließen das Land. Auch Opposition hatte so ihr Ventil gehabt. Nach dem 13. August war deshalb offen, in welchen Formen Konflikte künftig ausgetragen werden würden.

Zunächst verhinderte die SED-Führung die Entfaltung von Konflikten durch die Demonstration und den Einsatz ihrer Macht. Es erging z. B. eine Verordnung (sie wurde inzwischen ins Strafgesetzbuch aufgenommen, §§ 51, 52), die es den Gerichten gestattete, neben Strafen auch auf *»eine Beschränkung des Aufenthalts der Verurteilten«* zu erkennen, also die Bewegungsfreiheit selbst innerhalb der DDR aufzuheben.[55] Regelungen wie diese, zusammen mit militanten Aktionen der FDJ gegen jene Bürger, die westliches Fernsehen empfingen *(»Aktion Blitz contra Nato-Sender«)*, einer Kampagne für die Erhöhung der Arbeitsnormen (Losung: *»In der gleichen Zeit für das gleiche Geld mehr produzieren!«*), heftigen Diskussionen über »ideologisches Grenzgängertum« in den Betrieben usw. schufen eine Atmosphäre, in der sich Opposition allenfalls privat äußerte.

III. Opposition in der Konsolidierungsphase

Von der Konfrontation zum Als-ob

Schon in der ersten Hälfte der sechziger Jahre wurde jedoch erkennbar, daß sich diese Formen einer präventiven Konfliktregulierung zu überleben begannen, daß sich erneut jene Arrangements herausbildeten, die sich bereits Ende der fünfziger Jahre zwischen Gesellschaft und politischem System ergeben hatten. Erleichtert wurden sie seit dem 13. August durch das Fehlen einer praktikablen persönlichen Alternative sowie durch ein neues Planungs- und Leitungssystem, das zugunsten einer höheren ökonomischen Effektivität auf die umfassende politische Reglementierung der Produzenten verzichtete, sie mehr nach ihrer Leistung als nach ihrem politischen Bekenntnis bewertete, das auf eine bessere materielle Versorgung setzte und diese schließlich auch bewirkte.

Die schrittweise Einwilligung erheblicher Teile der Gesellschaft in diese Rationalität des »Neuen ökonomischen Systems« trug während der sechziger Jahre dazu bei, daß sich sowohl in der Machtelite wie auch in der DDR-Gesellschaft das Gefühl des dauernden Ausnahmezustandes verlor, das Aktionen und Reaktionen beider Seiten in der Vergangenheit so häufig bestimmt hatte. Zwar wurde immer noch verhaftet, und immer wieder ergingen politisch motivierte Urteile; insgesamt aber wohl (mit Ausnahme der Phase nach dem 13. August) seltener und mit geringerem Strafmaß, wenngleich noch immer in abschreckender Absicht. Auch die Zugriffshäufigkeit nahm ab. Die Aufmerksamkeit konzentrierte sich nun vor allem auf jene, die sich grundsätzlich nicht einfügen und »illegal« die DDR verlassen wollten. Anders als in den vierziger und fünfziger Jahren, in denen *»Boykotthetze gegen demokratische Einrichtungen und Organisationen«* (die der Artikel 6 der DDR-Verfassung von 1949 unter Strafe gestellt hatte) und *»Staatsverrat«* oder *»staatsfeindliche Hetze«* vielfach zur Anklage führten, standen nun *»Staatsverleumdung«*, am häufigsten aber *»illegales Verlassen«* der DDR oder die Beihilfe zu diesem Delikt (Fluchthilfe) zur Verhandlung. 1969 bis 1976 sollen drei Viertel aller politisch motivierten Urteile wegen Republikflucht ausgesprochen worden sein.[56]

Zwar verdeutlichten diese Ausbruchsversuche und die Strafen, daß von einer durchgehenden Beruhigung keine Rede sein konnte. Insgesamt aber zeigte sich in der DDR-Gesellschaft eine wachsende Bereitschaft zur Anpassung. Es prägten sich Verhaltensmuster aus, die den Normen der Industriegesellschaft gerecht werden, zugleich aber vom spezifischen politischen Charakter der DDR bestimmt sind. In der Arbeitswelt: Leistungs- und Aufstiegsbereitschaft, in der politisierten öffentlichen Sphäre: vordergründige Akzeptanz und private Verweigerung. Die öffentliche Sphäre reguliert eine autoritäre Konvention, die, bereits in der Schule eingeübt, das Rollenverhalten vieler Bürger bis in die Gegenwart nachhaltig zu bestimmen scheint: Den Anforderungen der Obrigkeit ist zu entsprechen, und sie haben als legitim zu gelten, sofern sie nicht mehr verlangen als eine formale Einwilligung. Die Staatsmacht, deren Vertreter zumeist selbst schon mit dieser Konvention groß geworden sind, hält sich an diese Regel. Sie nimmt (das zeigt sich am deutlichsten bei den Wahlen) die Form als den Inhalt, sofern nur der Plan und die Ordnung – und damit sie selbst keinen Schaden erleidet. Daß diese Als-ob-Klausel des Gesellschaftsvertrages weder mit den ursprünglichen Zielen der sozialistischen Gesellschaft noch mit den bescheidener gewordenen Postulaten des SED-Programms zu vereinbaren ist, wird hingenommen – dem Modus vivendi zuliebe.

Diese veränderten Beziehungen zwischen Machtelite und Gesellschaft beeinflußten auch die Motive und Artikulationsformen von politischer Kritik und Opposition. Sie richten sich seit den sechziger Jahren mehrheitlich nicht mehr gegen den (ohnehin vollendeten) Umbau der Gesellschaft oder gegen das Tempo der Transformation. Sie konzentrieren sich nun im allgemeinen wie im besonderen auf die Schranken und Defizite individueller und gesellschaftlicher Entwicklung. Im Alltag äußerte sich das in der Kritik an mangelnder Rechtssicherheit, Bewegungs- und Artikulationsfreiheit. Theoretisch wurde die Kritik wieder von Wissenschaftlern und Künstlern vorgetragen.

Das Diskussionsklima hatte sich verbessert. Zwar hielt die Parteispitze an ihrem Theoriemonopol fest und zog damit dem öffentlichen Nachdenken über Staat und Gesellschaft enge Grenzen. Zugleich aber drängte sie auf eine rasche Modernisierung der Produktion und effektivere Leitungsmethoden und setzte so Debatten in Gang, die zuweilen über die gewünschten Neuerungen hinauswiesen. Vor Grenzüberschreitungen wurde gewarnt, der »Revisionismus«-Vorwurf aber nur selten erhoben. Er blieb zumeist ohne Folgen, solange die Debatte DDR-intern geführt wurde, wie Mitte der sechziger Jahre die um eine Studie über Demokratie und Recht im Neuen ökonomischen System, deren Autor (Uwe-Jens Heuer) indirekt das Demokratie-Versprechen des Sozialismus einforderte, wenn er schrieb: *»Es kann im Sozialismus keine nur technisch-planerische Entscheidungspyramide geben. Demokratie ist die Fähigkeit der Menschen, individuell oder kollektiv über die eigenen Angelegenheiten zu entscheiden.«*[57]

Wurden Forderungen wie diese aber öffentlich vorgetragen oder gar im Westen publiziert, wie die Vorlesungen des Physikers Robert Havemann über philosophische Probleme der Naturwissenschaften, der die Demokratie-Defizite beklagte, für eine parlamentarische Opposition auch im Sozialismus plädierte und – wie bereits nach dem XX. KPdSU-Parteitag – die dogmatische Erstarrung des Marxismus-Leninismus konstatierte, dann folgte auf die Häresie rasch die Strafe. Havemann, obwohl Parteimitglied seit 1932, unter dem Naziregime zum Tode verurteilt, Volkskammerabgeordneter bis 1963, verlor sein Lehramt, die SED-Mitgliedschaft und schließlich auch seine Arbeitsmöglichkeit in einem Institut der Akademie der Wissenschaften.[58]

Noch problematischer, weil massenwirksamer, erschienen der Parteiführung jene Tendenzen, die in der Literatur Konturen gewannen. Autoren wie Erwin Strittmatter, Erik Neutsch, Peter Hacks, Heiner Müller, Wolf Biermann oder Stefan Heym wurden kritisiert, weil ihre Helden die realen Konflikte in der DDR allzu deutlich lebten und sie nicht immer aus der Perspektive des Sieges bewältigten, wie es der sozialistische Realismus gebot. Besonders herausgefordert sah sie sich durch eigenwillige Gedichte Biermanns und kritische Texte Heyms. Auf einer ZK-Tagung im Dezember 1965 erhob das Politbüro Anklage. Die Stichworte hießen: *»Skeptizismus«, »Pessimismus«, »Anarchismus«.* Erich Honecker, der sie vorgetragen hatte, bilanzierte: *»Unsere DDR ist ein sauberer Staat. In ihr gibt es unverrückbare Maßstäbe der Ethik und Moral, für Anstand und gute Sitte.«*[59]

Was die Parteiführung erschreckte, war der Gleichklang von wissenschaftlichen und literarischen Äußerungen in der DDR mit denen im »sozialistischen Lager«. Tatsächlich schien sich eine Internationalisierung der Kritik anzubahnen. Ihren Hintergrund bildete die seit dem XXII. KPdSU-Parteitag (1961) erneuerte Stalin-Kritik, die in den Schwesterparteien, aber auch von den Intellektuellen der Nachbarländer aufgegriffen wurde. Besonders irritiert schauten die SED-Führer auf die ČSSR, wo, mit einer Liberalisierung der Kunstszene beginnend, ein Erneuerungsprozeß einsetzte, der in der zweiten Hälfte der sechziger Jahre die Realisierbarkeit eines demokratischen Kommunismus anzudeuten schien, der zudem von einer sozial breiten Reformbewegung getragen wurde. Selbst wenn einzelne Führungskader der SED mit dieser Möglichkeit sympathisieren mochten, schienen ihnen die damit verbundenen Risiken doch zu groß. Denn ungewiß war, wohin ein auch nur partiell freigegebener Diskurs von Wissenschaften und Literatur in der DDR führen mochte. So gesehen, hatte der damalige Kulturminister Klaus Gysi wohl recht, als er Ende 1964 gegen kommunistische Kritiker der SED-Kulturpolitik einwandte, in der DDR könne *»bei unserer besonderen Lage jede geistige Diskussion in eine politische«* umschlagen.[60]

Das Abschotten der eigenen Gesellschaft gegen kulturelle und politische Einflüsse aus der ČSSR hatte zumindest insofern Erfolg, als im August 1968 – bei der Intervention des Warschauer Paktes – sich in der DDR nur vereinzelt Protest erhob: bei Intellektuellen, aber auch bei jungen Leuten, die sich mit dem Konzept eines »menschlichen Sozialismus« identifizierten und ihre Sympathie in Losungen oder im Hissen von ČSSR-Fahnen zeigten. Parteiintern – so hieß es damals – blieb Kritik an der Ostblock-Intervention ohne nennenswerte negative Folgen. Auch der SED-Führung war offenbar bewußt, wie problematisch es gerade für die DDR war, sich militärisch an einer Strafexpedition gegen die Tschechoslowakei zu beteiligen.

Wie weit sich in diesen Jahren in der Parteispitze Opposition gegen den Kurs der Führung regte, ist nicht bekannt. Als sicher darf aber gelten, daß neben der Wirtschaftspolitik auch andere Bereiche strittig waren – etwa jene theoretischen Äußerungen Ulbrichts *(»sozialistische Menschengemeinschaft«),* die eine Sonderrolle der SED im Block unterstrichen, oder seine gleichfalls im sozialistischen Lager nicht konsensfähige Forderung nach völkerrechtlicher Anerkennung der DDR durch die Bundesrepublik. Auch dieses war wohl gemeint, als das Zentralkomitee im Dezember 1970 *»Erscheinungen des Subjektivismus«* kritisierte, alle *»überzogenen Wünsche und Vorstellungen«* zurückwies und damit den Rücktritt Ulbrichts, damals schon 78 Jahre alt, einleitete. Dieser ZK-Tagung wird heute ein *»historischer Platz«* zugeschrieben.[61] Sie markiert in SED-Sicht die Wende von Ulbricht zu Honecker, doch vollzogen wurde sie sicherlich nicht ohne sowjetischen Zuspruch.

Kritik am »real existierenden« Sozialismus

Seit 1971 sind Informationen über Auseinandersetzungen in den Führungsgremien der SED noch spärlicher geworden. Zwar glaubt man im Westen zu wissen, der deutschlandpolitische Kurs Erich Honeckers sei Anfang der achtziger Jahre umstritten gewesen, und insbesondere Konrad Naumann, der 1985 seiner Funktion als Politbüro-Mitglied, ZK-Sekretär und Ostberliner Parteichef enthoben wurde, habe für weniger Konzilianz der SED gegenüber Bonn und für mehr Härte gegen die Friedensbewegung und die Kirchen plädiert. Sein Ausstoß aus der Parteiführung mag aber auch die Konsequenz des ihm nachgesagten Hanges zum Alkohol und einer damit womöglich verbundenen Selbstüberschätzung gewesen sein, wie es in der DDR heißt. Generell hat es den Anschein, als werde jedenfalls die Innenpolitik von allen führenden Funktionären getragen und als sei Erich Honeckers Position unumstritten.

Über intensivere, nennenswerte Teile der Parteimitgliedschaft erfassende oppositionelle Strömungen ist ebenfalls wenig bekannt. Sie dürfen auch als wenig wahrscheinlich gelten. Zum einen sind die Formen der innerparteilichen Diskussion kaum dazu angetan, kritische oder oppositionelle Meinungsäußerungen zu fördern. Zum anderen hat sich der Charakter der Partei grundlegend verändert. In dem Maße, in dem sie sich der Gesellschaft vor allem als staatsverwaltende Großorganisation darstellte, wandelten sich auch die Motive für den Parteibeitritt und für ein Engagement in der SED. Die Partei ist der Gesellschaft ähnlicher geworden. Auch in ihren Reihen herrscht ein Als-ob. Und seit die Führung dem pragmatischen Kurs des »real existierenden« Sozialismus folgte, seit die »Einheit von Wirtschafts- und Sozialpolitik« sich auszuzahlen begann, nahm auch hier die Neigung zu kontroverser Diskussion ab.

An ihren Rändern jedoch, speziell bei den Intellektuellen, sind auch nach 1971 immer wieder kritische, oppositionelle oder systemalternative Standpunkte formuliert worden. Da sie gewöhnlich in intellektueller Abgeschiedenheit verfaßt wurden und ungewiß ist, welche Verbreitung und Akzeptanz sie in der DDR fanden, ist auch kaum auszumachen, inwieweit sie typische oder häufige oppositionelle Denkmuster widerspiegeln. Immerhin zeigt die Anlage der bekanntgewordenen Texte – bei aller Unterschiedlichkeit der Thesen –, daß die Autoren vom Marxismus-Leninismus ausgehen[62], ihn (wie Bahro) kritisch anwenden oder (wie Havemann) fortentwickeln wollten, sich (wie im apokryphen »Manifest«) zumindest seiner Terminologie bedienen oder aber (wie v. Berg) meinen, ihn als eine Summe von Plagiaten vorführen zu sollen. Mit Ausnahme des beredten (wenngleich nicht originellen) v.-Berg-Buches verweisen deshalb auch alle zumindest implizit auf ein Strukturproblem der Partei: Solange sie ihren Führungsanspruch aus dem Marxismus-Leninismus herleitet, werden sich auch immer wieder intellektuelle Parteigänger auf dessen humanitär-demokratische Wurzeln berufen und das (wenigstens in der Marxschen Theorie ganz eindeutige) Ziel der Führung einzuklagen suchen – die Gesellschaft der Freien und Gleichen. Das Schicksal der so argumentierenden Opponenten verdeutlicht freilich auch immer wieder, daß die Parteiführung *diese* Herausforderung nicht annimmt, statt dessen mit Haftstrafen (wie gegen Bahro), Hausarrest (wie gegen Havemann, der 1982 starb) oder mit der nach schikanöser Behandlung gewährten

Ausreise (wie im Falle Hermann v. Berg) reagiert.
In den Beziehungen zwischen Partei und Künstlern hatte es nach dem Amtsantritt Honeckers zunächst den Anschein, als könne sich ein Vertrauensverhältnis herausbilden. Der Parteichef verzichtete in der Kulturpolitik auf detaillierte politische oder ästhetische Vorgaben, die Reglementierung der Künste nahm ab. Zwar hatten Bücher, die sich kritisch der DDR-Geschichte zuwandten – wie etwa Stefan Heyms Roman über den 17. Juni –, noch immer keine Chance. Insgesamt aber zeigte sich eine bis dahin nicht bekannte Vielfalt von Themen und Stilen, entspannten sich die Beziehungen zwischen Kunst und Politik.[63] Weithin zu Recht meinte die Parteiführung wohl, sich auf die Künstler verlassen zu können. Immerhin hatte es bei ihnen und der Mehrzahl der Intellektuellen seit je Bereitschaft gegeben, sich mit den Zielen der Partei zu identifizieren. Das schloß nicht unbedingt die Hinnahme aller Konzepte ein und schon gar nicht die aller Methoden in der Kunstpolitik.
Was 1976 den Anstoß zu einer neuen Wende gab, läßt sich nur mutmaßen.[64] Möglich scheint, daß die Parteiführung sie gar nicht wollte, vielmehr annahm, die Intellektuellen würden eine Entscheidung hinnehmen, die ihr geraten und ganz unproblematisch erschien: die Ausbürgerung Wolf Biermanns während eines Aufenthalts in der Bundesrepublik. Ihm, der in der DDR seit den sechziger Jahren öffentlich nicht mehr auftreten durfte, dem aber gleichwohl 1976 ein Gastspiel im Westen gestattet worden war, wurde vorgeworfen, er habe bei einem Konzert in Köln Partei und Staat verunglimpft.
Nicht allein die Vertreibung eines Kritikers, auch das gewählte Verfahren (immerhin waren sowohl Karl Marx als auch Walter Ulbricht Opfer solcher Prozeduren geworden) erregte Empörung. Die dennoch zurückhaltende Reaktion von Schriftstellern und Künstlern (eine Bitte, den Entschluß noch einmal zu überprüfen) blieb in der Sache zwar ergebnislos, für die Beziehungen zwischen Intellektuellen und Partei aber folgenreich. Da die Petition der DDR-Presse *und* westlichen Medien übergeben worden war, gerieten alle, die sie unterzeichnet hatten, in den Verdacht einer Kollaboration mit der »anderen Seite«. Darunter loyale Schriftsteller (wie Stefan Hermlin, Christa Wolf oder Volker Braun), bekannte Schauspieler (wie Katharina Thalbach oder Hilmar Thate), Regisseure (wie Alfred Dreesen oder Matthias Langhoff) oder Popstars (wie Manfred Krug oder Reinhard Lakomy). Alle wurden zum Widerruf aufgefordert, einige folgten, andere wurden aus dem Schriftstellerverband ausgeschlossen; viele aber gingen.
Die Parteiführung hatte es ihnen ermöglicht. Sie gab nun Künstlern oder Wissenschaftlern (wie dem Juristen Wolfgang Seiffert) die Möglichkeit, die DDR-Staatsbürgerschaft aufzugeben, oder ließ Visa für mehrjährige Aufenthalte im Ausland bzw. in der Bundesrepublik erteilen und leitete damit die Abwanderung zahlreicher Schriftsteller ein – u. a. so bekannter und auch in der DDR geschätzter Autoren wie Sarah Kirsch oder Günter Kunert. Andere, wie der Autor Jürgen Fuchs oder die Liedermacher Gerulf Pannach und Christian Kunert, wurden verhaftet, ausgebürgert und (auch gegen ihren Willen) abgeschoben, nicht zuletzt wegen ihrer erklärten Sympathie für Biermann und Havemann.[65]
Generell folgte seither die Regulierung von Konflikten mit Intellektuellen und später auch mit anderen der Taktik des Ventils. Sie anzuwenden, war die SED bereits seit der Mitte der siebziger Jahre herausgefordert. Als Preis für die Anerkennung des Status quo in Europa (und damit auch in Deutschland) hatte sich die DDR 1975 in der KSZE-Schlußakte zur Respektierung von Menschen- und Bürgerrechten – vor allem des Rechts auf Freizügigkeit – verpflichtet. Seitdem können sich DDR-Bürger auf eine hochrangige, völkerrechtlich verbindliche Willenserklärung ihrer Obrigkeit stützen. Und viele berufen sich auf sie nicht nur zur Legitimierung ihres Ausreisewunsches, sondern begründen mit ihr auch ihr Recht auf politisch abweichendes Verhalten. Was bis zum 13. August vielen Auseinandersetzungen (gleichsam natürlich: durch Abwanderung) die Schärfe nahm, wird nun im Einzelfall gezielt bewirkt: durch Ausbürgerung und Abschiebung.
Andererseits sind viele DDR-Bürger, die etwa ihr Recht auf Freizügigkeit geltend machen oder nur durch abweichende, unangepaßte Haltungen und Handlungen auffallen, unkalkulierba-

ren Schikanen ausgesetzt: peinlichen Kadergesprächen im Betrieb, Verhören durch die Staatssicherheit, anonymen Drohungen, Kündigungen oder dem Verbot, im erlernten Beruf zu arbeiten (was häufig eine Einkommensminderung und sozialen Abstieg zur Folge hat). Die rechtliche Grundlage für Verhaftungen, Anklage und Urteil ist häufig § 99 des Strafgesetzbuches. Er bedroht alle jene mit Freiheitsstrafen zwischen zwei und 12 Jahren, die *»der Geheimhaltung nicht unterliegende Nachrichten zum Nachteil der DDR«* für eine fremde Macht (einschließlich deren Einrichtungen oder Vertretern, Geheimdiensten oder ausländischen Organisationen und deren Helfern) übergeben, sammeln oder zugänglich machen. Als Nachricht in diesem Sinne gilt häufig auch die Mitteilung über das Einreichen eines Ausreiseantrages.[66]

Dieser gemeinsam mit anderen Verschärfungen 1979 ins Strafrecht aufgenommene neue Straftatbestand der »landesverräterischen Nachrichtenübermittlung« schien die Zunahme von Prävention und Repression in allen sozialen Bereichen anzudeuten. Partei und Staat beließen es jedoch im wesentlichen bei den herkömmlichen Methoden der Konfliktregulierung. Die Grundsätze der Kulturpolitik wurden kaum verändert. Auch nach der »Biermann-Affäre« blieben die bis dahin akzeptierten Themen akzeptiert, und niemand unternahm einen Versuch, etwa die alten Maßstäbe des sozialistischen Realismus wieder anzulegen. Doch die seit 1971 entkrampften Beziehungen zwischen Kunst und Politik wurden wieder förmlich. Es blieb beim Reiseprivileg für zahlreiche Schriftsteller und Künstler. Es blieb aber auch die Drohung, den Reisenden nicht wieder einzulassen. Eine Zeitlang galt: Wer gehen wollte, durfte, und viele gingen, für kurze Zeit, auf Probe oder für immer.

Privilegien wie diese sind den zumeist jungen Leuten, die sich in staatsfernen Friedens- und Umweltschutzgruppen zusammenzuschließen suchen, bislang nicht zuteil geworden. Diese Artikulation normabweichender Interessen ist eine Erscheinung der jüngsten DDR-Entwicklung. Sie von vornherein als politisch motivierte Opposition zu fassen, scheint problematisch. Betrachtet man (die im einzelnen allerdings kaum wirklich bekannten) Motive, die etwa zu einem fundamentalistischen Friedens- bzw. Umweltengagement oder zur »Aussteiger«-Bereitschaft führen, so sind sie in vielen Fällen ursprünglich durchaus systempositiv oder doch systemneutral. Sie werden jedoch durch die Reaktion des Staates häufig zu systemoppositionellen Haltungen gestempelt und auf diese Weise oftmals auch in diese Richtung gedrängt. Als Opposition in der Traditionslinie politisch abweichenden Verhaltens in der DDR lassen sie sich gleichwohl nur schwer deuten. Zum einen der Motive wegen, zum anderen deshalb nicht, weil in der Aktivität dieser Gruppen, die im Westen vorschnell zu »autonomen Bewegungen« stilisiert wurden[67], eine Konfliktlinie deutlich wird, die nicht strikt zwischen Gesellschaft und offizieller Politik verläuft, sondern Veränderungen im Wertesystem aller Schichten anzeigt – unabhängig von deren Nähe oder Distanz zu den Mächtigen.

Erkennbar wird, daß Teile der jungen Generation die von ihren Eltern und Großeltern verinnerlichten Lebensweisen nicht mehr von vornherein akzeptieren: weder ihre Wachstums- und Wohlstandsorientierung noch deren autoritätsfixierte politische Kultur, die noch vor dem oder im NS-Reich bzw. in den mangel- und repressionsreichen Umbruchjahren nach 1945 geprägt wurden. Die Sozialisation der nach 1945 Geborenen (mittlerweile mehr als die Hälfte der Bevölkerung) war um so weniger von Not und Umbruch geprägt, je jünger sie sind. Sie sind einen gewissen Wohlstand gewöhnt und eher bereit als die Älteren, Überkommenes in Frage zu stellen. Manche sind für Alternativen offen und einige wenige auch bereit, sie zu leben. Sicherheitsstreben beherrscht diese Minderheit weniger als andere, und sie sucht nach Antworten, die weder der Staat noch die älteren Generationen geben können.

Anziehender wirkt auf sie offenbar eine Instanz, deren alternativer Status sich nicht gerade auf den ersten Blick erschließen mag, deren Bereitschaft zu kontroverser Diskussion und neuen Fragen in dieser Gesellschaft aber ungewöhnlich ist: die evangelischen Kirchen. Ihre Attraktivität für Teile der jungen Generation (etwa ein Drittel der DDR-Bürger wurde nach dem 13. August geboren) hat die Lage der evangelischen Kirchen[67] nicht erleichtert. Zwar verbesserte sich das Verhältnis zwischen Staat und Kirchen seit den sechziger Jahren zunehmend. Die Partei hatte einzusehen begonnen, daß sich tradierte Werthaltungen und Überzeugungen nur sehr langsam wandeln, daß Druck diesen Prozeß eher aufhält. Und auch die Kirchen kamen der Partei entgegen – insbesondere 1969 mit der Gründung des Bundes der Evangelischen Kirchen in der DDR, der ihre gesamtdeutsche Organisationsform beendete. Seither ist ein für beide Seiten erträglicher Modus vivendi entstanden. Die Protestanten verstehen sich als »Kirche im Sozialismus« und erlauben es sich zuweilen auch, von einen »verbesserlichen Sozialismus« zu sprechen. Der Staat nimmt ihre (diakonische) Mitwirkung an seiner Sozialpolitik dankend zur Kenntnis, und die Partei war schon 1968 bereit, einer Anmahnung der Kirchen folgend, in die neue Verfassung das Grundrecht der Freiheit der Religionsausübung aufzunehmen, einen Artikel, der zunächst wohl vergessen worden war.

Seit freilich die Kirchen zum Anziehungspunkt für engagierte, durchaus nicht immer kirchenfromme Junge wurde, sich ihnen als »Kirche für die anderen« zur Verfügung stellten und ihrer Probleme annahmen, wurden sie – wenn auch ganz anders als früher – nolens volens zu Kristallisationspunkten alternativen Verhaltens. Ihre Solidarität, etwa mit der Aktion »Schwerter zu Pflugscharen« (1982) oder mit Wehrdienstverweigerern, ihre Kritik am Unterrichtsfach Wehrkunde (1978 und später) und an dem hier vermittelten Feindbild führten zu Konflikten mit dem Staat, die freilich weiterhin ohne die Schärfe vergangener Jahre ausgetragen wurden.

Auch wenn der Kirchenbund heute nur noch eine Minderheit repräsentiert – das Staatssekretariat für Kirchenfragen geht von vier bis fünf Millionen Anhängern aus[69] – nur jeder zehnte aus den jüngeren Jahrgängen ist konfirmiert –, so ist er doch (vielleicht gerade deshalb) ein vom Staat formell anerkannter, einflußreicher Partner und neben der katholischen Kirche die einzige Großorganisation in der DDR, die in politischer und finanzieller Unabhängigkeit von der SED arbeitet. Der Kirche ist – so scheint es – die Aufgabe zugewachsen, als Mittlerin zwischen Teilen der Gesellschaft und dem Staat zu fungieren und (gemeinsam mit ihm) nach Lösungen der neuen Konfliktlagen zu suchen. Verhindern aber können auch ihre Interventionen nicht, daß der Staat von Zeit zu Zeit etwa Friedensgruppen in ihrem Umkreis auflöst, deren Repräsentanten inhaftiert und verurteilt oder – wie 1983 Roland Jahn – in Handschellen über die Grenze zur Bundesrepublik befördern läßt. Auch das geregelte Miteinander von Staat und Kirchen hat an der Definitionsmacht der Partei mithin nichts geändert. Toleranzbreite und Zugriff liegen in ihrem Ermessen.

IV. Fazit

In den frühen Jahren der DDR-Entwicklung trat Opposition vor allem als Ablehnung der Ziele und Methoden der politisch-sozialen Umwälzungen in Erscheinung. In der Gegenwart dagegen stellt sie sich vor allem als Kritik an Methoden und Ergebnissen staatlichen und parteilichen Handelns dar. Sie äußert sich speziell im Verlangen nach der Einlösung formal garantierter, aber restriktiv gehandhabter Rechte (Freizügigkeit, Meinungsäußerung etc.) und zeigt sich als Verweigerung gegenüber politischen Anforderungen. Die Strukturen der Sozial- und Wirtschaftsordnung hingegen unterliegen kaum noch fundamentaler Kritik.

Auch die Situation im Machtzentrum der DDR, in der Führungsspitze der SED, ist heute anders als in den vierziger und fünfziger Jahren. Damals standen immer wieder Alternativen zur Strategie und Taktik der Führungsmehrheit zur Debatte. Sie galten in der Regel den Formen und dem Tempo der Umwälzung und waren eng verknüpft mit der nationalen Problematik des Halbstaates. Seit den sechziger Jahren hat sich diese Zielrichtung innerparteilicher Opposition offenbar verloren. Das ist zum einen Folge der Konsolidierung der DDR-Gesellschaft und der internationalen Anerkennung des ostdeutschen Staates; es geht zum anderen aber auch auf die weitreichende politische und soziale Vereinheitlichung der Mitgliedschaft und der Parteielite zurück. Die SED ist heute wohl tatsächlich – ganz anders als in ihren Entstehungsjahren – eine Einheitspartei, in der alternative Politikentwürfe allenfalls an den Rändern, bei Intellektuellen, diskutiert werden.

Verändert haben sich zudem die Reaktionsweisen der SED und der staatlichen Sicherheitsapparate. An die Stelle der bloßen Repression, die in früheren Phasen zumeist den Umgang mit oppositionellen Haltungen und Handlungen bestimmte, ist ein differenziertes System von vorbeugenden, konfliktentschärfenden und strafenden Maßnahmen getreten, das vom ermahnenden »Kadergespräch« im Betrieb über den Verlust des Arbeitsplatzes, »Ausbürgerungen« bis zu Gerichtsurteilen reicht (bis zu ihrer Abschaffung im Juli 1987 einschließlich der Todesstrafe, die zuletzt 1979 an einem wegen Spionage für die Bundesrepublik verurteilten hohen DDR-Militär vollstreckt worden war) und das insgesamt zurückhaltender eingesetzt wird als früher.

Gewandelt aber hat sich vor allem die DDR-Gesellschaft. Verglichen mit der Umbruchphase, erscheint sie heute als ein differenziertes und weithin beruhigtes, konsolidiertes Gebilde. Schon aus diesem Grunde wäre es verfehlt, die dort formulierte Opposition mit Kriterien messen zu wollen, die in den Jahren der Konfrontation von Gesellschaft und politischem System gebräuchlich waren. Sinnvoller erscheint es, zwischen Teil- und Fundamentalopposition zu unterscheiden, politisch abweichende Haltungen und Handlungen gemäß der Vielfalt ihrer Motive zu bewerten, auch in der DDR die Grenzlinien zu suchen, die zwischen bewußt widersetzlichem Handeln (Opposition bzw. organisierter Widerstand) und individueller wie kollektiver Verweigerung (Dissidenz bzw. Resistenz) verlaufen, oder nach Inhalten und Formen nicht angepaßten Alltagsverhaltens zu differenzieren.[70] Eine Analyse von Opposition in der DDR, die diese Vielschichtigkeit vernachlässigte und etwa alle erkennbare Abweichung von den offiziellen Normen als Indiz für eine politische Fundamentalopposition heranzöge, *über*schätzte diese Normen wohl ebenso, wie sie die Fähigkeit von Gesellschaft und Staat *unter*schätzte, formelle oder informelle Arrangements einzugehen und sich in ihnen – wie widersprüchlich auch immer – einzurichten. Und diese Arrangements sind in der DDR heute eher die Regel als Opposition.

Unterbrochen wird diese Veralltäglichung von Konflikten und Konfliktlösungsmustern freilich immer wieder durch die Unkalkulierbarkeit der staatlichen Sanktionen. Sie rührt letztlich aus der Definitionsmacht der Parteiführung. Sie entscheidet je nach ihrer Bewertung der Stabilität[71] der eigenen Gesellschaft (oder der der Bündnisländer) darüber, welche Formen politisch oder sozial abweichenden Verhaltens zu tolerieren oder zu verfolgen sind, und sie bedient sich dabei der Rechtsetzung ebenso wie der Rechtsprechung. Zwar hat die SED seit Anfang der siebziger Jahre im Rahmen ihres Konzepts von der »sozialistischen Klassengesellschaft« die soziale Vielschichtigkeit der DDR-Gesellschaft anerkannt und damit grundsätzlich auch die Normalität von Konflikten, die aus unterschiedlichen sozialen Lagen und sozial bedingten Interessen herrühren. Sie hält aber daran fest, daß diese Widersprüche nur auf dem Boden der per definitionem »nichtantagonistischen« Klassen- und Schichtenbeziehungen auftreten und nur durch Anpassung an die offiziellen Werte harmonisiert werden können.

In diesem Sinne gilt ihr Opposition noch immer eher als Erbe der alten Ordnung oder als Import aus der Nachbargesellschaft[72] denn als Ausdruck einer innergesellschaftlich bedingten individuellen oder kollektiven Abweichung. So gesehen, verwundert es denn auch nicht, daß ein erstmals 1954 publiziertes Argumentationsmuster zum Problem der DDR-Opposition sich bis heute nahezu unverändert hat erhalten können und – von Zeit zu Zeit – wieder bemüht wird. Damals, anläßlich der zweiten Einheitslistenwahlen zur Volkskammer, schrieb der SED-Funktionär Otto Schön (seinerzeit Sekretär des Präsidiums der Nationalen Front): *»Nicht einverstanden sein heißt doch gegen den Frieden und für den Krieg sein . . . Opposition bei uns, das hieße gegen alles das zu sein, was wir in gemeinsamer schwerer Arbeit zum Wohle des arbeitenden Menschen geschaffen haben. Das hieße die Einheit der nationalen Kräfte zerschlagen und dem Verderben freien Lauf lassen.«*[73] Nicht wesentlich anders – nur etwas kühler – fassen die Gesellschaftswissenschaftler noch heute das Problem: *»In sozialistischen Staaten existiert für eine Opposition keine objektive soziale und politische Grundlage.«* Denn die Arbeiterklasse im *»Bündnis mit allen anderen Werktätigen«* sei die *»machtausübende Klasse«*, deren *»Grundinteressen mit denen der anderen Klassen und Schichten prinzipiell übereinstimmen«*.[74]

Anmerkungen

1 Vgl. für vieles: Martin Jänicke, Der Dritte Weg. Die antistalinistische Opposition gegen Ulbricht seit 1953, Köln 1964; Karl Wilhelm Fricke, Opposition und Widerstand in der DDR. Ein politischer Report, Köln 1984; ders., Politik und Justiz in der DDR. Zur Geschichte der politischen Verfolgung 1945 bis 1968. Bericht und Dokumentation, Köln 1979; ders., Warten auf Gerechtigkeit. Kommunistische Säuberungen und Rehabilitierungen, Köln 1971; Hermann Weber/Manfred Koch, »Opposition in der DDR«, in: Hans-Georg Wehling (Hrsg.), DDR, Stuttgart 1983, S. 132 ff. Hier kann auf die jüngste Arbeit zum Thema nur verwiesen werden. Sie lag bei der Niederschrift noch nicht vor: Roger Woods, Opposition in der GDR under Honecker, 1971–1985. An Introduction and Documentation (1986).
2 Vgl. Fricke, Opposition und Widerstand (Anm. 1), passim.
3 Ebenda, S. 14.
4 Ebenda, S. 13.
5 Ebenda, s. a. das Stichwort Opposition und Widerstand in: DDR Handbuch. Wissenschaftliche Leitung: Hartmut Zimmermann unter Mitarbeit von Horst Ulrich und Michael Fehlauer, hrsg. vom Bundesministerium für innerdeutsche Beziehungen, Bd. 2, Köln 1985, S. 954.
6 Fricke (Anm. 2), S. 14.
7 Vgl. Anna J. Merrit und Richard L. Merrit (Hrsg.), Public Opinion in Occupied Germany. The OMGUS-Surveys. 1945–1949, Urbana/Chicago/London 1970.
8 Nach westlichen Schätzungen sind nach der Niederlage des NS-Regimes etwa 150 000 Deutsche als »aktive Faschisten« oder Kriegsverbrecher interniert worden. Etwa 70 000 sollen in diesen Lagern ums Leben gekommen sein. Vgl. DDR Handbuch (Anm. 5), Bd. 1, S. 589.
9 Vgl. Siegfried Suckut, Blockpolitik in der SBZ/DDR 1945 bis 1949. Die Sitzungsprotokolle des zentralen Einheitsfront-Ausschusses. Quellenedition, Köln 1986, passim.
10 Interventionen dieser Art hatten freilich nur aufschiebende Wirkung.
11 Vgl. u. a. Otto Grotewohl, »Die Partei muß führen«, in: Einheit, 3. Jg. (1948), Heft 11, S. 998.
12 Vgl. Georg Henke, »Formen des Klassenkampfes in der Industrie der Ostzone«, in: Einheit, 3. Jg. (1948), Heft 8, S. 1.
13 Zit. nach: Neuer Weg, 3. Jg. (1948), Heft 8, S. 1.
14 Zit. nach: Entschließung des Demokratischen Blocks vom 17. Juni 1949, in: Manfred Koch, »Der Demokratische Block«, in: Hermann Weber (Hrsg.), Parteiensystem zwischen Demokratie und Volksdemokratie. Dokumente und Materialien zum Funktionswandel der Parteien und Massenorganisationen in der SBZ/DDR, Köln 1982, S. 329 f.
15 Zur Manipulation des Abstimmungsergebnisses und zur Reaktion auf das Resultat vgl. Suckut (Anm. 9), S. 428 ff.
16 Vgl. Hermann Matern, Die Ergebnisse der Überprüfung der Parteimitglieder und Kandidaten. Bericht an die 7. Tagung des ZK, Berlin (Ost) 1951.
17 Das zeigte sich auch in der Sozialstruktur der SED-Mitgliedschaft. Der Arbeiteranteil sank zwischen 1947 und 1954 von ca. 48 auf ca. 39 Prozent, der der Angestellten erhöhte sich zwischen 1947 und 1951 von 18 auf knapp 31 v. H.
18 1950, auf dem 3. Bundeskongreß des FDGB, wurde eine neue Satzung verabschiedet, in der die Gewerkschaften die führende Rolle der SED anerkannten.
19 Vgl. Brigitte Itzerott, »Die Liberal-Demokratische Partei Deutschlands«, in: Weber (Hrsg.) (Anm. 14), S. 202 (Anm. 12).
20 Vgl. Siegfried Suckut, »Zum Wandel von Rolle und Funktion der Christlich-Demokratischen Union Deutschlands (CDUD) im Parteiensystem der SBZ/DDR«, in: Weber (Hrsg.) (Anm. 14), S. 170.
21 Ende 1948 zählte die CDU ca. 211 000, die LDPD knapp 198 000 Mitglieder. Mitte 1951 waren es noch etwa 170 000 (CDU) bzw. 155 000 (LDPD).
22 Vgl. Weber (Anm. 14), S. 170 ff. (CDU), 213 (LDP), 237 ff. (NDPD), 279 f. (DBD).
23 Vgl. Protokoll der Verhandlungen der II. Parteikonferenz der Sozialistischen Einheitspartei Deutschlands, 9. bis 12. Juli 1952, in der Werner-Seelenbinder-Halle zu Berlin, Berlin (Ost) 1952, S. 494, 497.
24 Horst Dähn, Konfrontation oder Kooperation? Das Verhältnis von Staat und Kirche in der SBZ/DDR 1945–1980, Opladen 1982, S. 26 ff.
25 Ebenda, S. 34 ff.
26 Vgl. Arnulf Baring, Der 17. Juni 1953, Bonn 1957 (Neuauflagen 1965 und 1983).
27 Zit. nach: Neues Deutschland v. 23. 6. 1953.
28 Vgl. Dietrich Staritz, Geschichte der DDR 1949–1985, Frankfurt/M. 1985, S. 71 ff.
29 Zit. nach: Das 15. Plenum des Zentralkomitees der SED vom 14. bis 26. Juli 1953. Parteiinternes Material, hrsg. v. ZK der SED, o. O., o. J., S. 65, 70, 76.
30 Vgl. etwa: Geschichte der Sozialistischen Einheitspartei Deutschlands, Abriß, Berlin (Ost) 1978, S. 292 ff.
31 Zit. nach: Dr. Lothar Bolz, »Die politische Lage und die nächsten Aufgaben der Partei«, in: National-Demokratische Schriftenreihe, Nr. 23, Berlin (Ost) 1953, S. 26 f.
32 Vgl. Dokumente der CDU, Berlin (Ost) 1956, S. 181 ff.; LDPD-Informationen, 7. Jg. (1953), Heft 12/13.
33 Vgl. Martin Jänicke, »Krise und Entwicklung in der DDR – Der 17. Juni 1953 und seine Folgen«, in: Hartmut Elsenhans und Martin Jänicke (Hrsg.), Innere Systemkrisen der Gegenwart, Reinbek bei Hamburg 1975, S. 148 ff.
34 Vgl. Jänicke, Der Dritte Weg (Anm. 1), S. 39, S. 48. Für die SED-Bezirksleitungen errechnete Jänicke eine Funktionsverlustquote von 62,2, für die Kreisleitungen von 53,6 Prozent.
35 So die Ermittlungen Barings (Anm. 26, S. 68) bis 1957; Fricke, Opposition und Widerstand (Anm. 1, S. 99), spricht von 1400 Verurteilten, mindestens 19 Todesurteilen durch sowjetische und mindestens drei durch DDR-Gerichte.
36 Vgl. Klaus Ewers/Thorsten Quest, »Die Kämpfe der Arbeiterschaft in den volkseigenen Betrieben während und nach dem 27. Juni«, in: Ilse Spittmann/Karl Wilhelm Fricke, 17. Juni 1953. Arbeiteraufstand in der DDR, Köln 1982, S. 23 ff.
37 So jene Deutungen, die dazu führten, den 17. Juni in der Bundesrepublik zum Tag der Nationalen Einheit zu erklären.
38 Vgl. Ernest Mandel, »Der Arbeiteraufstand in Ostdeutschland«, in: Die Internationale. Theoretische Zeitschrift der Gruppe Internationaler Marxisten, Nr. 5, Frankfurt 1974, S. 122 ff.; vgl. auch Benno Sarel, Arbeiter gegen den »Kommunismus«. Zur Geschichte des proletarischen Widerstandes in der DDR (1945–1958), München 1975.
39 Vgl. Dietrich Staritz, »Die ›Arbeiterkomitees‹ der Jahre 1956/58. Fallstudie zur Partizipations-Problematik in der DDR«, in: Der X. Parteitag der SED. 35 Jahre SED-Politik, Versuch einer Bilanz. Vierzehnte Tagung zum Stand der DDR-Forschung in der Bundesrepublik Deutschland. 9. bis 12. Juni 1982, Edition Deutschland Archiv, Köln 1981, S. 63 ff.
40 Vgl. Neues Deutschland v. 21. 6. 1956.
41 Neues Deutschland v. 4. 3. 1956.
42 Vgl. Fritz Behrens, »Zum Problem der Ausnutzung ökonomischer Gesetze in der Übergangsperiode«, in: Wirtschaftswissenschaft, 5. Jg. (1957), 3. Sonderheft, S. 105 ff.
43 Vgl. zur Kunstpolitik dieser Phase Manfred Jäger, Kultur und Politik in der DDR. Ein historischer Abriß, Edition Deutschland Archiv, Köln 1982, S. 65 ff.
44 Vgl. »Das Konzept des Dr. W. Harich«, in: Ossip K.

Flechtheim (Hrsg.), Dokumente zur parteipolitischen Entwicklung in Deutschland seit 1945, Bd. 7, Berlin (West) 1969, S. 620 ff.

45 Vgl. Erich Loest, Durch die Erde ein Riß. Ein Lebenslauf, Hamburg 1981, S. 296 ff.

46 Vgl. Martin Jänicke, Der Dritte Weg (Anm. 1), S. 104 ff.

47 Vgl. 35. Tagung des Zentralkomitees der Sozialistischen Einheitspartei Deutschlands. 3. bis 6. Februar 1958. Aus dem Bericht des Politbüros. Berichterstatter: Gen. Erich Honecker, Berlin (Ost) 1958, S. 76 f.

48 Vgl. die noch immer interessante Arbeit von Carola Stern, Ulbricht. Eine politische Biographie, Köln 1963.

49 Auch in den unteren Rängen der Partei setzte damals die Suche nach Revisionisten ein. Insbesondere an den Hochschulen und Universitäten vermutete die Partei Anhänger der »Fraktion«.

50 Vgl. Statistische Rundschreiben des Bundesministers für Vertriebene, Flüchtlinge und Kriegsgeschädigte v. 12. 1. 1960, S. 7, und vom 18. 1. 1962, S. 6 (Gesch.Z. I 5c–6943–33/60 bzw. Az: I 5c–6943–18/62).

51 Vgl. die von Infratest erarbeiteten Analysen: Arbeiterschaft in der Volkseigenen Industrie der SBZ, Teil I, o. O., o. J., S. 12 f.; Angestellte in der Sowjetischen Besatzungszone Deutschlands, München 1958, S. 30; Die Intelligenzschicht in der Sowjetzone Deutschlands, Bd. III, München 1960, S. 45 (alle unveröffentlicht).

52 Ernst Richert, »Zur Frage der Konsolidierung des Regimes in der DDR«, in: Die neue Gesellschaft, 7. Jg. (1960), Heft 3, S. 220.

53 1963 machte Dietrich Storbeck darauf aufmerksam, daß zwischen 1952 und 1961 jährlich etwa 40 000 Rück- oder West-Ost-Wanderer gezählt wurden. Der Wanderungsverlust der DDR dürfte also um etwa 500 000 vermindert worden sein. Vgl. »Flucht oder Wanderung?«, in: Soziale Welt, Jg. 1963, Heft 2, S. 153 ff.

54 Ralf Dahrendorf, »Wandlungen der deutschen Gesellschaft der Nachkriegszeit: Herausforderungen und Antworten«, in: Gesellschaft und Freiheit, München 1965, S. 310 f.

55 Vgl. Gesetzblatt der DDR, Teil II, Jg. 1961, Nr. 55 v. 25. 8. 1961, S. 343.

56 Vgl. DDR Handbuch (Anm. 5), Bd. 1, S. 589.

57 Zit. nach: Demokratie und Recht im neuen ökonomischen System der Planung und Leitung der Volkswirtschaft, Berlin (Ost) 1965, S. 174.

58 Vgl. Hartmut Jäckel (Hrsg.), Ein Marxist in der DDR. Für Robert Havemann, München 1980.

59 Zit. nach: Neues Deutschland v. 16. 12. 1965.

60 Zit. nach: Neue Deutsche Literatur, Jg. 1965, Heft 3, S. 90. Vgl. hierzu die materialreiche (nicht immer zuverlässige) Studie von Peter-Claus Burens, Die DDR und der »Prager Frühling«. Bedeutung und Auswirkungen der tschechoslowakischen Erneuerungsbewegung für die Innenpolitik der DDR im Jahr 1968, Berlin (West) 1981.

61 Vgl. Heinz Beyer, »Der historische Platz der 14. Tagung des ZK der SED (Dezember 1970) und ihre Beschlüsse für die Festigung des Vertrauensverhältnisses zwischen Partei, Arbeiterklasse und Volk«, in: Historiker-Gesellschaft der Deutschen Demokratischen Republik. Wissenschaftliche Mitteilungen, Jg. 1977, Heft 1, S. 107 ff.

62 Vgl. Rudolf Bahro, Die Alternative. Zur Kritik des real existierenden Sozialismus, Frankfurt/M. 1977; Robert Havemann, Berliner Schriften, München 1977; DDR. Das Manifest der Opposition. Eine Dokumentation. Fakten. Analysen. Berichte, München 1978; Hermann v. Berg, Marxismus-Leninismus: Das Elend der halb deutschen, halb russischen Ideologie, Köln 1986.

63 Vgl. Manfred Jäger, Kultur und Kulturpolitik (Anm. 43), S. 159 ff.

64 Ebenda.

65 Vgl. den Text ihrer Erklärung in: Rudolf Bahro. Eine Dokumentation, Frankfurt/M. 1977, S. 107.

66 Vgl. amnesty international info Nr. 9/1986, S. 12 f.

67 Vgl. etwa Wolfgang Büscher/Peter Wensierski, Null Bock auf DDR. Aussteigerjugend im anderen Deutschland, Reinbek bei Hamburg 1984; s. a. Klaus Ehring/Martin Dallwitz, Schwerter zu Pflugscharen. Friedensbewegung in der DDR, Reinbek bei Hamburg 1982; Haase/Reese/Wensierski (Hrsg.), VEB Nachwuchs. Jugend in der DDR, Reinbek bei Hamburg 1983.

68 Vgl. Reinhard Henkys, Gottes Volk im Sozialismus. Wie Christen in der DDR leben. Berlin (West) 1983, S. 107 ff.

69 Nach: Theo Mechtenberg, »Evangelische Kirche in der DDR – ›Kirche im Sozialismus‹«, in: deutsche studien, XXIV. Jg. (1986), Heft 94, S. 165 f. Bislang war man (vgl. Mechtenberg, ebenda) von 7,7 Millionen ausgegangen.

70 Bei der Erforschung von Widerstand, Opposition und Anpassung im NS-Reich haben sich diese Unterscheidungen bewährt. Vgl. für vieles: Karl Dietrich Bracher, Manfred Funke, Hans-Adolf Jacobsen (Hrsg.), Nationalsozialistische Diktatur 1933–1945. Eine Bilanz, Bonn 1983 (Schriftenreihe der Bundeszentrale für politische Bildung, Bd. 192), siehe dort insbesondere S. 618 ff. (Richard Löwenthal); S. 633 ff. (Detlev Peukert); S. 655 ff. (Klaus Gotto u. a.) und Martin Broszat, »Zur Sozialgeschichte des deutschen Widerstandes«, in: Vierteljahreshefte für Zeitgeschichte, 34. Jg. (1986), Heft 3, S. 293 ff.

71 Sie wird in der DDR von Intellektuellen höher eingeschätzt als von der Parteiführung. Vgl. Uwe-Jens Heuer, »Zur Geschichte des marxistisch-leninistischen Demokratie-Begriffs«, in: Karl-Heinz Röder (Hrsg.), Politische Theorie und sozialer Fortschritt, Berlin (Ost) 1986, S. 183. Heuer beruft sich dabei auch auf die vergleichbare Sicht Kuczynskis, Dialog mit meinem Urenkel, Berlin (Ost) 1983, S. 35.

72 So Hermann Axen, »Der Aufbau des Sozialismus in der DDR und die Entwicklung in der Welt«, in: Einheit, 34. Jg. 1979, Heft 3, S. 264. Immerhin hat jetzt der renommierte DDR-Strafrechtler John Lekschas darauf aufmerksam gemacht, daß dort, wo das »Bedürfnis auf Mitgestaltung sozialer Belange« nicht hinreichend berücksichtigt werde, ein »bestimmtes Niveau sozialistischer Demokratie« nicht erreicht sei, es zu »spontanen Wirkungen« kommen könne, die »bis zur Widersetzlichkeit oder oppositionellem Verhalten reichen« mögen. Diskussionsbeitrag zu Uwe-Jens Heuer, Überlegungen zur sozialistischen Demokratie, in: Sitzungsberichte der Akademie der Wissenschaften der DDR-Gesellschaftswissenschaften, Jg. 1986, Nr. 7/8, Berlin (Ost) 1987, S. 60 f.

73 Zit. nach: Tägliche Rundschau v. 16. 10. 1954.

74 Zit. nach: Kleines politisches Wörterbuch, 6. Aufl., Berlin (Ost) 1986, S. 695.

Ulrich Neuhäußer-Wespy

Die SED und die deutsche Geschichte

Vorbemerkung

Seit einigen Jahren ist eine veränderte Einstellung der SED zur deutschen Vergangenheit, zur nationalen Geschichte und Kultur festzustellen. Nach 1945 wurde alles, was mit den Herrscherhäusern, der »herrschenden Klasse« zu tun hatte, insbesondere mit Preußen, unterschiedslos als reaktionär, nationalistisch abqualifiziert und zum Wegbereiter des Nationalsozialismus erklärt. Von Friedrich dem Großen über Bismarck und Kaiser Wilhelm II. zu Hitler gab es in diesem Geschichtsverständnis eine folgerichtige Entwicklungslinie. Ende der siebziger Jahre begann ein Umdenkungsprozeß, in dessen Verlauf Stück um Stück auch die Geschichte der Herrschenden in die Vorgeschichte der DDR integriert wurde. Die Wiederaufstellung des von Christian Daniel Rauch geschaffenen Reiterstandbilds Friedrichs des Großen Ende 1980 an seinem alten Platz Unter den Linden in Berlin war das spektakulärste Zeichen dieses gewandelten Geschichtsverständnisses. Ein Jahr zuvor war in der DDR erstmals auch eine Biographie über den Preußenkönig erschienen, was in der Bundesrepublik Deutschland für Aufsehen sorgte, weil mit diesem Buch der Versuch gemacht wurde, sich von den alten marxistischen Klischeevorstellungen zu befreien.

Ein sehr viel freundlicheres Bild wird jetzt auch von Martin Luther gezeichnet, dessen 500. Geburtstag im Jahre 1983 in der DDR im großen Stile begangen wurde; Erich Honecker selbst, der Generalsekretär der SED, hatte in einem eigens gegründeten staatlichen Vorbereitungskomitee für die Jubiläumsfeierlichkeiten den Vorsitz übernommen. Der Jahrestag war der Anlaß für eine umfassende Würdigung des Reformators und für eine Neuinterpretation seiner historischen Rolle und seiner Persönlichkeit.

Das Interesse gilt seit einiger Zeit auch Otto von Bismarck, über den 1985 der erste Band einer umfassenden Biographie erschienen ist – übrigens gleichzeitig in einem Ost-Berliner und in einem West-Berliner Verlag. Diese Publikation über den *Urpreußen und Reichsgründer*, von westlichen Rezensenten wegen ihrer wissenschaftlichen Solidität und einer um Verständnis bemühten Darstellungsweise mit Beifall und Lob bedacht, macht den Abstand zur Verketzerung Bismarcks als reaktionären Junker durch die SED-Geschichtsschreibung früherer Jahre deutlich.

Bei anderen Themen ist weniger der Gesichtspunkt der Umdeutung von Belang als die Tatsache, daß sie überhaupt aufgegriffen und in das neue, erweiterte Geschichtsbild eingefügt werden. Zu diesen Themen gehört die Aufnahme der aus Frankreich vertriebenen Hugenotten in Brandenburg-Preußen im 17. Jahrhundert. Auch in diesem Falle war ein historisches Jubiläum der willkommene Anlaß, bisher unbeachteten Geschichtsstoff für die Traditionspflege und Bewußtseinsbildung nutzbar zu machen; die DDR erinnerte sich des Tages (29. 10. 1685), an dem der Große Kurfürst – im anderen Teil Deutschlands schlicht Kurfürst Friedrich Wilhelm genannt – den Refugiés in seinem Lande Schutz und Zuflucht bot. Die Wahrnehmung historischer Jahrestage nimmt zuweilen etwas seltsame Züge an, wenn ausgerechnet die Gewerkschaftszeitung »Tribüne« mit einer fünfteiligen Serie an den Grandseigneur Hermann Fürst von Pückler-Muskau erinnerte, dessen Geburtstag sich am 30. Oktober 1985 zum 200. Male jährte.

Diese Beispiele, die sich mühelos um weitere vermehren ließen, mögen an dieser Stelle genügen, um das veränderte Verhältnis der SED zur deutschen Geschichte kenntlich zu machen. Festzustellen ist zunächst: Indem die DDR nun

auch bisher vernachlässigte Epochen, Probleme und historische Persönlichkeiten in ihr Geschichtsbild aufnimmt, sucht sie einen neuen Zugang zur deutschen Geschichte. Das neue Konzept bedeutet eine Absage an die bis zum Ende der siebziger Jahre dominierende selektive Geschichtsschreibung, mit der die DDR einzig und allein in der deutschen Revolutionsgeschichte verankert werden sollte. Das bedeutet nicht, daß man nun darauf verzichtet, aus der Fülle historischer Ereignisse und Gestalten auszuwählen, aber man ist längst nicht mehr so »wählerisch«! Das macht es möglich, das neue Geschichtsbild und die Traditionspflege auf eine wesentlich breitere Basis zu stellen. Zu konstatieren ist außerdem, daß Themen und Probleme, die früher sehr einseitig unter dem Aspekt des Klassenkampfes gesehen worden sind, nun weniger doktrinär interpretiert werden.
Vereinbar mit der marxistisch-leninistischen Ideologie soll das neue Geschichtsbild durch die Unterscheidung von Erbe und Tradition gemacht werden: Erbe ist das, was überkommen ist, was man sich nicht aussuchen kann, was aber kritisch zu bewältigen ist; Traditionen hingegen werden bewußt geformt, gepflegt und verändert. In die sozialistischen Traditionen werden folglich nur historisch progressive Erscheinungen, Persönlichkeiten und Strömungen aufgenommen. Alles Reaktionäre, das unter »Erbe« kritisch verarbeitet wird, muß aus der »Tradition« ausgeschieden, »überwunden« werden.
Es wird nun der Versuch gemacht, die Rechtmäßigkeit der DDR auch aus dem nichtrevolutionären – aber nichtreaktionären – Erbe der deutschen Geschichte abzuleiten. Das hat dazu geführt, daß die Geschichtsbetrachtung wieder »nationaler« geworden ist. Der Rückgriff auf das nationale Moment in der deutschen Geschichte ist allerdings nicht völlig neu. Bereits 1952 hatte die SED die Befreiungskriege von 1813–15 gegen Napoleon für eine Kampagne zum Sturz der »Vasallenregierung in Bonn« und zum »nationalen Befreiungskampf in Westdeutschland« ausgebeutet, damals noch unter gesamtdeutschem Aspekt. Heute geht es darum, die Existenz der DDR auch aus der deutschen Geschichte zu legitimieren und ein separates (DDR-)Nationalbewußtsein zu erzeugen.

Die SED-Führung hat sich also immer wieder Geschichtsschreibung und -wissenschaft in der DDR dienstbar gemacht – zur propagandistischen Abstützung der Tagespolitik, zur Legitimierung ihrer Herrschaft, zur Integration der Bevölkerung und zur Verbesserung des internationalen Ansehens ihres Staates. Die Formen dieser Indienstnahme haben sich im Laufe der Zeit geändert, nicht aber Funktion und Aufgabe der DDR-Historiographie, nämlich zu einem geeigneten Geschichtsbewußtsein bzw. zur »sozialistischen Bewußtseinsbildung« beizutragen und die Auseinandersetzung mit der Geschichtswissenschaft und -publizistik in der Bundesrepublik Deutschland zu führen.
Hier soll zunächst ein Überblick über das wandelbare und während der letzten Jahrzehnte immer wieder gewandelte Verhältnis der SED zur deutschen Geschichte gegeben werden. Im zweiten Hauptteil dieses Beitrages wird etwas ausführlicher auf die Themen und Probleme des neuen Geschichtsbildes der SED einzugehen sein.

I. Zum Wandel des Geschichtsbildes der SED

1. Die »Misere-Theorie« in den ersten Nachkriegsjahren

Die Haltung der Kommunisten zur deutschen Geschichte in den Jahren nach dem Zusammenbruch war geprägt von der sog. Misere-Theorie, derzufolge die bisherige deutsche Geschichte eine Kette von Verhängnissen war – von Luther über Friedrich den Großen und Bismarck bis zu Hitler. Die »Misere« wurde darin gesehen, daß die »fortschrittlichen Kräfte« immer den »reaktionären Elementen« in der deutschen Geschichte unterlegen waren. Die neuere deutsche Geschichte wurde als *Der Irrweg einer Nation* angesehen. Das war der Titel eines 1946 erstmals veröffentlichten und wiederholt aufgelegten Buches von Alexander Abusch, der den Bogen vom gescheiterten Bauernaufstand von 1525 über die mißlungenen bzw. unvollendeten Revolutionen von 1848/49 und 1918 bis zur Gewaltherrschaft des NS-Regimes spannte und eine ausgesprochen antilutherische und antipreußische Tendenz vertrat.[1]

Damit verbunden war eine betont internationalistische Geschichtsbetrachtung, die entweder die deutsche Geschichte stark vernachlässigte oder sie in einem besonders ungünstigen Licht erscheinen ließ. Sehr deutlich kam diese Darstellungsweise in den lediglich vom Russischen ins Deutsche übersetzten sowjetischen Geschichtsbüchern zum Ausdruck, die bis in die fünfziger Jahre hinein in Ermangelung eigener Lehrbücher an den Schulen und sogar an den Universitäten verwendet wurden.[2] Diese Geschichtsbücher zeichneten sich dadurch aus, daß sie – einmal abgesehen von der Orientierung am historischen Materialismus – nicht nur die russische Geschichte bevorzugt behandelten, sondern dem für die Spätzeit Stalins charakteristischen großrussischen Chauvinismus huldigten, der u. a. alle bedeutenden Erfindungen der Neuzeit wie Dampfmaschine, Dieselmotor, Glühbirne, Radio, Telegraf, Telefon usw. Russen zuschrieb.

Der Bruch mit der deutschen Vergangenheit wurde vielfach symbolisch vollzogen durch den Abbruch historisch und kunstgeschichtlich bedeutsamer Bauten. Zu erinnern ist in diesem Zusammenhang vor allem an den Abriß des Berliner Schlosses im Jahre 1950, von Schinkels Bauakademie, der Potsdamer Garnisonkirche und – noch Ende der sechziger Jahre – der Universitätskirche in Leipzig. Andere, weniger berühmte Sakral- und Profanbauten wurden nicht für erhaltenswert oder wiederherstellungswürdig gehalten und dem Verfall preisgegeben oder abgerissen. Auch die Zerstörung zahlreicher Gutshäuser im Zuge der Bodenreform in Zeiten bitterster Wohnungsnot war Ausdruck dieser geschichtsfeindlichen Haltung.

2. Die nationale Geschichtsbetrachtung von 1952

Mit Geschichtspessimismus allein ließ sich aber kein Staat machen – das ist hier ganz wörtlich zu nehmen und auf die im Oktober 1949 gegründete DDR zu beziehen. Die SED sah bald, daß zur Legitimierung ihres Regimes auch eine positive Anknüpfung an die deutsche Geschichte nötig war, um ihm das Odium eines Satellitenregimes bzw. einer verschleierten Fremdherrschaft zu nehmen. Dazu mochte der historische Materialismus nicht recht taugen; ihm war nicht zuzutrauen, daß er motivierend und identitätsstiftend wirken könnte oder gar geeignet wäre, ein Staatsbewußtsein zu erzeugen.

Die SED suchte die positiven Werte, an die sie anknüpfen konnte, in Deutschlands bürgerlicher Epoche. Der Sozialismus war nach ihrer damaligen Auffassung (1948/49) nicht die Aufgabe des Tages. Zunächst stand die »Vollendung« der bürgerlichen Revolution auf dem Programm. Das zeigte sich schon bei den Säkularfeiern zur Revolution von 1848 und der Würdigung Goethes anläßlich seines 200. Geburtstages 1949, zu der Thomas Mann, auch er ein bürgerlicher Schriftsteller par excellence, in Weimar wie in Frankfurt am Main die gleiche Rede hielt.

Der Rückgriff auf Goethe und die deutsche bürgerliche Revolution stand in engem Zusammenhang mit der Wiedervereinigungspolitik jener Jahre, bei der die SED eine Vorreiterrolle spielen wollte. Das wurde offensichtlich, als die Partei 1952 die Geschichtspropaganda offiziell in den Dienst des »nationalen Befreiungskampfes« in Westdeutschland stellte. Ulbricht gab auf der 2. Parteikonferenz der SED im Juli 1952 das Signal – in einer Weise, die heute nicht ohne Pikanterie ist. Er ging davon aus, daß

»jeder versteht, welch große Bedeutung das wissenschaftliche Studium der deutschen Geschichte für den Kampf um die nationale Einheit Deutschlands und für die Pflege aller großen Traditionen des deutschen Volkes hat, besonders gegenüber dem Bestreben der amerikanischen Okkupanten, die großen Leistungen unseres Volkes vergessen zu machen«[3].

Wie diesem Zitat zu entnehmen ist, zielten die vom Generalsekretär der SED angeschlagenen patriotischen Töne auf Gesamtdeutschland. Die antiamerikanische Tendenz wird besonders deutlich in Ulbrichts Auslassung über die Hermann-Schlacht im Jahre 9 n. Chr. Er monierte, daß *»unsere Geschichtsprofessoren«* über die Schlacht im Teutoburger Wald schwiegen, *»wo die Germanen . . . die Römer geschlagen haben, weil die Germanen freie Menschen waren, deren persönliche Tüchtigkeit und Tapferkeit den römischen Truppen weit überlegen waren«*; sie hätten *»um die Befreiung ihres Landes«* gekämpft[4].

Von Interesse wurden für die SED nun auch die

Befreiungskriege 1813–15. Ulbricht wies auf der Parteikonferenz von 1952 auf *»solche Helden wie Lützow, Theodor Körner, Marschall Blücher«* hin und hob dabei Lützow hervor; Lützow habe *»mit seinem Freikorps, dem ein Detachement russischer Kosaken zugeteilt war, im Rükken der feindlichen Truppen operiert und wesentlich zur Niederlage Napoleons in der Schlacht bei Leipzig beigetragen«*.[5]

Daß Ulbricht die militärische Bedeutung Lützows überbewertete und die historischen Fakten ungenau bzw. unrichtig wiedergab, ist hier weniger von Belang als der Umstand, daß die Erinnerung an die deutsch-russische »Waffenbrüderschaft« beschworen wurde, ein bis heute häufig verwendetes Schlagwort für die enge Anlehnung der DDR-Streitkräfte an die Sowjetarmee.

Damit sind die Ambivalenz und der politische Hintergrund der »nationalen« Geschichtsbetrachtung angesprochen, für die Ulbricht im Juli 1952 das Signal gab. Die bewußt schillernde Verwendung von »Nation« und »national« sollte einerseits der Bekräftigung gesamtdeutscher Parolen dienen, andererseits die Gründung und Festigung eines separaten Staatswesens in Mitteldeutschland ideologisch abstützen helfen. Ulbrichts Politik zielte darauf, die DDR zur Keimzelle eines sozialistisch-kommunistischen Gesamtdeutschland zu machen. Solange aber die Teilung dauerte, mußte die kommunistische Herrschaftsstruktur in der DDR unumkehrbar gemacht werden.

Gerade im Jahre 1952 verstärkte die SED ihre Anstrengungen, die DDR zu einem sozialistischen Staat auszubauen. Auf der 2. Parteikonferenz verkündete Ulbricht den »Aufbau des Sozialismus«. Im Mai desselben Jahres wurde die Zonengrenze abgeriegelt und eine 5 km breite Sperrzone entlang der Demarkationslinie eingerichtet. Ebenfalls im Jahre 1952 wurden in der DDR Streitkräfte aufgestellt, gebildet aus bereits seit 1948 existierenden Einheiten der Bereitschaftspolizei; die offizielle Umwandlung der zunächst so genannten »Kasernierten Volkspolizei« in die »Nationale Volksarmee« erfolgte dann 1956.

Nach der radikalen Verdammung alles Militärischen als »Militarismus« in den ersten Nachkriegsjahren waren nun wieder soldatische Tugenden und Traditionen gefragt. Die neue Armee erhielt Uniformen, deren Schnitt denen der ehemaligen Deutschen Wehrmacht nachgeahmt war. Die Wachablösung vor dem Ehrenmal Unter den Linden in Berlin wurde wieder eingeführt – nach preußisch-deutschem Zeremoniell. Auch für die Besinnung auf nationale Werte brauchte man wieder die deutsche Geschichte. Die Befreiungskriege und der schon vor 1813 in vereinzelten Aktionen gegen Napoleon geleistete Widerstand eigneten sich nach Meinung der SED-Historiker besonders gut für die Propagierung eines gegen Fremdherrschaft (amerikanische Besetzung) gerichteten deutsch-nationalen Patriotismus.

In dem ersten in der DDR fertiggestellten Geschichtslehrbuch wurde die Verteidigung der Festung Kolberg gegen die Napoleonischen Truppen 1807 als nationale Heldentat gewürdigt, obwohl Preußen den Krieg gegen Napoleon kurz darauf im Frieden von Tilsit verlor. Die Verteidiger Kolbergs wurden als *»Patrioten«* geschildert, Ferdinand von Schill als *»tapferer Reiteroffizier«* bezeichnet.[6] (Pikanterweise hatte auch Goebbels die Kolberg-Episode für seine politische Propaganda genutzt. Der in seinem Auftrag von Veit Harlan gedrehte aufwendige Farbfilm »Kolberg«, besetzt mit den damals bedeutendsten Schauspielern Heinrich George, Paul Wegener, Horst Caspar, Kristina Söderbaum, wurde am 30. Januar 1945 uraufgeführt, wenige Monate vor dem Zusammenbruch des Dritten Reiches. Er sollte den Durchhaltewillen der kriegsmüden Bevölkerung mobilisieren.)

Als *»aufrechte und mutige Patrioten«* galten nun auch Männer wie der Freiherr vom Stein; die zivilen und militärischen Reformen in Preußen nach der Niederlage gegen Napoleon wurden wieder in die Geschichtsbetrachtung einbezogen. Die Reformer wurden primär als Persönlichkeiten der nationalen, der deutschen Geschichte und nicht der preußischen Geschichte begriffen. Es handelte sich also nicht um eine gewissermaßen vorweggenommene »Preußen-Renaissance«, wie sie seit 1978 in der DDR zu beobachten ist. Gemeint war kein preußischer, sondern ein deutscher »Patriotismus«. In diesem Sinne sollte auch das – unmittelbar vor Beginn der 2. Parteikonferenz der SED eröffnete – »Museum für Deutsche Geschichte« im Berliner

Zeughaus der preußischen Könige wirken. Es sollte *»in engster Verbindung mit dem Volk zu einer Stätte patriotischer Volkserziehung werden«*; man glaubte zu wissen, *»welche Kraft unser Volk aus seiner Geschichte, seinen großen nationalen Traditionen, seinem nationalen Kulturerbe zu schöpfen vermag«*[7].

Zur nationalen Tradition gehörten auch der Bauernkrieg von 1524/25, der später mit der lutherischen Reformation zur »frühbürgerlichen Revolution« zusammengefaßt wurde, die Revolution von 1848/49, das Wirken von Marx und Engels, die Geschichte der Arbeiterbewegung sowie Geschichte und Vorgeschichte der SED und der DDR. An diesen Schwerpunkten ist abzulesen, daß die deutsche Geschichte durch das revolutionäre Element akzentuiert werden sollte. Es handelte sich um den Versuch, die DDR in der deutschen Revolutionsgeschichte zu verankern, die DDR in den Kontext revolutionärer Traditionen zu stellen. Man tat dies sehr unbekümmert um Verlauf und Gehalt der Geschichte, kam es doch in erster Linie darauf an, die DDR als Produkt, ja als Gipfel und Ziel der Geschichte des deutschen Volkes erscheinen zu lassen, indem bestimmte historische Linien bis 1945/49 bzw. bis zur unmittelbaren Gegenwart durchgezogen wurden.

3. Die DDR als Modell für Deutschland (1961/62)

Die Inanspruchnahme revolutionärer Traditionen in der deutschen Geschichte setzte sich in den sechziger Jahren fort und wurde sogar noch verstärkt. Deutlicher als in den fünfziger Jahren wurde nun der Trend erkennbar, sich einerseits auf die »fortschrittlichen« Züge in der deutschen Geschichte zu berufen, andererseits die »reaktionären« Elemente der Bundesrepublik zuzuweisen. Die SED ging immer mehr dazu über, die DDR als den rechtmäßigen deutschen Staat zu präsentieren und als Vorbild für ganz Deutschland hinzustellen.

Beabsichtigt war offensichtlich zweierlei: Einmal ging es darum, nach der Verhängung der Sperrmaßnahmen vom August 1961 nun auch die geistige Trennlinie gegenüber der Bundesrepublik Deutschland ganz deutlich werden zu lassen. Zum anderen richteten sich die Bemühungen der DDR-Führung auf die Überwindung der durch den Mauerbau selbst ausgelösten Krise und darüber hinaus auf die politische Stabilisierung ihres Regimes.

Die Behauptung, die DDR sei der rechtmäßige deutsche Staat, wurde mit einer »geschichtlichen Gesetzmäßigkeit« zu begründen versucht. In der Sprache des sogenannten »Nationalen Dokuments«, das mit großem propagandistischem Aufwand 1962 unter dem Titel »Die geschichtliche Aufgabe der Deutschen Demokratischen Republik und die Zukunft Deutschlands« veröffentlicht wurde, wurde dies so ausgedrückt:

»Die Deutsche Demokratische Republik ist also nicht nur völkerrechtlich unter dem Gesichtspunkt der Durchführung des Potsdamer Abkommens und somit als einziger deutscher Friedensstaat der rechtmäßige deutsche Staat. Sie ist auch der einzig rechtmäßige deutsche Staat auf Grund der geschichtlichen Gesetzmäßigkeit und der Tatsache, daß in ihm jene Kräfte an der Macht sind, die von der Geschichte zur Führung des deutschen Volkes berufen wurden und deren Politik mit den Interessen der Nation übereinstimmt.«[8]

Der *»Sieg des Sozialismus«* in der DDR liege *»im nationalen Interesse des ganzen deutschen Volkes«* und sei *»entscheidende Voraussetzung für die Lösung unserer nationalen Frage«*.

Damit wurde die Perspektive für Deutschland vorgezeichnet:

»Der Sieg des Sozialismus in der Deutschen Demokratischen Republik und später auch in der westdeutschen Bundesrepublik befreit unser Volk von dem unheilvollen Kreislauf Konjunktur, Krise, Krieg, befreit es für immer von kapitalistischer Ausbeutung, sichert die Einheit des Vaterlandes und ein glückliches Leben in Frieden und Sozialismus.«[9]

In der Sicht der SED war die DDR der *»Kern eines künftigen einheitlichen und friedliebenden Deutschlands . . ., das mit der fluchwürdigen Vergangenheit des imperialistischen Krieges und der Unterdrückung anderer Völker gebrochen hat«*.[10]

Die SED nahm (und nimmt) für sich in Anspruch, das bessere Deutschland zu verkörpern, während die Bundesrepublik rückschrittlich sei und im Grunde eine antinationale Politik betreibe. Dem entsprach die Teilung der nationalen Geschichte und des historischen Erbes sowie die Art und Weise, wie diese Teile den beiden Staaten in Deutschland zugeordnet wurden. Ulbricht sagte dazu in seiner Rede anläßlich der Veröffentlichung des »Nationalen Dokuments«: *»In beiden deutschen Staaten spricht man heute vom ›Erbe der Väter‹. Aber die Konzernherren und die Hitlergenerale meinen offensichtlich ein ganz anderes Erbe als die Arbeiter, die Bauern und die fortschrittliche Intelligenz. Für uns ist das Erbe der Väter der Humanismus von Goethe, Marx, Liebknecht und Thälmann. Für Herrn Lübke, den Vertreter der westdeutschen Reaktion, ist das Erbe der Väter die Herrschaft irgendwelcher Karolinger-Könige und die für zwei Weltkriege verantwortlichen Ostlandritter.«*[11]

Die »nationale Frage des deutschen Volkes« sollte als »Klassenfrage«, die nur unter der Führung der SED gelöst werden könne, dargestellt werden. Diese Aufgabe fiel den Historikern zu. Sie hatten die im »Nationalen Dokument« niedergelegte Konzeption umzusetzen und »wissenschaftlich« zu verarbeiten. Die *»nationale Verantwortung der Historiker in der DDR«* liege darin, *»den werktätigen Massen in der DDR und in ganz Deutschland dieses geschichtliche Bewußtsein vermitteln und sie im nationalen Kampf ideologisch rüsten zu helfen«*[12].

Die Forderung nach einem derart programmierten Geschichtsbewußtsein sollte in erster Linie mit Veröffentlichungen über die Geschichte der deutschen Arbeiterbewegung erfüllt werden. Tatsächlich wurde die Arbeit auf diesem Gebiet in jenen Jahren außerordentlich forciert. Zum 20. Gründungstag der SED 1966 erschien die achtbändige *Geschichte der deutschen Arbeiterbewegung*[13]. Bereits 1963 war als Basis für die Arbeit am Gesamtwerk der *Grundriß der Geschichte der deutschen Arbeiterbewegung* veröffentlicht worden[14]. Die Parteiführung hat sich nicht darauf beschränkt, die Arbeit an diesen Publikationen zu stimulieren und kritisch zu begleiten; vielmehr ist der Entwurf für den »Grundriß« mehrmals von Parteigremien beraten und schließlich von der 2. ZK-Tagung im April 1963 *»bestätigt«* worden[15]. Für die *Geschichte der deutschen Arbeiterbewegung*, herausgegeben vom Institut für Marxismus-Leninismus beim Zentralkomitee der SED, zeichnete ein Autorenkollektiv unter Vorsitz von Walter Ulbricht verantwortlich.

4. Die Ostorientierung von 1971/72

Der Führungswechsel von Ulbricht zu Honekker 1971, der mit einer Kursänderung in der Deutschland- und Außenpolitik der DDR verbunden war, hatte auch für die Geschichtswissenschaft Konsequenzen. Während in den letzten Jahren der Ulbricht-Ära die eigenständige Entwicklung der DDR zunehmend in den Vordergrund gerückt worden war, mußte nun die DDR wieder in erster Linie als Teil des sozialistischen Lagers unter Führung der Sowjetunion verstanden werden. Für die Zeitgeschichte bzw. für die Geschichte und Vorgeschichte der DDR bedeutete das, die DDR-Entwicklung möglichst synchron mit der Geschichte der sozialistischen Länder in Ost- und Südosteuropa darzustellen und die Ähnlichkeit oder wenigstens prinzipielle Übereinstimmung der Umwälzungen in diesen Ländern nach 1944/45 hervorzuheben. Die »Wesensgleichheit der volksdemokratischen Revolutionen« sollte herausgearbeitet werden.

Bemerkenswert war vor allem, daß nun auch das Wirken der Roten Armee und der Sowjetischen Militäradministration in Deutschland ausdrücklich gewürdigt wurde, während es bis dahin darauf angekommen war, die Entstehung der DDR als ein genuin deutsches Ereignis zu zeigen. Die Sowjetunion habe sich vom Prinzip des »proletarischen Internationalismus« leiten lassen, als sie die deutschen Kommunisten bei der Installierung ihrer Macht unterstützte, hieß es jetzt. Es wurde Wert auf die Feststellung gelegt, *»daß Anwesenheit und Wirken der Sowjetunion als sozialistische Besatzungsmacht den Reifeprozeß des subjektiven Faktors der Revolution, der Arbeiterklasse und ihrer revolutionären Partei, enorm beschleunigten«*[16]. Von »sozialistischer Besatzungsmacht« zu sprechen, war wirklich neu. Damit wurde ein Thema angesprochen, das bislang in der Historiographie der DDR gewissermaßen tabuisiert war. Die DDR-Historiker wurden sogar aufgefordert, die Rolle der Sowjetunion als »sozialistische Besatzungsmacht« präziser darzustellen; ihr Agieren wurde *»als der letztlich entscheidende Faktor«* bezeichnet, *»der es der Arbeiterklasse und ihren Verbündeten ermöglichte, das Kräfteverhältnis grundlegend zu ihren Gunsten zu verändern«*[17].

Die unter der Chiffre »revolutionärer Weltprozeß« betriebene Umorientierung war vor allem eine Zentrierung auf die Sowjetunion hin. Die sowjetrussische Geschichte sollte Bezugspunkt und Richtmaß für die Arbeit der DDR-Historiker sein. So überrascht es nicht, daß nun die Besonderheiten in der Entwicklung der SBZ/DDR relativiert wurden und weitgehend auf eine nationalgeschichtliche Ableitung der DDR verzichtet wurde.

Die Geschichtswissenschaft wurde in den Dienst genommen für die nun wieder deutlich demonstrierte Anlehnung der DDR an die UdSSR, für die Politik der Integration im Ostblock und für die gleichzeitig forcierte Abgrenzung gegenüber der Bundesrepublik. Die mit dem Führungswechsel vom Mai 1971 eingeleitete Umorientierung der DDR-Geschichtswissenschaft ist ein Lehrstück für die Instrumentalisierung einer Wissenschaftsdisziplin. Der VIII. Parteitag der SED (Juni 1971) hatte die Grundzüge für die Neuakzentuierung der DDR-Geschichte und -Vorgeschichte festgelegt. Nun oblag es den Historikern, diesen noch sehr allgemein formulierten Auftrag möglichst konkret umzusetzen. Im Oktober 1971 gab der für Wissenschaft und Hochschulen zuständige ZK-Sekretär Kurt Hager zusätzliche Erläuterungen, und auch der im Februar-Heft der »Einheit« veröffentlichte »Zentrale Forschungsplan der marxistisch-leninistischen Gesellschaftswissenschaften der DDR bis 1975« trug zur Verdeutlichung des Parteiauftrages bei. Schärfere Konturen nahm das neue Geschichtsbild in den im Laufe des Jahres 1972 publizierten Zeitschriftenartikeln an, und der V. Historikerkongreß der DDR (Dezember 1972) markierte den Schlußpunkt in diesem Umsetzungsprozeß; sein Generalthema lautete: »Die Geschichte des deutschen Volkes im welthistorischen Prozeß. Die Einheit von proletarischem Internationalismus und sozialistischem Patriotismus in historischer und aktueller Sicht«[18].

Die starke Ostorientierung der DDR-Historiographie wurde etwa um die Mitte der siebziger Jahre allmählich und stillschweigend korrigiert, was zweifellos mit dem größer werdenden politischen Spielraum und dem stärker werdenden Selbstbewußtsein der DDR-Führung zusammenhing. Die SED schien eine mittlere Linie zwischen der bis 1969/70 dominierenden DDR-zentrischen Betrachtungsweise und der Ostorientierung von 1971/72 finden zu wollen. Einerseits wurde die These von der »sozialistischen Besatzungsmacht« vermieden, andererseits von der »Befreiungsmission der Sowjetstreitkräfte« gesprochen.[19] Auch die 1978 erschienene *Geschichte der SED*[20] betonte wieder stärker Initiativen und Aktivitäten der DDR in der offenkundigen Absicht, die DDR möglichst nicht als Erfüllungsgehilfe der Sowjetunion erscheinen zu lassen.

Die Abgrenzungspolitik gegenüber der Bundesrepublik Deutschland hingegen wurde nicht korrigiert. Die SED leugnete die Einheit der Nation und ließ in diesem Sinne die Verfassung von 1968 revidieren (Verfassungsänderung vom Oktober 1974). Alle Bezüge auf Gesamtdeutschland wurden getilgt. Gleichzeitig wurde eine DDR-eigene, eine »sozialistische Nation« – heute »sozialistische deutsche Nation« – proklamiert.[21] »Nation« wurde nun ohne gesamtdeutschen Nebensinn gebraucht und eindeutig auf die DDR bezogen. Davon konnten Geschichtswissenschaft und Geschichtspropaganda nicht unberührt bleiben. Die Historiker erhielten den Auftrag, eine »Nationalgeschichte der DDR« zu schreiben.

II. Zum neuen Geschichtsbild der SED

1. Der Anspruch auf die ganze deutsche Geschichte

Ein auf die DDR verengter Nationsbegriff liegt also der – noch zu schreibenden – »Nationalgeschichte der DDR« zugrunde; aber ungeachtet einer solchen Begriffsverengung wird deutlicher denn je Anspruch auf die ganze deutsche Geschichte angemeldet. Dieses gewandelte Verhältnis der SED zur deutschen Geschichte zeichnete sich seit 1978 mit der »Entdeckung« des nichtreaktionären Preußen (vgl. dazu Abschnitt 4.) und mit einer Neubewertung Luthers (seit 1980; vgl. Abschnitt 3.) ab. Aber erst 1981 wurde die ideologisch-theoretische Grundlegung für die neue Geschichtskonzeption nachgeliefert.

Walter Schmidt, der sich bereits in der Vergangenheit als Geschichtsideologe der SED betätigt hatte[22], präzisierte die neuen Leitlinien unter dem programmatischen Titel: »Das Gewesene ist nie erledigt«[23]. Schmidt machte in seinem Aufsatz deutlich, daß das Geschichtsbild der DDR chronologisch, territorial und sozialstrukturell korrigiert werden sollte. Mit dieser – wenn man so will – dreidimensionalen Geschichtskonzeption soll der Anspruch auf die ganze deutsche Geschichte bekräftigt werden; es sollen weder Geschichtsepochen noch Gebiete – auch nicht die Territorien, die heute nicht zur DDR gehören –, noch die Klassen und Schichten ausgelassen werden, die nicht zu den unterdrückten und ausgebeuteten sozialen Gruppen zu zählen sind. Diese müßten allerdings darauf befragt werden, was in ihrem Wirken *»an Progressivem, Positivem eingeschlossen ist«*. Beispiele für diesen recht delikaten Aspekt der neuen Konzeption sind nicht nur *»die spätabsolutistischen Hohenzollernherrscher«*, sondern auch *»eine Reihe mittelalterlicher deutscher Könige und Kaiser«, »bestimmte Repräsentanten des deutschen Bürgertums«, »Vertreter des liberalen Adels im 19. Jahrhundert«* und schließlich sogar Angehörige der *»Monopolbourgeoisie, die nicht bloß Imperialisten, sondern auch große Techniker und Wissenschaftler waren«*[24].

Als Vertreter dieser letzten Gruppe werden exemplarisch der Jenaer Physiker Ernst Abbe und Werner von Siemens genannt. Hierzu gehört offensichtlich auch der Flugzeugkonstrukteur Hugo Junkers, dessen 50. Todestag Anfang Februar 1985 Anlaß für eine Gedenkveranstaltung in Dessau war. Junkers, der zu den *»Begründern der modernen Luftfahrt«* zählt, wird offensichtlich zugute gehalten, daß er den Nationalsozialisten nicht genehm war (er mußte 1933 aus seinem Unternehmen ausscheiden); denn es wird darauf hingewiesen, daß sein Name *»später für die faschistische Rüstungsproduktion mißbraucht wurde«*[25].

Als *»Vertreter des liberalen Adels im 19. Jahrhundert«* ist Hermann von Pückler-Muskau anzusehen, dessen Einbeziehung in das neue Geschichtsbild der DDR bereits erwähnt wurde (vgl. die Vorbemerkung). In der Artikelserie über ihn[26] wird er nicht nur als Landschaftsgestalter und Reiseschriftsteller gewürdigt, es wird auch anerkennend vermerkt, daß er sich den Zorn Napoleons zugezogen habe, weil er sich in den Befreiungskriegen auf die Seite Rußlands und Preußens schlug, ferner daß er die Familie eines griechischen Freiheitskämpfers bei sich aufgenommen habe, für die Rechte der Juden eingetreten sei und gegen eine große Zeitung für Heinrich Heine Partei ergriffen habe[27].

2. Das deutsche Mittelalter

Wenn die »Vorgeschichte« der DDR, deren Geschichte – nach Auffassung von W. Schmidt – nicht erst 1949 oder 1945 beginnt, *»weit zurück in die deutsche Geschichte bis in die Zeit der Urgesellschaft und der Entstehung des deutschen Volkes«* zurückverfolgt werden soll, dann ist es unvermeidlich, daß erhebliche Forschungsdefizite zutage treten. Nun rächte sich die jahrzehntelange Geringschätzung der mittelalterlichen Geschichte. Immerhin hat die DDR-Historiographie Anfang der achtziger Jahre mit einer zwölfbändigen *Deutschen Geschichte* ein sehr ehrgeiziges Projekt in Angriff genommen. Bei den Vorarbeiten bzw. bei der Ausarbeitung des Manuskripts sind die Historiker mit teilweise recht schwierigen Problemen konfrontiert worden, die der historische Materialismus ihnen aufgibt.

Nach dem historischen Materialismus ist die Geschichte der Menschheit eine Abfolge von Gesellschaftsformationen, die entsprechend der vorherrschenden Produktionsweise benannt werden: Urgesellschaft, Sklavenhaltergesellschaft, Feudalismus, Kapitalismus, Sozialismus/Kommunismus. Wenn die konkreten Geschichtsabläufe in dieses Schema gepreßt werden sollen, tauchen große Schwierigkeiten insbesondere bei der Abgrenzung der einzelnen Formationen voneinander auf, etwa beim *»Zusammenstoß der germanischen Gentilgesellschaft mit der römischen Sklavereigesellschaft«* oder beim Übergang zum Feudalismus. Hierüber sind, wie im ersten Band der *Deutschen Geschichte* erwähnt wird, *»ausgedehnte geschichtswissenschaftliche Diskussionen«* geführt worden[28].

Auch bei der Behandlung des Zeitraums von der Mitte des 11. bis zu den siebziger Jahren des 15. Jahrhunderts mußten zahlreiche Fragen offenbleiben, weil sie *»noch ungenügend erforscht oder kontrovers sind«*. Das gilt z. B. für *»die Ent-*

wicklungsstadien des fürstlichen Feudalstaates, Ausmaß und Grenzen der fortschrittsfördernden Leistungen der herrschenden Feudalklasse, die Einschätzung der Italienpolitik deutscher Könige und Kaiser sowie die Bedeutung der nationalstaatlichen Entwicklung bis zum Ausgang des Mittelalters«[29].

Aber auch auf einem Gebiet, das nun wirklich nicht wissenschaftliches Neuland für die DDR-Historiographie war, nämlich auf dem der mittelalterlichen Stadtgeschichte, scheint die Arbeit an der *Deutschen Geschichte* Forschungslükken aufgedeckt zu haben. Zentrale Diskussionspunkte waren jedenfalls *»die Stadtentwicklung in ihrer Beziehung zur feudalen Produktionsweise, das Verhältnis von kommunaler Bewegung und innerstädtischen Auseinandersetzungen in ihrer Bedeutung für die Entwicklung von Stadt und Städtebürgertum im Mittelalter«*[30]. Noch schwieriger als solche überwiegend struktur- oder sozialgeschichtlichen Themen gestaltete sich die Darstellung der mittelalterlichen Herrscher. Schmidt hatte in seinem programmatischen Aufsatz beispielhaft Heinrich I., Otto den Großen (der in der DDR-Historiographie lediglich als Otto I. vorkommt) und Heinrich IV. genannt[31]; außerdem richtet sich die Aufmerksamkeit auf Friedrich I. (Barbarossa), Ludwig den Bayern und Karl IV.[32] Sie werden als bedeutende Herrscherpersönlichkeiten anerkannt, während andere Kaiser und Könige, darunter eine so überragende Figur wie Friedrich II. von Hohenstaufen, für die »Nationalgeschichte der DDR« offensichtlich nicht von großem Interesse sind. Auswahl- und Bewertungskriterium scheint die Frage zu sein, welche Politik sie gegenüber dem Papst und den Fürsten getrieben haben. Die Sympathie gilt den Herrschern, die die Zentralgewalt in Deutschland zu stärken verstanden haben. Die Politik auf das deutsche Reichsgebiet zu beschränken, habe *»eher den historischen Notwendigkeiten«* entsprochen – so das Urteil der *Deutschen Geschichte* zumindest für die Zeit von 1250 bis zum Beginn des 14. Jahrhunderts[33]. Die Bedeutung Karls des Großen wird ausdrücklich gewürdigt; ihm hat die DDR-Historiographie bemerkenswerterweise auch seinen Beinamen gelassen. Ulbrichts abschätzige Bemerkung aus dem Jahre 1962 über *»die Herrschaft irgendwelcher Karolinger-Könige«* ist also vergessen!

3. Luther und die Reformation in Deutschland

Das Zeitalter der Reformation gehört nicht zu den Geschichtsepochen, die sich die DDR-Historiker weitgehend erst noch erschließen müssen. Sie suchen aber mit Hilfe neuer Interpretationsansätze einen Weg, Luther und seine Reformation in die »Vorgeschichte« der DDR einzugliedern. Den Auftakt dazu bildete am 13. Juni 1980 die Konstituierung eines staatlichen Martin-Luther-Komitees zur Vorbereitung der Feiern zum 500. Geburtstag Luthers 1983. Erich Honecker selber übernahm den Vorsitz. Der Vorsitzende des Staatsrates und Generalsekretär des ZK der SED nannte Luther bei dieser Gelegenheit einen *»der größten Söhne des deutschen Volkes«*. Luthers Erbe liege in der DDR *»in zuverlässigen Händen«*. Die Ehrungen zu seinem 500. Geburtstag sollten *»weltweit dem Ringen um die Bewahrung des Friedens, um das friedliche Zusammenleben der Völker und Staaten zugute kommen«*[34].

Seitdem wird dem Reformator vieles nachgesehen, was ihm noch bis vor wenigen Jahren vorgeworfen worden war. Sehr deutlich kommt dies in den »Thesen über Martin Luther« zum Ausdruck, die im Herbst 1981 veröffentlicht wurden. Darin wird von der *»Tragik«* Luthers gesprochen, die darin bestanden habe, *»daß er in den Widerspruch geriet, zwischen seiner Rolle als Initiator einer breiten, alle oppositionellen Klassen und Schichten einbeziehenden revolutionären Bewegung und seiner eigenen begrenzten Zielstellung, die letztlich in seiner bürgerlich-gemäßigten, auf das Landesfürstentum orientierten Klassenposition begründet war«*[35].

Unter diesen Leitgedanken standen denn auch die zahlreichen Jubiläumsveranstaltungen im Jahre 1983 und selbstverständlich die Festrede, die auf der offiziellen Haupt- und Schlußveranstaltung am 9. November 1983 von Gerald Götting vorgetragen wurde; Götting, Vorsitzender der DDR-CDU, fungierte im staatlichen Luther-Komitee als Stellvertreter Honeckers. Auch er feierte den Reformator *»als einen der*

größten Söhne unseres Volkes« und würdigte *»seine geschichtliche Leistung für den gesellschaftlichen Fortschritt in den deutschen Staaten, in Europa und in der Welt«*[36].
Luthers historische Leistung wird darin gesehen, daß er den Anstoß zur *»frühbürgerlichen Revolution«* gegeben habe. Das ist nicht nur der Tenor der offiziellen Verlautbarungen zum Luther-Jahr 1983, sondern selbstverständlich auch das Fazit der ersten marxistischen Luther-Biographie, die gerade noch rechtzeitig zum Jubiläum in der DDR erschienen ist[37]. Die positivere Beurteilung Luthers durch die SED ist kaum denkbar ohne ein gewisses Verständnis für die Beweggründe seines Handelns. Wenn man Luther verstehen wolle – so Brendler im Vorwort zu seiner Luther-Biographie –, dann sollte man ihm glauben, *»daß er die Probleme hatte, von denen er sprach, und daß er es so meinte, wie er es sagte«*[38].
Die Bemühungen um ein neues, differenzierteres Luther-Bild prägten auch den fünfteiligen Fernsehfilm, der im Herbst 1983 in der DDR ausgestrahlt und später von der ARD in ihren dritten Fernsehprogrammen gezeigt wurde.
Natürlich sind damit neue Geschichtslegenden nicht ausgeschlossen. Bemerkenswert bleibt der Wandel der Auffassungen innerhalb nur weniger Jahre. 1974/75 anläßlich des 450. Bauernkriegsjubiläums wurde noch Thomas Müntzer als die wichtigste und überragende Figur der »frühbürgerlichen Revolution« dargestellt. Luther ließ man lediglich als den mehr oder weniger unfreiwilligen Initiator einer großen sozialen Bewegung gelten. Die Verurteilung des Reformators durch die marxistisch-leninistische Geschichtsschreibung wegen seiner *»haßerfüllten Schrift«* gegen die aufrührerischen Bauern, die eine *»schändliche Rolle«* gespielt habe, wurde bis 1979 nicht revidiert.[39] Luther sei der *»Totengräber der deutschen Freiheit«* gewesen[40], *»im Gegensatz zur Volksreformation«* Thomas Müntzers habe Luther eine *»Fürstenreformation«* betrieben, die *»zu einer der traurigsten Halbheiten der deutschen Geschichte«* geworden sei[41].

4. Preußen und die Territorialgeschichte

Mit dem 1978 erschienenen Aufsatz von Ingrid Mittenzwei über »Die zwei Gesichter Preußens«[42] wurde die Neubewertung der preußischen Geschichte durch die SED manifest. Die Historikerin, die gern mit der »Dialektik« operiert, weist darauf hin, daß Preußen vor allem in den siebziger und achtziger Jahren des 18. Jahrhunderts einen wirtschaftlichen Aufschwung erlebte, der auf *»die Leistungen der Bauern und der Landarmen, der Handwerker, Gesellen und Manufakturarbeiter«*, aber auch auf *»die wachsende Initiative und Selbständigkeit bürgerlicher Unternehmer sowie vereinzelter adeliger Grundbesitzer«* zurückzuführen sei. Auch die *»herrschende Klasse«* habe – wenn auch ungewollt – zum gesellschaftlichen Fortschritt beigetragen; denn sie habe, *»von den gesellschaftlichen Bedingungen ihrer Zeit und vom Klassenkampf dazu getrieben«*, Maßnahmen durchgesetzt und eine Politik verfolgt, *»die zwar eigenen Interessen dient, aber viel weitergehende Wirkungen zeitigt«*. Auch das gehöre zur *»Dialektik der Geschichte«*.
Diesem Tenor folgt Ingrid Mittenzwei ebenfalls in ihrer Biographie über *Friedrich II. von Preußen* ein Jahr später[43]. Wird die historische Bedeutung eines Herrschers daran gemessen, welchen Anteil an der Durchsetzung des *»gesellschaftlichen Fortschritts«* er hatte, dann kann als Fazit über das Wirken des Preußenkönigs wohl nur gesagt werden:
»Als Politiker, der in einer Zeit des Übergangs Bestehendes konservieren wollte, errichtete er Barrieren gegen das neue Zeitalter. Aber die Dialektik der Geschichte bewirkte, daß sich Bestehendes nicht mehr ohne Anpassungsfähigkeit und Flexibilität konservieren ließ.«[44]
Es handelt sich also um den Versuch, Friedrich den Großen in das Schema des historischen Materialismus einzupassen; eine Eloge ist das nicht. Es bleibt übrigens auch in der genormten Terminologie der DDR – in der politischen ebenso wie in der wissenschaftlichen – bei *Friedrich II.*, unbeschadet dessen, daß man es hierzulande gelegentlich anders liest[45].
Nachdem man einmal von dem großen Preußenkönig – wenn auch ohne glorifizierende Intentionen – Besitz ergriffen hatte, gab es keine Veranlassung, sich nun nicht auch des vorfriderizianischen Preußen zu bemächtigen; die Aufarbeitung der brandenburgisch-preußischen Geschichte ist in vollem Gange. Der Große Kur-

fürst, in der DDR seines Epithetons entkleidet, wird gleichwohl anerkannt und gewürdigt. Das von ihm am 29. Oktober 1685 unterzeichnete Edikt von Potsdam, das die rechtliche Grundlage für die Aufnahme der Hugenotten im Kurfürstentum Brandenburg bildete, war im Oktober und November 1985 Anlaß für Veranstaltungen[46] und Gedenkartikel. Daß sich hier Forschungslücken auftun, liegt auf der Hand. Den Historikern wird empfohlen, den Beitrag der Refugiés als *»Kleinproduzenten, Manufakturunternehmer und Großkaufleute«* zu untersuchen. Es wird dabei unterstellt, daß sie *»eigene Interessen, die mit denen der werdenden bürgerlichen Nation identisch waren«*, vertreten und so *»objektiv der wirtschaftlichen Konsolidierung der Nation«* gedient hätten.[47] Wenn man von dem hier nicht näher zu erörternden Nationsbegriff absieht, ist bemerkenswert, daß politische und wirtschaftliche Gründe für die Aufnahme der Hugenotten in Brandenburg-Preußen zwar für ausschlaggebend gehalten, aber religiöse Motive nicht ausgeschlossen werden. Das Potsdamer Edikt wird auch als ein *»Dokument der Staatsräson und der Menschlichkeit in einem«* bezeichnet. Diese Staatsräson habe – nach Ingrid Mittenzwei – geboten, *»alle diejenigen zu tolerieren, die für einen wirtschaftlichen Aufschwung und äußere Machtentfaltung nützlich sein konnten«*[48].

Es ist nicht zu übersehen, daß, anders als bei der 1952 eingeleiteten »nationalen« Geschichtsbetrachtung, jetzt der territorialgeschichtliche Aspekt dominiert. Das entspricht der Forderung von Walter Schmidt, der *»keinerlei Verengung dieser mehr als ein Jahrtausend langen ›Vorgeschichte‹ unserer sozialistischen Nation auf die deutschen Territorien, die heute zur DDR gehören«*, zulassen will, obwohl die preußische, sächsische und mecklenburgische Geschichte bei den Bewohnern der DDR mehr Interesse finde als die Historie Bayerns, Badens oder Schleswig-Holsteins[49].

Tatsächlich wendet sich die SED nun auch der sächsischen Geschichte zu. Das bedeutet, daß man nicht mehr achtlos an August dem Starken vorbeigehen kann. Ihm wird – bei aller Reserviertheit gegenüber seinem absolutistischen Regierungsstil – attestiert, daß seine Politik Ausdruck einer Entwicklung gewesen sei, *»die im Rahmen spätfeudaler Macht- und Klassenverhältnisse einen allgemeinen gesellschaftlichen Fortschritt ermöglichte, dessen Leistungen und Zeugnisse zum progressiven historischen Erbe in der Geschichte des deutschen Volkes gezählt werden dürfen«*[50]. Inzwischen gibt es in der DDR einen Film, der preußische und sächsische Geschichte gewissermaßen synthetisch darstellt: den Fernseh-Vierteiler »Sachsens Glanz und Preußens Gloria«.[51]

Als *»eine für unser Geschichtsbild bedeutsame Biographie«* wird das eingangs bereits erwähnte Bismarck-Buch von Ernst Engelberg[52] in »Neues Deutschland« bezeichnet[53]. Die – bis 1871 reichende – Darstellung behandle das *»Verhältnis von Persönlichkeit und geschichtlicher Umwelt in seinen vielfältigen Verknüpfungen durch soziale Herkunft, persönliche Beziehungen und Erfahrungen, durch die Einbindung in die Klasse wie die politischen Kräfteverhältnisse«*. Bismarck habe *»als überragender Politiker der herrschenden Klassen die gesellschaftliche Entwicklung und Klassenauseinandersetzung um die bürgerliche Revolution und die Begründung des bürgerlichen deutschen Nationalstaates in starkem Maße beeinflußt«*.

Die Bismarck-Biographie von Engelberg ist in der Tat ein erstaunliches Buch wegen seiner ausgewogenen und facettenreichen Darstellung, viel gefragt (aber in den Buchhandlungen meist vergriffen) und offensichtlich auch viele Fragen auslösend, wie einem Bericht über eine Autorenlesung von Engelberg zu entnehmen ist[54]. Die Aufgabe wird für einen marxistischen Historiker, als welcher sich Engelberg versteht, nicht einfacher, wenn die Zeit der Reichskanzlerschaft darzustellen ist (vorgesehen für den zweiten Band der Biographie). Bismarcks Gegnerschaft zur Sozialdemokratie wird ihn vermutlich davor bewahren, von der SED gänzlich vereinnahmt zu werden.

Sehr ungeniert nimmt die SED seit dem 40. Jahrestag des Attentats auf Hitler die Männer vom 20. Juli 1944 in Anspruch. Mit ihrem guten Namen soll die Friedenspropaganda der DDR und insbesondere die Parole von der *»Koalition der Vernunft«* gewissermaßen historisch geadelt werden. In den sechziger Jahren wurde Stauffenberg bereits *»patriotische«* Gesinnung bescheinigt und auch den Teilnehmern des sog. Kreisauer Kreises Respekt gezollt. Aber gleichzeitig wurde eine säuberliche Scheidung zwischen *»progressiven«* und *»reaktionären«* Kräften vorgenommen. Diese Trennlinie spielt neuerdings nur noch eine untergeordnete Rolle.[55] Die modifizierte Bewertung der Männer vom 20. Juli, in der nun auch Raum ist für die Gruppe um Carl Goerdeler, kam u. a. auf einem Kolloquium zum Ausdruck, das am 18. Juli 1984 anläßlich des 40. Jahrestages des Attentats in Ost-Berlin stattfand[56]. Schließlich ist darauf hinzuweisen, daß die SED jetzt auch den protestantischen Theologen Dietrich Bonhoeffer für sich entdeckt hat, der noch in den letzten Kriegstagen zusammen mit dem ehemaligen Admiral Canaris, General Oster u. a. im KZ Flossenbürg gehenkt wurde. Für die SED ist er jetzt Zeuge für den *»Kampf um den Frieden, dem Marxisten und Christen gleichermaßen verpflichtet sind«*, und auch für den *»Weg der Kirchen bei uns«*[57].

Schlußbetrachtung

Zieht man ein Fazit, dann ist zunächst ein historiographischer Nachholbedarf festzustellen, der sich in besonderer Weise in der Mediävistik, in der Reformationsgeschichte und in der Geschichte Brandenburg-Preußens zeigt. Im übrigen bleibt es bei den traditionellen Schwerpunkten »frühbürgerliche Revolution«, Geschichte der Arbeiterbewegung, Geschichte der SED und der DDR. Das weniger selektive und doktrinäre Vorgehen bei der Bearbeitung der deutschen Geschichte trägt selbstverständlich dazu bei, das Ansehen der DDR-Geschichtswissenschaft zu verbessern. Das Interesse der politischen Führung und verständlicherweise das Eigeninteresse der Historiker der DDR sind auf eine möglichst gute internationale Reputation ihrer Disziplin gerichtet. Diesbezügliche – keineswegs erfolglose – Anstrengungen sind bei internationalen Fachveranstaltungen zu beobachten, zuletzt beim »Internationalen Kongreß der Geschichtswissenschaften« in Stuttgart im August 1985. Wenn man sich als seriöse Wissenschaft präsentieren will, sind differenzierte, realitätsbezogene Arbeiten gefragt.

Aber gerade die neue Darstellungsweise deutscher Geschichte wirft Fragen auf, denen sich die SED-Geschichtswissenschaftler zu stellen haben. Nicht zuletzt geht es um die unterschiedliche Behandlung des historischen Stoffs im Verlauf der letzten 40 Jahre. Die DDR-Geschichtswissenschaft, die bereits begonnen hat, die Geschichte ihrer eigenen Disziplin und die Entwicklung des Geschichtsbilds (eigentlich die Abfolge von Geschichtsbildern) in ihrem Bereich zu untersuchen, hat bisher auf diese Frage wenig überzeugende Antworten gegeben. Die Diskrepanz etwa zwischen der Verteufelung Friedrichs des Großen und Bismarcks als Vorläufer Hitlers und den heutigen Versuchen, der Bedeutung dieser Männer gerecht zu werden, sie gewissermaßen in die »Vorgeschichte der DDR« einzuordnen, bleibt unaufgelöst. Das gleiche gilt für die Umorientierung in bezug auf Luther und seine Reformation.

Die größere Sachlichkeit und das höhere Maß an Unvoreingenommenheit beim Herangehen an – neue und alte – Probleme finden schnell ihre Grenzen, weil die DDR-Geschichtswissenschaft selbstredend dem historischen Materialismus verpflichtet bleibt, so wie die SED selbstverständlich ihre auf der Prärogative des Marxismus-Leninismus beruhende Herrschaft nicht in Frage stellen bzw. stellen lassen will. Theoretische Probleme, die sich aus einem einerseits am Klassenkampfschema orientierten Denken und andererseits der nunmehr stärkeren Berücksichtigung der Rolle der Individuen ergeben, stehen zur Lösung an und sind wegen der ideologisch-politischen Implikationen nicht allein eine Frage an die Wissenschaft. Ähnliches gilt für die neuerdings geforderte Einbeziehung der »Ausbeuterklassen«, denn die Bedeutung des revolutionären Elements in der Geschichte soll ja nicht relativiert werden. Geschichtsklitterung gibt es nach wie vor. Am deutlichsten wird sie in der KPD-Geschichte und der SED/DDR-Geschichte praktiziert; das trifft für wissenschaftliche Aufsätze ebenso zu wie beispielsweise für die offiziellen »Thesen«, die zum 750jährigen Berlin-Jubiläum im Dezember 1985 erstmals veröffentlicht wurden[58].

Aber gerade die Veranstaltungen des 1987 in Berlin gefeierten Jubiläums sind ein gutes Beispiel dafür, wie alle sich bietenden Möglichkeiten für die Bewußtseinsbildung bzw. für die Identifizierung des einzelnen mit Staat und Gesellschaft in der DDR genutzt werden sollen. Denn schließlich geht es bei der Ausweitung der Traditionspflege – auf der Basis eines umfassender verstandenen Erbebegriffs – auch um so etwas wie soziale Integration der Bevölkerung. Zweifellos spielt daneben das Repräsentationsbedürfnis der politischen Führung eine maßgebende Rolle, einer Führung, die sich offensichtlich zunehmend von innen und von außen unter Rechtfertigungsdruck gesetzt sieht und der der Marxismus-Leninismus als Legitimations- und Orientierungssystem nicht mehr voll genügt. Bemerkenswert sind die Bemühungen, das Stadtbild von Ost-Berlin mit historischen Versatzstücken zu verschönern bzw. historisierend umzugestalten[59]. Heute würde das Berliner Schloß – stünde es noch[60] – vermutlich nicht mehr abgerissen werden.

Der Auftrag an die Geschichtswissenschaft, zur Traditionspflege und zur Bewußtseinsbildung beizutragen, ist durchaus ernst zu nehmen, zumal mehr intendiert ist als das ein gewisses Selbstvertrauen ausdrückende Wir-Gefühl. Aber die Inanspruchnahme der ganzen deutschen Nationalgeschichte durch die SED läßt sich auf Dauer nicht von der Nation als Ganzes trennen und ist daher nicht mit der Vorstellung einer separaten, auf die DDR bezogenen »sozialistischen deutschen Nation« zu vereinbaren. Das muß unweigerlich zu Zielkonflikten führen. Es schließt aber die Möglichkeit nicht aus, daß die SED zu gegebener Zeit gesamtnationale Intentionen und Ambitionen deutlich artikuliert und die DDR wieder als einzig legitimierten deutschen Staat präsentiert – zweifellos eine Herausforderung an die Geschichtswissenschaft und Bildungspolitik in der Bundesrepublik Deutschland.

Anmerkungen

1 Alexander Abusch, Der Irrweg einer Nation. Ein Beitrag zum Verständnis deutscher Geschichte, Berlin (O.) 1951 (vgl. hier insbesondere das Kapitel IX); vgl. auch Ernst Niekisch, Deutsche Daseinsverfehlung, Berlin 1946; zur kritischen Auseinandersetzung mit den Theorien vgl. vor allem A. Fischer, Der Weg zur Gleichschaltung der sowjetzonalen Geschichtswissenschaft 1945–1949, in: Vierteljahreshefte für Zeitgeschichte 2/1962, S. 149 ff.

2 So vor allem in dem Band von A. W. Jefimow, Geschichte der Neuzeit 1640–1870, Berlin (O.) 1951. Interessant ist die zugrunde liegende Periodisierung; die übrigen Bände sind betitelt: Geschichte des Altertums, Geschichte des Mittelalters, Geschichte der Neuzeit 1870–1918. Nach den Feststellungen von Timm war die Brauchbarkeit dieser Geschichtsbücher außerdem durch zahlreiche Übersetzungsfehler beeinträchtigt. Vgl. Albrecht Timm, Das Fach Geschichte in Forschung und Lehre in der Sowjetischen Besatzungszone seit 1945. Bonn 1961.

3 Protokoll der Verhandlungen der II. Parteikonferenz der Sozialistischen Einheitspartei Deutschlands, Berlin (O.) 1952, S. 120.

4 Ebenda, S. 122.

5 Ebenda.

6 Lehrbuch für den Geschichtsunterricht – 11. Schuljahr – Neuzeit 1789 bis 1918, Berlin (O.) 1954, S. 67.

7 Vgl. hierzu Fritz Kopp, Die Wendung zur »nationalen« Geschichtsbetrachtung in der Sowjetzone, München 1955, S. 22 f.; Timm, a. a. O. (Anm. 2), S. 21 ff.

8 Die geschichtliche Aufgabe der Deutschen Demokratischen Republik und die Zukunft Deutschlands. Dokumente Nationalkongreß Berlin Juni 1962, S. 21.

9 Ebenda, S. 28.

10 So Walter Ulbricht in seiner Rede anläßlich der 11. Tagung des »Nationalrats der Nationalen Front des demokratischen Deutschland« am 25. März 1962 in Berlin, S. 74.

11 Ebenda, S. 66.

12 Rolf Rudolph, »Die nationale Verantwortung der Historiker in der DDR«, in: Zeitschrift für Geschichtswissenschaft (ZfG) 2/1962, S. 253 ff., hier S. 255.

13 Geschichte der deutschen Arbeiterbewegung in acht Bänden, hrsg. vom Institut für Marxismus-Leninismus beim ZK der SED, Berlin (O.) 1966.

14 Hrsg. vom Institut für Marxismus-Leninismus beim ZK der SED, Berlin (O.) 1963.

15 Vgl. Geschichte der deutschen Arbeiterbewegung, Bd. 1, S. 39 f.

16 Heinz Heitzer, »Neue Probleme der Erforschung der Geschichte der DDR«, in: ZfG 8/1972, S. 954 ff., hier S. 959.

17 Ebenda.

18 Vgl. auch Ulrich Neuhäußer-Wespy, »Die SED und die Historie. Probleme und Aspekte der gegenwärtigen Umorientierung in der Geschichtswissenschaft der DDR«, in: Aus Politik und Zeitgeschichte – Beilage zur Wochenzeitung »Das Parlament« 41/1976, S. 30 ff., sowie die dort nachgewiesene DDR-Literatur.

19 Günter Benser/Heinz Heitzer, »Die Gründung der DDR – Ergebnis einer erfolgreichen Volksbewegung«, in: ZfG 3/1978, S. 209 ff.

20 Geschichte der Sozialistischen Einheitspartei Deutschlands. Abriß, Berlin (O.) und Frankfurt a. M. 1978.

21 Vgl. Ulrich Neuhäußer-Wespy, »Nation neuen Typs. Zur Konstruktion einer sozialistischen Nation in der DDR«, in: Deutsche Studien Nr. 52 (Dezember 1975), S. 357 ff.

22 Walter Schmidt war 1981 Direktor des Instituts für Geschichte der deutschen Arbeiterbewegung an der Akademie für Gesellschaftswissenschaften beim ZK der SED und ist heute Direktor des Zentralinstituts für Geschichte der Akademie der Wissenschaften der DDR.

23 Walter Schmidt, »Das Gewesene ist nie erledigt. Worauf muß sich eine Nationalgeschichte der DDR stützen?«, in: Sonntag 27/1981, S. 9.

24 Ebenda; vgl. hierzu auch Ulrich Neuhäußer-Wespy, »Von der Urgesellschaft bis zur SED. Anmerkungen zur ›Nationalgeschichte der DDR‹«, in: Deutschland Archiv (DA) 2/1983, S. 145 ff., sowie Johannes Kuppe, »Die Geschichtsschreibung der SED im Umbruch«, in: DA 3/1985, S. 278 ff.

25 Neues Deutschland (ND) 2./3. 2. 1985, S. 3.

26 Tribüne, 21., 22., 23., 24. und 25. 10. 1985, jeweils S. 4.

27 Tribüne, 21. 10. 1985, S. 4.

28 Deutsche Geschichte in zwölf Bänden, hrsg. vom Zentralinstitut für Geschichte der Akademie der Wissenschaften der DDR, Berlin (O.) und Köln, Bd. 1/1982, S. 118 ff. und S. 8 (Rezension der ersten drei Bände in: DA 6/1985, S. 652 ff.).
29 Deutsche Geschichte, Bd. 2/1983, S. 8.
30 Ebenda.
31 Schmidt, a. a. O. (Anm. 23).
32 Evamaria Engel, »Zum Platz mittelalterlicher Könige im marxistisch-leninistischen Bild der deutschen Geschichte«, in: ZfG 9/1981, S. 820 ff.; ebenso Deutsche Geschichte, Bd. 2.
33 Deutsche Geschichte, Bd. 2, S. 275.
34 Erich Honecker am 13. 6. 1980 anläßlich der Konstituierung des staatlichen Luther-Komitees, in: ND 14./15. 6. 1980, S. 3.
35 Thesen über Martin Luther. Zum 500. Geburtstag, in: ZfG 10/1981, S. 879 ff.; veröffentlicht auch in: Einheit 9/1981, S. 890 ff.; dokumentiert in: DA 2/1983, S. 198 ff., hier These VI.
36 ND 10. 11. 1983, S. 3.
37 Gerhard Brendler, Martin Luther. Theologie und Revolution, Berlin (O.) u. Köln 1983, S. 444.
38 Ebenda, S. 7 f.
39 Klassenkampf – Tradition – Sozialismus. Von den Anfängen der Geschichte des deutschen Volkes bis zur Gestaltung der entwickelten sozialistischen Gesellschaft in der Deutschen Demokratischen Republik. Grundriß, Berlin (O.) 1974, S. 157. So auch noch in der 2. Auflage dieses Buches, das unter dem (umgestellten) Titel »Grundriß der deutschen Geschichte. Von den Anfängen der Geschichte des deutschen Volkes bis zur Gestaltung der entwickelten sozialistischen Gesellschaft in der Deutschen Demokratischen Republik. Klassenkampf – Tradition – Sozialismus« 1979 in Berlin (O.) erschienen ist; vgl. ebenfalls S. 157.
40 So Abusch unter Bezugnahme auf Ludwig Börne, a. a. O. (Anm. 1), S. 25.
41 Alfred Meusel, Thomas Müntzer und seine Zeit, Berlin (O.) 1952, S. 118.
42 Ingrid Mittenzwei, »Die zwei Gesichter Preußens«, in: Forum 19/1978, S. 9, dokumentiert in: DA 2/1983, S. 214 ff.
43 Dies., Friedrich II. von Preußen. Eine Biographie, Berlin (O.) 1979.
44 Ebenda, S. 212.
45 So z. B. in Die Welt vom 17. September 1984, S. 4. Der Irrtum, in der DDR sei man zu der Benennung »Friedrich der Große« zurückgekehrt, beruht wohl auf dem Interview, das Honecker Robert Maxwell, dem Herausgeber seiner Autobiographie, am 4. Juli 1980 gegeben hat, abgedruckt in: Erich Honecker, Aus meinem Leben, Oxford und Berlin (O.) 1980, S. 437.
46 In Ost-Berlin fand eine wissenschaftliche Konferenz über die Rolle der Hugenotten in Wirtschaft und Kultur Brandenburg-Preußens statt – übrigens unter Beteiligung von Gästen aus der Bundesrepublik Deutschland und aus dem Ausland sowie von Vertretern der evangelischen Kirchen in der DDR; vgl. ND vom 26./27. Oktober 1985, S. 2, und 28. 10. 1985, S. 2.
47 Bruno Zilch, »Das Edikt von Potsdam. Zur 300. Wiederkehr der Aufnahme der Refugiés in Brandenburg-Preußen«, in: ZfG 9/1985, S. 823 ff.
48 Ingrid Mittenzwei, Staatsräson und Mitgefühl. Vor 300 Jahren unterzeichnete Kurfürst Friedrich Wilhelm das Potsdamer Edikt, in: ND vom 2./3. November 1985, S. 13.
49 Schmidt, a. a. O. (Anm. 23).
50 Reiner Groß, »August der Starke und das historische Erbe seiner Zeit«, in: Deutsche Lehrerzeitung Nr. 44/1984.
51 Besprechungen des Films in: Junge Welt vom 28./29. Dezember 1985, S. 6, und Sonntag Nr. 3/1986, S. 5.
52 Ernst Engelberg, Bismarck. Urpreuße und Reichsgründer, Berlin (Ost u. West) 1985.
53 So Gustav Seeber in einer Rezension, in: ND vom 19./20. Oktober 1985, S. 10.
54 Vgl. Die Welt vom 21. März 1986, S. 4.
55 Das Anfang 1984 erschienene Wörterbuch der Geschichte folgt noch der alten Lesart. Vermutlich lag der Redaktionsschluß zu früh für eine Berücksichtigung der Linienänderung.
56 Tagungsberichte in: ND vom 19. Juli 1984, S. 1 f.; vgl. auch ZfG Heft 3/1985, S. 247 f.; Beiträge zur Geschichte der Arbeiterbewegung Heft 1/1985, S. 106 f.; Peter Jochen Winters, »Neue Beurteilung des 20. Juli 1944«, in: DA 9/1984, S. 903 ff.
57 Roland Krayer, »Als Theologe wider den faschistischen Ungeist. Heute vor 80 Jahren wurde Dietrich Bonhoeffer geboren«, in: ND vom 4. Februar 1986, S. 6.
58 750 Jahre Berlin. Thesen, in: ND 14./15. 12. 1985, S. 9 ff., und Einheit 1/1986, S. 47 ff.
59 Vgl. hierzu Ilse Spittmann, »Denkmalpflege«, in: DA Heft 5/1983, S. 449 ff.; Peter Jochen Winters, »Wiederaufbau in Ost-Berlin«, in: DA Heft 12/1985, S. 1304 ff.; Karl-Heinz Krüger, »Eine Kelle Mauerwerk fürs Gemüt«, in: Der Spiegel 13/1986, S. 266 ff.
60 Vgl. Gerd-H. Zuchold, »Der Abriß der Ruinen des Stadtschlosses und der Bauakademie in Ost-Berlin. Vom Umgang mit Denkmälern preußischer Geschichte in der Frühzeit der DDR«, DA Heft 2/1985, S. 178 ff.

Johannes L. Kuppe

Die SED im Sowjetsystem und im Weltkommunismus

I. Ideologische und politische Grundlagen

Zur internationalen kommunistischen Bewegung zählen gegenwärtig die 15 regierenden kommunistischen Parteien mit rund 75 Millionen Mitgliedern und etwa 85 nichtregierende kommunistische Parteien mit rund 5 Millionen Mitgliedern in der ganzen Welt (Stand: 1985). Unter den regierenden kommunistischen Parteien rangiert die SED mit rund 2,3 Millionen Mitgliedern an vierter Stelle, hinter der KP Chinas (40 Millionen), der KPdSU (18,3 Millionen) und der KP Rumäniens (3,5 Millionen).[1]

Proletarischer und Sozialistischer Internationalismus

Für den Aufbau aller marxistisch-leninistischen Parteien und die Gestaltung der Beziehungen zwischen ihnen gilt ohne Einschränkung das auf Marx, Engels und Lenin zurückgeführte Prinzip des Proletarischen Internationalismus. Seine wichtigsten Elemente sind:

- gemeinsame Interessen der internationalen Arbeiterklasse (»ihr internationalistisches Wesen«) im Kampf gegen eine international agierende Bourgeoisie;
- gemeinsames Ziel (Errichtung der klassenlosen Gesellschaft des Kommunismus »im Weltmaßstab«);
- Vertrauen und Gleichberechtigung zwischen den Werktätigen aller Nationen und Länder;
- Einheit des Handelns;
- Solidarität, gegenseitige Hilfe und Unterstützung;
- möglichst weitgehende Übereinstimmung der ideologisch-theoretischen Auffassungen.

Solange die Sowjetunion der einzige kommunistisch regierte Staat auf der Erde war – also von der Oktoberrevolution in Rußland 1917 bis zum Ende des Zweiten Weltkrieges –, hatte der Proletarische Internationalismus in erster Linie die Funktion, andere kommunistische Parteien auf unbedingte Solidarität mit der UdSSR, vor allem aber auf Unterordnung unter die Interessen der KPdSU festzulegen. Der Proletarische Internationalismus schließt *»die Bereitschaft ein, die UdSSR gegen alle Anschläge des Imperialismus zu schützen und zu verteidigen«*.[2]
Nach dem Zweiten Weltkrieg entstanden in Osteuropa und dem sowjetisch besetzten Teil Deutschlands mit Hilfe der Roten Armee weitere kommunistische Regierungen. Dadurch gewann der Proletarische Internationalismus eine »neue Qualität«: Er wurde zum Sozialistischen Internationalismus.
Während der Proletarische Internationalismus generell die Beziehungen zwischen kommunistischen Parteien, regierenden wie nichtregierenden, bestimmt, regelt der Sozialistische Internationalismus das gesamte zwischenstaatliche Verhältnis der kommunistisch regierten Länder – nach offizieller Lesart – auf der Grundlage folgender Prinzipien: Gleichberechtigung, Souveränität, Integrität, Nichteinmischung in innere Angelegenheiten, Verteidigung und Schutz der sozialistischen Errungenschaften. Die »brüderliche Hilfe« bei der Niederschlagung der ungarischen Revolution 1956, der Okkupation der Tschechoslowakei 1968 und Afghanistans 1979 stützte sich auf das zuletzt genannte Prinzip, im Westen auch als Breshnew-Doktrin bezeichnet. Das Prinzip der Nichteinmischung wird damit außer Kraft gesetzt.
Der Proletarische/Sozialistische Internationalismus läßt sich als marxistisch-kommunistischer Verhaltenskanon verstehen, der das gesamte Beziehungsgeflecht zwischen kommunistischen Parteien bzw. Staaten umfassend gestaltet oder

doch gestalten soll. Er ist in allen kommunistisch regierten Ländern Verfassungsgrundsatz und liegt ihren zweiseitigen Freundschafts- und Beistandsverträgen ebenso zugrunde wie dem östlichen Militärbündnis, dem Warschauer Pakt, und dem Rat für Gegenseitige Wirtschaftshilfe.
Ideologische Grundlage ist die angebliche »objektive« Übereinstimmung der Interessen von Arbeiterklasse und Volksmassen, wie sie im Historischen Materialismus sowjetischer Prägung und in der Lehre vom Wissenschaftlichen Kommunismus begründet wird: Da nur Kommunisten über die »richtige« weltanschauliche »Erkenntnis« verfügen, sind sie allein in der Lage und befugt, diese Interessen zu artikulieren und politisch durchzusetzen.
Für die staatliche Außenpolitik und die Außenbeziehungen der SED hat dies erhebliche praktische Konsequenzen. Im Falle kommunistisch regierter Länder sind die Partei- und Staatsbeziehungen nur zwei Seiten einer Medaille – die staatliche Außenpolitik vollzieht, was die Partei beschlossen hat. Der Proletarische Internationalismus verlangt aber solidarische Beziehungen zu *allen* kommunistischen Parteien, auch wenn sie in ihren Heimatländern keine Rolle spielen oder verboten und verfolgt sind.
Die Parteibeziehungen können der staatlichen Außenpolitik hinderlich sein, wenn das Staatsinteresse aus wirtschaftlichen oder übergeordneten politischen Gründen gute Beziehungen zu antikommunistischen Regierungen, Diktaturen oder Militärregimen erfordert wie beispielsweise in der arabischen Region, im Iran und in Lateinamerika. Dann ist eine Güterabwägung nötig – häufig bleibt dabei die Solidarität auf der Strecke.

Das Sozialistische Weltsystem

Die Gesamtheit aller kommunistisch regierten Länder bildet nach der marxistisch-leninistischen Lehre das Sozialistische Weltsystem, dessen »Hauptkraft« die Sowjetunion ist. *»Das sozialistische Weltsystem ist die größte geschichtliche Leistung und Errungenschaft der internationalen Arbeiterklasse; es ist der Hauptfaktor der Veränderung des internationalen Kräfteverhältnisses zugunsten des sozialen Fortschritts und des Friedens, es verkörpert die Perspektiven der gesellschaftlichen Entwicklung unserer Epoche.«*
». . . der zielstrebige Ausbau des Bruderbundes mit der Sowjetunion und den anderen Staaten der sozialistischen Gemeinschaft (nimmt) in den außenpolitischen Zielsetzungen der SED den Vorrang ein.«[3]
Zum Sozialistischen Weltsystem rechnen im einzelnen die sieben Teilnehmerstaaten des Warschauer Vertrages: Sowjetunion, Polen, DDR, Tschechoslowakei, Ungarn, Bulgarien, Rumänien, ferner die Mongolische Volksrepublik, die Republik Kuba, die Sozialistische Republik Vietnam, die Volksdemokratische Republik Laos, die Volksrepublik Kampuchea und die Koreanische Demokratische Volksrepublik. Außerdem werden die Volksrepublik China (wieder seit Anfang der 80er Jahre) und die Sozialistische Volksrepublik Albanien (noch) zum Sozialistischen Weltsystem gezählt. Die Sozialistische Föderative Republik Jugoslawien wird von der SED nicht zum Sozialistischen Weltsystem gerechnet. Dies entspricht auch dem Selbstverständnis der dort regierenden kommunistischen Partei, des Bundes der Kommunisten Jugoslawiens (BdKJ). In einem weiteren Sinne wird man ihn jedoch als Teil der Internationalen Kommunistischen Bewegung (im folgenden: IKB) ansehen müssen. Die jugoslawischen Kommunisten selbst verstehen sich als integraler (kommunistischer) Bestandteil der Bewegung der blockfreien, nichtpaktgebundenen Staaten.
Inwieweit auch die in der Volksdemokratischen Republik Jemen sowie in den afrikanischen Volksrepubliken Mocambique, Äthiopien und Angola herrschenden sozialistischen/kommunistischen Parteien zur internationalen kommunistischen Bewegung bzw. sogar diese Staaten zum Sozialistischen Weltsystem gezählt werden müssen, muß offenbleiben.[4] Diese Parteien bekennen sich zwar zum Marxismus-Leninismus und insbesondere zum Proletarischen Internationalismus, doch hat es die SED, ebenso wie andere regierende Parteien der Warschauer-Pakt-Staaten, bisher vermieden, den Sozialistischen Internationalismus als entscheidendes Prinzip für die Gestaltung der Beziehungen zu diesen Parteien und Staaten zu benennen.

Die Stellung der SED innerhalb der IKB beschreibt das vom IX. Parteitag 1976 verabschiedete (2.) Programm der Einheitspartei:
». . . Die Sozialistische Einheitspartei Deutschlands ist eine Abteilung der internationalen kommunistischen Bewegung. Sie steht fest auf dem Boden des proletarischen Internationalismus. Sie ist brüderlich verbunden mit der Kommunistischen Partei der Sowjetunion, der erprobtesten und erfahrensten kommunistischen Partei, die in der Großen Sozialistischen Oktoberrevolution als erste die Arbeiterklasse im Bunde mit den werktätigen Bauern an die Macht führte . . . Die siegreiche sozialistische Revolution in der Deutschen Demokratischen Republik vollzog sich im untrennbaren Zusammenhang mit dem revolutionären Weltprozeß. Sie war Bestandteil der Herausbildung des sozialistischen Weltsystems und unmittelbar verflochten mit dem Aufbau der entwickelten sozialistischen Gesellschaft in der Sowjetunion und den sozialistischen Revolutionen in anderen Ländern . . .«

Auseinandersetzungen über den Internationalismusbegriff

Diese allgemeinen theoretisch-programmatischen Aussagen sind in den letzten Jahren von SED-Spitzenfunktionären um einige neue Aspekte ergänzt worden.
Das betrifft in erster Linie das Verhältnis von nationalen Interessen und internationalen Verpflichtungen kommunistischer Parteien, das bisher in der marxistisch-leninistischen Theorie mit der vagen Formel »Dialektik von Nationalem und Internationalem« umschrieben wurde. Die SED als regierende kommunistische Partei in einem nationalen Teilstaat hat für diese Problematik stets besondere Sensibilität gezeigt. Bisher ist die offizielle Parteilinie nicht grundsätzlich von den Beschlüssen der drei kommunistischen Weltkonferenzen (1957, 1960, 1969) abgewichen, auf denen versucht wurde, das Binnenverhältnis der IKB festzuschreiben. Dies gilt zunächst für die 12-Parteien-Deklaration vom November 1957[5], in der die Beachtung von 10 »allgemeinen Gesetzmäßigkeiten« beim Aufbau des Sozialismus/Kommunismus für absolut verbindlich erklärt und nationale Besonderheiten als Grund für theoretische und praktische Abweichungen von der – sowjetisch bestimmten – Generallinie nicht zugelassen wurden. Die SED fühlte sich auch in den 80er Jahren an diese Deklaration gebunden; das hat sie noch am Ende der Breshnew-Ära deutlich gemacht.[6] Aber auch das grundlegende Dokument der 81-Parteien-Konferenz vom Dezember 1960, in dem jeder KP erstmalig eine begrenzte Selbständigkeit eingeräumt wurde, betrachtet die SED als verbindlich für ihre Politik gegenüber anderen kommunistischen Parteien. Auf der Konferenz der 75 kommunistischen und Arbeiterparteien im Juni 1969 in Moskau erreichten dann die Verfechter größerer Eigenständigkeit innerhalb der IKB (»Autonomisten«), daß im – auch von der SED unterzeichneten – Abschlußdokument auf das Fehlen eines *»leitenden Zentrums«* in der *»kommunistischen Weltbewegung«* ausdrücklich hingewiesen wurde. Die im Juni 1976 – als Ersatz für eine nicht mehr zustande gekommene vierte Weltkonferenz – in Berlin (Ost) veranstaltete Konferenz von 26 europäischen kommunistischen und Arbeiterparteien hat eine Abschlußerklärung beschlossen, in der der Begriff des Proletarischen Internationalismus zum ersten Mal in einem Grundsatzdokument der IKB nicht mehr vorkommt.
Der Verzicht auf diesen – seit der gewaltsamen Niederschlagung des Ungarnaufstandes durch die sowjetischen Truppen 1956 und den Einmarsch der Warschauer-Pakt-Staaten im Herbst 1968 in die Tschechoslowakei besonders diskreditierten – Begriff war zunächst nur konferenztaktisch bestimmt. Einige europäische kommunistische Parteien, allen voran die italienische und die jugoslawische, wollten den sowjetischen Interventionismus nicht nachträglich legitimieren. Die SED-Führung konnte und wollte vom Proletarischen/Sozialistischen Internationalismus gar nicht *prinzipiell* Abstand nehmen, weil dieser die sowjetische Existenzgarantie für das SED-Regime ideologisch abstützt und die Sowjetunion politisch-moralisch in die Pflicht nimmt. So wird z. B. in nahezu allen Freundschaftsverträgen (Ausnahmen: einige Entwicklungsländer), die die DDR seit 1975 abgeschlossen hat, der Proletarische Internationalismus als ideologisch-politische Grundlage ausdrücklich erwähnt.

Ende der 70er, Anfang der 80er Jahre setzte aber auch in der DDR eine neue Diskussion über den Proletarischen Internationalismus ein. Dabei ging es in erster Linie um die »richtigen« marxistisch-leninistischen Beziehungen der sozialistisch-kommunistisch regierten Staaten unter- und zueinander. Die Auslegung des Begriffs Proletarischer Internationalismus involviert stets auch die Frage nach dem Wechselverhältnis von nationalstaatlichen und gemeinsamen (internationalen) Interessen der kommunistischen Parteien. Deshalb berührt diese Diskussion in entscheidender Weise die gesamte politische Struktur der IKB.

Die Diskussion erhielt durch den Beginn der massiven militärischen Intervention Moskaus in Afghanistan im Dezember 1979, aber auch durch die Entwicklung in der Sowjetunion selbst in der Endphase der Breshnew-Ära (Breshnew starb im November 1982) zusätzliche Nahrung. Der Einmarsch im sowjetischen Nachbarland Afghanistan wurde ausdrücklich als »brüderliche Hilfe«, also als praktizierter Proletarischer Internationalismus, bezeichnet. Damit sahen sich alle jene Kritiker in Ost und West bestätigt, die in dem Begriff vor allem eine Legitimation für den politisch-militärischen Interventionismus der sowjetischen Großmacht sahen. Hinzu kam, daß die UdSSR seit Anfang der 80er Jahre in eine schwere Führungskrise steuerte, die faktisch zur Dialogunfähigkeit mit dem ideologisch-politischen Gegner *und* den eigenen Verbündeten führte. Die KPdSU als Zentrum der internationalen kommunistischen Bewegung wurde ihrem Führungsanspruch im kommunistischen Lager immer weniger gerecht.

Aufwertung des nationalen Aspekts

In einer 1981 in der DDR erschienenen, gemeinsam von sowjetischen, polnischen, tschechoslowakischen, bulgarischen, ungarischen und DDR-Autoren verfaßten Monographie ist das Thema Sozialistischer Internationalismus systematisch und kritischer als zuvor entfaltet worden.[7] Die zentralen Aussagen dieser offiziösen Arbeit beziehen sich auf die »Gemeinschaft sozialistischer Länder«. Ihr Tenor ist zwar noch überwiegend von der Sicht der 50er und 60er Jahre bestimmt. *»Bestimmte Schwierigkeiten«* und *»Mißerfolge dieser oder jener Abteilung der revolutionären Weltbewegung«* werden eingeräumt, doch noch ausschließlich *»Überresten des Nationalismus in den sozialistischen Ländern«* und *»opportunistischen und revisionistischen Tendenzen in der heutigen Arbeiterbewegung«* angelastet. In einem kurzen Schlußkapitel behandeln die Verfasser jedoch Probleme der IKB auf neue Weise. Den spezifischen nationalen Interessen wird insofern Berechtigung zugesprochen, als sich *»der Inhalt der internationalen Interessen der Bruderparteien im Prisma der nationalen Interessen . . . widerspiegelt«*. Schließlich gibt es Hinweise auf ein mögliches Aufgeben tradierter Harmonievorstellungen:

»Die grundlegende Gemeinsamkeit der wichtigsten Interessen bedeutet natürlich nicht, daß alle Aspekte der nationalen und internationalen Interessen der sozialistischen Länder in vollem Umfang und automatisch übereinstimmen. Um die entstehenden Widersprüche aus dem Weg zu räumen und eine Einheit von Dauer zu gewährleisten, ist es erforderlich, die verschiedenen Aspekte in den Interessen der sozialistischen Länder bewußt und planmäßig miteinander zu verbinden . . .«

In einer unter ausschließlicher Verantwortung von DDR-Autoren entstandenen Arbeit aus dem gleichen Jahr[8] wird das Nationale gegenüber dem Internationalen weiter aufgewertet. Die Existenz von Widersprüchen zwischen nationalen und Gemeinschaftsinteressen und damit zwischen den einzelnen kommunistischen Ländern und Parteien wird nicht mehr als systemwidrig angesehen. Die *»nationalen Interessen . . ., die immer und in jedem Fall Interessen der Werktätigen sind«*, müssen sich nicht mehr in jedem Fall in bestimmten Situationen den internationalen Interessen unterordnen. Bestehende Widersprüche werden sogar positiv interpretiert:

»Unterschiede in der Interessenlage in bestimmten konkreten Fragen sind deshalb durchaus möglich und zeigen sich in der Praxis. Daraus können in bestimmten Fällen objektiv bedingte Widersprüche entstehen, die allerdings – da sie nichtantagonistischen Charakter tragen – bei richtiger Politik der sozialistischen Staaten im gemeinsamen Interesse und zum Nutzen und Vorteil jedes be-

troffenen sozialistischen Staates gelöst werden können.«[9]

Annäherung an polyzentristische Positionen

Vor dem Hintergrund dieser Aussagen ist von einer *»neuen Dialektik des Nationalen und Internationalen«*[10] gesprochen worden. Im Herbst 1984, in einer Situation, in der sich die SED-Führung wegen ihrer Westpolitik heftiger sowjetischer Kritik ausgesetzt sah[11], beschrieb der Direktor des Instituts für Internationale Arbeiterbewegung an der Akademie für Gesellschaftswissenschaften beim ZK der SED, Neubert, die Auffassungen der Parteispitze noch einmal in deutlicher Weise und wies dabei unmißverständlich auf die Selbständigkeit der kommunistischen Parteien innerhalb der IKB hin. *»Unterschiedliche Einschätzungen«, »Diskussionen und gelegentlich auch Meinungsverschiedenheiten zwischen einzelnen Parteien und auch innerhalb einzelner Parteien«* stellte Neubert als geradezu selbstverständlich hin.

»Die Dialektik des Nationalen und des Internationalen, die dem proletarischen Internationalismus zugrunde liegt, bestimmt mehr denn je die Beziehungen zwischen den kommunistischen Parteien und ihr Zusammenwirken. Die internationale Kommunistische Bewegung ist und bleibt eine freiwillige Kampfgemeinschaft gleichberechtigter und selbständiger Parteien, deren Wirksamkeit, Einfluß und Kampferfolge nicht von der Fähigkeit und Bereitschaft getrennt werden können, die nationale und internationale Verantwortung organisch miteinander zu verbinden.«[12]

Einerseits wird unverrückbar an den alle kommunistischen Parteien verpflichtenden »allgemeinen Gesetzmäßigkeiten beim Aufbau des Sozialismus« festgehalten. Andererseits geben die Ideologiefachleute der SED durch Aufwertung der nationalen Komponenten Verständnis für die auf voller Souveränität bestehenden autonomen kommunistischen Parteien (vor allem in Westeuropa und Jugoslawien) zu erkennen.

Diese Position, die die Vertreter abweichender, z. B. polyzentristischer Strömungen in der IKB nicht mehr aus dem politischen Dialog ausgrenzt, hat sowjetisches Vertrauen nicht beeinträchtigt, jedoch das Ansehen der SED bei den autonomistischen kommunistischen Parteien vergrößert. Sie unterhält heute neben den Präferenzbeziehungen zu den kommunistischen Parteien der sozialistischen Gemeinschaft (Warschauer Pakt und Rat für Gegenseitige Wirtschaftshilfe) zu fast allen anderen kommunistischen Parteien des Globus freundschaftliche, zumindest korrekte Beziehungen. Da sich der Zwang, in den Parteibeziehungen ausschließlich sowjetische Positionen vertreten zu müssen, reduziert hat, sind störende Friktionen zwischen Partei- und Staatsbeziehungen, zwischsen staatlicher und Parteiaußenpolitik seltener geworden. Dies wiederum hat den außenpolitischen Handlungsspielraum der DDR vergrößert.

In den veröffentlichten Materialien des XI. Parteitages der SED vom April 1986 kommt zum ersten Mal der Begriff des Proletarischen Internationalismus expressis verbis nicht mehr vor, vom revolutionären Weltkommunismus ist nirgendwo die Rede, die Zusammenarbeit mit den anderen regierenden (Ausnahme KPdSU) und nichtregierenden kommunistischen Parteien wird nur noch knapp, eher beiläufig, im allgemeinen Pflichtenkatalog der SED erwähnt.[13]

Neue Deutung der friedlichen Koexistenz

Ein ideologischer Wandel deutet sich auch in der staatlichen Außenpolitik an. Die friedliche Koexistenz, *»Grundprinzip sozialistischer Außenpolitik gegenüber Staaten mit entgegengesetzter oder anderer Weltanschauung«*[14], wurde früher in erster Linie als Form des Klassenkampfes definiert, die günstige Bedingungen für die soziale Revolution schaffen sollte. Dieses Kriterium wird neuerdings dem *»friedlichen Wettbewerb«* und der *»friedlichen Rivalität«* nachgeordnet. Der Wechsel der Prioritäten wird für notwendig erklärt, weil *»die Verhinderung eines atomaren Infernos zu einer Existenzfrage für die Menschheit geworden ist«*[15].

Auch grundlegende Fragen der kommunistischen Militärdoktrin werden überprüft. Krieg wird in den offiziellen Wörterbüchern zwar noch immer als »Fortsetzung der Politik mit gewaltsamen Mitteln« definiert. Aber in aktuellen politischen Stellungnahmen gehen die führenden SED-Politiker davon aus, daß im Nuklearzeital-

ter Krieg kein Mittel der Politik mehr sein könne. *»In einem Nuklearkrieg gäbe es weder Sieger noch Besiegte«* (Erich Honecker auf dem XI. Parteitag der SED im April 1986).
Das Klasseninteresse des internationalen Proletariats an der Verhinderung eines Kernwaffenkrieges wird ersetzt durch das Gattungsinteresse der Menschheit.
Diese Neueinschätzung des Kriegsbegriffs hat folgerichtig eine Diskussion über die kommunistische Theorie von den gerechten und ungerechten Kriegen ausgelöst. Es wird öffentlich die Frage gestellt, ob im Nuklearzeitalter ein Krieg überhaupt noch gerecht sein könne, auch wenn er von seiten der sozialistischen Länder oder national unterdrückter Völker ein Verteidigungs- bzw. Befreiungskrieg sei.[16]
Zusammenfassend läßt sich feststellen, daß die lange Zeit festgefügt erscheinenden ideologischen Grundlagen des kommunistischen Staatensystems und der kommunistischen Weltbewegung in den achtziger Jahren ins Wanken geraten sind. Die SED, die früher eher dem orthodox-dogmatischen Flügel im internationalen Kommunismus zugerechnet werden mußte, paßt sich dem Wandel an und bemüht sich um eine nationale Profilierung. Der Grundkonsens mit der sowjetischen Führungsmacht wird aber – schon aus Gründen der Existenzsicherung – nicht in Frage gestellt.

II. Das Verhältnis der SED zu den regierenden kommunistischen Parteien

1. Die KPdSU

SED und KPdSU verbinden besondere, in der Geschichte kommunistischer Parteien einmalige Beziehungen. Das hat historische, machtpolitische und psychologische Ursachen.
Die SED entstand durch den mehr oder weniger von der sowjetischen Besatzungsmacht erzwungenen Zusammenschluß von KPD und SPD. Sie verdankt die Übernahme der Staatsmacht in einem Teil Deutschlands einzig und allein dem Vordringen der Sowjetunion bis in die Mitte Europas als Folge der Zerschlagung des Hitlerfaschismus. Sie ist und bleibt also eine Schöpfung der KPdSU, auch wenn sie viel Mühe darauf verwendet, sich in die Tradition der deutschen Arbeiterklasse zu betten und ihrer Politik ein nationales Profil zu geben.
Bis in die Gegenwart hat die SED nicht beweisen können, daß sie ohne die Existenzgarantie der KPdSU/UdSSR, für Ost und West sichtbar in den 400 000 Mann sowjetischer Truppen in der DDR, überleben, geschweige denn eine Mehrheit der Bevölkerung für sich gewinnen kann. Auch wenn die »Gruppe der Sowjetischen Streitkräfte in Deutschland«, der größte außerhalb der sowjetischen Grenzen unterhaltene militärische Verband Moskaus, nicht mehr unmittelbar in die Angelegenheiten der DDR und der SED eingreift, so bleiben die sowjetischen Truppen der letztlich entscheidende Machtfaktor, der die Abhängigkeit der SED und den sowjetischen Einfluß sichtbar macht. Daß sich das »Volk der DDR längst für den Sozialismus«, also für die SED und ihr Herrschaftssystem, entschieden habe, wird so lange als Propagandaformel angesehen werden müssen, wie eine freie Willensäußerung der Beherrschten nicht vorliegt.
Hieraus resultieren zum größeren Teil jene psychologischen Faktoren, die das besondere Verhältnis SED–KPdSU bestimmen. Die eigentliche Machtelite, das Politbüro und die führenden Personen im ZK-Apparat, haben die geschilderten machtpolitischen Umstände internalisiert, d. h. zu Konstanten ihres Entscheidungsprozesses gemacht. Die sowjetischen Interessen werden in der Tagespolitik der SED/DDR fast automatisch berücksichtigt. Dies schließt gelegentliche erhebliche Meinungsverschiedenheiten mit der KPdSU nicht aus, verhindert aber, daß es zu einem Bruch (wie 1956 in Ungarn, 1968 in der ČSSR) oder auch nur zu gefährlichen Konflikten (wie 1981/82 in Polen) kommen kann.
Schließlich ist zu berücksichtigen, daß in der DDR eine Elite an der Macht ist, die – z. T. aufgrund ihrer Biographie – in der KPdSU und der Sowjetunion die größte politische Errungenschaft der europäischen Geschichte dieses Jahrhunderts sieht. Das Gewicht persönlicher Erfahrungen und Bindungen von Herrschaftseliten darf auch bei der Betrachtung des Sonderverhältnisses SED–KPdSU nicht übersehen werden. Die Geschichte der Parteibeziehungen von SED und KPdSU ist keineswegs konfliktlos ver-

laufen.[17] Sie kann hier nicht nachgezeichnet werden. Aber auch eine Darstellung, die sich auf die aktuelle Situation beschränkt, läßt die wichtigsten Elemente dieser Beziehung deutlich werden. Für die SED-Führung gilt, was Generalsekretär Honecker am Vorabend des XI. Parteitages so formulierte:

»Ein Garant unseres Vorausschreitens sind unser für alle Zeiten unzerstörbarer Bruderbund mit der KPdSU und der Sowjetunion, die feste Verankerung der DDR in der sozialistischen Gemeinschaft.«[18]

Der XI. Parteitag der SED im April 1986 wurde durch die Anwesenheit des neuen sowjetischen Generalsekretärs Gorbatschow ausgezeichnet. Seit seiner Amtsübernahme im März 1985 war dies der erste Parteitag einer Bruderpartei, an dem Gorbatschow teilnahm. Zuletzt war 1971 Generalsekretär Breshnew zum VIII. Parteitag der SED nach Ost-Berlin gekommen.

Die Analyse der Reden Honeckers und Gorbatschows auf dem XI. Parteitag liefert eine relativ genaue Zustandsbeschreibung für die Beziehungen zwischen beiden Parteien. Honecker bekräftigte im ZK-Bericht[19] die *»feste Kampfgemeinschaft mit der KPdSU«* und die *»brüderliche Verbundenheit«*, betonte zugleich aber bemerkenswert deutlich die *»Selbständigkeit und Eigenverantwortung«* jeder Partei. Zugleich vermied der SED-Chef jede unterwürfige Lobhudelei für die KPdSU. Die sowjetische Partei wurde nicht mehr, wie fast 40 Jahre lang, als Vorbild *in jeder Hinsicht* für die SED gefeiert. Honecker konnte sich dabei auf den sowjetischen Generalsekretär selber berufen, der auf dem vorangegangenen XXVII. Parteitag der KPdSU mit bis dahin nicht erlebter Eindeutigkeit den Anspruch einer einzelnen kommunistischen Partei *»auf den Monopolbesitz der Wahrheit«*[20] zurückgewiesen hatte. Gleichwohl ließ Gorbatschow auf dem SED-Parteitag[21] und kurz danach, bei einem Treffen mit dem gesamten SED-Politbüro[22], erkennen, daß er den sowjetischen Respekt für die spezifischen Entwicklungswege der Bündnispartner durch deren Bereitschaft zu verstärkter Zusammenarbeit auf ökonomischem wie wissenschaftlich-technischem Gebiet und durch mehr Koordination in der Westpolitik honoriert sehen will.

Der Zusammenarbeit auf Parteiebene wird von beiden Parteiführungen größte Bedeutung beigemessen.[23] Zwar sind seit dem Tode Breshnews im November 1982 die Begegnungen auf der Ebene der Generalsekretäre seltener geworden (mit Breshnew hatte sich Honecker von 1971 bis 1982 rund drei Dutzend Mal getroffen), die jährlichen bilateralen Treffen auf der Krim sind ganz weggefallen. Doch gab es auch mit Gorbatschow von März 1985 bis Ende 1986 mindestens sechs offiziell bekanntgewordene Zusammenkünfte, z. T. aus Anlaß multilateraler Beratungen im Rahmen des Warschauer Paktes.

Jährlich kommt es zu rund zwei Dutzend Kontakten auf hoher Ebene zwischen Mitgliedern und Kandidaten der Politbüros beider Parteien mit Empfang durch die Generalsekretäre und zwischen ZK-Abteilungsleitern bzw. leitenden Funktionären der Parteiapparate. (Die Beratungen und Informationsbesuche hoher Staatsfunktionäre mit Parteifunktionen bleiben hier außer Betracht; ihre Qualität hat jedoch unter Gorbatschow noch zugenommen.)

Besondere politische Bedeutung kommt allen Formen der seit 1971 von Honecker forcierten ideologisch-politischen Abstimmung zwischen beiden Parteien zu. Zunächst sporadisch, seit Mitte der siebziger Jahre in der Regel jährlich ein- bis zweimal treffen sich die ZK-Sekretäre für Ideologie, Agitation und Propaganda sowie für Internationale Verbindungen auf bilateraler und multilateraler Ebene. Konkrete Ergebnisse dieser Beratungen werden nicht publiziert; es ist aber davon auszugehen, daß hier alle grundsätzlichen Absprachen, formalisiert in Jahres- und Zweijahresarbeitsplänen, für alle Bereiche der Partei-Zusammenarbeit getroffen werden. Hierzu gehören der regelmäßige Austausch von Studiendelegationen und Lektoren für Parteischulen, die Zusammenarbeit der Parteihochschulen und -akademien, deren Rektoren sich ebenfalls regelmäßig treffen, der Parteipresse und der übrigen Massenmedien, die Zusammenarbeit bilateraler Kommissionen in allen gesellschaftswissenschaftlichen Disziplinen, die Ausrichtung von Propagandakampagnen und die Festlegung der Formen, in denen die regionalen Parteiorganisationen verschiedener Staaten Beziehungen pflegen dürfen.

Die Vielfalt der Parteibeziehungen ist gegenwärtig so groß wie zu keiner Zeit seit Gründung der

SED. Sie nur ausschließlich unter dem Aspekt der möglichst lückenlosen sowjetischen Kontrolle über die SED zu sehen, hieße aber, die Einflußmöglichkeiten der SED auf sowjetische Entscheidungsprozesse zu vernachlässigen. Die Möglichkeiten mögen noch immer relativ gering sein, doch ist die KPdSU-Führung gegenwärtig eher als in der Vergangenheit bereit, die Erfahrungen ihrer kleineren, aber erfolgreichen Bündnispartner für die eigene Entwicklung zu nutzen. Daß es zwischen SED/DDR und KPdSU/UdSSR auf Grund der Machtverhältnisse und der bestehenden Abhängigkeit Ost-Berlins keine Gleichberechtigung gibt und geben kann, ist evident. Aber das politische Gewicht der SED/DDR ist gewachsen: Soziale und – aus sowjetischer Sicht relativ große – politische Stabilität, erfolgreiche Wirtschaftspolitik und ideologische Zuverlässigkeit, verbunden mit Flexibilität, haben die DDR zum kommunistischen Vorzeigestaat für die Sowjets gemacht. Nicht mehr Satellit, noch (lange) nicht *gleichberechtigter* Partner – aber irgendwo dazwischen, so ließe sich die Position der SED/DDR gegenüber der östlichen Führungsmacht beschreiben. Selbst in der Außen- und Deutschlandpolitik hat sich die SED-Führung einen Handlungsspielraum erkämpft, der in Grenzen vom Kreml toleriert wird. So konnte SED-Chef Honecker auf dem 7. Plenum des ZK der SED im Dezember 1983 – als die KPdSU eine schwere Führungskrise erlebte und gegenüber dem Westen auf Gesprächsblockade und Konfrontation umgeschaltet hatte – seine Politik der »Schadensbegrenzung« verkünden und weiter westpolitische Gesprächsbereitschaft demonstrieren.[24] Im Laufe des Jahres 1984 kam es zu erheblichen Differenzen über die Deutschlandpolitik der SED, weil Moskau seine »Bestrafungspolitik« gegenüber den USA und der Bundesrepublik wegen der Nachrüstung nicht durch einen ungehindert fortgehenden innerdeutschen Dialog konterkarieren lassen wollte. Honecker mußte schließlich seinen geplanten Besuch in der Bundesrepublik Deutschland absagen. Er hat aber diesen Konflikt mit der sowjetischen Parteiführung ohne Imageverlust oder sowjetische Sanktionen überstanden.

Das Verhältnis SED–KPdSU wird neuerdings weniger von Interessen*identität* als von Interessen*parallelität* bestimmt. Zwischen fortbestehender Abhängigkeit und selbstbewußterer Verfolgung eigener Ziele vollbringt die SED gegenwärtig einen Balanceakt, der ihr internationales Ansehen aufgebessert und ihre Rolle im internationalen Kommunismus gestärkt hat. Zu dieser Rolle gehört, Modell für den erfolgreichen Aufbau des Sozialismus in einem mitteleuropäischen Industriestaat zu sein.

2. Die kommunistischen Parteien des Warschauer Paktes

In einer umfänglichen Studie[25] aus der DDR ist den »Ostforschern« in der Bundesrepublik und Berlin (West) vorgeworfen worden, sie würden auf Grund ihrer *»antikommunistischen Grundposition«* das *»Wesen der Beziehungen«* zwischen der DDR und der Sowjetunion sowie den anderen Ländern der sozialistischen Gemeinschaft verfälschend darstellen.[26] Dieses *»Wesen«* bestimme sich nicht *»vom Umfang oder der Unterschiedlichkeit ihrer Potenzen, sondern primär vom Charakter der in beiden Ländern bestehenden gesellschaftlichen Verhältnisse, von ihrer sozialökonomischen Ordnung«*. Zu den entscheidenden Faktoren dieser Ordnung rechnen die DDR-Autoren *»das gesellschaftliche Eigentum an Produktionsmitteln und die politische Macht der Arbeiterklasse in beiden Staaten«* (DDR und UdSSR), eine Aussage, die sie zugleich auf alle regierenden kommunistischen Parteien und ihre Staaten beziehen. Die genannten Merkmale schließen angeblich *»Ungleichheit«* sowie *»Über- und Unterordnung generell«* aus: *»Sie garantieren vielmehr tatsächlich Gleichheit und Gleichberechtigung in ihren gegenseitigen Beziehungen.«*

Dieser DDR-Maßstab soll im folgenden an die Beurteilung der konkreten bilateralen Parteibeziehungen angelegt werden. Die Skizze muß sich freilich auf die allgemeinen und wesentlichen Elemente der aktuellen Parteibeziehungen beschränken, ohne daß auf bilaterale Spezifika eingegangen werden kann. Zuvor ist der Hinweis erforderlich, daß die bei der Darstellung der Beziehungen SED–KPdSU angeführten Formen der Zusammenarbeit seit Anfang der achtziger Jahre immer stärker multilateral genutzt werden. Neben bilateralen Treffen, z. B. der Direktoren der Parteiverlage aus der DDR und der UdSSR, finden regelmäßige Zusammenkünfte führender Vertreter dieser Parteiinstitutionen aus allen Warschauer-Pakt-Staaten statt, an denen seit einigen Jahren gelegentlich auch Spitzenfunktionäre vergleichbarer Organisationen aus Kuba, Vietnam, Laos und der Mongolischen Volksrepublik teilnahmen.[27]

Die obenerwähnte »Abrechnung« mit der westlichen DDR- und Ostforschung lief auf die östliche Gegenthese hinaus, daß die in allen Warschauer-Pakt-Staaten gleiche politische Machtstruktur und sozioökonomische Ordnung (Abschaffung des Privateigentums an Produktionsmitteln) ernsthafte Konflikte zwischen den kommunistischen Parteien und Staaten ausschließe. Da hier die Voraussetzungen einer empirischen Überprüfung nicht standhalten, läßt sich zeigen, daß auch die Schlußfolgerung nicht stimmt. Das Verhältnis der SED zu den fünf kleineren »Bruderparteien« des Warschauer Paktes ist gegenwärtig keineswegs unterschiedslos spannungsfrei und durchgängig von »Gleichheit und Gleichberechtigung« bestimmt, weil

- die Ausübung der politischen Macht durch die Arbeiterklasse (marxistisch-leninistisches Synonym für uneingeschränkte Herrschaft der kommunistischen Partei, konkret: der Parteiführung) in den »Bruderstaaten« qualitativ unterschiedliche Formen aufweist,
- die weitgehende Vergesellschaftung der Produktionsmittel in diesen Staaten keine wirkliche Vereinheitlichung der sozioökonomischen Ordnung zur Folge hatte und – von marxistischen Ökonomen längst eingeräumt – schon gar nicht zu einer vergleichbaren Effizienz der einzelnen Wirtschaftssysteme geführt hat.

Polen

In der Volksrepublik Polen hat die kommunistische Partei, die Polnische Vereinigte Arbeiterpartei (PVAP), seit ihrer Gründung die faktische Macht stets mit der mächtigen katholischen Kirche teilen müssen, die sich zwar nicht wie eine politische Opposition verhält, in den Augen von 90 Prozent der Bevölkerung jedoch eine ist. Bei 36,5 Millionen Einwohnern (DDR: 16,5 Millionen) hat die PVAP gegenwärtig, nach ihrem faktischen Zerfall während des Entstehens der autonomen Gewerkschaftsbewegung »Solidarität« 1980–81, nur 2,2 Millionen Mitglieder (SED: 2,3 Millionen). Organisationsgrad und Kontrollgewalt der kommunistischen Partei sind also in Polen vergleichsweise viel geringer als in der DDR. Nach der Zerschlagung der »Solidarität« 1982[28] hat sich die PVAP zwar an der Spitze reorganisiert und restabilisiert, auf regionaler und vor allem örtlicher Ebene aber tritt sie als führende politische Kraft kaum in Erscheinung. Trotzdem hat diese Partei in einer schwierigen Phase der Beziehungen SED–KPdSU, als es 1984 zu öffentlich ausgetragenen Meinungsverschiedenheiten über die Deutschlandpolitik der SED gekommen war, die gesprächsbereite Haltung Honeckers und der DDR gegenüber der Bundesrepublik mit kaum verhüllter Kritik bedacht.[29] Auch die SED hat eine ausschließlich oder überwiegend an polnischen Interessen orientierte Deutschlandpolitik der PVAP stets abgelehnt; insbesondere bei der Ablösung Gomulkas (1970) und Ulbrichts (1971) war das Verhältnis zwischen beiden Parteien von zahlreichen Spannungen geprägt, nicht nur in bezug auf die Deutschlandpolitik.[30]

Als mit Entstehung der unabhängigen Gewerkschaftsbewegung »Solidarität« (von Mitte 1980 bis zum Militärputsch unter Jaruzelski im Dezember 1981) der kommunistische Herrschaftsapparat in seine schwerste Krise seit Gründung Volkspolens 1944 geriet und die PVAP praktisch als Machtfaktor ausfiel, hat die SED in ihrer Presse, schärfer als die sowjetische Partei, gegen die Entwicklung in Polen polemisiert und vor allem der PVAP-Führung ständig mangelnde »Standhaftigkeit« und Widerstandskraft gegenüber den Reformkräften vorgeworfen.[31]

Der schließlich auch von Jaruzelski verfolgte Kurs der »nationalen Versöhnung« auch gegenüber der Mehrheit der ehemaligen »Solidaritäts«-Mitglieder ist von der SED stets scharf, nach Breshnews Tod aber kaum noch öffentlich kritisiert worden.

Hinsichtlich des eingangs genannten zweiten Kriteriums für das angeblich gleichberechtigte Verhältnis der sozialistischen Bruderparteien zueinander: Vergesellschaftung der Produktionsmittel, unterscheiden sich die SED und PVAP ebenfalls grundsätzlich. Während z. B. die SED 1960/61 durch Zwangskollektivierung den gesamten Grund und Boden auf dem Lande in Genossenschafts- bzw. Staatseigentum überführt hat, wurden in Polen auch 1985 noch 76 Prozent der landwirtschaftlichen Fläche privatwirtschaftlich bearbeitet.[32] In einem der wichtigsten Wirtschaftssektoren, der Landwirtschaft, kann in Polen bestenfalls von einer – in bezug auf Preisfestsetzung und Ablieferungskontingentierung – dirigistisch verwaltenden, aber keinesfalls von einer politisch führenden Rolle der PVAP gesprochen werden. Die politische Instabilität wie die andauernde katastrophale wirtschaftliche Lage Polens haben dazu geführt, daß Polen seine Position als angesehener Ansprechpartner für die westeuropäischen Regierungen an die DDR (und Ungarn) für absehbare Zeit verloren hat. Während die SED den internationalen Profit, den sie aus dem weltweiten Prestigeverlust der polnischen Parteiführung gezogen hat, durchaus begrüßen dürfte, scheint sie nach wie vor an der Fähigkeit der Jaruzelski-Mannschaft zu zweifeln, aus eigener Kraft die uneingeschränkte Parteiherrschaft wieder zu etablieren. Seit 1982 haben mehr als 200 Begegnungen von Spitzenfunktionären aus Partei und Staatsapparat stattgefunden (allein Honecker reiste in dieser Zeit dreimal nach Polen, Jaruzelski zweimal in die DDR). Hinzu kommen zahlreiche Freundschaftstreffen zwischen Funktionären der benachbarten SED-Bezirksleitungen und Wojewodschaften, bei denen es – der SED-Presse zufolge – fast immer darum ging, den Polen »Erfahrungen beim Aufbau des Sozialismus« in der DDR zu vermitteln, während die polnische Seite offenbar stets darüber berichtete, welche Maßnahmen sie gerade zur weiteren Stabilisierung der Situation im Land ergriffen hat. Das verstärkt den Eindruck, daß sich die SED gerade auf der Ebene der Parteibeziehungen massiv in den Rekonsolidierungsprozeß der PVAP mit dem Ziel der Wiederherstellung einer leninistischen Kaderpartei eingeschaltet hat.

Auf absehbare Zeit scheint eine vertrauensvolle, von gegenseitigem Verständnis für die spezifischen Interessen beider Seiten bestimmte Zusammenarbeit nicht möglich. Für die PVAP bleibt die SED eine in erster Linie *deutsche* Interessen verfolgende »Bruderpartei«, deren Außenpolitik mit Skepsis beobachtet wird. Die SED-Führung hält die PVAP nach wie vor für unfähig, die innere Opposition wirkungsvoll und flexibel unter Kontrolle zu bringen.[33]

Zu den übrigen vier Parteien der sozialistischen Gemeinschaft bestehen formal korrekte, aber gleichgültige, zumindest reibungslose, nur im Falle der USAP fast freundschaftliche Beziehungen.

Der SED erscheinen diese Beziehungen offenbar so problemlos, daß sie im Rechenschaftsbericht Erich Honeckers an den XI. Parteitag im April 1986 – im Gegensatz zu früheren Anlässen dieser Art – überhaupt nicht mehr erwähnt wurden.[34]

Die Beobachtung der realen Verhältnisse läßt freilich einige Unterschiede in den Beziehungen der SED zur KPČ (ČSSR), USAP (Ungarn), RKP (Rumänien) und BKP (Bulgarien) erkennen.

Tschechoslowakei

Im Verhältnis zur KPČ sind auf den ersten Blick keine Spannungen zu erkennen. DDR und ČSSR sind, jeweils nach der Sowjetunion, füreinander die wichtigsten Außenhandelspartner. Honecker hat seit dem X. Parteitag der SED (1981) dreimal das Nachbarland besucht (Dezember 1981, Januar und Oktober 1983), der tschechoslowakische Partei- und Staatschef Husak ist im Oktober 1982 und im November 1985 Gast der SED-Führung gewesen. Hinzu kommen in diesem Zeitraum mehr als vier Dutzend hochrangige Kontakte auf Partei- und Staatsebene. Gleichwohl sind die Parteibeziehungen nicht freundschaftlich oder gar herzlich, wie die Propaganda behauptet. Die überaus starre, von den Bündnispartnern wohl zeitweise sogar als kompromittierend empfundene, poststalinistische *Innen*politik der Husak-Führung ist von der SED-Presse zu keiner Zeit auch nur mit einem Minimum an Zustimmung kommentiert worden. Zwar gab es aus Berlin (Ost) – wie zu allen innenpolitischen Vorgängen in den Bruderländern – auch keine Kritik (Ausnahme: Polen 1980/81). Aber z. B. die Tatsache, daß die

SED-Medien den gnadenlosen, von der KPČ entfachten Kirchenkampf völlig übergehen, macht die Distanz der SED zu den Herrschaftspraktiken der Prager Führung deutlich. Anders die Tschechen. In Ost-Berlin ist nicht vergessen, daß neben der sowjetischen und der polnischen Presse nur noch die tschechoslowakische Parteizeitung »Rudé Právo« im April 1984 die Westpolitik Honeckers indirekt, aber scharf angegriffen hat.[35] Gerade in der Phase des sowjetischen »Interregnums« zwischen dem Tode Breshnews im November 1982 und der Amtsübernahme Gorbatschows im März 1985 steuerte Husak einen bis in die Sprachregelungen mit den Beharrungskräften im Kreml übereinstimmenden Kurs. Erst seit der Tagung des Politischen Beratenden Ausschusses der Staaten des Warschauer Vertrages in Sofia im Oktober 1985, deren Grundsatzerklärung die bis dahin von der DDR und Ungarn praktizierte Politik der Gesprächsbereitschaft gegenüber dem Westen bestätigte, ist ein vorsichtiges Einschwenken der KPČ-Führung auf diese Linie feststellbar.

Ungarn

Im Unterschied zu den nur äußerlich guten Beziehungen der SED zu PVAP und KPČ hat sich zur USAP, der Ungarischen Sozialistischen Arbeiterpartei, ein Verhältnis entwickelt, das von weitgehendem Einvernehmen, Verständnis und substantieller Kooperationsbereitschaft gekennzeichnet ist. Die USAP unter der pragmatischen Führung von János Kádár (»Wer nicht gegen uns ist, ist für uns«) hat einen innenpolitischen Reformprozeß in Gang gesetzt, der das gesamte politische, wirtschaftliche, soziale und kulturelle Gefüge des Staates einschließlich der Partei selbst erfaßt hat.[36] Ohne die führende Rolle der USAP aufzugeben, hat es Kádár verstanden, die kommunistische Partei auf eine die politischen Grundlinien bestimmende und kontrollierende Funktion zu beschränken, was tatsächlich eine Liberalisierung der innenpolitischen Situation zur Folge hatte und hat. Mitte der siebziger Jahre wurden weitreichende Wirtschaftsreformen eingeleitet, die eine Ergänzung des zentralistisch-planwirtschaftlichen Steuerungsmonopols des Staates durch marktwirtschaftliche Elemente (ähnliches gab es in der DDR nie) zum Ziele haben. Dies alles und nicht zuletzt das Beharren der ungarischen Parteiführung auf einer Fortsetzung des Ost-West-Dialogs in Zeiten erheblicher Spannungen zwischen den Großmächten hat auch Budapest scharfe Kritik aus Moskau und Prag eingetragen.[37] Die SED, die zeitweise ähnlicher Kritik ausgesetzt war, hat sich in keiner Weise an der Kampagne gegen Ungarn beteiligt. Im Gegenteil: Die Verlautbarungen über zwei Treffen Honeckers mit Kádár (im Juni 1982 und November 1983) lassen erkennen, daß beide Parteichefs ihre spezifischen Interessen in der Westpolitik weiterverfolgen und dabei ihre bilaterale Kooperation ausbauen wollen. Die Ungarn waren dann auch die einzigen, die während der schweren Meinungsverschiedenheiten DDR–Sowjetunion im Jahre 1984 mehrfach offen und unmißverständlich den Dialogkurs Honeckers verteidigten.[38]

Als sich Honecker und Kádár im Oktober 1985 erneut trafen, bekräftigten beide ihre Absicht, wie bisher *»alle Möglichkeiten zu nutzen«*, um *»zur Ausweitung des politischen Dialogs zwischen Staaten unterschiedlicher Gesellschaftsordnung beizutragen«*.[39] Zwischen SED und USAP gibt es vor allem in einer die innere Struktur der sozialistischen Gemeinschaft und damit auch die der kommunistischen Weltbewegung betreffenden strategischen Auffassung weitgehende Übereinstimmung. Der ungarische ZK-Sekretär Szürös, wichtigster außenpolitischer Ratgeber Kádárs, hat dies in einem Grundsatzartikel[40] in der Formel »Gemeinsame Ziele – nationale Interessen« zusammengefaßt. Neu ist nicht diese Formel selbst. Einem neuen Selbstverständnis entspricht jedoch, daß Szürös als Spitzenfunktionär einer regierenden kommunistischen Partei, ebenso wie Neubert[41] als einer der führenden Theoretiker der SED, den nationalen Interessen die *gleiche* Bedeutung wie den gemeinsamen Zielen und Interessen der sozialistischen Gemeinschaft (und damit der IKB) eingeräumt sehen will.

Den Äußerungen Gorbatschows auf dem XXVII. Parteitag der KPdSU im Februar und auf dem XI. Parteitag der SED im April 1986 ist zu entnehmen, daß die neue sowjetische Führung unter zwei Voraussetzungen größere Selbständigkeit ihrer europäischen Partner akzeptiert: Sie haben künftig einen noch größeren materiellen Beitrag zur Modernisierung der sowjetischen Volkswirtschaft zu leisten, und sie müssen an den *Grundlinien* der abgestimmten, d. h. von Moskau bestimmten Außen- und Sicherheitspolitik des östlichen Bündnisses festhalten.

Rumänien

SED und USAP[42] haben hier einen Weg eingeschlagen, der die teils offene, teils stillschweigende Unterstützung der rumänischen und der bulgarischen Partei findet. Zu diesen beiden »Bruderparteien« hat die SED (nicht aber die USAP) inzwischen ein Verhältnis herstellen können, das das Attribut spannungsfrei wirklich verdient. Auch dies war vor allem aus außenpolitischen Gründen möglich geworden, denn die von einem bizarren Personenkult und ungewöhnlich großem Dogmatismus bestimmte Innenpolitik der RKP bietet kaum Anlaß für wirkliche Kooperation zwischen den beiden Staatsparteien. Doch Ceauşescu steuert – trotz mancher Modifikationen in jüngster Zeit – innerhalb des Warschauer Paktes einen relativ autonomen Kurs gegenüber dem Westen und der Dritten Welt. Wenige Beispiele müssen hier genügen:

- Seine Truppen nehmen schon seit 1968 nicht mehr an Paktmanövern teil, die auch nicht mehr auf rumänischem Staatsgebiet veranstaltet werden;
- Bukarest hat seine diplomatischen Beziehungen zu Israel nie abgebrochen oder unterbrochen und stets gute Kontakte zu Peking unterhalten;
- Ceauşescu betont bei jeder Gelegenheit die *volle* Souveränität aller Mitglieder der IKB und warnt vor jeder Form der Einmischung in innere Angelegenheiten;
- Ceauşescu hat sich nicht dem vom Kreml angeordneten Olympiaboykott 1984 angeschlossen;
- die sowjetische Intervention in der ČSSR 1968 und in Afghanistan 1979 hat er offen kritisiert, vor einer zeitweise drohenden Intervention in Polen 1981 deutlich gewarnt.

Honeckers Außenpolitik der achtziger Jahre hat in Bukarest zumeist ein wohlwollendes, wenn auch zurückhaltendes Echo gefunden. Der SED-Chef hat diese Haltung honoriert, indem er im August 1984 als einziger Parteichef einer regierenden kommunistischen Partei an den Feiern zum 40. Jahrestag der »Befreiung Rumäniens vom Faschismus« teilnahm. Dieser damals vielbeachtete Vorgang hat manche Beobachter bereits von einer Achse Ost-Berlin–Budapest–Bukarest sprechen lassen. Dies ist zweifellos übertrieben, zumal der Kreml noch immer über genügend Möglichkeiten verfügt, derartige »Fraktionsbildungen« innerhalb »seines« Bündnisses zu verhindern. Doch allen drei Parteien ist gemeinsam, daß sie ihre erworbenen (begrenzten) Handlungsspielräume gegenüber sowjetischen Ansprüchen verteidigen und immer wieder auf den Nutzen eigenständiger Beiträge auch der kleineren Warschauer-Pakt-Staaten in der Ost-West-Auseinandersetzung hinweisen. Als Ceauşescu im Mai 1985 (1984 hatte er zum ersten Mal die Bundesrepublik besucht) in die DDR reiste, wurde gerade dieser Gesichtspunkt von ihm und Honecker mehrfach hervorgehoben.[43]

Bulgarien

Das Verhältnis der SED zur bulgarischen KP gilt als *»vertrauensvoll«*[44]. In der Vergangenheit gab es weder Höhen noch Tiefen. Obwohl Gipfeltreffen der Parteichefs relativ selten sind (Honecker war 1977 und 1979 zum letzten Mal in Bulgarien, der bulgarische Partei- und Staatschef T. Shiwkow 1983 in der DDR), scheint die Zusammenarbeit mit den »Preußen des Balkans« überdurchschnittlich gut zu funktionieren, und das auf allen Ebenen. Bulgarien war der erste Bruderstaat, mit dem bereits 1972 (!) die ökonomische Kooperation bis 1990 in ihren Grundzügen (1983 dann auch im Detail) vereinbart wurde.[45]

Alle 15 SED-Bezirksleitungen und die Bezirkstage unterhalten »Direktbeziehungen« zu 15 bulgarischen Bezirken. Auch darin bildet Bulgarien für die SED/DDR eine Ausnahme. Das war möglich geworden, obwohl die BKP – historisch-geographisch bedingt – besonders enge

Beziehungen zur KPdSU pflegt und daher die bulgarische Presse gelegentlich sowjetische Kritik an Bruderländern – in abgeschwächter Form – wiedergibt.
Als Generalsekretär Honecker im September 1984 – Folge der Meinungsverschiedenheiten mit Moskau über die Deutschlandpolitik der SED – seinen geplanten Besuch in der Bundesrepublik verschob, hat auch Partei- und Staatschef Shiwkow eine vereinbarte Reise nach Bonn vorläufig abgesagt.

Zusammenfassung

Über die Beziehungen der SED zu den regierenden kommunistischen Parteien läßt sich zusammenfassend folgendes sagen:

a) Diese Beziehungen sind Präferenzbeziehungen. Nach Quantität und Qualität (Ebene der Kontakte, Austausch- und Abstimmungstopoi) rangieren sie deutlich vor den Beziehungen zu nichtregierenden kommunistischen Parteien.

b) Die Parteibeziehungen innerhalb des Warschauer Paktes überlagern nach Form und Bedeutung die Beziehungen auf allen anderen Ebenen. Alle wichtigen bilateralen Entscheidungen werden auf Treffen von Parteifunktionären getroffen; die Implementationsfunktion der staatlichen und sonstigen Apparate tritt – was hier nicht gezeigt werden konnte – deutlich zutage.

c) In den siebziger und verstärkt in den achtziger Jahren ist der Parteienbilaterismus zunehmend von einem Parteienmultilateralismus ergänzt, z. T. sogar ersetzt worden. Statt der zwei zuständigen ZK-Sekretäre oder z. B. der beiden Rektoren von Parteihochschulen aus der Sowjetunion und einem Bruderland konferieren mehr und mehr die zuständigen Spitzenfunktionäre aller sieben Bruderländer. Über die Effizienz dieser modifizierten Kommunikations- und Interaktionsstruktur gibt es keine gesicherten Erkenntnisse.

3. Das Verhältnis zu den außereuropäischen kommunistischen Parteien

Die außereuropäischen regierenden Parteien sind die Kommunistische Partei Kubas (KPK), die Mongolische Revolutionäre Volkspartei (MRVP), die drei kommunistischen Parteien Indochinas (Laos, Vietnam und Kampuchea) und die Partei der Arbeit Koreas (PdAK).

Kuba

Die DDR versteht sich als westlicher Vorposten des Sozialismus in Europa und sieht in Fidel Castro einen Vorposten des Sozialismus auf dem amerikanischen Kontinent. Mit Kuba, seit 1972 Mitglied im RGW und materieller wie politischer Kostgänger der gesamten sozialistischen Gemeinschaft, haben sich seit Unterzeichnung eines Freundschaftsvertrages im Mai 1980 die allgemeinen Beziehungen erheblich verdichtet. Dabei hat vor allem, z. T. vertraglich vereinbart, der *»bilaterale Informations- und Meinungsaustausch der führenden Parteiorgane stark zugenommen«*[46]. Es ist davon auszugehen, daß die KPK – bis zu ihrem II. Parteitag 1980 eine Partei im Aufbau – in Fragen der Kaderarbeit und Kaderqualifizierung der Massenorganisationen massive Beratungshilfe von der SED erhält. Darüber hinaus leistet die DDR erhebliche Unterstützung bei der Industrialisierung Kubas, u. a. durch Ausbildung junger Kubaner in der DDR. Kubas Rolle in der Bewegung der blockfreien Staaten, sein massives militärisches Engagement in mindestens drei schwarzafrikanischen Staaten und nicht zuletzt in Mittel- und Südamerika (seit Mitte der siebziger Jahre durch Unterstützung der einheimischen kommunistischen Parteien und nicht mehr vorwiegend über Hilfe für Guerillabewegungen) haben die kubanische Partei für die SED zu einem pflegewürdigen Partner gemacht. Inwieweit es zwischen SED- und KPK-Führung zur Abstimmung oder wenigstens zu Konsultationen über außenpolitische Aktivitäten kommt, ist aus den Quellen nicht ersichtlich. Seit 1980 haben sich Honekker und Castro jedes Jahr entweder formell oder informell getroffen. Allerdings scheint man in Ost-Berlin die jüngste innenpolitische Entwicklung auf Kuba mit einiger Skepsis zu sehen. Auf dem III. Parteitag der KPK im Februar 1986, an dem Volkskammerpräsident Sindermann teilnahm, der aber nicht von Castro empfangen wurde, hatte Castro umfangreiche Umbesetzungen in seiner Parteiführung vorgenommen und eine Änderung des wirtschaftlichen Kurses (Auflockerung des starren, von den RGW-Staaten übernommenen planwirtschaftlichen Systems) verkündet. Darüber hat die SED-Presse freilich nichts mitgeteilt.[47]

Mongolische Volksrepublik

Die Beziehungen der SED zur MRVP spielen im Vergleich zu den relativ vielfältigen staatlichen und vor allem wirtschaftlichen Kontakten nur eine untergeordnete Rolle. Die Mongolische Volksrepublik wird von der Sowjetunion als Vorposten gegenüber China betrachtet, die Einflußnahme der KPdSU auf die mongolische Innen- und Außenpolitik ist daher umfassend. Die DDR/SED genießt auf Grund einiger erfolgreicher Entwicklungshilfeprojekte und einer vor allem für die MVR nützlichen Zusammenarbeit im Bereich des Berufsbildungswesens und der landwirtschaftlichen Forschung beträchtliches Ansehen in der Mongolei.

Indochina

Die Beziehungen zu den indochinesischen kommunistischen Parteien, also zur KP Vietnams (KPV), zur Laotischen Revolutionären Volkspartei (LRVP) und zur Revolutionären Volkspartei Kampucheas (RVPK) werden von Faktoren mitbestimmt, die teilweise außerhalb der Einflußmöglichkeiten der SED liegen. Es geht hier einmal um die fortbestehenden schweren Spannungen zwischen der Sozialistischen Republik Vietnam und der VR China. Sie wurden ausgelöst von der Besetzung Kampucheas durch vietnamesische Truppen im Jahre 1979, die andauert. Es geht darüber hinaus um die nur formal von den Prinzipien des Sozialistischen Internationalismus gerechtfertigte, faktisch jedoch imperialistische Interventionspolitik Vietnams in der gesamten indochinesischen Region. Als Folge davon ist Hanoi nahezu vollständig abhängig von der wirtschaftlichen, insbesondere auch der militärischen Hilfe aus der UdSSR und den europäischen Bruderländern. Vietnam gehört – neben Kuba und Angola – zu den Entwicklungsländern, in die der größte Anteil der Unterstützungsleistungen aus der DDR fließt.[48] Mehr als 15 000 vietnamesische Studenten, Facharbeiter und Soldaten aller Dienstränge sind seit 1973 in der DDR ausgebildet worden. Im asiatischen Raum gehören die Parteibeziehungen zur KPV zu den intensivsten, die die SED dort unterhält. Vertragliche Verbindungen bestehen u. a. zwischen den Parteizeitungen (»Neues Deutschland« und »Nhan Dan«), zwischen den ZK-Instituten für Marxismus-Leninismus und den Parteihochschulen. Ähnliches gilt für die Beziehungen zur LRVP und RVPK.

Diese drei Parteien haben sich unter Assistenz der Warschauer-Pakt-Staaten immer stärker zu leninistischen Kaderparteien entwickelt, doch ein *sichtbarer* Einfluß u. a. der SED auf die Innen- und Außenpolitik dieser Länder scheint damit nicht verbunden zu sein. Weder ist eine von der SED unterstützte friedliche Lösung des Kampuchea-Konfliktes durch Rückzug der Vietnamesen, noch sind durchgreifende Erfolge bei der ökonomischen Entwicklung dieser Region in Sicht. Vietnams Politik, die auf Erhaltung seiner regionalen Einflußzone gerichtet ist, sein von den Nachbarn gefürchteter aggressiver Expansionismus stellen eine Belastung für die sozialistischen Bruderländer dar, die kein Interesse daran haben, im Fernen Osten als Protegé einer interventionistischen Militärmacht ständig Imageeinbußen hinzunehmen. SED-Generalsekretär Honecker, der im Dezember 1977 anläßlich der Unterzeichnung eines Freundschaftsvertrages zum letzten Mal Vietnam besucht hat, sprach bei dieser Gelegenheit von einem *»neuen Kapitel«* in den beiderseitigen Beziehungen und von *»brüderlicher Gemeinsamkeit bis ins nächste Jahrtausend«*[49].

Die SED hat zwar die gewaltsame Vertreibung der Pol-Pot-Clique durch die vietnamesische Armee begrüßt und kritisiert seitdem auch, daß der befreundeten, von der KPV ausgehaltenen Heng-Samrin-Führung der Kampuchea zustehende UNO-Sitz verwehrt bleibt (weil die UNO den durch eine ausländische Intervention zustande gekommenen Sturz der Regierung Pol Pot nicht legalisieren kann). Jedoch hat sie keinen Zweifel daran gelassen, daß sie für eine friedliche Lösung des Kampuchea-Konflikts eintritt, was nach Lage der Dinge einen Rückzug der Vietnamesen erfordert. Für die IKB stellt die Verwicklung zahlreicher ihrer Mitglieder in den Indochinakonflikt eines der größten Probleme dar, das ihre Zersplitterung in rivalisierende Machtzentren weiter vorantreibt.

Nordkorea

Bei der Beurteilung des Verhältnisses SED–PdAK (Partei der Arbeit Koreas) ist zu berücksichtigen, daß die PdAK unter Führung des seit 1945 amtierenden 1. Sekretärs (heute Vorsitzenden) Kim Il Sung (Kim Ir Sen) weder vollständig dem moskautreuen Flügel der IKB zuzurechnen ist noch sich je ohne Einschränkungen auf die Seite Pekings geschlagen hat.

Zwischen SED und PdAK gibt es einen für ihr Selbstverständnis als nationale kommunistische Parteien entscheidenden Auffassungsunterschied, der mühsam propagandistisch vertuscht wird. Während die PdAK die Wiedervereinigung Koreas unter kommunistischen Vorzeichen anstrebt, sie auf allen Ebenen auch betreibt und offen fordert und dabei von *einer* koreanischen Nation ausgeht, die nur staatlich gespalten ist, hat die SED die Wiedervereinigung Deutschlands aus ihrem Programm gestrichen (wenn auch nicht alle Optionen dafür aufgegeben) und die Einheit der deutschen Nation durch die widersinnige These von der Entwicklung bzw. Existenz zweier deutscher Nationen in der DDR und der Bundesrepublik ersetzt. Zwar unterstützt die SED-Führung *»fest und solidarisch«* den Kampf *»des koreanischen Volkes«* für die *»friedliche, demokratische Vereinigung des Landes«*[50], sie hat jedoch bisher seitens der koreanischen Parteiführung für *ihre* Haltung zur deutschen Wiedervereinigung keine Zustimmung gefunden. Im Verlauf des Staatsbesuches von Kim Il Sung, seines ersten in der DDR, im Sommer 1984 hat der Nordkoreaner in der nationalen Frage lediglich *»Verständnis«* für die staatliche Spaltung des deutschen Volkes geäußert, sich sonst aber zu diesem Thema aus Gründen der nordkoreanischen Staatsräson auffallend zurückgehalten.[51]

4. Sonderfälle: KP Albaniens, KP Chinas, BdK Jugoslawiens

Albanien

Die Sozialistische Volksrepublik Albanien hat 1962 die Mitarbeit im Warschauer Pakt faktisch eingestellt und ist 1968 (als Reaktion auf den Einmarsch der Warschauer-Pakt-Truppen in die ČSSR) auch formell aus dem Bündnis ausgetreten. Albanien hatte bereits 1949, als neunter Staat, die DDR diplomatisch anerkannt. Es hat damit, wie es in einer neueren DDR-Publikation heißt, einen *»wichtigen Beitrag zur Stärkung . . . des ersten sozialistischen deutschen Staates in der Welt«* geleistet.[52] Nach dem Austritt aus dem Warschauer Pakt sind jedoch die staatlichen wie auch die Parteibeziehungen zu den europäischen kommunistischen Staaten weitgehend, in einzelnen Fällen ganz abgebrochen worden. Zwischen der SED und der Partei der Arbeit Albaniens bestehen gegenwärtig überhaupt keine Beziehungen mehr. Es gibt auch keine Anzeichen dafür, daß sich nach dem Tode von Partei- und Staatschef Enver Hoxha im April 1985, der 42 Jahre den Kurs der PdAA allein bestimmt hatte, das Verhältnis zu den Staaten des Warschauer Paktes rasch und spürbar verbessern könnte. Die SED zeigte sich wiederholt an einer Normalisierung der Beziehungen auf allen Ebenen interessiert, die albanische Seite scheint jedoch an der selbstgewählten Isolation innerhalb der IKB vorläufig festhalten zu wollen. Die Politik der KPdSU und ihrer Verbündeten wird als *»revisionistisch«* bekämpft, die Sowjetunion als *»imperialistische Hegemonialmacht«* bezeichnet.[53]

China

Bei den Beziehungen der SED zur KP Chinas und zum Bund der Kommunisten Jugoslawiens (BdKJ) handelt es sich insofern um Sonderfälle, als diese Parteien zwar an der Macht sind (und auch ohne »Hilfe« des sowjetischen Militärs an die Macht gekommen sind), aber als »Autonomisten« zu gelten haben, die sich *jeder* Einflußnahme der sowjetischen Kommunisten auf ihre Innen- und Außenpolitik erfolgreich widersetzen, die für die Beziehungen innerhalb der IKB das Prinzip des Proletarischen Internationalismus entschieden ablehnen und statt dessen für einen »neuen Internationalismus« im Weltkommunismus eintreten, der von *realer* (nicht vom Kreml interpretierter) Unabhängigkeit, Selbständigkeit, Gleichberechtigung sowie gegenseitiger Achtung und Nichteinmischung bestimmt sein muß.

Bis zum Ausbruch des sowjetisch-chinesischen Konflikts 1960 war das Verhältnis der SED zu China besonders eng. Im Laufe der sechziger Jahre, als sich die Auseinandersetzung zwischen den beiden kommunistischen Großmächten zu offenen Feindseligkeiten zuspitzte, nahm dic SED nach anfänglichem Zögern aber eindeutig für Moskau Partei. Sie beschuldigte die *»Mao-Tse-tung-Gruppe«* des *»chinesischen Großmachtchauvinismus«*[54] und der *»Komplizenschaft«* mit dem *»Imperialismus«*, dies insbesondere wegen des chinesischen Votums für die Einheit Deutschlands.[55] Die Parteibeziehungen wurden zwar nicht offiziell abgebrochen, aber praktisch gab es sie nicht mehr.

Seit Chinas politischer und wirtschaftlicher Öffnung nach Westen zu Beginn der achtziger Jahre und insbesondere nach Breshnews Tod 1982, als sich das sowjetisch-chinesische Verhältnis etwas entspannte, ist zwischen der DDR und China ein Normalisierungsprozeß im Gange, der alle Bereiche erfaßt und zunehmend an Tempo gewinnt.[56] Die SED hat die Kritik an der PKCh völlig eingestellt. Im Oktober 1986 besuchte Erich Honecker die Volksrepublik.[57] Er trat dort nicht nur als Staatsoberhaupt auf, sondern auch als Generalsekretär der SED, die Parteibeziehungen wurden damit in aller Öffentlichkeit wiederaufgenommen. Offiziell hieß es dazu, Deng Xiaoping und Erich Honecker hätten übereinstimmend festgestellt, daß die Parteibeziehungen nie abgebrochen waren und deshalb auch nicht von ihrer Wiederherstellung die Rede sein könne.[58] Während des Honecker-Besuchs verhandelten im Auftrag der beiden Generalsekretäre die Leiter der ZK-Abteilungen für Internationale Verbindungen über »Maßnahmen zur weiteren Ausgestaltung der Beziehungen zwischen beiden Parteien«. Die SED hat damit als erste Partei der Staaten des Warschauer Paktes die seit 1960 eingefrorenen Parteibeziehungen zu China reaktiviert. (Lediglich die rumänische KP hatte ununterbrochen an guten Beziehungen zur KP Chinas festgehalten.)

Jugoslawien

Die Beziehungen SED–BdKJ werden als »kameradschaftlich«, aber nicht als »brüderlich« bezeichnet. Ihre Normalisierung, nach leidvollen historischen Erfahrungen seit dem Bruch zwischen Tito und Stalin 1948, setzte mit zwei Besuchen des 1980 verstorbenen Staatspräsidenten Tito in der DDR ein (1974 und 1976). Erkennbaren Aufschwung brachten aber auch hier erst die achtziger Jahre. Jugoslawien, das sich eher als sozialistischer Staat der Dritten Welt denn als Teil der IKB, jedenfalls nicht als Mitglied der sozialistischen Staatengemeinschaft versteht und in allen wesentlichen weltpolitischen Fragen ähnliche Positionen wie China einnimmt, legt großen Wert auf möglichst spannungsfreie Beziehungen zu den europäischen Verbündeten Moskaus, aber auch zur KPdSU. Die SED ihrerseits sieht in guten Beziehungen zum BdKJ bzw. zur SFR Jugoslawien als einflußreichem Mitglied der Bewegung der nichtpaktgebundenen Staaten ein wesentliches Element ihrer internationalen Imagepflege als souveräner Staat mit europäischer und weltweiter Verantwortung.

Da zwischen beiden kommunistischen Parteien nach wie vor erhebliche ideologische Auffassungsunterschiede bestehen (z. B. über die Rolle der Arbeiterklasse und die Ausgestaltung der sozialistischen Demokratie), unterscheiden sich Dichte und Qualität der Parteibeziehungen erheblich von dem Niveau, das zwischen regierenden kommunistischen Parteien in Osteuropa sonst die Regel ist. (Das gilt auch für die Beziehungen des BdKJ zu den anderen kommunistischen Parteien des Warschauer Paktes.) Jedoch gibt es heute (wieder) einen Austausch von Studiendelegationen der Parteiapparate, Arbeitskontakte zwischen den führenden Parteizeitungen und -verlagen, einen Lektorenaustausch an den Parteischulen, eine Zusammenarbeit zwischen den Parteiarchiven, gemeinsame Kolloquien der Parteiakademien, sogar Direktbeziehungen zwischen den SED-Bezirksleitungen Berlin, Leipzig, Dresden und den Parteiorganisationen von Belgrad, Zagreb und Skopje. Die Kritik am jugoslawischen Sonderweg zum Sozialismus hat die SED seit der Machtübernahme Honeckers 1971 nahezu gänzlich eingestellt oder trägt sie ohne jede Spur feindseliger Polemik vor.

Die Jugoslawen haben ihrerseits mehrfach die Dialogpolitik Honeckers gelobt, als diese unter Moskauer Beschuß geraten war. Der Verlauf des Besuches von SED-Chef Honecker im Oktober 1985 in Belgrad[59] verdeutlichte, mit welcher Flexibilität und welchem Fingerspitzengefühl SED und BdKJ gelernt haben, miteinander umzugehen. Bei dieser Gelegenheit ist auch erstmals ein Zweijahresplan für den »Delegations- und Erfahrungsaustausch« zwischen SED und BdKJ unterzeichnet worden.

III. Das Verhältnis zu den nichtregierenden kommunistischen Parteien

1. Die eurokommunistischen Parteien

Der Eurokommunismus stellte und stellt keine einheitliche Gruppierung innerhalb der IKB dar. Selbst seine Hauptvertreter unterscheiden sich nach Mitgliederstärke, Massenbasis und Parteistruktur, nach ihrer Kritik am Moskauer Führungsanspruch und in ihren Stellungnahmen zu weltpolitischen Vorgängen beträchtlich.[60] Es fällt schwer, überhaupt genau zu bestimmen, wer gegenwärtig zur Gruppe der Eurokommunisten gehört. Um den Kreis der Mitglieder eingrenzen zu können, sollen hier lediglich zwei Kriterien für die Identifikation eurokommunistischer Positionen zugrunde gelegt werden[61]:

1. Ablehnung eines revolutionären Weges der Machteroberung, ausdrücklich oder implizit, und
2. offene, jedenfalls erkennbare Ablehnung des sowjetischen Führungsanspruchs in der IKB und deutliche Kritik an bestimmten außenpolitischen Aktivitäten des Kreml.

Nach diesen Kriterien sind dem Eurokommunismus eindeutig zuzurechnen:

- die mitgliederstärkste nichtregierende kommunistische Partei der IKB: die italienische KP;
- die rd. 90 000 Mitglieder zählende KP Spaniens unter G. Iglesias (Nachfolger Carillos), von der sich 1984 ein prosowjetischer Flügel unter I. Gallego abgespalten hat (20 000 Mitglieder), und im Februar 1987 als dritte kommunistische Partei in Spanien die »Partei der Arbeiter/Kommunistische Einheit« (PTE/UC) unter Führung Carillos (14 000 Mitglieder);
- die KP Griechenlands/Inland, der eine viermal so viele Mitglieder zählende moskautreue KPG gegenübersteht;
- die KP Großbritanniens (jedenfalls ihre Führung), von der sich 1977 ein moskautreuer Flügel getrennt hat;
- die Schwedischen Sozialisten/Linkspartei unter L. Werner, denen eine kleine prosowjetische Minderheit unter R. Hagel (Arbeiterpartei Schwedens/Kommunisten) gegenübersteht;
- die KP Belgiens unter L. v. Geyt sowie
- die kleine Sozialistische Volkspartei Dänemarks unter A. Larsen, die sich schon Ende der fünfziger Jahre von der prosowjetischen KPDä abgespalten hat.

Hier ist zu erwähnen, daß die KP Islands weder als moskautreu noch als eurokommunistisch eingestuft werden kann; sie unterhält weder zur SED noch zu anderen regierenden kommunistischen Parteien geregelte Parteibeziehungen, hat allerdings mit einer Delegation am XI. SED-Parteitag teilgenommen.

Schließlich gilt es festzuhalten, daß die KP Finnlands unter Generalsekretär A. Alto im März 1985 eine stalinistische, moskautreue Fraktion (Sinisalo) ausgeschlossen hat und gegenwärtig, allerdings nur im Hinblick auf das erste obengenannte Kriterium, eurokommunistische Positionen vertritt.

Die Kommunistische Partei Frankreichs, die in der zweiten Hälfte der siebziger Jahre einen eurokommunistischen Kurs verfolgte (»Sozialismus in den Farben Frankreichs« – zeitweise war sogar die »Diktatur des Proletariats« aus dem Parteiprogramm gestrichen) –, ist inzwischen wieder zu orthodox-marxistischen Positionen zurückgekehrt.

Alle genannten eurokommunistischen Parteien (Ausnahme: KP Griechenlands/Inland) haben mehr oder weniger ausgeprägt an den leninistischen Organisationsstrukturen einer Kaderpartei festgehalten, d. h., eine innerparteiliche Demokratie – was die Aufgabe des Prinzips des Demokratischen Zentralismus zur Folge haben müßte – hat sich in keiner dieser Parteien entwickelt.

Für das Verhältnis der SED zu den eurokommunistischen Parteien gilt, was allgemein auf die Beziehungen zu den nichtregierenden kommunistischen Parteien zutrifft: Sie spielten und spielen im Gesamtkontext der Außenbeziehungen der SED/DDR nur eine untergeordnete Rolle. Solange der DDR die weltweite diplomatische Anerkennung versagt blieb (bis 1971/72), hatten die Parteibeziehungen u. a. eine wichtige Ersatzfunktion: Sie dienten der Anbahnung von Kontakten zu DDR-Sympathisanten im Ausland, um so indirekten Druck auf Regierungen zwecks Aufnahme diplomatischer Beziehungen zur DDR auszuüben. In einigen Fällen war es der SED so überhaupt erst möglich, ihre internationale Isolation ansatzweise zu durchbrechen und Imagepflege auf den Vorstufen völkerrechtlicher Präsenz zu betreiben. Gegenwärtig ist die DDR von 137 Staaten völkerrechtlich anerkannt; der außenpolitische Bedarf für die Aufrechterhaltung und den Ausbau intensiver Parteibeziehungen hat sich daher verringert bzw. richtet sich gegenwärtig auf veränderte Ziele. Aus dem »nationalen« Zweck (Durchsetzung der internationalen Anerkennung) ist wieder ein internationales Ziel geworden: Förderung der IKB durch Vermeidung aller Aktivitäten, die die bestehenden Spaltungserscheinungen im Weltkommunismus noch verstärken könnten. So nimmt gegenwärtig die SED bei den Kontroversen zwischen KPdSU und Eurokommunisten eine Vermittlungsposition ein.[62] Sie steht dabei vor einem grundsätzlichen Dilemma: Zu starke Kritik an den Eurokommunisten würde diese in noch größere Distanz zum Moskauer Lager drängen und damit den Regionalismus in der IKB fördern. Dieser Regionalismus wiederum würde verhindern, daß die SED im Ringen um den eigenen Spielraum im östlichen Bündnis potentielle Verbündete unter den Eurokommunisten findet. Zu schwache Kritik an den Eurokommunisten müßte sowjetisches Mißtrauen an der Bündnistreue der SED schüren und würde auch die Gefahr einer Ansteckung mit revisionistisch-reformistischen Vorstellungen in den eigenen Reihen erhöhen.

Einen Ausweg aus diesem Dilemma hat die SED-Führung bisher darin gesehen, unverändert an tradierten ideologischen Formeln auch gegenüber den Eurokommunisten festzuhalten (keine Aufgabe der Forderung nach Errichtung einer Diktatur des Proletariats, keine Anerkennung verschiedener, vom sowjetischen Modell *grundsätzlich* abweichender Sozialismus/Kommunismus-Vorstellungen), zugleich aber intensive Parteikontakte auf allen sich bietenden Ebenen zu pflegen und im Falle von Konflikten zwischen der KPdSU und den Autonomisten (= »Eurokommunisten«) zu vermitteln.[63] Diese Strategie hat sie auf der Konferenz der europäischen kommunistischen und Arbeiterparteien 1976 in Berlin (Ost) verfolgt, auch 1978, als sich die SED für einen Ausgleich zwischen der KP Frankreichs und der KPdSU einsetzte, und schließlich im Winter 1983, als der damalige italienische KP-Chef Berlinguer über Gespräche mit der SED, dem BdKJ und der RKP versuchte, die Sowjets zur Rückkehr an den Genfer Verhandlungstisch zu bewegen.

2. Die orthodoxen kommunistischen Parteien

Das Verhältnis der SED zu dieser Gruppe ist konfliktfrei, es gibt volle Übereinstimmung in allen ideologischen und taktisch-politischen Fragen. Die öffentlich wahrnehmbaren Beziehungen vollziehen sich in einem regen wechselseitigen Delegationsaustausch, über den meistens aussagearme Kommuniqués veröffentlicht werden. Allerdings steht die SED hier vor einer Reihe anderer Probleme, die sich teils aus der Parallelität von staatlicher und Parteiaußenpolitik, teils aus der Politik dieser Parteien ergeben.

1. Einige dieser Parteien vertreten zwar im wesentlichen orthodox-marxistische bzw. marxistisch-leninistische Standpunkte, sind aber nicht oder nicht ohne weiteres als moskautreu einzustufen. Sie müssen vielmehr als begrenzt autonom bezeichnet werden. Dies gilt

z. B. für die KP Japans, die sich im sowjetisch-chinesischen Konflikt jeder einseitigen Stellungnahme enthalten hat, aber auch für die beiden kommunistischen Parteien Indiens und – mit Abstrichen – für die kommunistischen Parteien der Philippinen und Thailands, für die Parteien Venezuelas und Mexikos und die KP Réunion. Die Intensität der Kontakte zu diesen Parteien ist deutlich geringer und wird gelegentlich sogar von der Quantität der Begegnungen mit linkssozialistischen Parteien in diesen Ländern übertroffen (Beispiel: Japan).

2. Einige der moskautreuen kommunistischen Parteien sind verboten[64], z. B. in Ägypten, Algerien, Indonesien, Jordanien, Malaysia, Nigeria, Sudan, Tunesien und der Türkei. Andere haben nur einen geduldeten halblegalen Status wie z. B. die KP im Irak, in Uruguay, Panama und Jamaika sowie die Palästinensische KP.
Eine offene Unterstützung dieser Parteien, die vom Prinzip des Proletarischen Internationalismus geboten wäre, würde zu Konflikten mit Regierungen führen, zu denen die DDR gute, zum Teil freundschaftliche staatliche und sonstige Beziehungen unterhält oder anstrebt. Eine Lösung dieses Konflikts zwischen ideologischer Grundsatztreue und Durchsetzung staatlicher Interessen ist in der Politik der SED nicht erkennbar. In der Regel wird die Solidarität mit den verfolgten Genossen im Untergrund der außenpolitischen Interessenwahrnehmung untergeordnet. Zwar werden auch gegenüber diesen kommunistischen Parteien die Rituale der Parteibeziehungen (Einladung von Delegationen zu SED-Parteitagen, Austausch von Glückwunschadressen etc.) gepflegt, es wird wohl auch materielle Unterstützung (verdeckt) gewährt. Jedoch scheint die SED hier nur das Notwendigste zu tun.[65] Als sich z. B. zwischen 1983 und 1985 der Terror des Chomeini-Regimes im Iran auch gegenüber der KP (»Tudeh«) verschärfte und zu ihrer erzwungenen Selbstauflösung führte, ihr Generalsekretär Kianouri, der zuvor häufig gerngesehener Gast der SED war, sich im iranischen Fernsehen sogar der Spionage für die USA bezichtigen mußte, wurden diese Vorgänge von den DDR-Medien totgeschwiegen.

3. Schließlich ist zu berücksichtigen, daß sich eine Reihe von kommunistischen Parteien in zwei Flügel, zumeist in einen moskautreuen und einen autonomistischen, gespalten hat. Dies gilt für die KP Australiens (der autonomistische Flügel nennt sich jetzt »sozialistisch«), die KP Indiens, Malaysias, Neuseelands und der Philippinen. Mit Kritik an diesen Entwicklungen hat sich die SED in den letzten Jahren immer stärker zurückgehalten. Bestenfalls ergehen zurückhaltende Aufforderungen zur Zusammenarbeit der zumeist verfeindeten Lager und zur Überwindung der Spaltung im Interesse von Frieden und Sozialismus.[66]

DKP und SEW

Ein besonderes Verhältnis besteht zwischen der SED und der Deutschen Kommunistischen Partei (DKP, gegr. 1968, Nachfolgeorganisation der 1956 vom Bundesverfassungsgericht verbotenen KPD, Vorsitzender: Herbert Mies, 40 000 Mitglieder) in der Bundesrepublik und der »Sozialistischen Einheitspartei Westberlins« (gegr. 1959, seit 1962 »Sozialistische Einheitspartei Deutschlands-Westberlin«, 1969 Umbenennung in SEW, Vorsitzender: Horst Schmitt, rd. 4500 Mitglieder) in Berlin (West).
Die Existenz einer formal selbständigen kommunistischen Partei in den Westsektoren Berlins unterstreicht – aus Sicht der SED – die kommunistische These, daß Berlin (West) kein politischer Bestandteil der Bundesrepublik Deutschlands sei. DKP und SEW gelten als absolut moskautreu; ihre Parteiführungen haben vielfach ihre »traditionelle brüderliche Verbundenheit« mit KPdSU und SED hervorgehoben. Tatsächlich sind beide Parteien von der SED abhängig und werden von ihr kontrolliert. Die Schulung ihrer führenden Kader erfolgt in der DDR; auch die Finanzierung dieser beiden Parteien dürfte in erheblichem Umfang durch die SED, entweder durch direkte Zuwendungen, über von der SED gegründete Firmen in der Bundesrepublik oder durch sonstige materielle Hilfen erfolgen.

Beide Parteien sind Instrumente der Politik der SED gegenüber und in der Bundesrepublik Deutschland sowie in Berlin (West):

- Über ihre Nebenorganisationen (Kinder-, Jugend- und Studentenorganisationen) und ihre Presseagenturen sowie die Parteipresse[67] sucht die SED das politische Geschehen in der Bundesrepublik und Berlin (West) zu beeinflussen und die Aktivitäten der sogenannten progressiven Kräfte (Teile der Friedensbewegung, der Antiatomkraftbewegung, der Ostermarschierer usw.) zu steuern.
- Zur deutschlandpolitischen Praxis der SED gehört es inzwischen, gelegentlich Kritik an der Bundesregierung bzw. dem Senat von Berlin durch den Nachdruck von Stellungnahmen der DKP- und SEW-Führungen in der SED-Presse zu üben. Sie kann damit eine direkte Belastung des innerdeutschen Verhandlungsklimas vermeiden, ohne auf eine (halb-)offizielle Verbreitung ihrer Ansichten zu aktuellen Fragen zu verzichten.

Darüber hinaus soll auf diese Weise der Öffentlichkeit suggeriert werden, bei DKP und SEW handele es sich tatsächlich um selbständige politische Organisationen. Dem dient auch der traditionelle wechselseitige Austausch von Parteitagsdelegationen sowie die Teilnahme von gelegentlich drei getrennten Abordnungen von SED, DKP und SEW an Parteitagen ausländischer kommunistischer Parteien und sonstigen Parteiveranstaltungen (Pressefeste u. ä. m.). Als im Oktober 1985 bei Moskau ein von der SED gestiftetes Thälmann-Denkmal eingeweiht wurde, nahmen daran neben SED-Generalsekretär Honecker auch die Parteivorsitzenden Mies und Schmitt teil. Ob freilich SED und vor allem DKP auch künftig politisch-ideologisch völlig übereinstimmen werden, läßt sich angesichts der jüngsten Entwicklung in der Sowjetunion nicht vorhersagen. Die DKP (und auch die SEW) haben jedenfalls anfangs die innenpolitischen Reformbestrebungen des sowjetischen Generalsekretärs Gorbatschow mit größerer öffentlicher Zustimmung begleitet als die SED. In der Unterstützung der sowjetischen Außen- und Abrüstungspolitik, aber auch in Ablehnung jeder »Demokratisierung« des Parteilebens, wie es Gorbatschow zumindest anstrebt, sind sich jedoch SED, DKP und SEW nach wie vor einig.

3. Die semikommunistischen und revolutionären Parteien und Befreiungsbewegungen in der Dritten Welt

Die Einschätzung der Situation in der Dritten Welt durch die Parteifachleute der SED[68], aber auch die Parteiführung selbst ist in den letzten Jahren zunehmend differenzierter und damit kritischer geworden. Bis zur staatlich-diplomatischen Anerkennung 1971/72 durch fast alle UN-Mitgliedstaaten betrieb die SED auf der Ebene der Parteibeziehungen – stärker als gegenüber Westeuropa – eine Ersatzaußenpolitik. Alle bereitwilligen politischen Gruppierungen, d. h. parteiähnliche Zusammenschlüsse, Gewerkschaften, Genossenschaften und Verbände, wurden in die Kontaktpflege der SED (häufig auch der vier bürgerlichen Parteien und der Gewerkschaften der DDR) einbezogen. Naturgemäß nahm die Bedeutung dieser Beziehungen ab, als nahezu überall DDR-Botschaften eingerichtet werden konnten.

Die Zuspitzung der internationalen Lage Ende der siebziger Jahre, der abnehmende Einfluß der Bewegung der Blockfreien, zunehmende, nicht von den Kolonialmächten »geerbte« Konflikte zwischen Staaten der Dritten Welt und nicht zuletzt die Emanzipation der einheimischen Eliten auch von östlicher Beeinflussung haben inzwischen offenbar einen Umdenkungsprozeß innerhalb der SED ausgelöst. Der Dritten Welt wird zwar noch eine Triebkraftfunktion im weltrevolutionären Prozeß und damit eine positive Rolle beim angeblich unaufhaltsamen Aufschwung der IKB zugewiesen, doch beide Eigenschaften gelten nicht mehr als *entscheidend* für den *»endgültigen Sieg des Sozialismus im Weltmaßstab«*[69].

Eine Folge dieser gewandelten Einschätzung war, daß die SED/DDR seit Anfang der achtziger Jahre ihre materielle Hilfe und die Intensität ihrer Parteiaußenpolitik auf wenige Staaten mit »sozialistischer Orientierung« konzentrierte. Zwar sind es noch mehr als zwei Dutzend Staaten in Mittel- und Lateinamerika, Asien und Afrika, zu deren Regierungen (hervorgegangen aus sozialrevolutionären Bewegungen, sowjetisch gestützten Befreiungsbewegungen oder linkssozialistischen parteiähnlichen Zusammenschlüssen) und politischen Kräften die SED mehr oder weniger regelmäßige Beziehungen pflegt. Jedoch liegt das Schwergewicht der Parteiaußenpolitik auf einigen wenigen Parteien, wo auch die staatlichen Beziehungen besonders eng sind. Dazu gehören in Afrika die MPLA Angolas, die COPWE Äthiopiens, die FRELIMO Mozambiques und in Asien die SP Jemens.[70] Zu diesen Parteien unterhält die SED in Mehrjahresverträgen geregelte Beziehungen, wie sie formal ähnlich mit »regulären« regierenden kommunistischen Parteien abgeschlossen werden.

Dies gilt in gleichem Maße für die Beziehungen zur Palästinensischen Befreiungsorganisation (PLO), zur SWAPO Namibias und zum ANC Südafrikas.[71] In allen Fällen gehört es zum wichtigsten Ziel der Parteiaußenpolitik der SED, substantielle Hilfe (vor allem durch Ausbildung von Parteikadern in der DDR und vor Ort) beim Auf- und Ausbau leninistischer Kaderparteien, also zur Schaffung von Herrschaftskapazitäten, zu leisten, die die Parteien und Staaten entweder dauerhaft an die DDR und damit an die IKB binden oder aber im Falle der Machtübernahme politisch-ideologisch Prädispositionen schaffen, die für eine spätere »sozialistische Orientierung« entscheidend sein können. Hierbei steht der »Ideologieexport« nicht einmal im Vordergrund. So hat z. B. die SED in Angola die Errichtung und Ausstattung von rund einem Dutzend Parteischulen übernommen, an denen jedoch die berufliche Ausbildung im Vordergrund steht.

Erfolge dieser Parteiaußenpolitik sind nicht eindeutig auszumachen. Es steht zu vermuten, daß exportierte europäische Sozialismusmodelle durch Assimilation und Akkulturation so stark den afrikanischen Bedingungen angepaßt werden, daß sie nur noch schwache politische Bindungswirkung – im Sinne von Positionsgewinnen für die IKB – entfalten können.

Die Parteiaußenpolitik der SED wird zwar auch in Zukunft eine instrumentale Rolle bei der Verfolgung auswärtiger Interessen der DDR spielen, jedoch selbst in Ländern wie den zuletzt genannten immer stärker von staatlichen Aktivitäten ergänzt, z. T. sogar überlagert werden.

Anmerkungen

1 H. Timmermann: »Kommunistische Weltbewegungen: Das Ende eines Mythos«, in: Berichte des Bundesinstituts für ostwissenschaftliche und internationale Studien (BIOST), 28/1985, S. 24 f. Einen dokumentarischen Überblick gibt R. F. Staar, »Weltkommunismus 1984/85«, in: Osteuropa 7–8/1985, insbes. S. 587 ff.

2 Vgl. Kleines Politisches Wörterbuch, 5. Aufl., Berlin (Ost) 1985, Stichw.: Proletarischer Internationalismus, S. 774 ff. Sinngleiche Erläuterungen finden sich in: Wörterbuch der Außenpolitik und des Völkerrechts, Berlin (Ost) 1980, Stichworte: Sozialistischer Internationalismus (S. 549 ff.) und internationale Beratungen der kommunistischen und Arbeiterparteien (S. 270 ff.).

3 Vgl. Kleines Politisches Wörterbuch, a. a. O. (Anm. 2), Stichwort: Sozialistisches Weltsystem (SW), S. 886 f.

4 Eine eher formale Zählweise rechnet die 25 regierenden kommunistischen Parteien, einschließlich Chinas, Albaniens und Jugoslawiens, aber ohne den Südjemen und die drei afrikanischen Staaten, zum SW. (Vgl. Anm. 1, Timmermann, S. 6.) Dies ist mit Hinweisen auf einige östliche Quellen durchaus zu rechtfertigen, läßt aber außer acht, daß zahlreiche Spitzenfunktionäre kommunistischer Parteien Osteuropas, einschließlich der DDR, auch bei wichtigen Anlässen eine definitive Benennung der Mitglieder des SW vermeiden.

5 An der eigentlichen Konferenz nahmen insgesamt 64 kommunistische und Arbeiterparteien teil.

6 Vgl. R. Bauer (Mitglied des ZK der SED und Redaktionsmitglied der Prager Zeitschrift Probleme des Friedens und des Sozialismus PFS), »Allgemeine Gesetzmäßigkeiten und konkrete Bedingungen des Aufbaus des Sozialismus in der DDR«, in: PFS, Nr. 8/1982, S. 1030 ff.

7 Der sozialistische Internationalismus, Theorie und Praxis der internationalen Beziehungen neuen Typs (russ. 1979), Berlin (Ost) 1981, 359 Seiten.

8 Sozialismus und Internationale Beziehungen, hrsgg. v. Institut für Internationale Beziehungen an der Akademie für Staats- und Rechtswissenschaft der DDR, Autorenkollektiv, Berlin (Ost) 1981, 260 Seiten, bes. S. 74 f.

9 A. a. O. (Anm. 8), S. 75.

10 Vgl. H. Timmermann, »Grundpositionen und Spielräume der SED am Beispiel ihres Verhältnisses zu den westeuropäischen Kommunisten«, in: BIOST 43/1984, S. 3.

11 Vgl. F. Oldenburg, Aktuelle Analysen des BIOST, Nr. 18 und 19/1984, passim. Vgl. hierzu auch P. Danylow, »Der außenpolitische Handlungsspielraum der DDR. Wechselnde Grenzen der Handlungsfreiheit im östlichen Bündnissystem«, in: Europa-Archiv 14/1985, S. 433–440. Vgl. auch die einschlägigen Beiträge in Deutschland Archiv 3, 5, 8, 10/1984, 2 und 4/1985.

12 »Aktuelle Aufgaben der Kommunisten«, in: horizont, 8/1984, S. 10.

13 Dieser Verzicht muß vor dem Hintergrund des XVII. Parteitages der KPdSU im Februar 1986 gesehen werden. Der sowjetische Generalsekretär Gorbatschow hatte vor den Delegierten vermieden, von einem Vorbild- und Führungsanspruch seiner Partei in der kommunistischen Weltbewegung zu sprechen. Auch die Aussagen zum Proletarischen Internationalismus im neugefaßten Parteiprogramm und im »Politischen Bericht« des Zentralkomitees lassen den Schluß zu, daß Moskau den nationalen Besonderheiten der regierenden kommunistischen Parteien gegenwärtig größe-

res Verständnis entgegenzubringen bereit ist. Vgl. den Gorbatschow-Bericht in: Neues Deutschland vom 26. 2. 1986, S. 3 ff.
14 Kleines Politisches Wörterbuch, a. a. O. (Anm. 2), S. 277.
15 O. Reinhold (Rektor der Akademie für Gesellschaftswissenschaften beim ZK der SED, Mitglied des ZK), »Den Frieden miteinander sichern«, in: horizont 4/1986, S. 3.
16 Vgl. J. Kuppe, »Neue Aspekte in der kommunistischen Kriegstheorie«, in: Deutschland Archiv 1/1985, S. 34–39. Vgl. u. a. aber die gründliche Untersuchung von W. Rehm, »Wandlungen der kommunistischen Militärdoktrin«, in: Deutschland Archiv 11/1985, S. 1198–1208.
17 Zu den politischen Beziehungen im allgemeinen und den Parteibeziehungen im besonderen vgl. u. a. M. Croan, »Entwicklung der politischen Beziehungen zur Sowjetunion seit 1955«, in: Drei Jahrzehnte Außenpolitik der DDR, hrsgg. v. H.-A. Jacobsen u. a., München – Wien 1979, S. 347 ff. F. Oldenburg, »Die Autonomie des Musterknaben. Zum politischen Verhältnis DDR–UdSSR«, in: R. Löwenthal/B. Meissner (Hrsg.), Der Sowjetblock zwischen Vormachtkontrolle und Autonomie, Köln 1984, hier: S. 179–182. Zahlreiche Quellen auch für Geschichte der Parteibeziehungen enthalten: DDR–UdSSR, 30 Jahre Beziehungen, 1949–1979, 2 Bde., hrsgg. v. Ministerium für Auswärtige Angelegenheiten der DDR und vom Ministerium für Auswärtige Angelegenheiten der UdSSR, Berlin (Ost) 1982.
18 Vgl. E. Honecker, »Die entscheidende Lehre aus der Geschichte der deutschen Arbeiterbewegung«, in: Einheit, 4–5, 1986, S. 294.
19 Neues Deutschland vom 18. 4. 1986, S. 3–8.
20 Neues Deutschland vom 26. 2. 1986, S. 10.
21 Neues Deutschland vom 19. 4. 1986, S. 4–5.
22 Neues Deutschland vom 23. 4. 1986, S. 1.
23 Vgl. P. A. Abrassimow, »Die brüderlichen Beziehungen zwischen der KPdSU und der SED, Kern der Zusammenarbeit zwischen unseren Völkern«, in: Einheit 5/1983, S. 436 ff.; K. Russakow, »Im Namen des Lebens auf der Erde«, in: Einheit 4–5/1985, S. 300 ff.; H. Dohlus, »Der Bruderbund zwischen KPdSU und SED – Kern des Bündnisses unserer Staaten und Völker«, ebenda, S. 306 ff.
24 Vgl. die Diskussionsrede Honeckers auf dem 7. ZK-Plenum, in: Neues Deutschland vom 26./27. 12. 1983, S. 2.
25 S. Quilitzsch u. a., Die DDR in der Welt des Sozialismus, Berlin (Ost) 1985, 238 Seiten, insb. S. 221 ff.
26 Dieser Vorwurf entlarvt sich insofern selbst, als sich alle von den DDR-Autoren zitierten »Ostforscher« zu »ontologischen« Fragen der Bündnisbeziehungen (»das Wesen«) überhaupt nicht äußern, vielmehr mit politikwissenschaftlichen, ökonomischen und soziologischen Forschungsansätzen arbeiten.
27 Vgl. Anm. 25, Kapitel 21. Die SED im System multilateraler Parteienzusammenarbeit, S. 28 ff.
28 Vgl. D. Bingen, Hrsg., Polen 1980–1984. Dauerkrise oder Stabilisierung?, Baden-Baden 1985, 403 Seiten. Ders., Krise in Polen. Vom Winter 80 zum Winter 81, in: Beiträge und Dokumente aus dem Europa-Archiv, hrsgg. v. H. Volle und W. Wagner, Bonn 1982, 336 Seiten.
29 Vgl. u. a. »›Trybuna Ludu‹ zu den Beziehungen zwischen der DDR und der BRD nach der Raketenstationierung«, in: Neues Deutschland vom 30. 1. 1984, S. 5. Rzeczpospolita (R. Wojna) über die Beziehungen DDR–Bundesrepublik Deutschland, aus: Ostinformationen, Nr. 159 vom 20. 8. 1984.
30 Vgl. F. Sikora, Sozialistische Solidarität und nationale Interessen, Köln 1977, S. 146 ff. Zu den zum Teil emotionalen Spannungen zwischen Spitzenfunktionären der PVAP und der SED vgl. auch E. Weit, Ostblock intern, Hamburg 1970, passim.
31 Vgl. Die Haltung der SED zur Lage in Polen 1980–1981 im Spiegel der DDR-Presse, Analyse und Dokumentation, hrsgg. v. Gesamtdeutschen Institut – Bundesanstalt für gesamtdeutsche Aufgaben, bearb. v. Th. Ammer und J. Kuppe, Bonn 1982, 239 Seiten.
32 Vgl. Presseschau Ostwirtschaft, 11/1985, S. 3.
33 So wird in der DDR über die bisherigen drei Amnestien für »politische Straftäter« in Polen seit 1982 entweder gar nicht oder nur in versteckten Kurznotizen berichtet. Dies muß als indirekte Kritik an vermeintlicher »Nachgiebigkeit« der Warschauer Führung gewertet werden.
34 Der SED-Generalsekretär hat lediglich die Absicht zu weiterer Zusammenarbeit auf der Grundlage der inzwischen mit allen Warschauer-Pakt-Staaten unterzeichneten Kooperationsverträge auf wirtschaftlichem und wissenschaftlich-technischem Gebiet »bis zum Jahre 2000« bekräftigt.
35 Vgl. den Beitrag »National und International« vom 1. 4. 1986, der in der DDR nicht, jedoch in der deutschsprachigen sowjetischen »Neuen Zeit« (16/1964) nachgedruckt wurde.
36 Vgl. M. Huber, »Die ungarische sozialistische Arbeiterpartei«, Teile I und II, Binnenstruktur und Funktionsprobleme, in: BIOST, 23 und 24/1985.
37 Vgl. G. Józsa, »Ungarn im Kreuzfeuer der Kritik aus Prag und Moskau«, Teil I: Die Außenministerkonferenz der WP-Staaten (April 1984) und die Polemik zwischen Prag und Budapest. Teil II: Moskauer Regie und Hintergründe der Polemik gegen Ungarns Positionen, in: BIOST, 5 und 6/1985.
38 Vgl. u. a. »Nützlicher Dialog DDR–BRD« aus: Népszabadsag (Budapest), in: Neues Deutschland vom 21. 2. 1984, S. 2, sowie die in Neues Deutschland vom 12. 4. 1984, S. 5–6, vom 17. 4. 1984, S. 5, sowie vom 20. 7. 1984, S. 2, nachgedruckten Beiträge aus ungarischen Presseorganen.
39 Neues Deutschland vom 30. 10. 1985, S. 1.
40 Nachgedruckt in Neues Deutschland vom 12. 4. 1984.
41 A. a. O. (Anm. 12).
42 Beim Besuch des ungarischen Außenministers Varkonyi in der DDR im Mai 1986 wurde erneut bekräftigt, daß beide Seiten ihre wechselseitige Unterstützung und Zusammenarbeit noch verstärken wollen. Vgl. Neues Deutschland vom 14. und 15. 5. 1986, jeweils S. 1 und 2.
43 Im »Gemeinsamen Kommuniqué« findet sich der bei vergleichbaren Anlässen nicht übliche Passus, daß die Mitglieder des Warschauer Paktes »niemals Verfechter einer Teilung Europas und der Welt in einander gegenüberstehende Militärblöcke« gewesen seien, in: Neues Deutschland vom 31. 5. 1985, S. 1 und 2.
44 Dieses Attribut haben die Autoren Quilitzsch u. a. (Anm. 25, S. 158), abgesehen von der Darstellung der Beziehungen zur KPdSU, nur sehr selten vergeben.
45 Mit Bulgarien wächst der bilaterale Warenumsatz jährlich kontinuierlich um 8–10 %; innerhalb des RGW sind diese Steigerungsraten nur vergleichbar mit dem Handel DDR–Ungarn und DDR–ČSSR.
46 Quilitzsch, a. a. O. (Anm. 25), S. 186.
47 Vgl. Neues Deutschland vom 4. und 5. 2. 1986, jeweils S. 1–2; 6. 2. 1986, S. 1, 5 und 6; 8./9. 2. 1986, S. 1 und 6; Süddeutsche Zeitung vom 8./9. 2. 1986, S. 8; Neue Zürcher Zeitung vom 8. und 11. 2. 1986, S. 1 und 3.
48 Vgl. H.-J. Spanger, Die beiden deutschen Staaten in der Dritten Welt, Teile I und II, in: Deutschland Archiv, 1 und 2/1985, S. 30 ff. und S. 150 ff. Ders., Militärpolitik und militärisches Engagement der DDR in der Dritten Welt, in: Deutschland Archiv 8/1985, S. 332 ff.
49 Vgl. E. Honecker, Reden und Aufsätze, Bd. 5, Berlin (Ost) 1978, S. 594.
50 Vgl. Quilitzsch, a. a. O. (Anm. 25), S. 213. So auch im Kommuniqué zum Abschluß des Staatsbesuches von Ge-

neralsekretär Honecker im Dezember 1977 in der VDR Korea, in: Neues Deutschland vom 12. 12. 1977, S. 1 und 2.

51 Während des Besuches wurde ein weiterer Vertrag über Freundschaft und Zusammenarbeit unterzeichnet, der jedoch im Gegensatz zu den Freundschaftsverträgen mit Kampuchea (1980), Kuba (1980), Afghanistan (1982) und Laos (1982) keinen Hinweis auf die Unverletzlichkeit der Grenzen in Europa enthält. Vgl. hierzu J. Kuppe, »Nordkoreanischer Staatsbesuch in der DDR«, in: Deutschland Archiv 7/1984, S. 681–683.

52 Quilitzsch, a. a. O. (Anm. 25), S. 180.

53 Über die Entwicklung Albaniens vgl. die informative neue Studie von P. Lendvai, Das einsame Albanien, Reportage aus dem Land der Skipetaren, Zürich 1985, 118 Seiten.

54 Z. B. Erich Honecker auf dem VII. SED-Parteitag im April 1967.

55 Vgl. Neues Deutschland vom 31. 5. 1978, S. 5.

56 Vgl. dazu im einzelnen J. P. Winters, »Die DDR und China«, in: Deutschland Archiv 5/1986, S. 511 ff.; »Beziehungen zwischen DDR und China weiter intensiviert«, in: Deutschland Archiv 9/1986, S. 921 f.

57 Vgl. J. P. Winters, »Honecker in China«, in: Deutschland Archiv 11/1986, S. 1137 ff.

58 Vgl. Neues Deutschland vom 24. 10. 1986.

59 Vgl. Neues Deutschland vom 3., 4. und 5./6. 10. 1985, S. 1, 2 und 3.

60 Eine frühe, aber umfangreiche und zuverlässige Arbeit zu dieser Thematik hat vorgelegt: M. Steinkühler, Eurokommunismus im Widerspruch, Köln 1977, 395 Seiten.

61 Eine knappe, aber zufriedenstellende Auflistung aller wesentlichen Unterschiedsmerkmale moskautreuer von eurokommunistischen bzw. unabhängigen Positionen gibt: W. Leonhard, »Positionen und Tendenzen der westeuropäischen Kommunisten«, in: Osteuropa 1/1980, S. 3 ff., hier: S. 8–9.

62 Eine zusammenfassende und erschöpfende Analyse dieser Situation gibt H. Timmermann a. a. O. (Anm. 10).

63 Vgl. Timmermann a. a. O. (Anm. 10), S. 10 ff.

64 Vgl. Aufstellung bei R. Staar, a. a. O. (Anm. 1), S. 579 ff.

65 Eine Durchsicht der vom Gesamtdeutschen Institut, Bonn, zweimonatlich herausgegebenen »Dokumentation über die Beziehungen der DDR zur Dritten Welt« ergibt, daß es zwar im wissenschaftlichen und politischen Schrifttum der DDR eine Reihe von Beiträgen zu den Problemen dieser Parteien gibt und insofern Publizität hergestellt wird, daß aber darüber hinaus die aktuelle Außenpolitik der DDR gegenüber diesen Ländern kaum Rücksicht auf die Bruderparteien im Untergrund nimmt.

66 Vgl. u. a. H.-J. Radde, Indiens Kommunisten im Kampf um eine linke und demokratische Alternative, in: Beiträge zur Geschichte der Arbeiterbewegung 4/1983, S. 516–523; »Alternativprogramm der Kommunisten« (Interview mit S. Lorenz, Mitglied des SED-Politbüros), in: horizont 5/86, S. 10.

67 Zu den der DKP direkt unterstehenden Organisationen gehören die »Sozialistische Deutsche Arbeiterjugend« (SDAJ, 15 000 Mitgl.), die »Jungen Pioniere – Sozialistische Kinderorganisation« (JP, rd. 4000 Mitgl.) und der »Marxistische Studentenbund Spartakus« (MSB, 6000 Mitgl.). Als DKP-Tageszeitung (5x in der Woche) erscheint »Unsere Zeit« (UZ, Aufl. 25 000–48 000); darüber hinaus gibt es rd. 350 DKP-Betriebszeitungen, die unregelmäßig erscheinen. Die »Progress-Presse-Agentur GmbH« (PPA) hat eine zentrale Verteilerfunktion in der Pressearbeit der DKP.
Von der SEW kontrolliert werden der »Sozialistische Jugendverband Karl Liebknecht« (800 Mitgl.) die »Pionierorganisation Karl Liebknecht« (250 Mitgl., die auch dem SJV angehören) und die an den Hochschulen und Universitäten von Berlin (West) agierende »Aktionsgemeinschaft von Demokraten und Sozialisten Westberlin« (ADS Westberlin, 700 Mitgl.). SEW-Tageszeitung ist »Die Wahrheit« (Aufl. 13 000).

68 Vgl. hierzu insbesondere M. Robbe, Die Stummen in der Welt haben das Wort. Entwicklungsländer: Bilanz und Perspektiven, Berlin (Ost) 1984.

69 Vgl. die Analyse des X. SED-Parteitages von J. Kuppe/S. Kupper, »Parteitag der Kontinuität«, in: Deutschland Archiv 7/81, S. 714–737, hier insbes. S. 735.

70 MPLA = Movimento Popular de Libertaçao de Angola; COPWE = Commission for the Organization of the Party of Workers of Ethiopia; seit September 1984 Arbeiterpartei Äthiopiens (WPE); FRELIMO = Frente de Libertaçao de Moçambique. Vgl. auch J. Kuppe, »Die Parteiaußenpolitik gegenüber Staaten ›sozialistischer Orientierung‹ in Afrika«, in: Die Dritte Welt und die beiden Staaten in Deutschland, Jahrbuch 1982, hrsgg. von der Gesellschaft für Deutschlandforschung, Stuttgart 1983, S. 109 ff.; B. v. Plate, »Aspekte der Parteibeziehungen in Afrika und der Arabischen Region«, in: Deutschland Archiv 2/1979, S. 132 ff.

71 PLO = Palestine Liberation Organization; SWAPO = Southwest African People's Organization; ANC = African National Congress.

Marx-Engels-Forum in Ost-Berlin.

Haus des ZK der SED
am Werderschen Markt in Ost-Berlin,
ehemals Deutsche Reichsbank.

Wallstraße 76–79,
Juli 1945 bis April 1946
Sitz des ZK der KPD;
heute Parteiverlag.

»Haus der Einheit«, Wilhelm-Pieck-Straße,
1946–1949 Sitz des ZK der SED,
heute Institut für Marxismus-Leninismus.

Zeugen des gewandelten Geschichtsverständnisses der SED im Ost-Berliner Stadtbild: Reiterdenkmal Friedrich der Große (Rauch) Unter den Linden.

Restaurierter Gendarmenmarkt: Schauspielhaus (Schinkel), alte Hugenottenkirche, Französischer Dom.

Gründungsparteitag April 1946.
Von links: Dahlem, Fechner, Pieck, Grotewohl, Ulbricht, Gniffke.

IV. Parteitag April 1954.
Vom Präsidium 1946 nur noch Ulbricht, Pieck, Grotewohl übrig.

Politbürositzung 1951 oder 1952.
Von links: Honecker, Mückenberger, Ulbricht, Grotewohl, Pieck, Ackermann, Rau, Herrnstadt.

Erich Mückenberger und Hilde Benjamin.

Zaisser, Ulbricht, Grotewohl.
Kundgebung der Partei nach dem Aufstand vom 17. Juni.

Ernst Wollweber

Erich Mielke

Paul Merker

Rudolf Herrnstadt

Hermann Axen

Kurt Hager

Karl Schirdewan

Egon Krenz
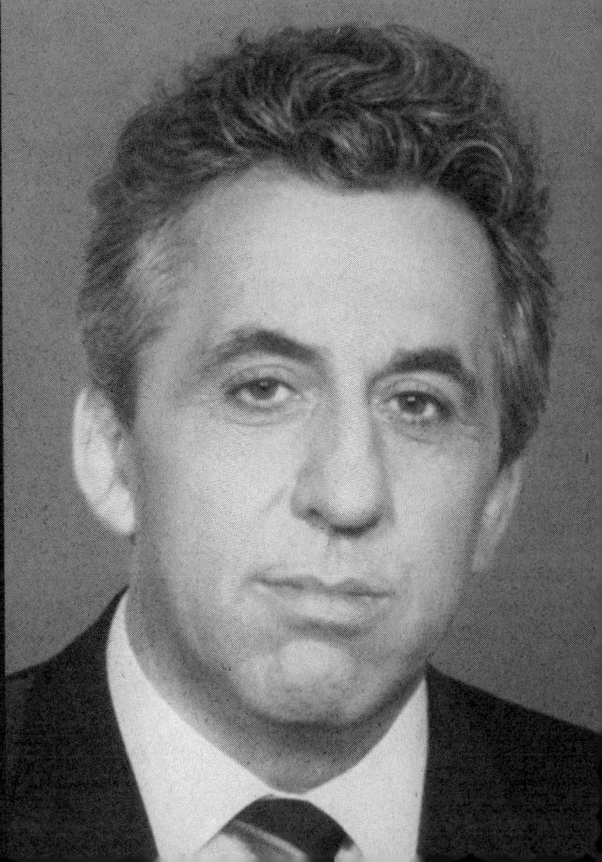

Stoph und Honecker.
Parade der »Kampfgruppen der Arbeiterklasse« am 13. August 1976.

Stoph, Gorbatschow, Honecker.
XI. Parteitag der SED April 1986.

Berichte und Reflexionen von Zeitzeugen zusammengestellt von Ursula Ludz

In diesem Teil kommen Autoren zu Wort, die selbst – handelnd oder beobachtend – an der Geschichte der SED teilgenommen und während der Zeit, über die sie jeweils berichten, im Zentrum der Macht oder in dessen Nähe gestanden haben. Natürlich konnte nicht der ganze so umrissene Personenkreis berücksichtigt werden. Unsere Wahl fiel auf diejenigen, die das Miterlebte eigenständig, also nicht im Sinne der parteioffiziellen Auffassungen, reflektiert und im Westen Deutschlands publiziert haben. Aus den Veröffentlichungen dieser Zeitzeugen drucken wir in acht Kapiteln Auszüge ab, die von »Ereignissen der SED-Geschichte« handeln.

Die Auswahl der Textauszüge hatte sich nach den Vorlagen zu richten. Zeitzeugen im definierten Sinn berichten vor allem über die frühe Geschichte der SED. Noch während die Partei ihre Herrschaftsansprüche rücksichtslos durchsetzte, also in den vierziger und fünfziger Jahren, haben die meisten von ihnen die SBZ/DDR verlassen und konnten dann die Geschehnisse lediglich aus der Ferne verfolgen. Deshalb wird hier nur etwas über die Zeit bis gegen Ende der fünfziger Jahre erzählt.

In einem neunten Kapitel haben wir Auszüge aus der ersten in der Bundesrepublik erschienenen Honecker-Biographie zusammengestellt. Ihr Autor, Heinz Lippmann, war in den Jahren 1949 bis 1953 enger Mitarbeiter von Erich Honecker und hat sein »Porträt« des damaligen FDJ-Chefs im Jahre 1971 in Köln veröffentlicht.

Auch wenn es manchem Leser überflüssig erscheint, sei doch darauf hingewiesen, daß Zeitzeugen jeweils nur ihren Teil der »Wahrheit« darlegen, daß auch mitgeteilte Tatsachen subjektiv gefärbt sein und strengen Maßstäben des Historikers nicht standhalten mögen. Eine Kommentierung kann hier nicht vorgenommen werden; es bleibt also dem Leser überlassen, die Berichte und Reflexionen kritisch zur Kenntnis zu nehmen. Dabei sollen die Mitteilungen zu den Biographien der Zeitzeugen und zur Entstehung ihrer Werke im Autorenverzeichnis (auf den Seiten 253 ff.) eine Hilfestellung geben. – Im übrigen beschränken sich die redaktionellen Anmerkungen auf Verweise innerhalb dieses Teils der Edition sowie auf solche Informationen, die für das Verständnis der abgedruckten Texte erforderlich sind.

Ereignisse der SED-Geschichte

1. Zur Vorgeschichte

1.1. Überblick vom Standort eines ehemaligen Kommunisten

Wolfgang Leonhard

Frage: Während die Amerikaner Westdeutschland und Süddeutschland besetzten, eroberte die Rote Armee Berlin. Am 2. Mai 1945 kapitulierten die letzten Reste der deutschen Wehrmacht, und am selben 2. Mai begann die sowjetische Besatzungsmacht mit dem Staatsaufbau von unten. Das Manöver ist bekannt geworden unter dem Namen »Gruppe Ulbricht«, zu der Sie gehört haben.

Leonhard: Es war nicht nur am selben Tag, sondern sogar zur selben Stunde. Am 2. Mai 1945 um 12 Uhr kapitulierten die letzten Reste der Wehrmacht in Berlin – und genau zur gleichen Zeit fuhr eine Gruppe von Personenwagen, von Osten kommend, in Berlin ein: die Gruppe Ulbricht, die später als die Initiativgruppe der deutschen kommunistischen Partei bezeichnet wurde, faktisch die neue KP-Führung. Es waren zehn Personen, die an diesem 2. Mai den Aufbau einer neuen Verwaltung in Deutschland in Angriff nahmen.

Frage: Sie hatten einen festen Plan, der in Moskau, unter den dort residierenden deutschen Emigranten, speziell KP-Funktionären aus der früheren Zeit, ausgearbeitet worden war.

Leonhard: Ja, ich würde sagen: in zwei Etappen. Die erste, noch sehr allgemein gehalten, begann etwa im Sommer 1943 mit der Gründung des Nationalkomitees Freies Deutschland; man bildete Studiengruppen, um zu beraten, was man in Deutschland nach Kriegsende und der Überwindung des Nazismus in der Landwirtschaft, in der Volksbildung, in der Wirtschaft, im politischen Aufbau tun sollte.

Zu einem späteren Zeitpunkt, ab Januar 1945, wurde das viel konkreter. In Moskau wurden etwa 150 deutsche kommunistische Emigranten regelmäßig zu sogenannten Informationsvorträgen zusammengeholt. Dabei wurde genau die Linie mitgeteilt, wie wir später vorzugehen hätten. Die entscheidenden Vorträge hielt Wilhelm Pieck, damals der Parteivorsitzende der KPD. Der zweite Mann war bereits Walter Ulbricht, der über die Zielsetzung der antifaschistisch-demokratischen Kräfte sprach. Dann Hermann Matern, Anton Ackermann, Rudolf Lindau, damals in Moskau bekannt unter dem Namen Paul Graetz, und Edwin Hörnle . . .

Frage: Können Sie das Konzept kurz charakterisieren?

Leonhard: In den Vorträgen vom Januar 1945 an wurde etwa folgendes gesagt: In Deutschland hat es keine nennenswerte Widerstandsbewegung gegeben, so daß die Aufgabe der deutschen Kommunisten und ihrer Verbündeten darin bestehen müßte, die Tätigkeit der Besatzungsmächte zu unterstützen. Vor allem bei der Vernichtung des Nazismus und in der Durchführung der demokratischen Reformen. Eigentümlicherweise wurde uns damals immer wieder gesagt, die Besetzung werde langfristig sein, es werde auf Jahre hinaus keine politischen Parteien in Deutschland geben.

Unter diesen Bedingungen durfte man also nicht daran denken, eine kommunistische Partei aufzubauen, sondern höchstens, wie es damals hieß, einen Block der kämpferischen Demokratie mit der Zielsetzung, die demokratischen Reformen zu unterstützen. Wir wurden davor gewarnt, irgendwelche sozialistischen Forderungen zu stellen. Sozialismus, so wurde uns erklärt, stehe überhaupt nicht auf der Tagesordnung; es komme darauf an, die bürgerlich-demokratische Revolution von 1848 zu vollenden.

Frage: Es war nicht davon die Rede, daß man aus den Fehlern von 1932 und 1933 Konsequenzen ziehen und etwa das damals nicht verwirklichte Zusammenwirken von KP und SPD nachträglich jetzt vollziehen sollte?

Leonhard: Man wollte es noch viel breiter machen, eine viel breitere Front aufstellen. Darum sprach man von der Revolution von 1848, die nun zu vollenden sei. Es wurde ferner gesagt, daß die Anti-Hitler-Koalition zwischen USA, England und der Sowjetunion eine langfristige Sache sei. Wir sollten die Einheit der Anti-Hitler-Koalition unterstützen; die Nazis würden versuchen, einen Keil zwischen die Westmächte und die Sowjetunion zu treiben; wir aber sollten diese Versuche rücksichtslos unterbinden.

Interessant war auch noch der Hinweis, daß man al-

ler Wahrscheinlichkeit nach für eine Bodenreform eintreten werde, aber daran könne erst im Jahre 1946 gedacht werden.
Frage: Bodenreform – das hieß Enteignung des Großgrundbesitzes?
Leonhard: Enteignung des Großgrundbesitzes und Aufteilung des Großgrundbesitzes unter die landarmen und landlosen Bauern oder Landarbeiter. Vorläufig, im Sommer 1945, sollten wir uns jedoch darauf konzentrieren, die Ernte einzubringen . . .
Frage: Nun zur Praxis. Wie hat sich der Transport der Gruppe Ulbricht von Moskau nach Berlin vollzogen?
Leonhard: Obwohl ich selbst der Gruppe angehört habe, erfuhren wir eigentlich recht spät davon. Ich war damals Rundfunksprecher des Senders »Freies Deutschland« in Moskau, dessen Redaktion von Anton Ackermann geleitet wurde. Ich wohnte im Hotel »Lux«, dem berühmten Komintern-Hotel »Lux«. Tag und Nacht – wir hatten acht Sendungen – wirkte ich also am Mikrophon und in der Redaktion – bis etwa zum 15./16. April. Mitte April kamen die Gerüchte auf, aber erst um den 25. April herum erhielten wir eine konkrete Idee von unserem Auftrag.
Es sollten drei Gruppen nach Deutschland fliegen, die wichtigste unter Ulbricht nach Berlin ins Operationsgebiet der Ersten weißrussischen Front des Marschalls Schukow. Wenige Tage später kam dann die übliche kurze Arbeitsbesprechung; wir erhielten alle Geld – ich glaube, es waren 2000 alliierte Mark – und mußten die in der Sowjetunion gebrauchten Dokumente abgeben. Wir kamen dann in das Institut Nummer 205, das war die Nachfolgeorganisation der kommunistischen Internationale, etwas außerhalb Moskaus; da erhielten wir neue Kleider, damit wir ein bißchen westeuropäischer aussahen. Und dann am 30. April flogen wir.
Zuvor, am 29. April, gab es eine Abschiedsfeier bei Wilhelm Pieck im Hotel »Lux«. Er wohnte in einem Dreizimmerappartement, was für die sowjetischen Verhältnisse des Krieges damals sehr gut war. Dort trafen wir uns, und am runden Tisch saßen nun die zehn Mitglieder der Gruppe Ulbricht, jeder erhielt ein kleines Gläschen Wodka. Das Glas wurde gehoben auf die Rückkehr nach Deutschland. Einer unserer Gruppe – ich glaube, es war Richard Gyptner – sagte zu Pieck: »Nun, auf daß du, Wilhelm, auch bald dann zu uns nach Berlin kommst.«
Frage: Was waren das für zehn Leute, die diese Gruppe Ulbricht bildeten?
Leonhard: Der Chef war natürlich Walter Ulbricht selbst, damals 51 Jahre; man merkte sehr deutlich, daß er der Chef war. Und die anderen neun – da gab es ganz interessante Unterschiede. Eine wichtige Rolle spielte Otto Winzer – der Typ des kalten Apparatschiks; er ist später zum Außenminister der DDR avanciert. Ähnlich war Richard Gyptner. Anders war Hans Mahle; er war früher in der kommunistischen Jugendbewegung, er hatte noch etwas Menschliches, eigentlich Sympathisches an sich. Ungefähr in der Mitte stand Karl Maron, früher mal Sportredakteur, während des Krieges am Moskauer Sender »Freies Deutschland« tätig, wo er die Militärkommentare schrieb. Später Innenminister in der Sowjetzone. Dann Walter Köppe mit unverfälschtem Berliner Dialekt. Fritz Erpenbeck war der einzige Intellektuelle in der Gruppe Ulbricht, sehr sympathisch, der einzige, der später keine Apparatschik-Karriere gemacht hat. Und dann noch der Älteste von uns, Gustav Gundelach, ein Hamburger, der später nach Westdeutschland ging und im ersten Bundestag die KP vertrat.
Als letzter ich, der Jüngste. Ich war damals gerade 24 Jahre alt.
Frage: Wie kamen Sie zu dieser Funktion, hatten Sie eine besondere Vorbildung erhalten, oder wurden Sie mehr zufällig ausgewählt?
Leonhard: Nein, nicht zufällig. Im Sowjetkommunismus, ganz besonders der Stalinschen Zeit, gab es wenig Zufälle. Es war wohlgeplant, wenn ich auch nicht genau weiß, warum. Vielleicht deshalb: Ich war von 1935 bis 1945 in der Sowjetunion aufgewachsen, ich war sozusagen der einzige Jüngere, und man wollte wohl gerne einen von der jüngeren Generation haben.
Ich hatte in der Sowjetunion die Schule absolviert, 1940, ich hatte studiert und gute Noten. Ich sprach natürlich fließend Russisch, hatte auch an der Pädagogischen Hochschule für Fremdsprachen Englisch gelernt. Dann war ich von 1942 bis 1943 in der Komintern-Schule, der höchsten Ausbildungsstätte für den internationalen Kommunismus. Schließlich kannte man mich in der Parteiführung durch meine Tätigkeit in der Zeitung »Freies Deutschland« und am Sender »Freies Deutschland« . . .
Frage: Die SED hat später lange Zeit gezögert, die Namen und Funktionen dieser Leute preiszugeben.
Leonhard: Bis 1955. Man wollte nicht so zeigen, wie eigentlich die Gruppe Ulbricht die ganze Sache in der Zone in Gang gebracht hat, eine Gruppe, die immerhin aus Moskau gekommen ist. Bis heute hält man in Ost-Berlin bestimmte Unklarheiten und Fälschungen aufrecht.
Frage: Nun zu Ihrem Auftrag in Berlin. Ihre erste Station war Bruchmühle . . .
Leonhard: Es war so: Wir sind am 30. April 1945 früh aus Moskau abgeflogen, nach 1 1/2 Stunden folgte eine kleine Zwischenstation in Minsk, und sind dann auf einem ganz primitiven Feldflugplatz bei Kahlau gelandet. Von dort sind wir mit dem Auto nach Meseritz gefahren, dann weiter über Küstrin nach Bruch-

mühle bei Strausberg. Bruchmühle war der erste deutsche Ort, den ich überhaupt kennenlernte. Dort wurden wir untergebracht und schon nach wenigen Stunden zu Besprechungen mit den höheren Offizieren der politischen Hauptverwaltung der Armeen des Marschalls Schukow eingeladen.

Man war auf unser Kommen vorbereitet. Die Besprechungen leitete General Galadsnijew, der oberste Politchef der gesamten Truppen Schukows. Galadsnijews Leute sprachen alle fließend Deutsch und wußten ganz genau Bescheid – auch über die Geschichte der KPD.

Frage: Welche Art Legitimationen bekamen Sie für Ihre weitere Arbeit?

Leonhard: Wir mußten ja nun in einen Armee-Apparat eingestuft werden: wir als Majore, Walter Ulbricht als Oberst. Wir bekamen ein sehr imposantes Schriftstück, daß wir im Auftrag der Ersten weißrussischen Front tätig sind und alle Organisationen und Behörden uns jede Hilfe zuteil werden lassen müssen.

Überall waren die politischen Offiziere bereits über die Gruppe Ulbricht informiert. Wir brauchten meistens unsere Ausweise gar nicht zu zeigen.

Frage: Wie waren Ihre ersten Eindrücke von Deutschland? Wie sah Berlin aus? Sie waren ja in Berlin aufgewachsen?

Leonhard: Ja, ich war in Berlin aufgewachsen. Die ersten Begegnungen hatte ich schon in Bruchmühle. Ich hatte es mir viel schlimmer vorgestellt. Nun war Bruchmühle allerdings sehr wenig zerstört. Als wir dann am 2. Mai um 12 Uhr in Berlin ankamen und diese entsetzlichen Zerstörungen sahen, da war ich wirklich zutiefst erschüttert. Da spürte man den Ernst der Situation. Aber das wurde überspielt durch das Gefühl, wieder zu Hause zu sein, vor allem durch das Bewußtsein: Jetzt muß etwas Neues beginnen. Ich glaubte ja damals daran, daß jetzt etwas wirklich Neues und Positives beginnt.

Frage: Angesichts der Ruinen dachte man doch wohl in erster Linie an materiellen Aufbau, an die Wiederherstellung irgendwelcher geordneter Verwaltungs- und Versorgungsinstitutionen?

Leonhard: Wir hatten gewissermaßen zweispurig zu fahren. Das eine war, daß wir demokratische Selbstverwaltungsorgane zu bilden hatten zur Lösung der praktischen Aufgaben: Sicherstellung der Ernährung, Löschen der Brände – in Berlin hat es noch an vielen Stellen gebrannt –, Einrichtung von Krankenhäusern, Wiederherstellung des Transportnetzes . . .

Andererseits aber stand uns ständig vor Augen: der neue, der ganz andere Weg. Ich hoffte damals, daß ein völlig neues demokratisch-sozialistisches Deutschland entstehen wird.

Frage: Wie ging das praktisch voran? Ihr politisches Konzept, angewandt in den Aufgaben, die vor Ihnen lagen?

Leonhard: Die ersten sieben, acht Tage waren wir noch in Bruchmühle. Jeder von uns hatte einen Wagen, einen sowjetischen Chauffeur. Wir bekamen am frühen Morgen die Direktiven Walter Ulbrichts, wer in welchen Bezirk fahren sollte und was er in diesem Bezirk zu tun hat. Die Direktive lautete zunächst einmal: Auffinden von deutschen Antifaschisten, nicht nur Kommunisten, sondern von deutschen Antifaschisten der verschiedensten Richtungen; die Leute kennenlernen, sich über sie Notizen machen und überlegen, wem man eine Verwaltungsfunktion übertragen konnte. Am Abend kamen wir dann zurück und gaben kurzen Bericht.

Frage: Und als diese Erfassungslisten einigermaßen vorhanden waren?

Leonhard: Wir hatten auch schon Listen vorher. Die sowjetischen Kommandanturen gaben uns welche, andere hatte Walter Ulbricht. Diese Listen sollten wir kontrollieren und vervollständigen. Dann kam die Aufgabe, in jedem der zwanzig Verwaltungsbezirke Berlins eine, wie es hieß, demokratische Verwaltung aufzubauen.

Frage: Es sollten, wie gesagt, nicht nur Kommunisten sein?

Leonhard: Es sollten ein Bürgermeister für jeden Bezirk, zwei Stellvertreter und dann Dezernenten für Ernährung, Wirtschaft, Soziales, Gesundheit, Verkehr, Arbeit, Volksbildung und so weiter ausfindig gemacht werden. Und davon sollten nur der stellvertretende Bürgermeister, der gleichzeitig für Personalfragen zuständig war, der Dezernent für Volksbildung sowie der Chef der Bezirkspolizei unbedingt und überall in Händen der Kommunisten sein. Oder, wie es immer bei uns hieß, in Händen der eigenen Leute.

In die neue Verwaltung, wurde uns gesagt, müßten Sozialdemokraten herein, vor allen Dingen für Wirtschaft, Soziales und Ernährung. Ulbricht sagte: »Die Sozialdemokraten, die verstehen was von Kommunalpolitik.« Und dann immer wieder die Direktive: bürgerliche Antifaschisten, besonders in den westlichen Bezirken Berlins, am liebsten Leute, die den Doktortitel hatten. Die Idee war: Wenn die westlichen Alliierten die Berliner Westbezirke besetzten, sollten sie dann die von uns eingesetzten Bezirksverwaltungen übernehmen. Walter Ulbricht gebrauchte wiederholt für die Zusammensetzung der Bezirksverwaltungen den berühmten Satz: Es muß demokratisch aussehen, aber wir müssen alles in der Hand haben.

Frage: So wurde es in den Bezirken gemacht, und so auch für die Gesamtberliner Verwaltung?

Leonhard: An die Spitze des Berliner Magistrats kam der parteilose Dr. Werner, ein Architekt; aber sein erster Stellvertreter war unser Karl Maron. Personalchef wurde Arthur Pieck, der Sohn Wilhelm Piecks, der übrigens damals noch eine sowjetische Uniform trug. Volksbildung Otto Winzer. Die übrigen Posten erhielten Sozialdemokraten oder auch parteilose Honoratioren: Professor Sauerbruch (Gesundheitswesen), Scharoun (Bauwesen), Pfarrer Buchholz (Kirchenfragen); die Ernährung übernahm Dr. Andreas Hermes von der früheren Zentrumspartei, später CDU.

Frage: Gab es nicht damals in Berlin auch noch andere Gruppen oder Organisationen, politische Kräfte, die sich spontan ähnliche Aufgaben stellten?

Leonhard: Ja, das war der erste Punkt, wo bei mir ernste Zweifel an der Parteilinie aufkamen. In den verschiedenen Bezirken waren antifaschistische Ausschüsse, Einheitskomitees entstanden, aus Kommunisten, Sozialdemokraten, Antifaschistischen aus dem Bürgertum, die eine außerordentlich gute Arbeit leisteten.

Ich habe zunächst geglaubt, das sind ja unsere Freunde. Um so unfaßlicher war für mich die Direktive Walter Ulbrichts – eine sehr scharfe Direktive: all das müsse zerschlagen werden, wir müssen alles selber in der Hand behalten. Darin kam, was ich damals spürte und heute weiß, das Mißtrauen eines kommunistischen Partei-Apparatschiks Stalinscher Prägung gegenüber Bewegungen, spontanen Strömungen von unten, deutlich zum Ausdruck.

Frage: Sie bekamen alsbald Zuzug aus Moskau. Als nächstes kam die Gruppe Pieck an. Änderte sich damit das Konzept?

Leonhard: Das ist eine interessante Frage, die von der Zeitgeschichte noch zu untersuchen wäre. Die Gruppe Pieck kam mit einer ganzen Reihe von prominenten Emigranten aus der Sowjetunion an. Wir hatten dann einige Tage viele Besprechungen. Anfang Juni wurde plötzlich eine Änderung der politischen Linie verkündet. Während man bis dahin eine langfristige Zusammenarbeit zwischen den Alliierten voraussetzte, kam jetzt heraus, daß da einiges nicht klappte. Während man uns vorher gesagt hatte: keine kommunistische Partei, sondern »Block der kämpferischen Demokratie«, wurde uns jetzt verkündet: nach dem Aufbau der Verwaltungen so schnell wie möglich eine kommunistische Partei gründen.

Frage: Nur eine kommunistische Partei oder ein ganzes Parteiensystem?

Leonhard: Ja, gleichzeitig kam die Anweisung, es sollten auch drei andere Parteien gegründet werden: eine sozialdemokratische Partei, ein Zentrum, also wieder eine katholische Partei, und eine demokratische oder liberale Partei. Unsere Aufgabe bestand nun darin, dies zu beschleunigen.

Frage: In denselben Tagen kam auch Schukows Befehl vom 10. Juni, die Lizenzierung der Parteien betreffend.

Leonhard: Das ging alles in ganz wenigen Tagen vor sich. Die Gruppe Pieck hatte bereits den Aufruf für die KPD mitgebracht. Nachdem Marschall Schukow die Lizenzierung der politischen Parteien am 10. Juni bekanntgab, konnte gleich am 11. Juni der Gründungsaufruf der neuen Kommunistischen Partei Deutschlands erscheinen. Zugleich kam die erste Nummer der »Deutschen Volkszeitung« heraus, wie damals das Zentralorgan der KPD hieß. Ich war mit Paul Wandel und Fritz Erpenbeck eingeteilt, die ersten Exemplare dieser Deutschen Volkszeitung fertigzustellen.

Frage: Der Gründungsaufruf der KP hat damals – aufgrund seines gemäßigten Tones – großes Aufsehen erregt.

Leonhard: Es war ein sehr zahmer Text. Marx, Engels und Lenin wurden nicht genannt.

Frage: Man hat gesagt, er steht viel weiter rechts als der Aufruf der SPD, der später gefolgt ist.

Leonhard: Ich glaube, das ist richtig. Das Wort Sozialismus kam nicht vor. Keine Sozialisierung, hingegen Förderung des Privateigentums, des Unternehmertums. Und dann das entscheidende Versprechen, Deutschland nicht das Sowjetsystem aufzuzwingen.

Frage: Wir sind der Auffassung, hieß es, daß der Weg, Deutschland das Sowjetsystem aufzuzwingen, falsch wäre, denn dieser Weg entspricht nicht den gegenwärtigen Entwicklungsbedingungen . . .

Leonhard: Einige alte Kommunisten waren ziemlich erstaunt. Wir sollten uns nicht mehr als Partei der revolutionären Arbeiterklasse verstehen, sondern eine Partei der Nation, des Friedens und des Volkes bilden. Alten Kommunisten klang das ganz neu; mir jedoch war dieser Satz aus dem Herzen gesprochen, ich habe daran geglaubt, ich habe gedacht: Gott sei Dank, wir werden also nicht dasselbe machen wie Stalins Sowjetunion, sondern einen eigenen Weg gehen . . .

Frage: Das Programm verhieß: Aufrichtung eines antifaschistisch-demokratischen Regimes, einer parlamentarisch-demokratischen Republik geradezu. Wie wirkte das z. B. auf die SPD, die den Neuanfang in der Einigung und Einheit der Arbeiterbewegung gewährleistet sehen wollte?

Leonhard: Heute klingt das alles sehr anders als damals, im Sommer 1945. Wir dürfen nicht vergessen: zwölf Jahre Nationalsozialismus. Die aktivsten Gegner Hitlers waren in Konzentrationslagern: Kommunisten, Sozialdemokraten, Zentrumsleute. Sie haben gemeinsam gelitten, und aus diesem gemeinsamen Schicksal erwuchs naturgemäß der Wunsch, möglichst eng zusammenzuarbeiten für das neue Deutschland; der Wunsch auch, eine einheitliche sozialistische Partei zu bilden. Ich sah damals in Berlin überall Einheitskomitees; man wollte nicht mehr die Spaltung zwischen SPD und KPD, sondern man wollte eine einheitliche sozialistische Partei. Ironischerweise war es damals gerade Walter Ulbricht, der das verhinderte.

Frage: Können Sie Ulbricht in diesem Zusammenhang ein bißchen charakterisieren?

Leonhard: Von Mai 1945 bis etwa Ende Juni war ich praktisch auch Sekretär Ulbrichts, ich fuhr mit ihm nach Karlshorst, übersetzte die Gespräche zwischen Ulbricht und Marschall Schukow. Ich sah ihn also Tag und Nacht. Ulbricht war von einer unglaublichen Arbeitsintensität, ein Mensch, der 16 Stunden am Tag arbeiten kann, vielleicht deswegen, weil er gar keine anderen Interessen hat. Er sah keine Natur – wir sind damals durch die Zone gefahren –, er sah nichts davon. Auch kein Interesse für Musik, für Literatur, für Theater, nicht einmal für Frauen. Persönliches existierte nicht. Es bewegte ihn nur die Arbeit; und in der Arbeit eigentlich nicht die tiefer gehenden politischen Probleme. Kein Interesse für ideologische Fragen. Nur: Organisation, Macht. Ausgezeichnetes Gedächtnis, Organisationstalent, Arbeitsintensität. Auch abends, wenn man mit ihm zusammen war, immer diese Gedanken: Den nehmen wir aus Erfurt, den stecken wir nach Weimar, den nehmen wir aus Rostock, den stecken wir nach Stralsund, der ist zu weich, der ist zu hart, da müssen wir den nehmen und den nehmen. Personalpolitisches Organisationsinstrument, das war alles.

Frage: Was entwickelte dieser Ulbricht nun für Vorstellungen, wie es mit der KPD in einem angeblich demokratischen Parteienspiel werden sollte? Glaubte er an die Kraft dieser Partei, oder hoffte er auf die sowjetische Militärmacht?

Leonhard: Ich glaube, daß damals Walter Ulbricht und noch manche andere die Möglichkeiten der KPD weit überschätzt haben. Sie dachten, daß in dem Spiel der vier Parteien die KPD – mit der zusätzlichen Unterstützung der sowjetischen Besatzungsmacht und ihren genauen Plänen – die stärkste Partei würde.

Frage: Vorgearbeitet war in diesem Sinne. Man hatte zwar die Parteien unabhängig voneinander gründen lassen, aber zugleich auch versucht, sie aneinanderzukoppeln.

Leonhard: Dazu wurde zunächst einmal ein Einheitsausschuß KPD/SPD gegründet und dann am 14. Juli der Antifaschistisch-Demokratische Block (später Antifaschistisch-Demokratische Einheitsfront) aus den vier inzwischen gegründeten Parteien KPD, SPD, CDU, LDP. Der Hintergedanke war: gemeinsam die Verantwortung tragen, wobei die KP immer die weitesten Forderungen stellen und auf diese Weise die anderen mitziehen würde. Wenn sie nicht mehr mitgehen wollten, könnte man eine Scheibe nach der anderen abschneiden – was später als Salami-Taktik bezeichnet wurde. Das, glaube ich, waren die Vorstellungen Walter Ulbrichts, aber nicht die Vorstellungen aller Kommunisten.

Frage: Sie haben damals ja ziemliche Wandlungen mitmachen müssen. Nach dieser ganzen Geschichte mit den vier separaten Parteigründungen wurde im Herbst 1945 ganz plötzlich der Hebel herumgelegt und auf die Tendenz geschaltet: lieber doch eine sozialistische Einheitspartei, also eine Verbindung von SPD und KPD.

Leonhard: Man hatte ursprünglich im Kreise von Ulbricht gedacht, die KPD würde die stärkste Partei. Aber dann geschahen zwei Dinge: Im Laufe des Sommers und Herbstes begann die Diskreditierung der KP; die Leute sahen, das ist die Russenpartei. Der Zulauf zur SPD wurde immer stärker, so daß im Spätherbst 1945 klar wurde, daß die SPD die KPD in den Schatten stellte. Zweitens: Ende November 1945 kamen die österreichischen Wahlen, aus denen die KP – wider alle Erwartung – als ganz kleine Partei mit nur vier Abgeordneten hervorging. Da wurde bei uns umgeschaltet und gesagt, wir müssen doch die Vereinigung machen.

Frage: Ihnen muß dieses Einheitskonzept sehr entsprochen haben?

Leonhard: Ich scheue mich nicht, das auch heute zu sagen: Ich war damals ein großer Anhänger der Vereinigung von SPD und KPD. Aus zwei Gründen. Erstens hatte im November 1945 Anton Ackermann, der mir immer der Sympathischste unter den führenden Kommunisten war, die These vom besonderen deutschen Weg zum Sozialismus vertreten. Der Weg zum Sozialismus in Deutschland würde über die parlamentarische Demokratie führen und humaner, leichter sein als der, den Stalin in der Sowjetunion beschritten hatte. Zweitens glaubte ich an eine ehrliche Einheitspartei, in der die guten revolutionären Traditionen der früheren KPD mit den demokratischen Traditionen der deutschen Sozialdemokratie vereinigt würden zu einer höheren Synthese.

Frage: Die Praxis sah anders aus. In der SED-Geschichtsschreibung ist nirgends davon die Rede, daß es verschiedene Einheitskonzepte gegeben, daß es vor allem den von Ihnen geschilderten Idealismus gegeben hat.

Leonhard: Leider geht die SED auch heute immer noch den Weg von Geschichtsfälschungen. Nehmen Sie die »Kurze Geschichte der DDR« von Stefan Doernberg, bei der es sich um eine offizielle Darstellung handelt. Die Gruppe Ulbricht wird die »Initiativgruppe« genannt, es wird aber nicht gesagt, daß wir mit Marschall Schukow zu tun hatten und im Auftrag

von Marschall Schukow tätig waren, weil Marschall Schukow inzwischen gestürzt wurde.
Noch weiter gehen die Verfälschungen im Buch von Siegfried Thomas »Entscheidung in Berlin«, herausgegeben von der Akademie der Wissenschaften in Ost-Berlin. In diesem Buch wird die Gruppe Ulbricht die »zentrale Parteiführung der KPD« genannt – aber die Namen werden einfach verändert. Natürlich ist Wolfgang Leonhard nirgends erwähnt; auch Gustav Gundelach und Hans Mahle nicht. Statt dessen hat man Arthur Pieck hinzugefügt, der niemals zur Gruppe Ulbricht gehörte. Verschwiegen wird auch die Tatsache, warum und wieso wir die Antifa-Ausschüsse auflösten. Verschwiegen werden die Sonderaufträge zur Auflösung der antifaschistischen Ausschüsse.[1]
Auf der einen Seite eine Verherrlichung der Gruppe Ulbricht mit falschen Namensnennungen – auf der anderen Seite eine Verfälschung der wirklichen Situation, der Stimmungen, der Tatsachen; zum Beispiel, daß Ulbricht zunächst gegen und später für eine Einheitspartei war.
In einem bürokratisch hölzernen Stil wird alles vertuscht. Die damaligen Probleme, die Strömungen, die Hoffnungen, die Enttäuschungen – all das gibt es überhaupt nicht mehr.
Frage: Wie ja auch die Einheitspartei der SED, als sie im Frühjahr 1946 unter Zwang gegründet wurde, dann einen ganz anderen Weg gegangen ist, als er im ursprünglichen KPD-Programm versprochen worden war.
Leonhard: Einen völlig anderen Weg. Sie hat sich verwandelt in eine bürokratische, diktatorische Partei Stalinscher Prägung. Sie hat die Hoffnungen der Menschen, die sie gegründet haben, zutiefst enttäuscht.

1 Vgl. dazu in dieser Edition den Bericht Leonhards unter 1.4., S. 164 (Anm. d. Red.)

Quelle: W. Leonhard im Gespräch mit A. Wucher, veröffentlicht 1968, s. unter Leonhard.

1.2. Überblick vom Standort eines Sozialdemokraten

Gustav Dahrendorf

Am 10. Juni 1945 wurde in der östlichen Besatzungszone der Befehl Marschall Schukows veröffentlicht, der die Bildung antifaschistisch-demokratischer Parteien zuließ. Auf Grund dieses Befehls traten nacheinander die Kommunistische Partei, die Sozialdemokratische Partei, die Christlich-Demokratische Union und die Liberal-Demokratische Partei ins Leben. Diese vier Parteien, deren Bildung zunächst nur im Bereich der östlichen Besatzungszone möglich war, sind bewußt nicht als Zonenparteien, sondern als Parteien für ganz Deutschland zugelassen worden.
Die Kommunistische Partei Deutschlands trat als erste in einer repräsentativen Versammlung im Berliner Stadthaus am 12. Juni 1945 an die Öffentlichkeit. Das Zentralkomitee der KPD richtete in dieser Versammlung einen Aufruf an das deutsche Volk, als deren Kernsätze in diesem Zusammenhang folgende verzeichnet seien:
»Wir sind der Auffassung, daß der Weg, Deutschland das Sowjetsystem aufzuzwingen, falsch wäre, denn dieser Weg entspricht nicht den gegenwärtigen Entwicklungsbedingungen in Deutschland.
Wir sind vielmehr der Auffassung, daß die entscheidenden Interessen des deutschen Volkes in der gegenwärtigen Lage für Deutschland einen anderen Weg vorschreiben, und zwar den Weg der Aufrichtung eines antifaschistischen demokratischen Regimes, einer parlamentarisch-demokratischen Republik mit allen demokratischen Rechten und Freiheiten für das Volk.«
Auf dieser Kundgebung sprach im Namen der wiedererstandenen Sozialdemokratischen Partei Gustav Dahrendorf. Er erklärte unter anderem wörtlich folgendes:
»Die Sozialdemokratische Partei will die politische und, wenn es sein kann, die organisatorische Einheit der Werktätigen in Stadt und Land. Wir sind rückhaltlos bereit, über die tatsächliche Durchführung dieser Einheit insbesondere mit unseren kommunistischen Freunden zu sprechen. Ich bitte um eine Erklärung, ob und wann ein solches Gespräch möglich ist.«
Dieser Erklärung war bereits am 28. April 1945 ein Brief des Sozialdemokraten Max Fechner an das führende Mitglied des Zentralkomitees der KPD, Walter Ulbricht, vorausgegangen, mit dem Max Fechner um eine Besprechung darüber bat, »wie es möglich wäre, endlich die so ersehnte Einheitsorganisation der deutschen Arbeiterklasse zu schaffen«.
Dieser Brief hat Ulbricht, nach dessen später abgegebener Erklärung, nicht erreicht.
Im Mai 1945 haben sich überdies die Sozialdemokraten Otto Grotewohl, Erich W. Gniffke und Engelbert Graf vergeblich bemüht, über Arthur Pieck, den Sohn des Vorsitzenden der KPD, eine Besprechung ebenfalls über die Frage der Herstellung der organisatorischen Einheit zu erreichen.
Am 15. Juni 1945 veröffentlichte die Sozialdemokratische Partei ihren Aufruf, mit dem sie ihre legale Arbeit wiederaufnahm. In diesem Aufruf erklärte der Zentralausschuß der Sozialdemokratischen Partei folgendes:

»Wir wollen vor allem den Kampf um die Neugestaltung auf dem Boden der organisatorischen Einheit der deutschen Arbeiterklasse führen. Wir sehen darin eine moralische Wiedergutmachung politischer Fehler der Vergangenheit, um der jungen Generation eine einheitliche politische Kampforganisation in die Hand zu geben.«

Am 19. Juni 1945 fand dann die erste Besprechung zwischen je fünf Vertretern des Zentralkomitees der Kommunistischen Partei und des Zentralausschusses der Sozialdemokratischen Partei statt. Dem Zentralkomitee der KPD wurden bei dieser Gelegenheit erneut Vorschläge zur Bildung einer einheitlichen Organisation unterbreitet.

Das Zentralkomitee der KPD lehnte diese Vorschläge ab und gab dazu durch Walter Ulbricht folgende Erklärung ab:

»Die Zeit für eine organisatorische Vereinigung ist noch nicht gekommen. Eine verfrühte Vereinigung trägt den Keim neuer Zersplitterungen in sich und diskreditiert dadurch den Gedanken der Einheit.

Der Vereinigung der beiden Parteien muß zunächst für eine längere Zeit ein gemeinsames Zusammenarbeiten vorausgehen. In dieser Zeit müssen insbesondere gemeinsame Veranstaltungen beider Parteien und gemeinsame Beratungen zur Klärung ideologischer Fragen stattfinden. Wenn diese Voraussetzungen nicht erfüllt sind, ist die Einheitspartei zur Aktionsunfähigkeit verurteilt und birgt infolgedessen die Gefahr des Auseinanderfalls in sich.«

Im Juni 1945 begann danach in der östlichen Besatzungszone, eingeleitet durch eine große Funktionärversammlung in Berlin am 17. Juni, der bereits vorbereitete legale Aufbau der Sozialdemokratischen Partei. Bei diesem Aufbau sind gelegentlich von unteren Kommandostellen der Besatzungsmacht Schwierigkeiten gemacht worden. Im großen und ganzen vollzog er sich jedoch ohne besondere Behinderungen, so daß er bis Oktober-November 1945 zu einem vorläufigen Abschluß gebracht werden konnte. In diesem Zeitraum konnten 13 Bezirksorganisationen gebildet werden, die zu Beginn des Jahres 1946 etwa 400 000 Mitglieder umfaßten.

Die Kommunistische Partei erfuhr bei ihrem Aufbau eine wesentlich weiter gehende Förderung durch die Besatzungsmacht, und zwar insbesondere beim Aufbau der Organisation, bei der Zulassung von Zeitungen und der Festsetzung der Höhe der Auflagen usw. Um die Jahreswende 1945/46 war der Stand etwa so, daß die Sozialdemokratische Partei über sieben Tageszeitungen verfügte, deren Gesamtauflage unter einer Million lag, während die Auflage der kommunistischen Presse nach zuverlässigen Schätzungen etwa vier Millionen betrug.

Die besondere Förderung der Kommunistischen Partei durch die Besatzungsmacht drückte sich auch aus in der Bereitstellung außerordentlich hoher Papierkontingente für die Herausgabe von Referentenmaterial, Propagandaschriften, Plakate usw.

Eine nachdrückliche Förderung erfuhr die Kommunistische Partei sodann auch beim Aufbau der Verwaltung. Sie war bereits unmittelbar nach dem Einmarsch der Roten Armee in stärkstem Maße bei der Bildung von Gemeinde- und Kreisverwaltungen herangezogen worden. Auch nach der Zulassung der Sozialdemokratie wurden zwar gelegentlich Sozialdemokraten mit Ämtern in den Gemeinde- und Kreisverwaltungen betraut, jedoch im allgemeinen nicht auf Vorschlag der Sozialdemokratischen Partei, sondern auf Vorschlag der KPD. Die KPD glich ihren Personalmangel aus, indem sie, ohne Rücksicht auf die Eignung, auch Schlüsselstellungen in der Verwaltung, besonders in mittleren und kleineren Gemeinden und auch Kreisen, mit Personen besetzte, die entweder aus Konjunkturgründen der KPD beigetreten waren oder die sachlich unfähig, zum Teil auch moralisch belastet waren. Bereits frühzeitig zeigten sich Erscheinungen zur Korruption und völliger Unfähigkeit, die in manchen Fällen zu einem wiederholten Wechsel in der Ämterbesetzung geführt haben, ohne daß wesentliche Fortschritte in der Säuberung der im allgemeinen völlig neu aufgebauten Verwaltung zu verzeichnen sind.

Eine stärkere Heranziehung von Sozialdemokraten zur Mitarbeit in der Verwaltung erfolgte im Zusammenhang mit der Bildung von Provinzial- und Landesverwaltungen. So sind beispielsweise die Präsidenten der Provinzial- bzw. Landesverwaltungen der Provinz Brandenburg, des Landes Mecklenburg-Vorpommern und des Landes Sachsen Sozialdemokraten.

Unmittelbar im Anschluß an die Bildung der vier antifaschistisch-demokratischen Parteien begann eine Periode der Zusammenarbeit sowohl zwischen der KPD und der Sozialdemokratie als auch zwischen beiden Parteien und den zugelassenen beiden bürgerlichen Parteien.

Für diese Zusammenarbeit ist kennzeichnend, daß sie sich weniger auf grundlegende praktisch-politische Aufgaben bezog und bezieht als auf die Vorbereitung von Kundgebungen und die Verständigung über Entschließungen allgemein-politischen Charakters. Typisch dafür ist die Bodenreform, die in der östlichen Besatzungszone auf Befehl der Besatzungsmacht durchgeführt worden ist. Sie ist den Zentralleitungen der vier Parteien, mit Ausnahme der Kommunistischen Partei, weder vor ihrem Erlaß zur Stellungnahme noch zur Kenntnisnahme vorgelegt worden. Die Bodenreform-Verordnungen sind vielmehr den in Frage kommenden Provinzial- oder Landesverwaltungen oktroyiert worden. Die Präsidenten der Provinzial- und Landesverwaltungen hatten keinerlei Möglichkeit, den Text der Bodenreform-Verordnungen zu beraten, zu ändern oder in irgendeiner Form zu beeinflussen. Sie hatten lediglich die Aufgabe, die Verordnungen zu unterschreiben und durchzuführen. Aufschlußreich ist dazu eine Erklärung, die ein führendes Mitglied der Provinzialverwaltung der Provinz Sachsen und zugleich der Christlich-Demokratischen Union unmittelbar nach Erlaß der Bodenreform-Verordnung in der Provinz Sachsen abgab. Sie besagt, daß die Unterschriften unter die Bodenreform-Verordnungen durch die Kommunisten, mit der Besatzungsmacht im Hintergrund, erzwungen worden seien.

Die Form der Zusammenarbeit sowohl der KPD und der Sozialdemokratie als auch der vier Parteien konnte zunächst als ein Übergang angesehen werden. Zwangsläufig lag, wie in ganz Deutschland, so auch in den einzelnen Besatzungszonen, die vollziehende Gewalt bei den Besatzungsmächten. Es gab in dieser Zeit durchaus Anzeichen dafür, daß in zunehmendem Maße aus wirklich demokratischen Überlegungen eine stärkere Einschaltung beispielsweise der Sozialdemokratie erfolgen würde. Diese Anzeichen ergaben sich insbesondere daraus, daß immer deutlicher erkennbar wurde, wie gering der Rückhalt der Kommunistischen Partei in den Massen des Volkes ist und wie sehr andererseits die Sozialdemokratie das Vertrauen dieser Massen besaß.

Es ist zweifellos so, daß die KPD im öffentlichen Bewußtsein als Organ der sowjetrussischen Besatzungsmacht gilt und darum auch für die Vorgänge, die sich seit der Besetzung durch die Rote Armee ereignet haben, verantwortlich gemacht wird. Darüber hinaus beruht jedoch ihr mangelnder Rückhalt in der Bevölkerung sowohl auf der überall sichtbar gewordenen Unfähigkeit vieler Vertreter der KPD in den Verwaltungen usw. als auch auf einer allgemeinen Grundstimmung, die nach Überwindung des Nazismus eine neue Diktatur unter anderen Vorzeichen ablehnt. Die Sorge, daß eine solche neue Diktatur sich entwickeln könne, war schon frühzeitig in der östlichen Besatzungszone wirksam. Sie wurde zunehmend gefördert durch die Haltung der Besatzungsmacht und der KPD, die sich als die neue Staatspartei allgemein erkennbar verhält und betätigt. Mit diesen Anzeichen für eine möglicherweise demokratische* Entwicklung fielen verstärkte Bemühungen zusammen, die Stellung der KPD in der Bevölkerung zu verbessern. Sie äußerten sich vor allem darin, daß die Kommunisten sich mit großem Aufwand an Aufrufen, Kundgebungen und Versammlungen sowie mit anderen Maßnahmen den Alltagssorgen der Bevölkerung zuwandten, um Hilfsmaßnahmen einzuleiten und durchzuführen. Ein Zusammenspiel der KPD und der Besatzungsmacht war dabei vielfach erkennbar.

In diese Zeit fallen die ersten öffentlichen Wahlen, die mit größter Eindeutigkeit Wahlniederlagen der KPD ergaben. Von stärkstem Interesse sind in diesem Zusammenhang die Wahlen in Ungarn und Österreich, weil beide Länder entweder in vollem Umfang oder teilweise dem unmittelbaren Einfluß Rußlands unterliegen. Später folgten die ersten Gemeindewahlen in der amerikanischen Besatzungszone Deutschlands.

Die unmittelbare Wirkung der ersten freien Wahlen war, daß das Zentralkomitee der KPD vom Zentralausschuß der Sozialdemokratie die Einberufung einer gemeinsamen Konferenz der Zentralleitungen und Bezirksvertreter beider Parteien forderte. Auf dieser Konferenz sollte, nach den bereits im Oktober 1945 gegebenen Anregungen das Zentralkomitees, die Frage einer »Vertiefung der Aktionseinheit« zwischen beiden Parteien besprochen werden.

Der Vorschlag des Zentralkomitees wurde vom Zentralausschuß der Sozialdemokratie zunächst dilatorisch behandelt. Unter Mithilfe der Besatzungsmacht und unter Entfaltung einer täglich lebhafter werdenden Propaganda für eine Vertiefung der Aktionseinheit in den Ländern und Provinzen erneuerte das Zentralkomitee seine Forderung auf Durchführung der gemeinsamen Konferenz, die schließlich für den 20. und 21. Dezember 1945 nach Berlin in das Parteihaus der Sozialdemokratie einberufen wurde. Für jede Partei wurde die Teilnahme von 30 Vertretern festgelegt. Der Zentralausschuß der Sozialdemokratie legte dem Zentralkomitee der KPD unter dem 15. Dezember 1945 eine Beratungsgrundlage für die gemeinsame Konferenz vor. Der entscheidende Abschnitt dieser Beratungsgrundlage lautet:

»Der Versuch einer zonenmäßigen Verschmelzung der Arbeiterparteien müßte die zukünftige Einheit der deutschen Arbeiterklasse ebenso in Frage stellen, wie er die einheitliche Aktion der Arbeiterklasse zur Schaffung einer wirklich demokratischen Republik und zur Umerziehung des deutschen Volkes zu einer Friedensnation gefährden müßte. Sie (Zentralkomitee und Zentralausschuß) erstreben deshalb die schnelle Bildung einheitlicher Arbeiterparteien für das ganze Staatsgebiet, deren erste Parteitage die organisatorische Verschmelzung der Parteien zu beraten und einzuleiten haben.«

In einer Vorbesprechung des Zentralausschusses mit den Bezirksvertretern der Sozialdemokratie am 19. Dezember 1945 wurde die Linie festgelegt, die von den Sprechern der Partei auf der Konferenz vertreten werden sollte. Es kamen dabei insbesondere

* So im Original (Anm. d. Red.)

die Sorgen zum Ausdruck, die sich aus der politischen Praxis der Zusammenarbeit mit der KPD vornehmlich in den Monaten seit Oktober 1945 ergeben haben. Dem Sinne nach wurden Ausführungen anerkannt, die in dieser Vorbesprechung von Dahrendorf gemacht wurden und ihren Niederschlag in folgenden zehn Punkten gefunden haben, welche von Grotewohl der gemeinsamen Konferenz mit der Erklärung vorgetragen wurden, daß sie den Sorgen sehr klaren Ausdruck geben, die in den vergangenen Monaten in der Sozialdemokratie erwachsen sind:

»Nach sechs Monaten der Zusammenarbeit beim Aufbau eines neuen Deutschland stellt der Zentralausschuß der SPD für die sowjetrussische Besatzungszone einschließlich Berlin folgendes fest:

1. Die KPD erfährt durch die sowjetrussische Besatzungsmacht eine wesentlich weitergehende und nachdrücklichere Förderung als die SPD. Das drückt sich aus in einer schnelleren und weitergehenden tatsächlichen Hilfsbereitschaft und Erleichterung beim organisatorischen Aufbau der KPD, ihrer Presse und sonstigen Publikationen. Das äußert sich vor allem auch in der Einräumung eines wesentlich stärkeren zahlenmäßigen und auch sonstigen Einflusses der KPD in allen Organen der sowjetrussischen Besatzungszone, wie z. B. in den Zentralverwaltungen, den Länder- und den Provinzialverwaltungen der Kreise und Gemeinden.
2. Die KPD handelt vielfach nicht im Geiste der von ihr selbst bekundeten demokratischen Grundsätze und der vereinbarten guten Zusammenarbeit. Es mehren sich die Zeugnisse eines undemokratischen Drucks auf Sozialdemokraten.
3. Durch die unter 1 und 2 festgestellten Abweichungen vom Geist und Buchstaben der Bekundungen der KPD und der gemeinsamen Vereinbarungen ist die vorbehaltlose Bereitschaft großer Teile der Funktionäre und Anhänger der SPD einem zunehmenden Zweifel an der Ehrlichkeit des Bekenntnisses der KPD zur Demokratie und des Willens zur Zusammenarbeit und zur Einheit ohne betonten Führungsanspruch der KPD gewichen.
4. Der Zentralausschuß der SPD erklärt danach, daß erst nach voller Beseitigung der Vorzugsstellung der KPD und nach vorbehaltloser Aufgabe aller unzulässigen Einflußnahme auf die SPD und auf einzelne Sozialdemokraten eine gute Zusammenarbeit und die Vorbereitung der Einheit beider Parteien möglich sind.
5. Der Zentralausschuß der SPD erklärt weiter, daß er entschlossen ist, die Vertreter der SPD aus allen verantwortlichen Stellen der Selbstverwaltungen zurückzuziehen, wenn nicht alsbald die unter 4 bezeichneten Voraussetzungen der Zusammenarbeit und der Einheit erfüllt sind.
6. Der Zentralausschuß der SPD ist erst nach Erfüllung der genannten Voraussetzungen in der Lage, zu der Frage eines gemeinsamen Wahlprogramms und gemeinsamer Listen bei etwaigen Wahlen Stellung zu nehmen.
7. Schon jetzt macht der Zentralausschuß darauf aufmerksam, daß die SPD vor der Bildung der SPD im gesamten Reich und ihrer ungehinderten Entfaltung und vor der ordnungsgemäßen Wahl ihrer Instanzen durch eine Reichskonferenz bzw. einen Reichsparteitag keine verbindlichen Erklärungen über die Zusammenarbeit, die Herausgabe gemeinsamer Wahlprogramme und die Aufstellung gemeinsamer Wahllisten in der englischen, amerikanischen und französischen Besatzungszone abgeben kann und will.
8. Zur Frage eines gemeinsamen Wahlprogramms und gemeinsamer Wahllisten in der russischen Besatzungszone einschließlich Berlin erklärt der Zentralausschuß folgendes: Ohne seiner endgültigen Entscheidung vorzugreifen, die erst nach Erfüllung der dargelegten Voraussetzungen möglich ist, ist der Zentralausschuß der Auffassung, daß es sich aus gewichtigen Gründen verbietet, für etwaige Wahlen gemeinsame Listen aufzustellen. Die Frage kann ebensowenig zonenmäßig entschieden werden wie die Herstellung der organisatorischen Einheit der beiden Parteien, ohne daß die politische Einheit Deutschlands und damit zugleich die Einheit der SPD im gesamten Reiche gefährdet würde. Übrigens sprechen auch wesentliche taktische Gründe gegen die Aufstellung gemeinsamer Wahllisten.
9. Der Zentralausschuß der SPD drückt erneut seinen Willen aus, auf der Basis absoluter Gleichberechtigung mit der KPD beim Aufbau einer parlamentarisch-demokratischen Republik auf das engste zusammenzuarbeiten; er ist dabei vorbehaltlos zu einer Politik entschlossen, die die Fehler und Schwächen der Vergangenheit vermeidet. Er verspricht und erwartet, daß die SPD und die KPD in ihrer öffentlichen Wirksamkeit, also auch bei der Vorbereitung von Wahlen, jede gegenseitige Bekämpfung unterlassen, insbesondere auch auf alle Angriffe und Auseinandersetzungen, die auf Differenzen der Vergangenheit beruhen, verzichten.
10. Der Zentralausschuß wird sich bei allen seinen Beschlüssen und Maßnahmen von der Überzeugung leiten lassen, daß die Einheit der deutschen Arbeiterbewegung eine geschichtliche Notwendigkeit ist. Sie vorbereiten zu helfen, be-

trachtet er als seine besondere Verpflichtung. Er ist der Auffassung, daß die SPD und die KPD unablässig das Ziel verfolgen müssen, zum geeigneten Zeitpunkt sich selbst zugunsten einer neuen und geeinten unabhängigen deutschen Arbeiterpartei, die auf dem Grundsatz der inneren Parteidemokratie beruht, aufzulösen.«

Am Abend des 19. Dezember, gegen 19 Uhr, wurde dem Zentralausschuß, der noch mit den Bezirksvertretern tagte, die Entschließung des Zentralkomitees der KPD vorgelegt, welche auf zehn Schreibmaschinenseiten zunächst die angeblich großen Erfolge der Aktionseinheit pries, um alsdann insbesondere folgende Forderungen zu erheben, die später auf Verlangen der Sozialdemokratie aus der Entschließung herausgestrichen wurden:

1. Aufstellung gemeinsamer Kandidatenlisten für künftige Wahlen.
2. Veranstaltung gemeinsamer Mitgliederversammlungen, Funktionärkonferenzen und Leitungssitzungen beider Parteien, die sowohl zu den brennenden Gegenwartsaufgaben als auch zur Frage der Einheitspartei Stellung nehmen und Beschlüsse fassen sollen.
3. Forderte die KPD mit dieser Entschließung »die Verschmelzung der Organisationen beider Parteien im Landes- bzw. Provinzialmaßstab«, wenn folgende Voraussetzungen erfüllt sind:
   a) Die Orts- und Kreis- bzw. Bezirksorganisationen beider Parteien müssen sich mit Mehrheit und ohne jeden Druck und Zwang nur aus eigenem freien Entschluß für die organisatorische Vereinigung ausgesprochen haben.
   b) Die Verschmelzung kann nur von beiderseitigen, aus freien Wahlen hervorgegangenen Landes- bzw. Provinzialkongressen endgültig beschlossen werden.
   c) Eine solche Vereinigung der KPD und der SPD im Landes- bzw. Provinzialmaßstab bedarf der Zustimmung des zentralen Arbeitsausschusses des Zentralkomitees der KPD und des Zentralausschusses der SPD.«

In der Entschließung hieß es weiter:

»Wo eine solche Vereinigung erfolgt, müssen die neuen Leitungen von oben bis unten paritätisch aus bisherigen Mitgliedern der SPD und der KPD zusammengesetzt sein. Die Verteilung der Vollmachten und der Funktionen hat nach dem gleichen Grundsatz zu erfolgen.«

Insbesondere mit den zuletzt genannten Forderungen hat das Zentralkomitee der KPD zum erstenmal zum Ausdruck gebracht, daß es eine Verschmelzung beider Parteien im Bereich von Bezirken und damit auch im Bereich einer Besatzungszone anstrebt.

Die Wirkung auf die Tagung des Zentralausschusses und der Bezirksvertreter der Sozialdemokratie war, daß zunächst Geneigtheit bestand, die Teilnahme an der gemeinsamen Konferenz abzulehnen. Die Konferenz wurde jedoch lediglich von 10 Uhr vormittags am 20. Dezember auf 3 Uhr nachmittags auf Wunsch der Sozialdemokratie verschoben. In einer weiteren internen Vorbesprechung am 20. Dezember wurde dann Grotewohl beauftragt, die Ablehnung der kommunistischen Forderungen auf der gemeinsamen Konferenz klar und unzweideutig zu erklären.

Die sogenannte 60er-Konferenz begann am 20. Dezember, 15 Uhr, unter Teilnahme von zwei Vertretern der Sowjetrussischen Militärischen Administration (SMA) in Zivil und einem Stenographen, der alle Reden im Auftrage der SMA im Wortlaut festhielt.

Aus der Grotewohlschen Rede sind folgende Formulierungen von besonderem Interesse:

»Trotz der zweifellos veränderten Politik der Kommunistischen Partei auch in Deutschland ist der zentralistische, nichtdemokratische Parteiaufbau derselbe geblieben. Wir wissen nicht, ob das notwendig ist. Uns fällt es auf, und wir könnten uns vorstellen, daß die Kommunistische Partei zum demokratischen Aufbau der Partei zurückkehren könnte.

Vielleicht ist die ausdrückliche Frage, ob unsere kommunistische Bruderpartei sich als eine deutsche sozialistische Arbeiterpartei betrachtet, heute schon überflüssig. Weil es aber viele gibt, die es gerne hören möchten, und weil die Anziehungskraft einer gemeinsam operierenden deutschen Arbeiterklasse sicher außerordentlich wachsen würde, wenn die Frage ausdrücklich bejaht würde, ob die Kommunistische Partei sich als deutsche Arbeiterpartei betrachtet, würden auch wir eine positive Beantwortung begrüßen. Es handelt sich hier nämlich nicht um eine platonische Frage, die ohne praktische Bedeutung wäre. Es handelt sich darum, ob das Selbstbestimmungsrecht der deutschen Arbeiterklasse auch von der Kommunistischen Partei zu treuen Händen wahrgenommen wird.«

Grotewohl stellte dann an die KPD die weitere Frage nach ihrer Stellung zur parlamentarischen Demokratie. Sie sei eine Forderung der Sozialdemokratie, die darin mit der KPD kompromißlos einig sein möchte.

Nachdem Grotewohl alsdann die bereits zitierten zehn Punkte vorgetragen hatte, begründete er die vom Zentralausschuß vorgelegte Beratungsgrundlage, die von den gleichen Sorgen ausgehe wie die zehn Punkte.

Er sprach sein Bedauern darüber aus, daß der Entschließungsvorschlag der KPD mit keinem Wort von den großen Sorgen spreche, die im Kreise der Sozialdemokraten in Stadt und Land im Laufe der vergangenen sechs Monate entstanden sind, um als-

dann zu den unmittelbaren Forderungen der KPD folgendes zu sagen:
»Wir sind nicht überzeugt davon, daß der Weg, den das Zentralkomitee der KPD für die Herbeiführung der Einheit der deutschen Arbeiterklasse vorgeschlagen hat, der richtige ist.«
Grotewohl wandte sich dann gegen die Aufstellung gemeinsamer Listen für die Kommunalwahlen und fuhr fort:
»Mit großem Bedenken stehen wir dem Wege gegenüber, den das Zentralkomitee zur Vorbereitung der organisatorischen Verschmelzung der beiden Parteien vorgeschlagen hat . . . Das Zentralkomitee der KPD geht von der Auffassung aus, daß die Einheit jeweils dort vollzogen werden muß, wo die Situation für die Herstellung der Einheit reif ist. Sie kommt damit zu dem Vorschlag, daß die Einheit auch örtlich, bezirklich und in den Provinzen und Ländern durchgeführt werden kann, nachdem die entsprechende Vorbereitung der Mitgliedschaften in gemeinsamen Veranstaltungen durchgeführt worden ist. Wir sagen, daß derartige gemeinsame Veranstaltungen und derartige örtliche Zusammenschlüsse sachlich unmöglich sind.«
Grotewohl forderte die Anerkennung der sozialdemokratischen Auffassung, wonach die organisatorische Verschmelzung der beiden Parteien die Schaffung einheitlicher Reichsorganisationen der beiden Parteien und den Zusammentritt der ersten Reichsparteitage zur Voraussetzung hat.
Wilhelm Pieck und die weiteren kommunistischen Sprecher der anschließenden Diskussion waren von den sozialdemokratischen Erklärungen stark beeindruckt. Sie versuchten jedoch, es so darzustellen, als ob die Sorgen der Sozialdemokratie unberechtigt oder überwindbar seien, als ob vor allem die Massen von unten her die Vereinigung der beiden Parteien immer dringlicher forderten.
Für den Verlauf der Diskussion war aufschlußreich, daß die Bezirksvertreter der Sozialdemokratie es unterließen, über ihre ernsten Sorgen und Bedenken gegen die Methoden der KPD und gegen die Haltung vieler Kommandostellen der Besatzungsmacht zu sprechen. Von stärkstem Eindruck war darum ein Diskussionsbeitrag von Gustav Klingelhöfer, der nach dem Stenogramm u. a. folgendes ausführte:
»Ich will mich ganz kurz fassen und nur ein paar Worte sagen für die Genossen, die hier nicht sprechen . . . Freunde von der KPD, Ihr könnt reden, Ihr habt nichts zu fürchten, Ihr könnt überall reden, was Ihr wollt; Euch zieht niemand zur Verantwortung (Lachen). Es ist so, daß viele unserer Genossen von dem, was sie auf dem Herzen haben, nicht sprechen, weil sie Zurückhaltung üben wollen, üben müssen in bestimmten Befürchtungen, in denen sie schon Erfahrungen gesammelt haben. Genossen, Ihr könnt handeln. Ihr könnt mehr tun: Ihr könnt auch kühn sein. Es ist nicht für jeden Genossen gleich, ob er handeln kann und kühn sein kann. Es hat nicht jeder die Wahl, ob er handeln darf oder kühn sein darf. (Pieck: Die Faschisten haben das Recht nicht.) Nein, Verzeihung, ich spreche von den Unterschieden, die in unseren Kreisen bestehen. (Pieck: Dann mußt Du deutlicher werden!) In unseren Kreisen ist es so, daß Genossen, die gehandelt haben, in einer Weise zur Verantwortung gezogen sind, die außerordentlich weit ging. (Ackermann: Wie haben sie gehandelt?) Ich muß den Fall nennen, der im Westen von Berlin, in der Provinz Sachsen passiert ist. Da ist ein Genosse der SPD außerhalb des Ortes geführt worden. Es fiel ein Schuß. Er ist nicht getötet, er hatte einen Schuß im Halse und ist wieder gesund geworden . . . Ihr könnt auch mehr agitieren und organisieren, Genossen von der KPD, denn Ihr habt viel mehr Unterstützung, als wir sie haben. Es ist davon gesprochen worden: Ist das denn gerecht? (Zuruf: Also machen wir die Einheitspartei!) Nein, wir haben ja noch zusammenzuarbeiten. Ist es denn gerecht, daß in unserer Sowjetzone über 4 Millionen Eurer Zeitungen verbreitet werden und von unseren ein Bruchteil von einer Million? . . .«
Im weiteren Verlauf der Diskussion wurden die grundsätzlichen Fragen, die Grotewohl gestellt hatte, mit dem Hinweis auf den Aufruf der KPD beantwortet. Eine von Dahrendorf gestellte Frage, aus welchem Grunde die KPD, die noch im Juli 1945 die organisatorische Einheit abgelehnt hatte, nunmehr plötzlich für die Vereinigung eintrete und sie geradezu zur Schicksalsfrage Deutschlands erhebe, blieb unbeantwortet.
Nach Abschluß des ersten Konferenztages verlangte das Zentralkomitee der KPD für den 21. Dezember 1945 eine Vorbesprechung mit dem Zentralausschuß. In dieser Vorbesprechung wurde die von der KPD vorgelegte Entschließung teilweise umredigiert. Insbesondere wurden alle Abschnitte, die sich auf gemeinsame Wahllisten und eine bezirks- bzw. zonenweise Verschmelzung beider Parteien bezogen, herausgestrichen.
Die so abgeänderte Entschließung wurde alsdann der Konferenz vorgelegt und nach längerer Diskussion angenommen. Da sie keinerlei konkrete Festlegungen für eine zonenmäßige Vereinigung der beiden Parteien enthielt, wurde sie von den sozialdemokratischen Konferenzteilnehmern anerkannt. Voraussetzung für diese Anerkennung war, daß die Sozialdemokratie die Ablehnung gemeinsamer Wahllisten und einer bezirks- bzw. zonenweisen Verschmelzung ebenso als Bestandteil der gemeinsamen Vereinbarungen ansehen konnte wie auch ihre Auffas-

sung, daß die Frage der organisatorischen Vereinigung nur von Reichsparteitagen, also nach Wiederherstellung des Reichszusammenhanges der Parteien, entschieden werden kann.
Trotz der zur Schau getragenen Bereitschaft der KPD, die Meinung der Sozialdemokratie zu respektieren, erwies sich schon wenige Tage nach der gemeinsamen Konferenz, daß diese Konferenz für die kommunistische Propaganda mit zunächst vorsichtiger, aber immer stärker werdender Unterstützung der russischen Kommandostellen nichts anderes war als das Signal für einen Generalangriff auf die Sozialdemokratische Partei. In allen Provinzen und Ländern der östlichen Besatzungszone wurde auf die Organisation der Sozialdemokratie eingewirkt mit dem Ziele, gemeinsame Versammlungen und Konferenzen durchzuführen. Kommandanten der Besatzungsmacht halfen überall da nach, wo Sozialdemokraten sich weigerten. In allen Teilen der östlichen Zone wurden Betriebsversammlungen von der KPD organisiert, in denen vor allem die Parteilosen mit eingespannt wurden, um nicht nur eine verstärkte Zusammenarbeit der Arbeiterparteien, sondern die organisatorische Verschmelzung zu fordern.
Dem Zentralausschuß der Sozialdemokratie gingen in den letzten Tagen des Dezember und in der ersten Hälfte des Monats Januar 1946 aus allen Teilen der Zone Berichte über die im Gegensatz zu den Vereinbarungen stehende verstärkte Aktivität der KPD und über Unterstützungsmaßnahmen der Kommandostellen der Besatzungsmacht zu. Viele Kommandanten forderten in stundenlangen Verhandlungen eine sofortige Entscheidung für die Vereinigung beider Arbeiterparteien und versuchten in Gegenwart kommunistischer und sozialdemokratischer Funktionäre, bereits Vereinbarungen über die Besetzung der leitenden Instanzen von Landes-, Bezirks- oder Ortsorganisationen durchzusetzen.
Solche Bemühungen sind insbesondere im Lande Thüringen und im Lande Sachsen unternommen worden – in beiden Ländern mit einer gewissen Unterstützung durch die Landesvorsitzenden der SPD. In Thüringen handelt es sich um Hoffmann, Weimar, der an die Stelle des auf russischen Druck zum Rücktritt bewogenen Landesvorsitzenden Dr. Brill getreten ist, in Sachsen um Otto Buchwitz.
Symptomatisch für die Einmischung der Besatzungsmacht ist ein Vorgang in Mecklenburg. In Rostock fand am 6. Januar 1946 eine überfüllte große Mitgliederversammlung der Ortsgruppe der Sozialdemokratischen Partei statt. Diese Versammlung stimmte einmütig einer Entschließung zu, in der zum Ausdruck gebracht wird, daß die Verschmelzung nicht das Werk von Vorständen, Ausschüssen oder anderen Instanzen sein könne, sondern durch eine Urabstimmung entschieden werden müsse. Zugleich wurde ausgesprochen, daß eine Einigung, die diesen Namen verdient, nicht lediglich in einer Besatzungszone erfolgen könne. Eine solche Vereinigung würde die Zerschlagung der deutschen Sozialdemokratie herbeiführen.
Infolge eines Versehens des Sowjetischen Nachrichtenbüros wurde diese Entschließung verbreitet und auch in der Berliner Zeitung »Das Volk« veröffentlicht. Dafür wurden dem Chefredakteur des »Volk« schwerste Vorwürfe gemacht. Die Veröffentlichung der Entschließung in der SPD-Zeitung Mecklenburgs wurde durch Organe der Besatzungsmacht verhindert. Die Parteizeitung durfte kein Wort über die Versammlung in Rostock veröffentlichen. Statt dessen wurde ihr die Veröffentlichung eines Artikels aus kommunistischer Feder aufgezwungen, in welchem, in einem Stile, als ob er von einem Sozialdemokraten geschrieben worden sei, mit jenen Sozialdemokraten, die auf dem Boden der Entschließung der Rostocker SPD stehen, scharf abgerechnet wurde. Sie wurden als »Saboteure der Einheit«, als »Reaktionäre« usw. verunglimpft. Im Zusammenhang mit den sich zuspitzenden Terrormaßnahmen im Lande kam es in zentralen Verhandlungen der KPD und der SPD zu scharfen Auseinandersetzungen. Es war bereits in der ersten Januarhälfte erstmalig im Lande von verantwortlichen kommunistischen Funktionären als Tag der Vereinigung der 1. Mai 1946 genannt worden. Auf Vorhaltungen dazu gab Ulbricht die bewußt unwahre Erklärung ab, daß das Zentralkomitee diesen Termin weder seinen unteren Funktionären genannt habe noch ihm die Bekanntgabe dieses Termins zu Ohren gekommen sei.
Um dem zunehmenden Druck auf die Landes- und Bezirksvorstände durch die Kommandostellen der Besatzungsmacht und durch die KPD zu begegnen und die Verantwortung auf sich selbst zu ziehen, nahm der Zentralausschuß der Sozialdemokratie in seiner Sitzung vom 15. Januar 1946 folgende Entschließung an:
»Der Zentralausschuß beschäftigte sich in seiner Sitzung vom 15. Januar 1946 mit den Auswirkungen der Beschlüsse der gemeinsamen Konferenz mit der KPD vom 20. und 21. Dezember 1945 und prüfte eingehend die Frage, ob die Stellungnahme der SPD-Konferenzen in Frankfurt a. M. und Hannover geeignet ist, eine Änderung seiner Stellungnahme herbeizuführen.
Der Zentralausschuß bekennt sich einmütig zu der Auffassung, die er bisher vertreten hat. Er erklärt dazu, daß eindeutiger Bestandteil der Vereinbarungen zwischen SPD und KPD, die zur Entschließung vom 20. und 21. Dezember 1945 führten, folgende Punkte sind:

1. Keine organisatorische Vereinigung beider Arbeiterparteien im Bereich von Bezirken, Provinzen, Ländern oder einer Besatzungszone.
2. Die Herstellung der organisatorischen Einheit kann nur durch den Beschluß eines Reichsparteitages erfolgen.
3. In logischer Konsequenz daraus treten beide Parteien bei etwaigen Wahlen mit getrennten Listen auf.
4. Jede gegenseitige Bekämpfung beider Parteien muß unterbleiben, vielmehr die Zusammenarbeit im Geiste der Kameradschaftlichkeit und Gleichberechtigung auf jeden Fall sichergestellt werden.

Der Zentralausschuß ersucht alle Landes- und Bezirksvorstände, an keinerlei Beschlüssen mitzuwirken, die den vorstehenden Feststellungen widersprechen oder auch Zweifel daran zulassen. Die Landes- und Bezirksvorstände werden weiter ersucht, den Mitgliedern unserer Partei schnellstens von dieser Stellungnahme Kenntnis zu geben.

Der Zentralausschuß wird schnellstens eine Sitzung des Parteiausschusses und anschließend eine Konferenz der Landes- und Bezirksvorstände durchführen.

Der Zentralausschuß erwartet, daß er über alle Vorgänge in den Provinzen und Ländern der sowjetischen Besatzungszone, die zur Frage der Einheit von Interesse sind, sofort unterrichtet wird.

Der Zentralausschuß erklärt wiederholt seine Bereitschaft, die Zusammenarbeit mit der KPD nach klaren, auch weiterhin zentral zu vereinbarenden Richtlinien fortzusetzen und zu vertiefen mit dem Ziel einer baldigen Vereinigung beider Parteien in ganz Deutschland.«

Die Wirkung dieser Entschließung war, daß, sobald sie bekannt wurde, der Zentralausschuß den Druck seitens der SMA und KPD nicht auf sich zog, sondern isoliert wurde. Der Terror im Lande, dem insbesondere die Landes- und Bezirksvorstände ausgesetzt waren, verstärkte sich weiter. Es wurde verboten, die Entschließung des Zentralausschusses den Mitgliedern zur Kenntnis zu bringen. Verstöße wurden mit Redeverboten und auch Verhaftungen beantwortet.

Aus verschiedenen Bezirksverbänden gingen dem Zentralausschuß Berichte zu, nach denen mit den unterschiedlichsten Maßnahmen seitens der Organe der Besatzungsmacht ein Druck auf die SPD ausgeübt wurde. Es wurden Parteisekretäre abberufen. In Einzelfällen erfolgten Verhaftungen, in anderen wurden sie angedroht. Es wurden Haussuchungen durchgeführt und Redeverbote ausgesprochen. Einzelne Parteisekretäre wurden auf höhere Ämter in der Verwaltung berufen, um sie der organisatorischen Einflußnahme zu entziehen.

Es wurde berichtet von durchgeführten Exmittierungen und Verpflanzung in andere Orte. Andere Berichte besagten, daß man bestimmten Funktionären die Teilnahme an Konferenzen, auf denen sie den Standpunkt der Sozialdemokratie hätten vertreten können, dadurch unmöglich machte, daß man sie zu irgendwelchen Verhandlungen in andere Orte befahl. Zugleich setzte in der kommunistischen Presse ein Feldzug gegen die »Saboteure der Einheit« ein.

Für Publikationen, die sich für eine sofortige Verschmelzung der Arbeiterparteien aussprachen, wurde jede Papiermenge bereitwilligst zur Verfügung gestellt.

So wurde eine Situation erreicht, in der die Vereinigung beider Parteien in einer Reihe von Orten und Kreisen bereits praktisch vollzogen wurde, und zwar unter weitestgehender Mithilfe von Kommandostellen.

Sinnfällig für die Situation ist der nachstehende Bericht, den Mitglieder des Bezirksvorstandes des Bezirkes Magdeburg dem Zentralausschuß am 1. Februar 1946 erstatteten:

»Bis in die letzten Wochen des alten Jahres waren die Möglichkeiten, die Parteiarbeiten des Bezirksverbandes Magdeburg ohne besondere Erschwernisse durchzuführen, durchaus gegeben. Es war uns gelungen, unseren Organisationsapparat gut aufzubauen trotz beschränkter Verkehrsverhältnisse. Die Gesamtmitgliederzahlen hatten die Höhe von rund 52 000 erreicht. Unsere Zusammenarbeit mit der KPD war verhältnismäßig gut, wenn auch viele örtliche Schwierigkeiten zu klären waren. Die Verbindung mit der SMA war nicht immer einheitlich, da die Auffassungen und Einstellungen der einzelnen Kreiskommandanten uns gegenüber häufig voneinander abwichen. Diese Einstellung drückt sich in der verspäteten Zulassung von Ortsgruppen, besonders östlich der Elbe, aus. Daher kommt es auch, daß die Mitarbeit unserer Genossen in den Verwaltungen dort verspätet einsetzte, und dadurch wurde z. B. die Besetzung der Bodenkommission nur mit KPD-Genossen durchgeführt, und unsere Genossen mußten sich oft erst ihren Platz erkämpfen und häufig auch einspringen beim Versagen der KPD-Genossen.

Im neuen Jahr hat sich die Situation für unseren Bezirksverband grundlegend geändert. In der Frage der Einheit war für uns der Standpunkt des Zentralausschusses stets maßgebend. Die Wichtigkeit dieser Frage wurde uns vor allem von der SMA bei allen Besprechungen mit ihnen als die überhaupt wichtigste nahegebracht. Häufig wurde der Vorwurf erhoben, wir wären in dieser Frage zu wenig aktiv und verzögerten damit den Zusammenschluß. Wir konnten jedoch stets den Nachweis erbringen, daß wir gerade in der Einheitsfrage alles getan hatten. Jetzt haben

nun die Gewerkschaftswahlen stattgefunden. Durch den eindeutigen Erfolg unserer Partei erfolgte der erwartete Generalangriff auf unsere Partei. Alles wurde versucht, uns einer eindeutigen Fraktionsarbeit zu bezichtigen. In allen Fällen konnte stets die Bezirksleitung den Beweis erbringen, daß dies nicht der Fall ist. Nachdem das Ergebnis festlag, wurden wir durch die SMA gezwungen, zugunsten der KPD, angeblich im Sinne der Einheit, die Parität ohne Rücksicht auf das tatsächliche Wahlergebnis durchzuführen. Dieser Druck war nicht nur örtlich für Magdeburg, sondern wurde im gesamten Bezirk ausgeübt. Alle mit der KPD abgesprochenen Vereinbarungen, auf Grund des Wahlergebnisses die Kandidaten gemeinsam mit der KPD aufzustellen, wurden von der SMA als ›private‹ Abmachungen bezeichnet, und es wurde verlangt, daß die Parität durchgeführt wird.
Die meisten Unterbezirke sind diesem Druck durch die SMA nach vorangegangenen stundenlangen und tagelangen Verhandlungen erlegen. Man schreckte auch nicht vor Drohungen und Verhaftungen zurück. Zwei der tüchtigsten Funktionäre wurden am Tage der Gewerkschaftskreiskonferenzen durch Befehl der SMA nach Magdeburg geholt, so daß sie bei diesen Konferenzen nicht anwesend sein konnten. Darüber hinaus sind unsere Parteisekretäre seit Wochen ständigen Überwachungen ausgesetzt, und jede Rede wird im Stenogramm aufgenommen und dem General Kotikoff in Halle zugeleitet.
Auswirkung: Redeverbot für unseren Bezirkssekretär Albert Deutel und unseren Gewerkschaftssekretär und Unterbezirksvorsitzenden Wilhelm Treumann, Stendal. Durchsuchung der Buchhandlung unseres Bezirksvorsitzenden Gustav Schmidt nach angeblich faschistischer Literatur. Beschlagnahme einiger unbedeutender Gedichtbände und anschließend Verhör beim Stadtkommandanten. Beanstandungen der Referate unseres Bezirkssekretärs Dux in der Frage der Einheit. Die Berichte der Sekretäre unserer Unterbezirke bewegen sich auf der gleichen Linie, d. h. Druck, Drohungen mit der Inaussichtstellung auf Verhaftung, und den stets wiederkehrenden Vorwurf, ›Hinderer der Einheit und damit Spalter der Arbeiterschaft‹ zu sein.
Bezirksvorstand und Unterbezirkssekretär standen bei allen Verhandlungen auf dem Boden des Beschlusses des Zentralausschusses vom 15. Januar 1946.
Diese oben aufgezeigten Schwierigkeiten führten dann aber am 31. Januar 1946 zu dem beigefügten Beschluß, um eine eventuell zu erwartende Zerschlagung unseres Organisationsapparates zu verhindern.«
Der erwähnte Beschluß hat folgenden Wortlaut:

»Sozialdemokratische Partei Deutschlands
Bezirksverband Magdeburg
Magdeburg, den 31. Januar 1946

Beschluß
Die am 31. Januar 1946 stattgefundene Tagung des Bezirksvorstandes und der Unterbezirkssekretäre des Bezirksvorstandes Magdeburg der Sozialdemokratischen Partei hat zur Frage der organisatorischen Einheit beider Arbeiterparteien Stellung genommen.
Die organisatorische Einheit beider Arbeiterparteien ist nicht nur eine historische Notwendigkeit, sondern überhaupt die Lebensfrage der deutschen Arbeiterklasse und somit des gesamten deutschen Volkes.
Nur die organisatorische Vereinigung beider Arbeiterparteien verhindert das Wiedererstarken von Reaktion und Faschismus. Gewisse Anzeichen im Westen Deutschlands beweisen, daß Faschismus und Reaktion unter dem Deckmantel föderalistischer und separatistischer Bestrebungen die politische und wirtschaftliche Einheit Deutschlands verhindern wollen. Aus dieser Erkenntnis heraus entsteht für uns in der sowjetischen Besatzungszone eine andere Situation als die vom Zentralausschuß am 15. Januar 1946 erfolgte Stellungnahme.
Bezirksvorstand und Unterbezirkssekretäre des Bezirksverbandes Magdeburg sind bereit, sofort alle Vorarbeiten für den organisatorischen Zusammenschluß beider Arbeiterparteien durchzuführen, und erwarten vom Zentralausschuß der SPD die dazu notwendigen Anordnungen schnellstens.
Bezirksvorstand und Unterbezirkssekretäre setzen sich für den Neuaufbau des demokratischen Deutschlands ein und führen den Kampf gegen Reaktion und Faschismus zum Wohle der Arbeiterklasse für Demokratie und Sozialismus durch.«
In denselben Tagen, und zwar am 3. und 4. Februar, wurde durch einen führenden Sozialdemokraten in der Ostzone eine Erklärung ausgearbeitet, die nach Untersuchung der Gesamtentwicklung in der Ostzone in folgenden Feststellungen gipfelt:
»Die Sozialdemokratie stellt fest, daß die KPD in blindem Eifer und unter Desavouierung ihres eigenen Standpunktes aus dem Juni 1945 nunmehr in der sowjetrussischen Besatzungszone die Vereinigung zu erzwingen versucht, und zwar gegen den Zentralausschuß und gegen den tatsächlichen Willen nicht nur der Funktionäre, sondern auch der Mitglieder und Anhänger der Sozialdemokratie. Sie geht darin so weit, in ihren öffentlichen Verlautbarungen alle jene Sozialdemokraten, und das ist die übergroße Mehrheit, die die Einheit wollen, aber aus der freien Entschließung der Sozialdemokratischen Partei ganz Deutschlands, als ›Saboteure der Einheit‹, als ›Reaktionäre‹ usw. zu verunglimpfen und aus der ›Kampf-

front für die demokratische Erneuerung‹ auszuschließen. Das geschieht zur selben Zeit, in der Wilhelm Pieck, als der Vorsitzende der KPD, die Millionen kleiner Nazis in dieselbe Kampffront für die demokratische Erneuerung einbeziehen will, aus der Zehntausende Sozialdemokraten ausgeschlossen werden sollen.
Der Gedanke der Einheit und ihrer überragenden politischen Notwendigkeit für Deutschland wird dadurch nun bereits seit Wochen auf das schwerste diskreditiert.
Der KPD ist die Durchführung ihrer blindwütigen Einheitspolitik nur möglich, weil sie in der sowjetrussischen Besatzungszone nicht nur eine Vorrangstellung genießt, sondern weil ihr in jeder Beziehung durch die Besatzungsmacht Hilfsstellung geleistet wird.
Diese Hilfsstellung hat in den Ländern und Provinzen im Laufe der letzten Wochen Formen angenommen, durch die praktisch die Bewegungsfreiheit der SPD aufgehoben ist. Mit allen Mitteln des Drucks werden Funktionäre, Mitglieder und Anhänger zu Entscheidungen veranlaßt, die ihrer Auffassung widersprechen.«
Die Unwahrhaftigkeit der kommunistischen Politik wird unterstrichen durch die Tatsache, daß das Zentralkomitee der KPD in denselben Tagen, in denen die Vereinigung beider Parteien in Ländern und Provinzen mit allen Mitteln propagandistisch vorbereitet wurde, ein gemeinsames Rundschreiben der SPD und KPD unterzeichnete, in dem es u. a. heißt:
»Wir wünschen deshalb, daß den beiden Parteien in allen Zonen volle Freiheit in ihrer Tätigkeit zur Loslösung der Volksmassen vom Nazismus und für die Entfaltung der Demokratie, für die Sicherung des Friedens und der nationalen Einheit eingeräumt wird und damit die Voraussetzungen für eine feste Aktionseinheit und die organisatorische Einheit in ganz Deutschland geschaffen und durch den Willen der Mitglieder der beiden Parteien auf Reichsparteitagen endgültig beschlossen werden.«
Dieses Rundschreiben stammt vom 23. Januar 1946. Es hat die Mitglieder beider Parteien zu einer Zeit erreicht, in der die Vertretung der Auffassung, daß Reichsparteitage über die Einheit zu entscheiden hätten, praktisch bereits unter Strafe gestellt war. –
Die Gewerkschaften sind in der östlichen Besatzungszone, einschließlich Berlin, zunächst im Bereich der Provinzen und Länder als Einheitsgewerkschaften aufgebaut worden. Sie stehen unter besonders starkem kommunistischem Einfluß, der sich nicht aus demokratischen Wahlen der Instanzen, sondern durch die Organisation der Gewerkschaften von oben her ergeben hat.
Auf Grund einer Forderung der Alliierten, die sich auf Berlin bezog, mußte der demokratische Aufbau der Gewerkschaften in Berlin durchgeführt werden. Zu diesem Zweck wurden Delegiertenwahlen zu einer Gewerkschaftskonferenz vorbereitet, für die ein von der interalliierten Stadtkommandantur Berlin genehmigtes Wahlverfahren zugrunde gelegt wurde. Dieses Wahlverfahren schloß, dem politisch neutralen Charakter der Gewerkschaften entsprechend, für die Delegiertenwahlen jeden Hinweis auf die Parteizugehörigkeit der zur Wahl gestellten Delegierten aus. Diese Wahlen wurden im wesentlichen im Laufe des Januar durchgeführt. Zu gleicher Zeit begannen auch die Delegiertenwahlen in der gesamten östlichen Besatzungszone, und zwar für Provinz- und Landeskonferenzen, die ihrerseits wiederum dann die Delegierten für einen Zonenkongreß der Gewerkschaften zu wählen hatten, der für die Tage vom 9. bis 11. Februar 1946 nach Berlin einberufen war.
Bei den ersten Delegiertenwahlen ergaben sich, wie bei den Betriebsratswahlen, überaus starke sozialdemokratische Mehrheiten. Als Beispiele seien hier erste Resultate aus Sachsen und Berlin genannt. Die politische Identifizierung der Gewählten, die an sich in den Betrieben den Wählern im allgemeinen geläufig war, erfolgte nachträglich.

Betrieb	SPD	KPD
Stadtverwaltung Freital	9	0
Chemnitz, GEG	21	1
Zwickau, Polizei	9	0
Zwickau, Steinkohlenbergbauverein	12	3
Zwickau, Horch-Werke	21	3
Zwickau, Grube Morgenstern	27	3
Dresden, Landesverwaltung	14	5
Coswig, Jurid-Werke	11	0
Dresden, Lehrerschaft	22	1
Reichenbach, K. Werner	6	0
Wilkau, Weberei Dietel	6	1

Von Berliner Betriebsrätewahlen seien folgende erste Ergebnisse genannt:

Betrieb	SPD	KPD	unpol.
AEG, Treptow	11	4	0
Reichsbahnausbesserungswerk Revaler Straße	10	3	0
Krankenhaus Friedrichshain	10	0	0
Gesag, Stralauer Platz	6	1	0
Konsumbäckerei Lichtenberg	7	0	0
Funkhaus	0	5	5
Behala, Osthafen	2	4	0
AEG, Drontheimer Straße	9	0	0
Riedel, Neukölln	6	0	0
Neuköllner Lebensmittellager	9	0	0

Unmittelbar nach Bekanntwerden dieser ersten Resultate, teilweise auch schon vorher, setzten stärkste Bemühungen der Kommunisten ein, die Gewerkschaftswahlen zu beeinflussen. Nach außen wurde der unpolitische Charakter der Gewerkschaften und der Delegiertenwahlen betont, tatsächlich aber wurde alles unternommen, um entgegen der tatsächlichen Einstellung der gewerkschaftlich organisierten Arbeiter eine kommunistische Mehrheit bei den Delegiertenwahlen zu erreichen. Kein Mittel des politischen Betruges und der Fälschung ist dabei unterlassen worden. In zahllosen Fällen vereinbarten beispielsweise kommunistische Betriebsgruppen, daß die beiderseitigen Kandidaten von den Anhängern beider Parteien gewählt werden sollten. Die Sozialdemokraten handelten der Vereinbarung gemäß, die Kommunisten jedoch wählten nur ihre eigenen Kandidaten, so daß diese mit großer Mehrheit gewählt wurden. Das Wahlergebnis wurde vielfach auch im Vorwege schon durch die Art und Weise der Aufstellung der Kandidaten beeinflußt. Die Kommunisten organisierten vielfach diese Versammlungen unter Ausschluß oder nach kurzfristiger Verständigung der Sozialdemokraten, die dann majorisiert wurden.
Bei der Propaganda für die Delegiertenwahlen standen gewerkschaftliche Fragen viel weniger im Vordergrund als die Frage der Vereinigung der beiden Arbeiterparteien. Mit jedem Tage mehr wurde diese Frage zugleich auch zu einer Gewerkschaftsangelegenheit gemacht. Die Kommunisten scheuten sich nicht, in Versammlungen der Gewerkschaften die Haltung der Sozialdemokraten in der Frage der Vereinigung zum Prüfstein ihrer gewerkschaftlichen Eignung zu machen. Typisch ist dafür ein großer Aufruf, den das Zentralorgan der KPD, die »Deutsche Volkszeitung«, am 18. Januar 1946 unter der Überschrift »Wählt nur Anhänger der Einheit« veröffentlichte. Dieser Artikel, der den sonst von den Kommunisten so stark nach außen hin betonten unpolitischen Charakter der Gewerkschaften bewußt ignoriert, preist die Kommunisten als die besten Gewerkschaftler. Er steigert sich dann zu folgender Aufforderung:
»Aber keine Stimme denen, die sich an einer einheitsfeindlichen Flüsterpropaganda beteiligen oder auf die Frage ihrer Stellung zum gemeinsamen Aufruf von SPD und KPD vom 21. Dezember zu stottern beginnen.«
Zweck dieser öffentlichen Propaganda gegen die »Saboteure der Einheit« war, alle Sozialdemokraten, die sich dem Terror der KPD widersetzten, als Gegner der Einheit zu diffamieren.
Auf einen scharfen Einspruch des Zentralausschusses der SPD gegen diesen Artikel erklärte das Zentralkomitee der KPD sein Bedauern über diese Veröffentlichung.

Die gesamten Delegiertenwahlen zu den Gewerkschaften standen im Zeichen des Versuches, den kommunistischen Einfluß auf die Gewerkschaften durch pseudo-demokratische Methoden zu verstärken. Nicht überall gelang es, auf diese Weise aus sozialdemokratischen Mehrheiten kommunistische zu machen. Dort, wo trotz allen Terrors und aller Fälschungsversuche eine sozialdemokratische Mehrheit zustande kam, wurde auf Weisung von Kommandostellen der Besatzungsmacht die Zugrundelegung der sozialdemokratischen Mehrheiten bei der Besetzung der Gewerkschaftsinstanzen verboten. Sinnfällig ist dafür folgendes Beispiel:
Bei den Gewerkschaftswahlen im Bezirk Magdeburg waren 996 Sozialdemokraten und 667 Kommunisten gewählt worden. Auf Befehl des zuständigen Kommandanten wurden die Kreisausschüsse im Bezirk Magdeburg mit 113 Kommunisten und 112 Sozialdemokraten besetzt. Für die Provinzialkonferenz der Gewerkschaften wurden den Sozialdemokraten trotz ihrer überwiegenden Mehrheit nur 71 Delegierte zugestanden, während die Kommunisten 69 erhielten. So wurde auch in anderen Bezirken mit sozialdemokratischen Mehrheiten die Parität erzwungen.
Das eindeutige Beispiel einer Fälschung bietet ein Vorgang, der sich in Dresden abgespielt hat. Dort trat die Landeskonferenz der Gewerkschaften zusammen, um u. a. auch die Delegierten für den Zonenkongreß zu wählen. Ein dreiköpfiger Wahlausschuß hatte die Aufgabe, die Kandidatenliste aufzustellen, die paritätisch zusammengestellt wurde. Auf dem Wege vom Sitzungszimmer zur Konferenz zog der kommunistische Vorsitzende des Wahlausschusses sich für kurze Zeit zurück, strich von der Liste 50 Sozialdemokraten und ersetzte sie durch 50 Kommunisten. Er ordnete die Kandidatenliste alphabetisch und legte sie alsdann als gemeinsamen Vorschlag der SPD und KPD der Konferenz vor, die sie einmütig genehmigte. Die Fälschung wurde erst später erkannt.
Die in schärfstem Widerspruch zu demokratischen Grundsätzen stehenden Methoden der Beeinflussung der Delegiertenwahlen hatten bereits die Berliner Gewerkschaftskonferenz vom 3. Februar 1946 in ihrem Verlauf starken Spannungen ausgesetzt. Diese Spannungen konnten nur dadurch überbrückt werden, daß die Kommunisten auf eine volle Ausnutzung ihrer Mehrheit verzichteten.
Dem Zonenkongreß der Gewerkschaften lagen so viele Wahlproteste vor, daß der Kongreß selbst gefährdet war. Die Schwierigkeiten wurden dadurch ausgeglichen, daß den Sozialdemokraten durch Beschluß des Kongresses außer den anwesenden sozialdemokratischen Delegierten noch Stimmrecht für annähernd 300 Delegierte zuerkannt wurde.

Die Kommunisten waren aufs stärkste daran interessiert, gerade den Zonenkongreß der Gewerkschaften nach außen hin zu einer großen Demonstration der Gewerkschaftseinheit zu machen. Der Verlauf dieses Kongresses bot eine Fülle von Zeugnissen dafür, daß dieser Kongreß von den Kommunisten tatsächlich jedoch nicht als eine interne Angelegenheit der Gewerkschaften betrachtet wurde, sondern zum Höhepunkt der Aktion für die Vereinigung der beiden Arbeiterparteien gemacht werden sollte. Alle entscheidenden Vorträge und Diskussionsreden beschäftigten sich vor allem mit Fragen der Vereinigung. Im Vordergrund stand eine Rede von Walter Ulbricht, der sich u. a. mit der Frage beschäftigte, ob irgendein Druck zur Herstellung der Einheit ausgeübt worden sei. Er rief aus, daß die Zentralleitungen beider Parteien allerdings unter einem Druck ständen, und zwar unter dem Druck ihrer Mitglieder und Anhänger, die die rasche Verwirklichung der Vereinigung forderten.

Auf diesem Kongreß gab dann der Landesvorsitzende der SPD Thüringen, Hoffmann, die Erklärung ab, daß beide Parteien in Thüringen beschlossen hätten, auf den Landesparteitagen am 6. und 7. April die Vereinigung durchzuführen. Er fügte hinzu, daß die Sozialdemokratie sich nicht nur aus freiem Entschluß für die Vereinigung entschieden habe, sondern die Vereinigung auf ihren Antrag erfolgte. Die Entwicklung war in Thüringen also schon so weit vorgeschritten, daß die Landesorganisation der SPD sich nicht nur dem Druck unterworfen hatte, sondern aus dieser Unterwerfung bereits einen freien Entschluß machte, obwohl die tatsächliche Auffassung der Sozialdemokraten Thüringens in nichts von der Einstellung der Sozialdemokraten anderer Bezirke abweicht.

Vor Abschluß des Gewerkschaftskongresses gab dann Otto Grotewohl eine Entschließung bekannt, die der Zentralausschuß am gleichen Tage, dem 11. Februar 1946, beschlossen hatte. Sie hat folgenden Wortlaut:

»Der Zentralausschuß der Sozialdemokratischen Partei Deutschlands ist nach Beratung mit den Vertretern der Bezirke zu dem Entschluß gekommen, der Mitgliedschaft der Partei alsbald die Einheit der beiden Arbeiterparteien zur Entscheidung vorzulegen.

Der Zentralausschuß wird daher, nachdem die Verhandlung mit den Vertretern der westlichen Zonen ergeben hat, daß die Einberufung eines Reichsparteitages auf absehbare Zeit nicht möglich ist, sofort einen Parteitag für die sowjetische Besatzungszone, einschließlich Berlin, einberufen. Dieser Parteitag, dem Bezirks- bzw. Landesparteitage vorausgehen, soll über eine Vereinigung der beiden Parteien entscheiden.«

Es ist klar, daß der Zentralausschuß mit diesem Beschluß, der die endgültige Entscheidung scheinbar dem Zonenparteitag vorbehält, bereits eine materielle Entscheidung für die Vereinigung getroffen hatte.

Der Beschlußfassung des Zentralausschusses war eine längere Debatte vorausgegangen, in der von Dahrendorf als Konsequenz der Gesamtentwicklung die Auflösung der Sozialdemokratischen Partei für den Bereich der sowjetrussischen Besatzungszone, einschließlich des sowjetrussischen Sektors der Stadt Berlin, beantragt worden war. Die wesentlichen Absätze des Antrages von Dahrendorf lauten:

». . . Der Zentralausschuß hält an seiner Überzeugung fest, daß eine aktionsfähige einige Arbeiterpartei nur zustande kommen kann nach tatsächlicher Erfüllung der grundsätzlichen und objektiven Voraussetzungen und aus der freien Entschließung der beiden Arbeiterparteien in ganz Deutschland . . .

Der Zentralausschuß stellt fest, daß durch die Maßnahmen der sowjetrussischen Besatzungsmacht und durch die Tätigkeit der Kommunistischen Partei sowohl gegen die grundsätzlichen als auch gegen die objektiven Voraussetzungen nunmehr seit längerer Zeit verstoßen wird und die Freiheit der Bewegung und der Entschließung der Sozialdemokratischen Partei, ihrer Landes- und Bezirksverbände sowie auch ihrer Funktionäre und Mitglieder praktisch aufgehoben ist.

Der Zentralausschuß, der sowohl die sowjetrussische Besatzungsmacht als auch das Zentralkomitee wiederholt, aber ohne Erfolg auf diese Tatsachen hingewiesen hat, beschließt danach: Die Sozialdemokratische Partei wird für den Bereich der sowjetrussischen Besatzungszone einschließlich des sowjetrussischen Sektors der Stadt Berlin aufgelöst.«

Die Diskussion konnte, da einige Teilnehmer der Sitzung der Schlußsitzung des Gewerkschaftskongresses beiwohnen mußten, nicht zu Ende geführt werden. Von einigen Bezirksvorsitzenden war nun der Zentralausschuß aufgefordert worden, auf dem Kongreß eine klare Entscheidung für die Vereinigung abzugeben. Vor Unterbrechung der Diskussion beantragte Dahrendorf, die Abgabe einer Erklärung auf dem Kongreß abzulehnen, die Diskussion am nächsten Tage fortzusetzen und abschließend über den Antrag auf Auflösung der SPD zu entscheiden. Dieser Antrag wurde mit neun gegen fünf Stimmen angenommen. Daraufhin sagten sich die Vorsitzenden der Landesverbände Thüringen und Sachsen vom Zentralausschuß los. In der daraus sich ergebenden Debatte korrigierten einige Mitglieder des Zentralausschusses ihre Entscheidung, so daß schließlich die auf dem Zonenkongreß bekanntgegebene Entschließung doch zur Abstimmung gestellt und mit

acht gegen drei Stimmen, bei vier Enthaltungen, angenommen wurde.
Nach Verkündung der Entschließung auf Einberufung eines Zonenparteitages wurde mit den Kommunisten vereinbart, die Bezirks- bzw. Landesparteitage am 6. und 7. April, die beiderseitigen Parteitage am 19. April und den Vereinigungsparteitag am 21. und 22. April durchzuführen. Nachdem inzwischen eine Berliner Funktionärkonferenz sich gegen die Zwangsvereinigung ausgesprochen hat, hat der Zentralausschuß nunmehr den Beschluß gefaßt, am 31. März 1946 sowohl in Berlin als auch in der östlichen Besatzungszone eine Urabstimmung[1] vorzunehmen. Es bleibt abzuwarten, ob diese Urabstimmung unbeeinflußt erfolgen kann, zumal der KPD-Vorsitzende Wilhelm Pieck auf der Reichskonferenz der KPD am 2. und 3. März sich gegen eine solche Urabstimmung ausgesprochen hat, mit der Begründung, man könne nicht neugeworbene Mitglieder in einer Frage zur Entscheidung aufrufen, deren Zusammenhänge ihnen nicht bekannt seien. Das erklärt der Vorsitzende derselben Partei, die monatelang die Parteilosen für die Vereinigung der beiden Parteien mobilisiert hat.
Es gehört zu den Zwangsläufigkeiten der Entwicklung in der östlichen Besatzungszone, wenn heute selbst von Sozialdemokraten, die wissen, auf welche Weise die Vereinigung erzwungen wird, erklärt wird, sie sei ein völlig freier Entschluß jedes Sozialdemokraten. Es gehört zu den gleichen Zwangsläufigkeiten, wenn die Sozialdemokratie der Ostzone unqualifizierte Angriffe auf führende Sozialdemokraten Westdeutschlands nicht nur stillschweigend dulden, sondern auch selbst unternehmen muß. Es seien nur zwei Beispiele verzeichnet.
Das Zentralorgan der KPD, die »Deutsche Volkszeitung«, die schon viele und schärfste Angriffe gegen Dr. Kurt Schumacher gerichtet hat, nennt Schumacher in einem Artikel der Nr. 46 vom 24. Februar 1946 die »letzte strategische Reserve des Monopolkapitals«. In dem gleichen Artikel heißt es:
»Er (Dr. Schumacher) kam aus Kreisen, denen der Gedanke, Deutschland stückweise an ausländische Konzernherren zu verschleudern, näher liegt als der Gedanke, seine bedrohte Einheit durch Einigung der Arbeiterbewegung zu garantieren. Und so ein kleiner Spalter, ein dürftig maskierter Agent vom Typ der tausend schon Verwesten, ein Feind der Arbeiterklasse, mit dem niemand täuschenden Betrügerlächeln des abgebrühten Opportunismus – so fand sich Herr Kurt Schumacher in der Atmosphäre des neuen Berlins...«
Es ist derselbe Jargon, es sind dieselben Vokabeln, die vor 1933 in der kommunistischen Presse den Vorrang genossen.
Es ist bitter, feststellen zu müssen, daß auch die östliche SPD-Zeitung, »Das Volk«, Dr. Kurt Schumacher, der in Berlin viele Besprechungen durchführte, »Bruch von Treue und Glauben gegenüber dem Zentralausschuß« vorwerfen muß.
Es muß als sicher unterstellt werden, daß weitere Zwangsläufigkeiten sich aus der Entwicklung mit Naturnotwendigkeit ergeben. Sie können aber an der Tatsache nichts ändern, daß das, was in der östlichen Zone geschieht, nicht die Herstellung einer wirklichen Einheit ist, sondern eine Zwangsvereinigung, eine Zerstörung der Sozialdemokratischen Partei.
Es muß volle Klarheit darüber sein, daß es sich bei der Vereinigung der Sozialdemokratischen und der Kommunistischen Partei nicht um einen zufälligen Einzelvorgang, sondern um ein wesentliches Teilstück der staatspolitischen Konzeption Sowjetrußlands handelt. Das russische Interesse an der Vereinigung wurde bereits deutlich durch die fortgesetzte Einmischung russischer Kommandostellen in allen Teilen der östlichen Besatzungszone. Es kam auch in vertraulichen Gesprächen deutlich zum Ausdruck, die insbesondere im Dezember 1945, Januar und Anfang Februar 1946 geführt worden sind. In einem Gespräch zwischen dem Gesandten Simonow und Grotewohl machte der Gesandte Simonow darauf aufmerksam, daß die Vereinigung beider Parteien Rußland veranlassen könne, seine Besatzungstruppen wesentlich zu reduzieren.
In einem Gespräch zwischen Marschall Schukow und Grotewohl, das Anfang Februar 1946 geführt wurde, setzte Marschall Schukow sich energisch für die schnelle Durchführung der Vereinigung ein. Er beschäftigte sich ausführlich mit der sozialdemokratischen Auffassung, wonach die Niederlegung der Zonengrenzen und die Wiederherstellung der Reichseinheit und der Reichspartei Voraussetzung für die Entscheidung über die Vereinigung sei. Dazu erklärte er, daß alle russischen Bemühungen um die Niederlegung der Zonengrenzen am Widerstand der anderen Besatzungsmächte gescheitert seien. Es

1 Die Urabstimmung fand am 31. 3. 1946 in Berlin statt. Allerdings konnten sich nur die SPD-Mitglieder in den Westsektoren äußern. Auf die Frage: »Bist Du für den sofortigen Zusammenschluß beider Arbeiterparteien? Ja/Nein«, antworteten 19 529 (= ca. 82 Prozent) mit »Nein«, 2938 (= 12 Prozent) mit »Ja«. Dagegen sprachen sich bei der zweiten Frage: »Oder bist Du für ein Bündnis beider Parteien, welches gemeinsame Arbeit sichert und den Bruderkampf ausschließt? Ja/Nein«, 14 663 (= 62 Prozent) für eine Zusammenarbeit und nur 5559 (= ca. 23 Prozent) dagegen aus. Die Zahl der insgesamt abgegebenen Stimmen betrug 23 775, d. s. ca. 71 Prozent von insgesamt 33 247 stimmberechtigten SPD-Mitgliedern in den Westsektoren. Nach der Abstimmung hat es jedoch eine Auseinandersetzung über die Zahl der Stimmberechtigten, damit über die Anteile der Einheitsgegner und Einheitsbefürworter innerhalb der Partei und letztlich über die Abstimmungsaussage gegeben. Vgl. Berlin. Quellen und Dokumente 1945–1951, hrsg. im Auftrag des Senats von Berlin, 1. Halbbd., bearbeitet durch Hans J. Reichardt u. a., Berlin (West) 1964, S. 880. (Anm. d. Red.)

müsse auf Jahre hinaus mit einer Aufrechterhaltung der Zonengrenzen gerechnet werden.
Angesichts dieser Tatsache bedeute das Festhalten der SPD an ihrer bisher vertretenen Auffassung nicht nur eine unerträgliche Verzögerung der Vereinigung, sondern möglicherweise ihre Ablehnung. Er bat für Ende Februar um eine klare Entscheidung.

Quelle: Dahrendorf, 1946 (1955).

1.3. Berlin 1945: Die Gruppe Ulbricht beim Aufbau der Verwaltung

Wolfgang Leonhard

Der Kommandant war über die »Gruppe Ulbricht« schon im Bilde und sichtlich erfreut, Hilfe für den Aufbau der deutschen Verwaltung zu finden.
»Eine deutsche Verwaltung? Nein, die haben wir noch nicht. Aber wir möchten Sie bitten, morgen oder übermorgen zu kommen, um uns bei ihrer Zusammenstellung zu helfen.«
Ulbricht sagte zu.
Kurz darauf fuhren wir weiter. Ulbricht bestimmte, daß jeweils zwei Mitglieder unserer Gruppe zusammenarbeiten sollten. Sie fuhren ab nach Kreuzberg, Treptow, Tempelhof und anderen Bezirken. Nur ich blieb zurück. »Wohin soll ich denn fahren?«
»Du bleibst bei mir, wir fahren nach Neukölln«, sagte Ulbricht. Eine halbe Stunde später hielten wir vor einem großen Gebäude. Ruhig und gelassen stieg Ulbricht die Treppe hinauf, so, als ob es ganz selbstverständlich wäre, nach 12jähriger Abwesenheit am 2. Mai 1945 die erste deutsche Verwaltung zu besuchen. Ich hatte diese Sicherheit nicht.
Von der ganzen Neuköllner Verwaltung war nur einer anwesend. »Pagel«, stellte er sich vor und berichtete kurz, was bisher getan worden war. Die neuen deutschen Verwaltungsorgane befanden sich in einer verzweifelten Situation. Es ging um Krankenhäuser und Wasser, um Licht und Kohle, um Straßenaufräumungsarbeiten und um Bescheinigungen, »Propuske«, vor allem aber immer wieder um eins: Lebensmittel für die hungernden Berliner.
Ulbricht und ich machten uns Notizen. Nach einer halben Stunde ging das Gespräch langsam auf politische Themen über. Jetzt wurde Pagel hellhörig. »Entschuldigen Sie bitte, wer sind Sie eigentlich?«
»Walter Ulbricht, ehemaliger Reichstagsabgeordneter der Weimarer Republik, gegenwärtig am Aufbau der Berliner Verwaltung tätig.«
Pagel, der sich als Sozialdemokrat vorstellte, zeigte uns eine Liste von Neuköllner Antifaschisten, Sozialdemokraten und Kommunisten, die schon zur Unterstützung der Verwaltung herangezogen wurden.
»Das wird Sie wahrscheinlich interessieren – hier ist eine Aufstellung der aktivsten Kommunisten Neuköllns«, sagte Pagel und gab Ulbricht die Liste. Ulbricht schaute sie nur ganz flüchtig an und meinte lässig: »Nein, ich interessiere mich nur für die Verwaltung.« Wir verabschiedeten uns freundlich.
Der Wagen fuhr ab. Ulbricht hatte eine Adresse genannt.
»Wohin geht's denn jetzt?«
Ulbricht grinste. »Na, zu den Genossen natürlich. Ich habe mir doch schnell zwei Adressen aus der Liste gemerkt.«
Ich staunte – auf diesem Gebiet war ich wirklich noch Laie.
Während der kurzen Fahrt versuchte ich mir auszumalen, wie wohl Kommunisten auftreten würden, die hier in Deutschland jahrelang illegal gearbeitet hatten. Über ihren Kampf wußte ich nur aus antifaschistischen Romanen und aus den Berichten der Genossen. Nun konnte ich den Augenblick kaum erwarten, mit »richtigen deutschen Genossen« zusammenzukommen. Ulbricht ließ vor der offenen Tür eines beschädigten Neuköllner Mietshauses halten. Schon vom Flur aus konnte man laute Gespräche und Diskussionen hören. Wir klopften und traten ein. Einige waren so in die Diskussion vertieft, daß sie uns gar nicht bemerkt hatten.
Plötzlich sprangen einige Männer auf, riefen »Ulbricht«. Im Nu war er umringt. Überraschung und Freude spiegelten sich in den Gesichtern der Genossen. Ulbricht dagegen blieb auch jetzt streng sachlich. Er begrüßte sie – mir schien seine Begrüßung recht kühl –, stellte mich als seinen Mitarbeiter vor, und nach ein oder zwei Minuten ging die Diskussion weiter, jetzt allerdings von Ulbricht geleitet.
Nun hatte ich Gelegenheit, mich umzuschauen: Wir waren in einem einfachen Zimmer einer Arbeiterwohnung; auf dem Tisch stand eine Petroleumlampe – elektrisches Licht gab es in diesen Tagen natürlich nicht –, und auf den Stühlen, auf dem Boden, auf dem Sofa saßen zwölf Neuköllner Genossen.
Die ganze Atmosphäre war völlig anders als auf sowjetischen Komsomol- oder Parteiversammlungen. Es herrschte eine Stimmung, wie ich mir die Versammlungen aus der Zeit der Oktoberrevolution und des Bürgerkrieges in Rußland vorgestellt und eigentlich Parteiversammlungen immer gewünscht hatte.
Echte Begeisterung, verbunden mit einem gesunden Realismus, war hier zu spüren. Ohne auf Direktiven zu warten, hatten die Genossen sofort klar verstanden, daß es jetzt darauf ankam, die Lebensmittel- und Wasserversorgung zu organisieren, die dringendsten Nöte der Bevölkerung zu lindern, funktionierende Verwaltungen aufzubauen, um aus dem Chaos und Hunger herauszukommen.

Von allen Seiten kamen klare kurze Vorschläge, die dann besprochen, manchmal auch durch Gegenvorschläge ergänzt und zu Beschlüssen zusammengefaßt wurden. Irgend jemand notierte die Einzelheiten: Namen von Genossen, die man aufsuchen wollte, um sie heranzuziehen; Mobilisierung von Arbeitskräften für das Abladen von Lebensmitteln und ihre Verteilung, Verbindung zu Ingenieuren und Technikern, um die Versorgung mit Licht, Wasser und Gas in Gang zu bringen; Leitung der Aufräumungsarbeiten; Ausschreiben von Ausweisen. Ohne Tagesordnung, ohne Pathos, ohne Phrasen wurde in einer halben Stunde mehr getan als in endlosen Versammlungen in Rußland. Nur das Verhalten Ulbrichts fiel mir unangenehm auf, die Art und Weise, wie er sich gegenüber diesen Genossen benahm. Während mich schon die ersten Minuten dieser improvisierten Parteizusammenkunft davon überzeugt hatten, wie außerordentlich viel gerade wir, die wir aus Moskau kamen und all diese Dinge nicht kannten, zu lernen hatten, benahm sich Ulbricht wie ein Vorgesetzter.

Unmerklich waren wir von den dringenden aktuellen Aufgaben auf politische Fragen gekommen, auf den Kampf der Genossen während der Nazi-Zeit, auf die allgemeine politische Linie der Gegenwart und Zukunft.

Als es um das Verhalten der Genossen ging, wurde Ulbricht lebendig. Eine Frage jagte die andere. »Wie hat sich der verhalten, wie der, wo war der... was hat der getan...« Unaufhörlich prasselten Namen, die Ulbricht alle im Kopf hatte. (Später sollte ich mich noch mehr über sein phänomenales Namensgedächtnis wundern.) Er stellte Fragen, zwar nicht wie bei einem Polizeiverhör, aber doch keineswegs in einem Ton, den ich von einem Emigranten erwartet hätte, der nach zwölf Jahren die überlebenden Genossen wiedertrifft, die jahrelang unter dem Hitler-Terror gelebt hatten. Als er dann schließlich die jetzige politische »Linie« darlegte, tat er es in einem Ton, der keinen Widerspruch zuließ, in einer Art, die jeden Zweifel darüber ausschloß, daß er und nicht die Berliner Kommunisten, die unter so schweren Bedingungen illegal gearbeitet hatten, die Politik der Partei bestimme. Auf der Rückfahrt dachte ich über dieses erste Zusammentreffen mit deutschen Kommunisten nach. Gab es nicht eigentlich zwei Arten von Kommunisten? Bisher hatte ich meist mit Funktionären zu tun gehabt, die sich, von einigen Ausnahmen abgesehen, durch eine harte, unpersönliche Art und ständiges Wiederholen von Parteiphrasen auszeichneten. Wie anders erschienen mir dagegen die lebendigen, mit der Wirklichkeit von den »gewöhnlichen« Menschen verbundenen, aufopferungsvollen und begeisterten Kommunisten, die ich an diesem ersten Abend in Berlin kennengelernt hatte!

Abends, als die Mitglieder der »Gruppe Ulbricht« nach Bruchmühle zurückgekehrt waren, fand die erste Besprechung statt. Jeder berichtete kurz von seinen Erlebnissen, und unser technischer Sekretär bekam seinen ersten Auftrag: von diesen Besprechungen in mehreren Exemplaren Protokolle zu verfassen, damit über jeden Berliner Bezirk von Beginn an ein lückenloser Bericht vorliege.

Diese erste Besprechung war noch in einer verhältnismäßig lockeren Form gehalten. Aber vom nächsten Tag an sollte die Arbeit organisiert beginnen. Jeder zu bearbeitende Berliner Bezirk sollte von einem oder zwei Genossen besucht werden. Nach einigen Tagen sollten wir jeweils ausgewechselt werden. Wir hatten zunächst die allgemeine Situation zu klären, in den verschiedenen Berliner Bezirken aktive Kommunisten, Sozialdemokraten und parteilose Antifaschisten ausfindig zu machen, uns über sie zu informieren, um dann dem betreffenden Bezirkskommandanten eine Vorschlagsliste für die Verwaltung einzureichen. Auch der Bezirksbürgermeister und sein Stellvertreter sollten von uns ausgesucht und vorgeschlagen werden.

(...)

Außer den täglichen Besprechungen fanden seit etwa Mitte Mai jeden Sonntagvormittag größere Konferenzen statt, an denen 80 bis 100 aktive KP-Funktionäre teilnahmen, die zum größten Teil in den Verwaltungen tätig waren.

So wurde uns jeden Sonntag ein genaues Bild über die Lage in Berlin vermittelt. Nach den Berichten der Genossen aus den Bezirken gab Ulbricht dann stets seine Direktiven.

Auf diesen Konferenzen ging es im allgemeinen ernst und sachlich zu. Einmal wurde unsere Sonntag-Vormittag-Konferenz allerdings durch schallendes Gelächter unterbrochen. Ein alter Weddinger KP-Funktionär, der noch im unverfälschten Parteijargon der zwanziger Jahre sprach, berichtete über die Arbeit der Bezirksverwaltung. Nur seine eigene Tätigkeit erwähnte er mit keinem Wort.

»Was machst denn du? Du sprichst dauernd von anderen. Welche Funktion übst denn du aus?« fragte Ulbricht.

»Ick bin Dezernent für Kirchenfragen.«

Allgemeines Erstaunen.

»Wie kommst du denn dazu?«

»Det is doch janz klar, Jenosse Ulbricht. Als wir de Posten aufgeteilt haben, hab ick mir natürlich den jenommen. Es muß ja schließlich jemand dasein, der den Pfaffen uff de Finger schaut. Da sind nämlich manchmal janz jewiefte Burschen dabei.«

Schallendes Gelächter. Aber Ulbricht war wütend:

»Du wirst sofort zurücktreten. Auf diese Stelle gehört doch ein Pfarrer. Wir müssen jetzt mit den fortschrittli-

chen Kräften der Kirche zusammenarbeiten. Wir werden dir nicht gestatten, unsere Kirchenpolitik durcheinanderzubringen.«
Durch die scharfen Worte Ulbrichts war das Lachen erstarrt. Der Weddinger Genosse schaute sich hilflos und fragend um. Man merkte ihm an, daß er nicht mehr verstand, was vor sich ging, und mit dem Begriff »fortschrittliche Kräfte der Kirche« nicht das geringste anfangen konnte.
Ulbricht hielt es jedoch nicht für notwendig, dem Weddinger Arbeiterfunktionär wenigstens kurz die politische Linie klarzulegen, und beschränkte sich auf den Anschnauzer.
Ernster war ein anderer Zwischenfall. Es kam einmal zu einem direkten, offen ausgedrückten Widerstand mehrerer Berliner Funktionäre gegen eine Direktive Ulbrichts.
Die Sonntagsbesprechung näherte sich ihrem Ende. Die laufenden Berichte und Direktiven für die Arbeit in den Verwaltungen waren erteilt.
»Gibt es noch Fragen?«
»Ja, hier!« sagte ein Genosse aus der hintersten Ecke des Saales. »Antifaschistisch eingestellte Ärzte haben bei uns die Frage aufgeworfen, wie sie sich verhalten sollen, wenn vergewaltigte Frauen zu ihnen kommen und Abtreibungen wünschen. Ich habe den Ärzten eine Antwort versprochen. Von unserer Seite aus ist eine klare Stellungnahme zur Frage der Abtreibung in solchen Fällen notwendig.«
Der Genosse wurde sofort von einem anderen unterstützt. »Diese Frage ist sehr dringend. Überall wird davon gesprochen. Wir müssen den Gesundheitsdezernenten eine klare Richtlinie geben. Meiner Meinung nach muß in all diesen Fällen die Abtreibung offiziell gestattet werden.«
Aus dem Raum hörte man zustimmende Rufe.
Ulbricht unterbrach die Diskussion: »Das kommt überhaupt nicht in Frage. Ich betrachte die Diskussion als abgeschlossen«, rief er mit scharfer Stimme.
Die Berliner Kommunisten vom Mai 1945 waren jedoch noch keine willenlosen Untergebenen. Sie betrachteten die Diskussion keineswegs als abgeschlossen.
Zum ersten Male in meinem Leben erlebte ich, was ich bis dahin kaum für möglich gehalten hatte: offene Protestrufe gegen den höchsten Parteifunktionär.
»Das geht nicht so, wir müssen darüber sprechen!«
»Wir sind verpflichtet, zu dieser Frage Stellung zu nehmen!«
»Wir müssen den Arbeiterfrauen das Recht auf Abtreibung geben!«
»Wir können uns nicht dauernd um alle unangenehmen Fragen herumdrücken!«
Ulbricht stand vorn mit verkniffenem Gesicht.
Einer nach dem anderen sprach. Es ging längst nicht mehr allein um die Zulassung der Abtreibung. Es wurde verlangt, daß man grundsätzlich zu den Übergriffen der sowjetischen Soldaten offen und klar Stellung nehmen müsse. Man dürfe sich nicht mehr darum herumdrücken, sondern gerade als deutscher Kommunist müsse man sich von diesen Vorkommnissen zumindest distanzieren und, falls notwendig, sie auch offen verurteilen.
Endlich – als sich die Empörung etwas gelegt hatte – nahm Ulbricht das Wort.
»Ich wiederhole«, erklärte er scharf, »die Diskussion über dieses Thema betrachte ich als abgeschlossen. Eine Stellungnahme von unserer Seite, Abtreibungen als Folge der Zwischenfälle zu gestatten, ist vollkommen ausgeschlossen. Diejenigen, die sich heute über diese Vorkommnisse aufregen, hätten sich lieber aufregen sollen, als Hitler seinen Krieg begann. Ein Zurückweichen vor solchen Stimmungen kommt für uns überhaupt nicht in Frage. Ich betrachte diese Frage als beendet und werde eine erneute Erörterung nicht mehr zulassen. Die Besprechung ist beendet.«
Murrend und wütend gingen die Teilnehmer der Konferenz auseinander. Die anwesenden Berliner Kommunisten, Jahre und Jahrzehnte in strikter Parteidisziplin erzogen, waren zwar mutig genug gewesen zu widersprechen, aber nicht stark genug, sich gegen eine Parteidirektive durchzusetzen. Die heikle Frage wurde auf keiner Sitzung mehr erwähnt.

Quelle: Leonhard, 1956, S. 349–353, 373–375.

1.4. Die Auflösung der antifaschistischen Komitees

Wolfgang Leonhard

»In den letzten Tagen sind verschiedene Büros, Komitees und Organisationen entstanden, die sich Antifaschistische Komitees, Anti-Nazi-Gruppen, Sozialistische Büros, Nationalkomitees oder sonstwie bezeichnen«, erklärte Ulbricht auf einer der üblichen Besprechungen.
Diese Büros hatte auch ich auf meiner Fahrt durch Berlin wiederholt gesehen. Ich war davon überzeugt, daß wir von Ulbricht den Auftrag bekommen würden, mit ihnen in Verbindung zu treten, um ihre Arbeit zu unterstützen.
»Es wurde in Erfahrung gebracht« – Ulbricht sagte nicht, durch wen und wie –, »daß diese Büros von Nazis aufgezogen worden sind. Es sind also Tarnorganisationen, deren Ziel es ist, die demokratische Entwicklung zu stören. Wir müssen alles daransetzen, sie aufzulösen. Dies ist jetzt die wichtigste Aufgabe. Jeder soll in seinem Bezirk unbedingt herausbekom-

men, wo sich solche Komitees befinden, und ihre sofortige Auflösung bewirken.«
Diese Erklärung Ulbrichts erschien mir seltsam, aber ich nahm an, daß er einwandfreie Berichte habe. Außerdem war eine solche Taktik der Nazis nicht ausgeschlossen: hatte nicht die Komintern auf dem VII. Weltkongreß im Sommer 1935 die deutschen Kommunisten aufgefordert, in die Nazi-Organisationen einzutreten, um von innen her diese Organisationen zu zersetzen? Vielleicht, so dachte ich mir, versuchen die Nazis (deren Einfluß wir von der »Gruppe Ulbricht« damals sehr überschätzten) nunmehr dasselbe. Doch schon meine ersten direkten Begegnungen mit Mitgliedern dieser spontan entstandenen antifaschistischen Komitees zeigten mir, daß dort keineswegs Nazis saßen, sondern Genossen, die illegal in Deutschland gearbeitet hatten. Es stand für mich bald außer Zweifel, daß es sich bei ihnen nicht um »getarnte Nazis«, sondern um ehrliche Genossen und Antifaschisten handelte. (. . .)
Besonders leid tat mir die Auflösung eines glänzend arbeitenden antifaschistischen Komitees in Berlin-Charlottenburg, dessen Geschäftsstelle damals auf dem Kurfürstendamm in der Nähe des U-Bahnhofs »Uhlandstraße« untergebracht war. Am Hauseingang hing ein Schild: »National-Komitee Freies Deutschland«, in der gleichen Schrift, die für den Zeitungskopf unserer in Moskau hergestellten Zeitung gedient hatte. Auch die schwarz-weiß-rote Unterstreichung fehlte nicht. Dieses Schild konnten nur Menschen gemalt haben, die unsere Zeitung »Freies Deutschland« gelesen hatten.
Das »Nationalkomitee« hatte eine ganze Etage des Hauses für sich reserviert. Überall hörte man Schreibmaschinengeklapper, und Mitarbeiter liefen hin und her. An den Zimmertüren sah man neben den obligaten Aufschriften »Nationalkomitee Freies Deutschland« solche Schilder wie:
»Abteilung Wasserversorgung«,
»Abteilung Straßeninstandsetzung«,
»Abteilung Elektrizität und Gas«.
An einer Tür entdeckte ich sogar die im Mai 1945 immerhin etwas ungewöhnliche Aufschrift: »Abteilung Bergbau«.
Das Ganze machte den Eindruck einer sehr gut funktionierenden Verwaltung, die offensichtlich ihre Kompetenzen nicht auf Charlottenburg beschränkte.
»Zu welcher Abteilung möchten Sie bitte und in welcher Angelegenheit?« wurde ich höflich gefragt.
»Ich möchte gerne Ihren Vorsitzenden sprechen.«
Der Mann zuckte mit den Achseln. »Das wird kaum möglich sein. Er ist, wie Sie sich vorstellen können, außerordentlich beschäftigt.« Hier hatte es keinen Sinn, Ausflüchte zu machen oder Versteck zu spielen.
»Ich komme von der ›Gruppe Ulbricht‹. Bis vor kurzem war ich im Nationalkomitee ›Freies Deutschland‹ in Moskau tätig.«
Nun wurde ich freudig begrüßt. »Das ist ja wunderbar!«
Ich wurde sofort von dem Vorsitzenden, der einen außerordentlich guten Eindruck machte, empfangen. Es sprach sich wohl schnell herum, daß jemand aus dem Nationalkomitee in Moskau gekommen war. Bald hatten sich die wichtigsten Mitarbeiter versammelt.
»Wir haben ständig den Sender ›Freies Deutschland‹ abgehört, die wichtigsten Beiträge mitgeschrieben und vervielfältigt«, erklärte der Vorsitzende, und im Laufe einer kurzen Unterhaltung konnte ich feststellen, daß dies nicht – wie damals häufig – eine Erfindung war, sondern den Tatsachen entsprach. Alle Anwesenden kannten nicht nur die Namen der Mitglieder des Nationalkomitees, sondern konnten sich an manche Rundfunksendungen noch sehr gut erinnern.
»Unser Nationalkomitee hat, ausgehend von den allgemeinen Aufrufen und Erklärungen eures Komitees, diese jeweils auf die Bedingungen Berlins konkretisiert. Allerdings« – so fügte er fast entschuldigend hinzu – »Generäle waren nicht dabei. Aber dafür hatten wir Verbindung mit anderen Kreisen des 20. Juli.«
Es stellte sich heraus, daß die in diesem Nationalkomitee zusammengeschlossenen Antifaschisten die Grundgedanken – die breite Einheitsfront aller Antifaschisten gegen Hitler – vorbildlich verwirklicht hatten: in der Leitung arbeiteten ehemalige Mitglieder der KPD und SPD sowie bürgerlicher und kirchlicher Kreise einträchtig zusammen. Der Vorsitzende war ein ehemaliger Funktionär der Sozialistischen Arbeiterpartei (SAP), einer kleinen, im Jahre 1931 entstandenen aktiven Partei, die sich schon vor Hitlers Machtantritt besonders um die Herstellung einer antifaschistischen Einheitsfront bemüht hatte.
Unmittelbar nach der Kapitulation der Wehrmacht in Berlin hatte die Organisation, ohne auf Direktiven zu warten – nicht einmal auf unsere –, sofort mit den dringendsten Arbeiten begonnen. Ingenieure, Techniker und Facharbeiter waren herangezogen worden, um die Versorgung mit Gas, Wasser und Strom zu gewährleisten, die Enttrümmerung der Straßen wurde organisiert, Krankenhäuser und Schulen instand gesetzt – kurz, es wurden alle die Dinge getan, die zu tun in diesen Tagen notwendig war.
Unter der energischen und sachkundigen Leitung war die Tätigkeit des Komitees bald über den Charlottenburger Bezirk hinausgewachsen. Seine Verbindungen reichten nicht nur über ganz Berlin, sondern sogar schon in andere Städte. Mit einigen Professo-

ren technischer Hochschulen und wissenschaftlichen Kapazitäten wurden bereits Vorarbeiten zur Instandsetzung industrieller Anlagen und Bergwerke geleistet. Auch die politischen Fragen wurden nicht vergessen. Das Charlottenburger Nationalkomitee hatte schon – Mitte Mai 1945! – eine Archivabteilung geschaffen. Hier kamen regelmäßig Teilnehmer des 20. Juli zusammen, um ihre Schilderungen niederzuschreiben, mit dem Ziel, in möglichst kurzer Zeit eine Arbeit über den 20. Juli zu veröffentlichen.
Für mich war es eine unvergeßliche Begegnung, und mir graute schon vor dem Gedanken, daß vielleicht Ulbricht auch diese lebendige, vorbildliche Organisation zerschlagen würde.
(. . .)
Wenige Tage später war das »Werk« vollbracht. Das Komitee war aufgelöst. Die Mehrzahl seiner Mitglieder zog sich enttäuscht ins Privatleben zurück. Einige traf ich später wieder. Sie waren in der Verwaltung tätig und taten pflichtgemäß ihre Arbeit, aber das Feuer, die Begeisterung, die Initiative waren bei ihnen nicht mehr zu spüren.
Das Schicksal des Charlottenburger Komitees war nur ein Beispiel. Zur gleichen Zeit wurden damals in Berlin Dutzende ähnlicher von unten entstandener Ausschüsse, Initiativgruppen, Komitees aufgelöst. Das geschah nicht nur in Berlin, sondern, sobald sich die Verwaltungen gefestigt hatten, in allen größeren Städten der sowjetischen Zone und später auch im Gebiet der westlichen Besatzungsmächte.

Quelle: Leonhard, 1956, S. 381–387.

1.5. Die kurze Geschichte der SPD-Zeitung »Volksstimme« in Dresden

Karl Bielig

Ich war bis 1933 Redakteur an der »Volkszeitung« in Meißen gewesen. So meldete ich mich nach meiner Rückkehr aus amerikanischer Gefangenschaft im Juli 1945 beim Landesvorstand der SPD in Dresden. Schließlich mußten wir ja wieder eine Parteizeitung haben. Es wurde mir sehr bald klar, daß wir von den Russen nur die Erlaubnis zu einer Landeszeitung erhalten würden. Eine KP-Presse gab es sehr bald. Die Kommunisten hatten alle vorhandenen Zeitungsdruckereien beschlagnahmt, sie hatten eine Zentralredaktion in Dresden und Lokalredaktionen in den größeren Städten; sie druckten auch an verschiedenen Orten. Trotz dem Papiermangel hatten sie eine Auflage von 1,2 Millionen Exemplaren.
Die Politmajore ließen mit der Erlaubnis sehr lange auf sich warten. Sie erfuhren sehr wohl, daß die Zeitungen der KP zu Zehntausenden in den Städten liegenblieben. Die Menschen waren hungrig auf Nachrichten aus aller Welt; sie merkten aber sehr bald, daß sie schon wieder eine gleichgeschaltete Propagandapresse in den Händen hielten. Man zögerte also sehr lange mit der Erlaubnis, obwohl unsere Redaktionsmannschaft stand. Paul-Willy Eisoldt, Kurt Gentz und ich warteten auf den Tag, da in dem für die Arbeiterbewegung so traditionsreichen Sachsen die SPD wieder durch eine Zeitung sprechen sollte. Aber ein Verhinderungsmanöver folgte dem anderen. Gentz und ich waren Soldaten gewesen, das sollte nicht tragbar sein. Wochen vergingen. Dann hatten wir die beiden alten Redakteure Emil Rauch (früher »Leipziger Volkszeitung«) und Block (früher Chefredakteur der »Staatszeitung« in Dresden) herangeschafft. Sie wurden akzeptiert. Aber wir hatten noch keine Druckerei. Mit einer schriftlichen Weisung des Innenministers Fischer (KPD) fuhr ich in einige Mittelstädte, wo leistungsfähige Druckereien waren, die uns zur Verfügung gestellt werden sollten. Die jeweiligen Ortsgewaltigen der KPD tobten; sie wollten »ihre« Druckereien behalten. Wieder wochenlanges Hin und Her. Endlich, am 4. oder 5. September, erschien die erste Nummer der »Volksstimme«. Die Lösung des Druckereiproblems war symptomatisch für die damalige Situation: Wir druckten im Lohndruck in der Druckerei der ehemaligen sozialdemokratischen »Dresdner Volkszeitung«, die erst von den Nazis und jetzt von den Kommunisten beschlagnahmt worden war. Fremde im eigenen Haus.
Als Gesamtauflage für Sachsen waren uns 30 000 Exemplare bewilligt worden. Zuerst erschienen wir dreimal in der Woche, später sechsmal. Der Umfang war dürftig, er schwankte zwischen zumeist vier und maximal acht Seiten.
Wir gingen mit Eifer an die Arbeit. Unsere beiden »Alten«, Block – als Chefredakteur – und Rauch, taten nicht sehr viel. Sie sollten ja auch nicht. Nur Blocks Neigung, ab und zu einen seitenlangen Grundsatzartikel zu schreiben, machte uns oft Kummer. Wohin damit bei dem knappen Raum! Eine exakte Ressorteinteilung hatten wir nicht; Gentz und ich machten die Politik nach Vereinbarung, ich hatte mir noch das Feuilleton vorbehalten. An Material stand uns nur das Sowjetische Nachrichten-Büro (SNB) zur Verfügung, außerdem schickte uns der Hauptvorstand der SPD in Berlin politisches Material, darunter Artikel meines alten Freundes Gustav Dahrendorf. Im Land hatten wir uns nach Mitarbeitern umgesehen; bald hatten wir in den großen Städten sogar Lokalredaktionen. Auch als wir am 1. Oktober die Auflage auf 60 000 erhöhen durften, hatten wir erst fünf Prozent der Auflage der KP-Presse. Allerdings gab es noch einen anderen Unterschied: Uns wurde die Zeitung aus den Händen gerissen.

Natürlich erschienen wir erst nach einer gründlichen Vorzensur. Die Herren Kapitäne der Roten Armee folgten deutlich erkennbaren Weisungen der Politmajore. In jeder Nummer mußte ein positiver Artikel mit Bild über die Sowjetunion stehen. Das Material schickte man uns bergeweise. Jedesmal, wenn ich einen solchen Artikel aus Platzmangel und weil mir die Propaganda zu billig war, geschoben hatte, gab es Ärger. Ein Vorfall hatte unangenehme Folgen für uns. Ende März 1946 hatte ich eine Meldung in den Satz gegeben, wonach die SPD in Berlin über die Vereinigung mit der KPD eine Urabstimmung für den 31. März angesetzt hatte. Der Zensor hatte sie übersehen. Ich fuhr nach dem Umbruch ebenso zufrieden wie hungrig nach Hause, nach Meißen. Am nächsten Tage erfuhr ich, was passiert war. Eines der ersten Exemplare mußte zum Politmajor nach dem Weißen Hirsch gebracht werden. Die Auflage war gerade ausgedruckt, als der Major erschien und zu toben begann. Resultat: Die gesamte Auflage mußte verbrannt und ohne die Meldung neu gedruckt werden. Der Zensor jammerte am nächsten Tag, aber ich versuchte ihm sanft beizubringen, daß ja er eigentlich der Verantwortliche sei.

Was durften wir schreiben? Die überörtlichen Nachrichtenquellen waren russisch, die örtlichen kommunistisch. Es kam also auf unsere Auswahl an. Die Kommentare hatten »positiv« zu sein, was uns nicht abhielt, die Kunst des Zwischen-den-Zeilen-Schreibens sorgsam zu handhaben. So mußten wir die Bodenreform »aus politischen, sozialen und wirtschaftlichen Gründen« – so die Sprachregelung – »begrüßen«, obwohl wir wußten, daß die Versorgungslage auf lange Zeit erst einmal verschlechtert werden würde. Nicht schreiben durften wir, daß viele der enteigneten Großgrundbesitzer in ein Lager bei Coswig gebracht und dort bei grimmiger Kälte in verschlossenen Waggons nach Rügen gebracht wurden. Viele kamen dabei ums Leben.

Mitunter stellte man uns Fallen. Im Jahresbericht des Nachrichtenamtes der Stadt Dresden am Ende des Jahres 1945 hieß es: »Natürlich wurde geplündert und vergewaltigt . . .« Ich strich den Satz und ließ auch das Manuskript verschwinden. Was mir passiert wäre, hätte ich das stehengelassen, wagte ich mir nicht auszudenken. Bosheit oder Dummheit? Nun, dumm war der Leiter der Nachrichtenstelle nicht.

Eines Tages erschien einer der Politmajore und bot mir eine »Meldung« an, in der behauptet wurde, Kurt Schumacher sei im KZ ein Agent der Nazis gewesen, heute sei er einer der Amerikaner. Ich lehnte ab. Der Major bestand nicht auf der Veröffentlichung, aber er war in der Folgezeit merklich kühler zu mir. (. . .)

In unserer Redaktion wurde kameradschaftlich und offen gesprochen. Rausch und Block waren ausgeschieden, ein neuer Chefredakteur war noch nicht ernannt. Da zeigte sich, daß Gentz ein kritikloser Anhänger der Vereinigung war. Die Folge war, daß uns eines Tages der Landesvorstand mitteilte, Gentz sei zum Chefredakteur ernannt. Ich ärgerte mich ein wenig, aber dann war ich froh, daß ich das, was nun in der Zeitung zu dem Thema geschrieben wurde, nicht zu verantworten brauchte. Inzwischen, ab 1. Januar, durften wir 120 000 Exemplare drucken.

Die Monate vergingen. Die Einheitskampagne überschlug sich, die Eingriffe der Russen gegen »Abweichler« wurden härter. Die Verhaftungen von Sozialdemokraten häuften sich; jedes Wort mußte überlegt werden. Die Einheitsfreunde kannten allerdings sehr bald die meisten ihrer Gegner. Wir standen in einer aussichtslosen Position, stets gefährdet, ohne Hilfe von außen, angewiesen auf das eigene Urteil und die Kameradschaft der Gleichgesinnten. Ich dachte oft an Heinrich Heines »Enfant perdu«.

Unsere Zeitung war nach dem Willen der Einheitsväter zum Tode verurteilt. Fünf SED-Zeitungen sollten nach dem 1. Mai 1946 in Sachsen erscheinen, davon für den Bezirk Dresden die ehemalige KP-Zeitung. Am letzten Apriltag erschien die »Volksstimme« zum letztenmal, als Mainummer mit einem entsprechenden Einheitsartikel.

Am nächsten Tag erfolgte die Vereinigung der beiden Parteien in Sachsen auf einem groß aufgezogenen Parteitag in einem Saal auf dem Weißen Hirsch. Auf der Bühne saßen die Landesvorstände der beiden Parteien, an der Spitze der KP Hermann Matern, zufrieden lächelnd. Er hatte sein Werk in Sachsen vollbracht; er ging nach Berlin, um dort an die Spitze der SED Berlins zu treten. An dem Tag wußte er noch nicht, daß er dort einer welthistorischen Niederlage des Kommunismus entgegenging, den Kommunalwahlen in Berlin vom 20. Oktober.

Ich brauchte nicht mehr zu schreiben. Meine Zeitung gab es nicht mehr. . .

Quelle: Bielig, 1966, S. 71–75.

2. Vereinigungsparteitag

2.1. Vereinigungsversammlung in Helbra/Sachsen

Fritz Schenk

Gegen Ende des Jahres 1945 nahm die Vereinigungskampagne organisierte Formen an. Von den Auseinandersetzungen, die sich in den führenden Gremien in Berlin abspielten, erfuhren wir auf unserem Dorfe wenig. Für mich stellte sich die Lage so dar: Der Wille zur Vereinigung war bei den meisten Mitgliedern meiner Partei vorhanden. Sie waren, wie Grotewohl, in dem Trugschluß befangen, die SPD werde mehr Einfluß auf die künftige deutsche Politik nehmen können, wenn sie sich mit den Kommunisten vereinige.

Die meisten älteren Mitglieder waren anfangs gegen die Verschmelzung, weil sie die Taktiken der Kommunisten aus der Weimarer Zeit kannten und wußten, daß die Kommunisten keine loyale Partnerschaft kennen. »Die KP hat mit Hilfe der Russen einen besseren Start gehabt als wir«, sagten sie, »aber jetzt, da sie merken, daß sich unsere Partei schneller entfaltet, wollen sie uns einkassieren.«

Trotz dieser richtigen Überlegungen gingen viele von ihnen dann aber zu denen über, die meinten: »Wir wissen ja, was die Kommune will. Warum habt ihr Angst vor der Vereinigung? Es kommt doch nur auf uns an. Wir sind in der Mehrzahl, wir können ihr den Wind aus den Segeln nehmen und unseren Willen aufzwingen. Laßt doch die paar Kommunisten ruhig zu uns kommen.«

Es gab noch einige andere – sie waren allerdings eine verschwindende Minderheit und wurden zu dieser Zeit noch nicht recht verstanden –, die sagten: »Was wir auch tun, ob wir SPD bleiben oder uns mit der Kommune zusammentun – den Ton geben die Russen an, ob uns das angenehm ist oder nicht. Wir müssen das machen, was Moskau sagt. Dabei spielt es keine Rolle, daß wir selbständig bleiben. Was sich hier vollzieht, ist nur unter der Herrschaft sowjetischer Bajonette möglich.«

Am 26. Februar 1946 beriefen die Führungsgremien von KPD und SPD für den 21. und 22. April einen gemeinsamen Parteitag ein, auf dem die Fusion vollzogen werden sollte. Danach ging in den Ortsgruppen die Vereinigung mit Riesenschritten voran.

Mitte April fand unsere Verschmelzungs-Versammlung statt. Zu diesem Zeitpunkt waren sich selbst die Spitzengremien noch nicht über den Namen der neuen Partei einig. In den Zeitungen wurde häufig die Abkürzung SEPD gebraucht, und so wählten auch wir sie für unsere Einladungen und Plakate. Mein Vater sollte die Feierlichkeiten organisieren, und da er beruflich stark beansprucht war, blieb viel Kleinarbeit bei mir hängen. Zusammen mit den jungen KP-Genossen stellten wir ein buntes Programm zusammen, studierten ein Laienspiel ein, und die oberste Schulklasse beteiligte sich mit einigen Volkstänzen. Das Ganze wurde musikalisch umrahmt von der Tanzkapelle unseres Ortes, deren Leiter ebenfalls der SPD angehörte.

Der große Kinosaal war bis auf den letzten Platz gefüllt. Es herrschte eine feierliche Stimmung. Die Redner beider Parteien gingen auf die Vergangenheit der Arbeiterbewegung ein und versicherten sich gegenseitig, daß man nunmehr ohne Hintergedanken zusammenarbeiten wolle. Wie später auch beim Vereinigungs-Parteitag in Berlin wurde der feierliche Teil des Abends damit abgeschlossen, daß die beiden Parteigruppen-Vorsitzenden, die die vereinigte Gruppe künftig paritätisch leiten sollten, von links und rechts zur Mitte der Bühne gingen und mit dem symbolischen Händedruck die Verschmelzung besiegelten. Die Anwesenden spendeten ihnen begeistert Beifall. Und als zum Abschluß die »Internationale« angestimmt wurde, dröhnte das Haus von dem Gesang, wenn auch viele – vor allem wir Jüngeren – nur die Melodie mitbrüllten, weil uns der Text noch nicht geläufig war.

Der Feierstunde schloß sich ein geselliges Beisammensein an. Die Russen hatten eigens zu diesem Anlaß den Brauereien die Ausgabe von Starkbier genehmigt, und die Ortsgruppen beider Parteien erhielten je nach Mitgliederzahl einige Fässer zugeteilt. So hielt die frohe Stimmung vom Samstagabend bis zum Montagmorgen an. Die Kommunisten fühlten sich »bei uns« wie zu Hause. Zu vorgerückter Stunde beteiligten sie sich sogar am Spott über ihre eigene Vergangenheit. Der KP-Chef unseres Dorfes ging selbstkritisch mit sich und seiner Partei ins Zeug und plauderte aus, daß er vor 1933 eigentlich zu den Nazis gewollt hatte, jedoch das Geld für die SA-Uniform nicht aufbringen konnte. Er war auch der letzte, der das Fest verließ. Als ich am Montag zur Arbeit ging, saß er mit zwei anderen Genossen auf der Treppe des Vereinslokals, und sie lallten mit schwerer Zunge: »Die In-ter-na-tio-naa-haa-le er-füllt das Men-schen-recht!«

Quelle: Schenk, 1962, S. 14–16.

2.2. Die Gründung der SED in Berlin

Wolfgang Leonhard

Am (. . .) 21. April 1946, vormittags 10 Uhr, begann im Admiralspalast zu Berlin der Vereinigungsparteitag. Mehr als tausend Delegierte und Hunderte von Gästen strömten in das Gebäude – der erste gemeinsame Parteitag der Kommunisten und Sozialdemokraten!

Vor dem Admiralspalast hatten sich – damals noch keineswegs organisiert, sondern spontan aus Interesse und Sympathie heraus – Tausende von Menschen eingefunden, die uns zuwinkten und ermunternde Worte zuriefen. Endlich hatten wir Platz genommen. Kommunisten und Sozialdemokraten saßen in den Reihen bunt durcheinander, begrüßten sich, sofern sie sich von früher kannten, und stellten sich vor, wenn sie sich zum erstenmal sahen. Das Orchester spielte die Fidelio-Ouvertüre von Ludwig van Beethoven. Einige Minuten später kamen Wilhelm Pieck und Otto Grotewohl von verschiedenen Seiten auf die Bühne, trafen sich in der Mitte und reichten sich unter minutenlangem stürmischem Beifall die Hände.

»Als wir beide eben auf diese Bühne kamen«, sagte Grotewohl, »wurde mir die symbolische Bedeutung dieses Aktes klar. Wilhelm Pieck kam von links, und ich kam von rechts. Wir kamen aber beide, um uns in der Mitte zu treffen.«

Die Delegierten waren aufgesprungen und brachen in Hochrufe aus.

Was immer auch später geschah – an diesem Vormittag des 21. April 1946 herrschte eine echte, spontane Begeisterung unter den Delegierten.

Der erste Tag des Kongresses verging mit Begrüßungen, besonders oft kamen Kommunisten und einheitsbejahende Sozialdemokraten aus den westlichen Teilen Deutschlands zu Wort.

Der zweite, entscheidende Tag des Vereinigungsparteitages begann mit einer Überraschung.

»Ich möchte dem Genossen Amborn aus Leipzig zu einer Überreichung eines Geschenkes und zu einer kurzen Erklärung dazu das Wort geben«, wurde vom Präsidium mitgeteilt.

In den hinteren Reihen des Parteitages stand ein Delegierter auf und ging langsam durch den großen Saal zum Präsidium. Er trug in der Hand einen großen, gefährlich aussehenden Holzstock. Endlich war er, von den erstaunten Blicken der Delegierten begleitet, zum Präsidiumstisch gelangt.

Feierlich übergab er Grotewohl den großen Stock, der ihn an Pieck weiterreichte, bis beide den Stab gemeinsam in den Händen hielten.

Es handele sich, so erklärte der Delegierte Amborn aus Leipzig, um ein Erinnerungsstück von August Bebel. Dieser habe den Stock selbst gedrechselt. Mit ihm habe Bebel den Erfurter Parteitag 1890 geleitet. »Damals war eine Opposition vorhanden, die sogenannten ›Jungen‹. Bei den schweren Auseinandersetzungen haben dann die Delegierten des Parteitages erklärt, daß August Bebel mit diesem Stab die ›Jungen‹ niedergeschlagen habe.«

Allgemeines Lachen im Saal.

Nach Ende des Parteitages habe August Bebel den Stock dem Genossen Paul Reißhaus zur treuen Aufbewahrung übergeben. Reißhaus sei ein Anhänger der Einheit gewesen. Er wollte diesen Stock nur dann einem Parteitag zur Verfügung stellen, wenn die Einheit verwirklicht worden sei.

»Als Nachlaßverwalter des Genossen Reißhaus habe ich mich verpflichtet gefühlt«, sagte Amborn, »diesen Stab dem Parteitag bzw. dem neuen Vorstand der Einheitspartei zu übergeben.«[1]

1 Amborn, ein Veteran der Sozialdemokratischen Partei, war Bürgermeister in Burghausen ü. Sa. und wurde einige Zeit nach der Gründung der SED wegen seiner sozialdemokratischen Gesinnung (»Sozialdemokratismus«) von der MWD verhaftet. (Anm. d. Verf.)

Quelle: Leonhard, 1956, S. 436–437.

2.3. Die Gründung der SED in Berlin

Erich W. Gniffke

Der Vereinigungsparteitag tagte am 21. und 22. April 1946 im ehemaligen »Admiralspalast« in Berlin. Alles verlief planmäßig. Nachdem die »Fidelio«-Ouvertüre, die den festlichen Auftakt dieses denkwürdigen Ereignisses bildete, verklungen war, hob sich der Vorhang. Von verschiedenen Seiten kommend, betraten Wilhelm Pieck und Otto Grotewohl die Bühne, trafen in der Mitte zusammen und reichten sich die Hände. Dann hob Grotewohl an: »Dreißig Jahre Bruderkampf finden in diesem Augenblick ihr Ende. An

deinem 70. Geburtstag, Wilhelm Pieck, reichten wir uns die Hände, stellvertretend für Hunderttausende von Sozialdemokraten und Kommunisten. Ich wünschte damals schon den Tag herbei, an dem sich unsere Hände nicht mehr zu trennen brauchen. Dieser Tag ist heute gekommen . . .« Wilhelm Pieck antwortete: »Ja, lieber Otto Grotewohl, so soll es sein . . . Wir werden unsere Sozialistische Einheitspartei zu der Millionenpartei des deutschen werktätigen Volkes machen, um damit alle inneren Feinde zu schlagen, um das große Werk zu vollenden, das wir uns als Ziel gesetzt haben: den Sozialismus.«
Grotewohl: »Das sei der Sinn unseres Händedrucks, das sei unser heutiges Gelöbnis, das sei unsere Tat.«
Diesem pathetischen Auftakt folgten viele Reden, Begrüßungsansprachen wurden gehalten, Betriebsabordnungen traten auf, Glückwunschadressen und Telegramme wurden verlesen, und schließlich wurde einstimmig der Beschluß gefaßt: »Am 19. und 20. April 1946 haben der 40. Parteitag der Sozialdemokratischen Partei Deutschlands und der 15. Parteitag der Kommunistischen Partei Deutschlands übereinstimmend die Vereinigung beider Arbeiterparteien beschlossen . . . Die Sozialdemokratische Partei Deutschlands und die Kommunistische Partei Deutschlands konstituieren sich als Sozialistische Einheitspartei Deutschlands.«
Den Abschluß des Vereinigungsparteitages bildete ein organisierter »Froher Ausklang«. Noch einmal redeten die beiden inzwischen gewählten Vorsitzenden. Musik von Offenbach, Strauß und Lortzing erklang. Rezitationen von Erich Weinert und einige Chorlieder umrahmten die Abschlußfeier, zu der etwa 3000 Funktionäre in den »Palast« gekommen waren. Zum Abschluß sangen alle die Internationale, dann ging es zurück in den politischen Alltag.
Am Tage der Vereinigung zählte die Sozialistische Einheitspartei innerhalb der sowjetischen Besatzungszone 1 298 415 Mitglieder. Davon waren 53 Prozent Sozialdemokraten.

Quelle: Gniffke, 1966, S. 167–168.

3. Wahlen 1946

3.1. Gemeindewahlen (1.–15. 9. 1946)

Fritz Schenk

Die sowjetischen Kommandanten versuchten mit allen Mitteln, einen Wahlsieg für die SED zu organisieren. Die Einheitspartei und ihre Satellitenorganisationen wie VdgB, Frauenausschüsse u. a. erhielten unbegrenzte Propagandamöglichkeiten, während die bürgerlichen Parteien in jeder Hinsicht benachteiligt und unter Druck gesetzt wurden. Sie erhielten lächerlich geringe Papierkontingente für ihre Zeitungen und Plakate, Versammlungsräume wurden ihnen verweigert oder ihre Versammlungen kurzerhand verboten, rund die Hälfte ihrer Wahlvorschläge wurde abgelehnt, zahlreiche bürgerliche Politiker wurden unter irgendwelchen Vorwänden verhaftet, in vielen Orten, auch in meinem Heimatort, untersagten die Kommandanten einfach die Bildung von Ortsgruppen der bürgerlichen Parteien. Dennoch erhielten LDP und CDU zusammen fast 40 Prozent der Stimmen. Die Kommunisten registrierten das mit Unbehagen. Wie hoch wäre wohl der bürgerliche Stimmanteil ausgefallen, wenn die bürgerlichen Parteien den Wahlkampf in Freiheit hätten führen können?
Insgesamt gesehen konnte die SED jedoch zufrieden sein. Fast nirgends – selbst in katholischen Gegenden nicht – hatte sie weniger als 35 Prozent der Stimmen erreicht, in den meisten Gemeinden errang sie die absolute Mehrheit, in vielen Orten stellte sie sich als einzige Partei zur Wahl und erhielt fast die gesamten Wählerstimmen.[1]
Trotzdem reagierten die Russen äußerst negativ, was uns damals völlig unverständlich war. Wir hatten schon ihr großes Interesse und ihre starke Einmischung bei den Wahlvorbereitungen nicht verstanden, und sowohl Sozialdemokraten als auch Kommunisten wußten nicht, was sie dazu sagen sollten, daß die Kommandanten hinterher über das Ergebnis schimpften und oft sogar Angst vor ihren übergeordneten Stellen hatten. Bei unserer heutigen Kenntnis des kommunistischen Systems ist daran nichts Verwunderliches. Die Offiziere waren im Sowjetstaat aufgewachsen, kannten nur das Einheitswahlsystem mit seinen 99,9prozentigen Ergebnissen und glaubten natürlich, solche Resultate müßten in Deutschland ebenfalls auf Anhieb erreicht werden. Es sollte auch nicht lange dauern, und ihre Wünsche wurden vollauf befriedigt. Schon wenige Jahre später gab es auch in der sowjetischen Besatzungszone nur noch das kommunistische Wahlsystem.

1 Vom Bundesministerium für gesamtdeutsche Fragen wird folgendes Wahlergebnis mitgeteilt:
Es erhielten Stimmen in Prozent

im Lande	SED	LDP	CDU	Bauernhilfe	Frauenausschüsse
Sachsen	48,4	20,2	19,7	0,89	0,74
Sachsen-Anhalt	49,5	19,8	13,3	1,1	0,7
Thüringen	46,4	23,7	16,7	3,2	1,9
Brandenburg	54,3	17,2	15,6	2,5	0,9
Mecklenburg	63,2	9,5	15,2	1,7	1,1
SBZ gesamt	57,1	21,1	18,8	beide zus. 3,0	

Nach: SBZ von 1945 bis 1954, Bonn – Berlin 1964, S. 43. (Anm. der Red.)

Quelle: Schenk, 1962, S. 19–20.

3.2. Wahlen in Berlin (20. 10. 1946)

Erich W. Gniffke

Auf Anordnung der Alliierten Kommandantur erließ der Magistrat am 17. August 1946 die Wahlordnung für die Wahl der Stadtverordneten und Bezirksverordneten. Es wurden im wesentlichen die vor 1933 gültigen Wahlbestimmungen übernommen. Zum Wahltag wurde ebenfalls[1] der 20. Oktober 1946 bestimmt.
In Berlin kandidierten u. a. die Mitglieder des ZS, Max Fechner und Elli Schmidt. Besonders Max Fechner hatte als Versammlungsredner keinen leichten Stand. Es meldeten sich in seinen Versammlungen SPD-Mitglieder, die etliche Male eine Diskussion erzwangen. Sie erinnerten ihn an das Ergebnis der ursprünglich von ihm vorgeschlagenen Urabstimmung[2] und fragten, warum er als Berliner dieses Er-

1 Wie für die Landtagswahlen in der sowjetischen Zone. (Anm. d. Red.)
2 Zur Urabstimmung und deren Ergebnissen vgl. in dieser Edition Text 1.2., Anm. 1, S. 161 (Anm. d. Red.)

gebnis nicht respektiert hätte. Fechners Hinweis, daß er sich der Gesamtpartei verantwortlich fühle, wurde mit dem Zwischenruf »Feigheit« bedacht.

Die SED legte das Schwergewicht ihrer Propaganda in die Betriebe, vornehmlich in Ostberlin. Sie bot viele Redner auf, anfangs auch Diskussionsredner für die SPD-Versammlungen, da die SPD mehrmals zu Diskussionen einlud.

Als der SED-Landesvorstand aber die dahinterstehende Taktik, nämlich die SPD-Wahlversammlungen[3] durch eine Diskussion interessanter zu machen, durchschaute, wurden diese Versammlungen gemieden.

Der Propagandastoß der SPD sowie der beiden bürgerlichen Parteien richtete sich konzentriert gegen die SED als der einseitig der sowjetischen Politik verhafteten Partei. Vielfach variiert wurde der SED zur Last gelegt, daß die Sowjets eine Kontensperre verhängt hätten, die Industrie »ausgeplündert« worden sei, in Berlin mehrere Kategorien der Lebensmittelversorgung eingeführt werden mußten, anstatt Berlin ausreichend aus dem angrenzenden Zonengebiet zu versorgen.

Da ich mit meiner Familie im amerikanischen Sektor in Berlin-Zehlendorf wohnte, kandidierte ich neben der Kandidatur zum Landtag in Mecklenburg als Spitzenkandidat der SED zur Bezirksversammlung in Berlin-Zehlendorf. Nach der Wahl habe ich das Mandat abgegeben.

Nach Zehlendorf hatte die SPD als Versammlungsredner Hermann Lüdemann, der nicht mehr Landessekretär in Mecklenburg war, sondern in Kiel lebte, und Gustav Dahrendorf aus Hamburg geholt. Sie traten gemeinsam in der Wahlversammlung auf.

Ich besuchte diese Versammlung und sprach beide in der Diskussion an:

»Vor wenigen Monaten gehörten wir drei noch zur gleichen Partei. Wir sprachen die gleiche Sprache. Alle drei wollten wir das gleiche: die Überwindung der politischen Spaltung der Arbeiterklasse, die Wiedervereinigung Deutschlands. Heute treten wir in einer öffentlichen Versammlung als politische Gegner auf...«

Lüdemann antwortete: »Gniffke hat recht. Aber das war zu einer Zeit, als wir noch nicht annehmen konnten oder wollten, daß die KPD die Vereinigung benutzen werde, um in ihr die Sozialdemokratie zu erstikken. Ich hoffe, daß Gniffke sich zusammen mit allen anderen in die kommunistische SED eingeschmolzenen Sozialdemokraten eines Tages doch noch aus dem Würgegriff der kommunistischen Taktiker lösen kann.«

Die am Vorstandstisch mit den Rednern sitzenden alten Freunde klatschten Beifall. Nach Schluß der Versammlung ging ich zum Vorstandstisch und begrüßte sie. Ich lud Dahrendorf ein, mich zu besuchen. Und er kam.

(...)

Wir trennten uns am späten Abend mit dem Gefühl, trotz allem Freunde geblieben zu sein.

Als in der Nacht vom 20. zum 21. Oktober 1946 die Resultate der Berliner Wahlen bekannt wurden, war die Niederlage der SED offensichtlich. Sieger war die SPD. Sie hatte in Berlin 48,7 Prozent erhalten. An zweiter Stelle stand die CDU mit 22,1 Prozent, dann folgte die SED mit 19,8 Prozent und schließlich die Liberaldemokratische Partei mit 9,4 Prozent der Stimmen. Von den über zwei Millionen abgegebenen Stimmen – die Wahlbeteiligung lag bei 92,3 Prozent – hatten fast 1 Million Berliner für die SPD gestimmt. Im neu gewählten Berliner Magistrat hatte die SPD 63, die CDU 29, die SED 26 und die LDP 12 Sitze.

Auf Grund dieses Wahlergebnisses wurde nun ein Sozialdemokrat, Dr. Ostrowski, zum Oberbürgermeister ernannt, dem drei Stellvertreter, Dr. Acker von der SED, Dr. Friedensburg von der CDU und Louise Schroeder von der SPD, zur Seite standen. Der Wahlsieg der SPD spiegelte sich auch in der Verteilung der Dezernate wider. Von den 15 Dezernaten erhielt die SPD 7, die CDU 3, die LDP 2, während die SED sich mit dem einzigen Dezernat der Städtischen Betriebe begnügen mußte.

Vor allem die ehemaligen Sozialdemokraten im ZS hatten diese Wahlergebnisse in den Ländern der sowjetisch besetzten Zone, besonders aber in Berlin, sehr deprimiert. Jeder wollte jetzt davor gewarnt haben, die Vereinigung von KPD und SPD vor der Wahl vorzunehmen. Max Fechner als Vertreter des ZS bei der SED-Stadtverordnetenfraktion raunte mir zu: »Hätte ich die SPD-Liste angeführt, ich könnte jetzt den Sieg begießen.«

Es war nicht zu leugnen: Die kleine Oppositionsgruppe der sozialdemokratischen Einheitsgegner von vor einem halben Jahr war zu einer starken Partei, zu der erfolgreichsten im Berliner Wahlkampf geworden. Diese Feststellung wurde in der Zentralsekretariatssitzung getroffen. Wie aber sagt man dies den Mitgliedern, den Wählern? Welche Auswirkung wird das Berliner Wahlergebnis auf die Länder der Zone, auf die übrigen Parteien, auf die Blockpolitik und auf die Regierungsbildungen haben? Alle diese Fragen wurden eifrig diskutiert.

3 In allen Sektoren Berlins stellte sich die SPD (unter Franz Neumann, Curt Swolinzky und Louise Schroeder) zur Wahl. (Anm. d. Red.)

Quelle: Gniffke, 1966, S. 211–213.

4. SMAD und SED

4.1. Aus den Erinnerungen eines SMAD-Mitarbeiters

Gregory Klimow

Ein paar Monate Karlshorst vermittelten mir einen recht guten Überblick über den Aufbau und die Funktionen des Hauptstabes der Sowjetischen Militär-Administration in Deutschland [SMAD]. Die Tätigkeit in unmittelbarer Nähe der höchsten Spitzen der SMA gab mir die Möglichkeit, den Mechanismus des Hauptstabes besser zu erfassen als nur durch einen Blick hinter seine Kulissen.

Der Chef der SMA in Deutschland, Marschall Schukow, ist gleichzeitig Oberkommandierender der sowjetischen Besatzungsstreitkräfte (kurz GSOW genannt) in Deutschland. Als solcher hat er ein zweites Stabsquartier in Potsdam, das den Hauptstab der GSOW beherbergt.

Marschall Schukow genießt mit vollem Recht höchste Autorität und hat seine Berufung auf den Posten des Militärgouverneurs im besiegten Deutschland seinen hohen Verdiensten als glänzender Feldherr, der im Kriege eine der entscheidendsten Rollen gespielt hat, zu verdanken. Überdies war Marschall Schukow äußerst populär, was durch eine Menge von Geschichten um die Persönlichkeit des Marschalls und sein Verhältnis zu den Soldaten bezeugt wird.

(. . .)

Als Marschall Schukow im März 1946 aus Deutschland zurückberufen wurde und als Kommandeur eines Militärbezirks in der Provinz verschwand, traten die Diktaturmethoden des Kreml wieder einmal anschaulich zutage. Marschall Schukow war für die Sowjetunion der Nachkriegszeit zu populär und genoß zu großes Ansehen im Volk. Dieser Umstand hätte schon genügt – auch wenn der Marschall sonst keinerlei Veranlassung dazu gegeben hätte –, um den Kriegshelden seines führenden Postens zu entheben. Der Kreml fürchtet die Konzentrierung allzu großer Macht in den Händen eines Menschen, der nicht zum Kreml-Olymp gehört.

Der Nachfolger Marschall Schukows auf dem Posten des Oberbefehlshabers der SMA, Armeegeneral Sokolowskij, der kurz darauf zum Marschall befördert wurde, störte die Ruhe der Olympier im Kreml weniger. Bis dahin war er Marschall Schukows Stellvertreter gewesen. (. . .)

Dem Oberbefehlshaber untersteht unmittelbar der politische Berater[1]. Er ist der eigentliche Vertreter der sowjetischen Parteipolitik in Deutschland, und seine Rolle übersteigt bedeutend die eines einfachen Beraters. Er ist verantwortlich für die Durchführung der politischen Linie des Kreml in Deutschland und kontrolliert gleichzeitig als inoffizieller Politkommissar alle Maßnahmen des Oberbefehlshabers. Wenn Molotow auf dem Wege zur Londoner Konferenz oder zu den folgenden Außenministerkonferenzen in Berlin Aufenthalt nahm, empfing er immer zuvor den politischen Berater und erst, nachdem er dessen Bericht entgegengenommen hatte, den Oberbefehlshaber selbst. Wenn der Oberbefehlshaber die Sowjetregierung verkörpert, so verkörpert der politische Berater die Partei. Dementsprechend sind auch ihre gegenseitigen Beziehungen – der erstere vollstreckt den Willen des letzteren.

Die Politverwaltung des Stabes der SMA ist, wenn sie auch eine ähnliche Bezeichnung trägt wie die Verwaltung des politischen Beraters, doch eine Institution für sich.[2] Wenn die Verwaltung des politischen Beraters die Verbindung der SMA nach oben – d. h. nach Moskau – darstellt, so stellt die Politverwaltung der SMA die Verbindung nach unten dar, d. h., ihr untersteht die politische Arbeit innerhalb des Büros der SMA in Deutschland und die Leitung des gesamten politischen Lebens Deutschlands. Hier werden die Instruktionen erteilt und die Rechenschaftsberichte der Parteifunktionäre entgegengenommen, die als Politkommissare jedem einzelnen Chef eines jeden Büros, einer jeden Abteilung und Verwaltung der SMA beigeordnet sind. Obwohl die Einrichtung der Politkommissare bereits mehrfach mit großem Lärm offiziell liquidiert wurde, besteht sie doch nach wie vor inoffiziell weiter in der Armee unter der Bezeich-

1 Diesen Posten hatte der sowjetische Diplomat Wladimir S. Semjonow inne. (Anm. d. Red.)

2 Der wichtigste Repräsentant war Oberst Sergej Tulpanow, auch bekannt als »Leiter der Informationsabteilung der SMA« oder »politischer Kommissar«. (Anm. d. Red.)

nung »Stellvertreter des Kommandeurs in politischen Angelegenheiten« und in den zivilen Behörden als »Partorg« (Parteiorganisator).
Die politische Verwaltung überwacht die Tätigkeit der politischen Parteien der Sowjetzone Deutschlands. Von hier aus werden den Führern der deutschen Kommunisten, dem Dreigespann Pieck, Grotewohl und Ulbricht, das vor den Wagen der SMA gespannt ist, die direkten Moskauer Instruktionen erteilt. Zu den Pflichten der Politverwaltung gehört ferner die Propagierung und Verbreitung der sowjetischen Ideologie. Diesem Zweck dient sowohl das »Haus der Kultur der Sowjetunion« als auch die »Tägliche Rundschau« und der »Sowjetexportfilm« und als Gegenstück die Spezialabteilung Zensur für Presse, Film und Rundfunk.
Eine Abteilung der Politverwaltung befaßt sich mit Fragen der Aufklärung und der politischen Arbeit innerhalb der deutschen Jugend. Alle Lehrpläne und Lehrbücher für die deutschen Schulen werden nach den Richtlinien der Verwaltung für Aufklärung der SMA zusammengestellt, müssen aber außerdem, bevor sie in Druck gehen, der Politverwaltung nochmals zur Überprüfung und endgültigen Billigung vorgelegt werden. Das beweist, welch große Bedeutung der Erziehung der deutschen Jugend in sowjetischem Geist beigemessen wird.
Ohne Genehmigung der Politverwaltung kann niemand im öffentlichen Leben der deutschen Sowjetzone eine Rolle spielen. Selbst dort, wo – wie z. B. bei den Wahlen der Vertreter der deutschen Parteien und Gewerkschaften – die Demokratie scheinbar aufrechterhalten wird, bestimmt die Politverwaltung den Ausgang der Wahlen im voraus. Dabei bedient sie sich verschiedener Methoden, vorzugsweise einer Unterhaltung im Stab der SMA, wo man mit den »demokratischen« Vertretern auch sonst nicht viel Federlesens macht und sie kurzerhand auffordert: »Legen Sie uns eine Liste Ihrer Kandidaten zur Bestätigung vor.«
Ein anschauliches Beispiel bildet der Fall Dr. Friedensburgs, des früheren Vorsitzenden der deutschen Verwaltung für Brennstoffindustrie und gleichzeitig einer der führenden Persönlichkeiten der Christlich-Demokratischen Union der Sowjetzone. Als sich geringfügige politische Meinungsverschiedenheiten zwischen den Ansichten Dr. Friedensburgs und dem Standpunkt der Politverwaltung der SMA bemerkbar machten, wurde Dr. Friedensburg mit großem Krach seines Postens enthoben. Später, nach der endgültigen Spaltung Berlins, wurde der »degradierte« Dr. Friedensburg als Bürgermeister in den Magistrat Westberlins gewählt.

Quelle: Klimow, 1953, S. 192–195.

4.2. Erfahrungen eines Gewerkschaftsfunktionärs

Adam Wolfram

Schon bald mußten wir feststellen, daß die Kommandanten der Sowjets in den Kreisen bis hinauf zur Landesadministration über die gewerkschaftlichen Fragen nur noch mit den Vorsitzenden der Gewerkschaftsorgane, die ja meistens von früheren Kommunisten besetzt waren, verhandelten. Letztere hatten uns dann die Entscheidungen mitzuteilen. Trotz unseres Protestes gegen solche Praktiken hatten wir keinerlei Erfolg. Aus einzelnen Kreisen häuften sich die Nachrichten, daß Sekretäre, die früher der SPD angehörten, ihrer Funktionen enthoben oder von den Russen abgeholt wurden. Auf diese Weise verschwanden Kollegen, die bereits bei den Nazis im KZ gesessen hatten, erneut in Zuchthäusern und in KZ. Als ich im Landessekretariat der SED Einwendungen gegen diese Maßnahmen machte, erwiderte man mir, da können wir nichts machen, das hat die Besatzungsmacht veranlaßt. Ein Beispiel soll hier angeführt werden:
Vom FDGB-Sekretär in Stendal bekam ich einen Anruf, daß von den in der Umgegend stationierten sowjetischen Soldaten nachts eine Gruppe in die Stadt gekommen sei, Türen und Fenster von Wohnungen einschlugen und Frauen und Mädchen vergewaltigten. Ich fragte zurück, Wilhelm, ist das wirklich wahr? Darauf antwortete er, ich bin alt genug, um zu wissen, was ich sage. Die Bevölkerung in der Stadt ist derart empört, daß es zu Unruhen kommen kann, wenn dagegen nichts geschieht. Ohne zu zögern, fuhr ich zum Ministerpräsidenten, Professor Hübner, und trug ihm die Sachlage vor. Auch er war sehr erregt über den Tatbestand und fragte mich, wollen Sie mit mir zum General kommen und dort berichten, was Sie mir sagten? Als ich dies bejahte, gingen wir sofort zur SMA und baten den General, die vorgetragenen Vorfälle zu überprüfen und abzustellen. Dem General war die Angelegenheit sehr unangenehm, versprach aber, sofort etwas zu tun, und bat uns, ihn zu begleiten. Bevor wir von Halle abfuhren, verständigte ich den Kollegen Treuman in Stendal, daß wir kommen würden und daß er für einige Zeugen zur Bestätigung der Vorfälle sorgen möge. In Stendal angekommen, fuhren wir sofort zu dem Büro des FDGB und baten den Kollegen Treuman, uns kurz zu berichten. Danach suchten wir einige Häuser auf, in denen Türen und Fenster eingeschlagen waren. Von den Frauen wurde bestätigt, wie sie behandelt worden sind, und auch andere Zeugen bestätigten den vorgetragenen Tatbestand. Inzwischen hatte der General den Befehlshaber der Truppeneinheit zu der Kommandantur bestellt. Dort wurden in Anwesenheit ei-

ner ganzen Anzahl von Offizieren noch einmal vom Kollegen Treuman die Vorfälle geschildert mit der Bemerkung, daß die Männer aus Stendal sich weigerten, auf Nachtschicht zu gehen, weil sie ihre Frauen und Töchter beschützen müßten. Wir Deutschen wurden allein gelassen. Der General zog sich mit den übrigen Offizieren zurück, um zu beraten. Als er zurückkam, war er noch sichtlich erregt und eröffnete uns, die Truppen würden auf Befehl des Oberkommandos sofort abgezogen. Falls man die Täter ermittelt, würden diese exemplarisch bestraft. Er bat den Kollegen Treuman, dies den Bewohnern von Stendal mitzuteilen und für Ruhe und Ordnung zu sorgen. Auf der Heimfahrt sagte Professor Hübner, na, Herr Wolfram, das ist noch einmal gutgegangen, ob es immer so gehen wird? Nun, ich bekam es bald zu spüren.

In der folgenden Nacht wurde ich von zwei Offizieren aus dem Bett geholt und zum Oberst der GPU (Geheimpolizei) gebracht. Als ich nach Mitternacht in sein Büro kam, saß der Oberst hinter dem Schreibtisch, auf dem eine rote Decke lag. Er empfing mich mit den Worten: »Du bist ein Saboteur und Feind der Roten Armee.« Auf meine Frage, wie er das beweisen wolle, brüllte er mich an, ich hätte die Rote Armee beleidigt, wäre mit dem Ministerpräsidenten und General nach Stendal gefahren, ohne ihn zu unterrichten. Als ich ihm ruhig erwiderte, ich hätte geglaubt, daß er längst von dem Vorfall informiert gewesen sei, war er einen Moment sprachlos. Dann ging das Verhör die ganze Nacht weiter, bis er mich völlig auseinandergenommen hatte. Von den Großeltern über die Eltern bis zu meiner Familie mußte ich jede Einzelheit ihres Lebens berichten. Nun gab es bei uns weder Kapitalisten noch Reaktionäre, sondern nur Arbeiter und Bergleute, und das beruhigte ihn wieder etwas. Mit der Mahnung, wenn ich wieder ähnliche Vorfälle zu Gehör bekäme, solle ich ihm diese sofort melden, und die Rote Armee solle ich in Ruhe lassen. Im Morgengrauen brachten mich die Offiziere dann im Wagen wieder zu meiner Wohnung. Nun begann das Kesseltreiben gegen mich.

Eines Tages kam der Gewerkschaftsmajor in mein Büro und unterhielt sich mit mir über alle möglichen Fragen. Plötzlich holte er eine Akte aus seiner Mappe und sagte, du hast da auf einer Konferenz ein Referat gehalten, das mit viel Beifall aufgenommen wurde. Wie wir feststellten, findest du bei den Belegschaften in den Betrieben überhaupt viel Anklang, weil du die Leute überzeugen kannst. Mir ist aber aufgefallen, daß du in der ganzen Rede nicht einmal von der Befreiung Deutschlands durch die Rote Armee gesprochen hast. Auch erwähnst du nicht, daß die Sowjetunion Deutschland bei dem Wiederaufbau große Hilfe und Unterstützung gewährt hat. Nach einem Moment der Überraschung sagte ich, Herr Major, ich bin gewohnt, in logischer Reihenfolge sachlich und konkret zu sprechen. Wenn ich zum Beispiel über technisch-organisatorische Probleme der Produktion spreche, kann ich doch schwerlich zwischendurch sagen, das haben wir der Roten Armee zu verdanken. Etwas anderes ist es, wenn ich einen politischen oder geschichtlichen Vortrag halte. Darauf erwiderte er, es ist ganz gleich, worüber du sprichst, immer mußt zu sagen, die Sowjetunion ist unser Freund und die Rote Armee hat uns befreit. Jetzt wußte ich Bescheid. In fast jeder meiner großen Versammlungen oder Konferenzen saßen dort deutschsprechende Russen in Zivil, die meine Reden mitschrieben und entsprechende Berichte an die SMA gaben. Den Beweis dafür fand ich kurz danach, als ich bei der SMA auf dem Schreibtisch eines hohen Offiziers eine dicke Mappe sah, auf der mein Name stand.

Quelle: Wolfram, 1977, S. 104–106.

4.3. SMAD-Veto gegen ZK-Beschluß. Ein Beispiel aus der Kulturpolitik

Alfred Kantorowicz

Ende April 1948 wurde ich von einem Offizier der sowjetischen Presseabteilung angerufen und gefragt, ob ich bereits von dem Beschluß des Zentralkomitees der SED unterrichtet sei, das Weitererscheinen von »Ost und West«[1] zu verbieten. Diese in Frageform an mich gelangende Mitteilung verschlug mir vor Überraschung den Atem. – Ein Beschluß des ZK? Nicht einmal andeutungsweise hatte ich davon gehört, kein Wispern, kein Augenzwinkern hatte mir eine Ahnung davon vermittelt, daß hinter meinem Rücken von höchster Stelle vollendete Tatsachen geschaffen worden waren, denn der auf der Sitzung des Zentralkomitees gefaßte Beschluß hatte Vollzugsgewalt. Das Todesurteil war gefällt worden in einer Verhandlung ohne Zeugen, in Abwesenheit des nichtsahnenden Angeklagten und ohne Zurkenntnisnahme des Corpus delicti – es stellte sich im Verlauf der nächsten aufregenden Stunden heraus, daß selbst der verantwortliche Kultursekretär des Zentralkomitees, Anton Ackermann, den Inhalt der Zeitschrift, deren Verbot er herbeiführen sollte, gar nicht kannte, und das war in diesem Verfahren auch völlig nebensächlich, denn es ging um die Person des Delinquenten, dessen Missetat darin bestand, daß er

1 »Ost und West. Beiträge zu kulturellen und politischen Fragen der Zeit«, eine von der SMAD lizenzierte Zeitschrift, deren Chefredakteur Kantorowicz war, erschien erstmals im Juni/Juli 1947, wurde aber nach kurzer Zeit verboten. Das letzte Heft (Nr. 30) ist im Dezember 1949 ausgeliefert worden. (Anm. d. Red.)

sich der Vorschrift und der Kontrolle des Apparates zu entziehen trachtete.
Der Anrufer verspürte aus meinem atemlosen Schweigen, daß die Nachricht mich unvorbereitet traf. »Hat man Sie denn nicht gefragt? Hat man Sie nicht zu einer Aussprache eingeladen?« – »Nichts, nichts, nichts«, stammelte ich. »Nun kommen Sie, wir werden reden. Kommen Sie gleich.«
Wir wissen unterdessen, daß die Entscheidungen des Apparates der KPdSU in der Stalin-Ära sich genauso vollzogen; der Beschuldigte wurde nie befragt, das Urteil über ihn war bereits gesprochen, bevor es zur Verhandlung kam, er hatte nur noch zu »gestehen«, wessen man ihn bezichtigte. Die Wahrhaftigkeit gebietet aber die Feststellung, daß die sowjetischen Offiziere, als ich mich eine halbe Stunde später bei ihnen einfand, über die Prozedur dieser Entscheidung des Zentralkomitees entrüstet schienen. Einige, an deren Aufrichtigkeit ich noch heute glauben möchte (weshalb es sich für mich verbietet, hier öffentlich ihre Namen zu nennen), fragten mich eindringlich, ob ich denn von keiner Seite der Partei über die Gründe, die zu dem Beschluß geführt hätten, unterrichtet worden, nie zu einer Aussprache eingeladen worden sei. Sie schüttelten die Köpfe, als meine Verstörtheit sie meiner Ratlosigkeit vergewisserte. Welches immer die Gründe (oder Hintergründe) gewesen sein mögen – vielleicht ein Kompetenzkonflikt, Rivalitäten, eine Machtprobe zwischen divergierenden Parteiströmungen –, Tatsache ist, daß die Russen sich für »Ost und West« einsetzten und das Zentralkomitee zwangen, den bereits gefaßten Beschluß zurückzunehmen – ein unerhörter Vorgang, der meine Hoffnungen, die Russen würden eine liberale, großzügigere, tolerante Kulturpolitik auch gegen den bösen Willen der deutschen Parteifeldwebel durchsetzen, neu belebte.
Telefonate, anscheinend bis zu sehr hohen russischen Stellen hinauf, wurden geführt, und am Ende wurde Ackermann im Parteihaus angerufen: Oberst Dymschitz und ich wären in einer Viertelstunde bei ihm; er möge sich für uns freihalten. Es war eine peinvolle Begegnung. Ich empfand sie nicht als Triumph, sondern als tiefe Beschämung, weil es des Eingreifens der Besatzungsmacht bedurfte, um mich vor den meuchlerischen Anschlägen der eigenen Genossen zu schützen.
Ackermann war bereits durch das Telefonat, das ihm den offiziellen Besuch von Oberst Dymschitz in Fragen der von der SMA lizenzierten Zeitschrift ankündigte, darüber verständigt, daß der Beschluß unwirksam bleiben werde. Dymschitz legte ihm die bisher erschienenen acht oder neun Hefte von »Ost und West« vor und ersuchte um Auskunft, was die Partei dagegen einzuwenden habe. Ackermann blätterte eine Weile verlegen in den Heften und war naiv genug, sich über die klangvollen Namen der Mitarbeiter zu verwundern, womit er verriet, daß niemand aus dem beschlußfassenden Gremium sich die Mühe gemacht hatte, auch nur einen Blick in die Zeitschrift zu werfen. Er wolle gleich mit mir zu Dahlem gehen, denn man müsse nun wohl noch einmal über die Zeitschrift reden. Dahlem war gerade im Aufbruch zu einer Sitzung, er hatte keine Zeit. Wann hätte der Unglückliche je Zeit gefunden, sich außerhalb von Sitzungen mit jemand zu unterhalten, dessen Sache auf der vorangegangenen oder bevorstehenden Sitzung zur Verhandlung stand. Auch ein beschwörender Blick von Ackermann konnte ihn in seinem Lauf nicht aufhalten. Überdies war das Gespräch mit dem Kaderchef nur eine Formfrage; die Sache selbst war durch das entschlossene Eingreifen der damals noch übergeordneten Macht bereits entschieden.

Quelle: Kantorowicz, 1978, S. 452–455.

5. Der II. Parteitag, Übernahme des Sowjetsystems

5.1. Terror gegen ehemalige Sozialdemokraten

Fritz Schenk

Nach den Wahlen konnte nur noch ein knappes Jahr lang von einem sozialdemokratischen Einfluß in den Ortsgruppen der Partei die Rede sein. Die Reibereien in den Vorständen dauerten an und verschlimmerten sich; oft kam es zum Rücktritt eines der beiden Vorsitzenden. Schließlich wurde die paritätische Leitung vielfach als überflüssig und hemmend empfunden. Das konstatierte auch der Organisationsbericht an den II. Parteitag, der im September 1947 stattfand. Allerdings wurde verschwiegen, daß die Aufhebung der Parität in den unteren Einheiten oftmals vorwiegend Kommunisten traf. In meiner Heimat hatte es anfangs tatsächlich so ausgesehen, als würden sich in der SED die Sozialdemokraten durchsetzen. Diese Entwicklung wurde jedoch mit äußerster Brutalität gestoppt. Im Sommer und Herbst 1947 verhafteten die Sowjets Tausende von sozialdemokratischen Funktionären. Das bedeutete praktisch das Ende der sozialdemokratischen Organisation. Die Kommunisten schreckten vor nichts zurück, um ihren Kurs durchzusetzen.

Ich habe dieses grauenhafte Schauspiel aus nächster Nähe miterlebt. Hermann Polenz wurde in der Nacht herausgetrommelt. Die Russen stellten seine Wohnung auf den Kopf, durchkramten alle Schränke und nahmen unseren Kreisvorsitzenden angeblich zu einer Aussprache mit. Als sich seine Frau am nächsten Tag auf der Kommandantur nach ihrem Mann erkundigte, stellten sich die Russen unwissend. Der Ortsvorstand der Partei unternahm sofort alles, um die Freilassung oder zumindest eine klare Stellungnahme zu erwirken. Umsonst. Die Sowjets stellten sich auch dem Vorstand gegenüber taub. Nachdem weitere Verhaftungen bekanntgeworden waren, kam es in den Parteiversammlungen zu Resolutionen und Protestkundgebungen. Die Russen antworteten mit einer Unzahl von Falschmeldungen. Im Falle von Hermann Polenz legten sie fingierte Briefe vor, die beweisen sollten, er sei mit einer Freundin in die Westzone übergesiedelt. In anderen Fällen konstruierten sie Belastungsmaterial: Die Verhafteten seien wegen angeblicher Schiebergeschäfte, Unterschlagungen und Betrügereien von deutschen Organen festgenommen worden. Damit brachten sie die Volkspolizei in große Gewissenskonflikte, denn die meisten Polizeioffiziere waren SED-Mitglieder. Sie wurden von ihren Genossen unter Druck gesetzt, bis sie schließlich zugaben, daß ihnen die Russen unter Androhung hoher Strafen befohlen hatten, diese Falschmeldungen zu bestätigen.

Nach und nach wurden Einzelheiten über das Schicksal der Verhafteten bekannt. Die meisten saßen in den Kellern großer Kommandanturen in Halle, Leipzig, Dresden, Magdeburg, Görlitz, Bautzen und anderen Städten. Viele wurden in die Sowjetunion deportiert und wegen angeblicher Spionage gegen die Rote Armee zu langjährigen Freiheitsstrafen verurteilt. Erst Jahre später durften sie schreiben und selbst Post empfangen. Hermann Polenz saß von 1947 bis 1954 im Zuchthaus Bautzen, nach seiner Entlassung flüchtete er in die Bundesrepublik.

Die Verhaftungswelle brachte das Parteileben in den Ortsgruppen fast zum Erliegen. Nur ganz wenige Mitglieder erschienen noch zu den Parteisitzungen, und selbst die jährlichen Wahlversammlungen waren kaum beschlußfähig. Diese Entwicklung war der Führung gar nicht unwillkommen. Sie führte zur Bildung von Wohnbezirks- und Betriebsgruppen mit nur 10 bis 15 Genossen. So wurde eine bessere Kontrolle der Parteimitglieder ermöglicht. In den Wohnbezirksgruppen waren bald nur noch Rentner und Hausfrauen organisiert, die lediglich aus Tradition in der Partei blieben. Die Betriebsgruppen hingegen entwickelten sich zu den wichtigsten Einheiten der SED, da man nunmehr politische Abweichungen des einzelnen Parteimitgliedes mit beruflichen Repressalien ahnden konnte.

Quelle: Schenk, 1962, S. 20–22.

5.2. Die Abkehr von der Politik des »besonderen deutschen Weges zum Sozialismus«

Wolfgang Leonhard

Nach meiner Rückkehr besuchte ich meinen Jugendfreund Mischa Wolf[1], den ich von der Kominternschule her kannte. Jetzt war er unter dem Namen »Michael Storm« außenpolitischer Kommentator des Ostberliner Rundfunks. Noch wichtiger jedoch war seine Tätigkeit als verantwortlicher Kontrolleur der wichtigsten politischen Sendungen. Mischa, der ausgezeichnete Beziehungen zu den höchsten sowjetischen Stellen hatte, bewohnte eine luxuriöse 5-Zimmer-Wohnung in der Bayern-Allee unweit des Rundfunkgebäudes in West-Berlin. Er hatte inzwischen Emmi Stenzer geheiratet, das blonde, blauäugige Mädchen aus der Kominternschule, das so gut Volksausschüsse auf dem Papier zusammensetzen konnte und das meine Äußerungen der Schulleitung hinterbracht und damit meine erste Selbstkritik veranlaßt hatte.
»Wunderbar, daß du kommst. Du kannst gleich mit in unser Landhaus fahren. Dort verbringen wir immer unser Wochenende.« Eine Stunde später hielten wir vor einer schönen Villa in der Nähe des Glienicker Sees. Sie gehörte dem damals 25jährigen Mischa Wolf.
Beim Spaziergang am Ufer des Sees meinte Mischa leichthin: »Eigentlich wird es Zeit, daß ihr mit eurer Theorie vom besonderen deutschen Weg zum Sozialismus Schluß macht. Die Linie wird bald anders.«
Ich lachte: »Mischa, deine Position und deine Klugheit in Ehren, aber über die politische Linie weiß ich ja nun doch besser Bescheid. Ich arbeite schließlich im Zentralsekretariat und schreibe die Schulungshefte, die für alle Mitglieder und Funktionäre der gesamten Partei maßgebend sind.«
Mischa hatte sich eine Zigarette angezündet.
»Es gibt höhere Instanzen als euer Zentralsekretariat«, meinte er ironisch lächelnd. Es machte ihm offensichtlich Spaß, von »eurem« Zentralsekretariat zu sprechen.
»Aber Mischa, die These vom besonderen deutschen Weg zum Sozialismus ist doch in den Grundsätzen und Zielen der SED[2] ausdrücklich enthalten!«
Mischa Wolf ließ sich von den Grundsätzen und Zielen der SED nicht im geringsten beeindrucken: »Dann muß man sie eben umschreiben.«
Ich schaute ihn entgeistert an.
»Wolfgang, ich sag' ja nicht, daß das schon morgen geschieht. Ich möchte dich nur rechtzeitig auf gewisse Veränderungen hinweisen. Wir haben kürzlich mit Tulpanow darüber gesprochen. Er sagte – natürlich nur im engsten Kreise –, daß man mit der Theorie vom besonderen deutschen Weg bald Schluß machen sollte. An deiner Stelle würde ich nicht mehr allzuviel davon sprechen und schreiben, die zukünftige Umstellung wird dir dann leichter fallen.«
(...)
In wenigen Tagen sollte der II. Parteitag der SED beginnen. Wenn Mischa recht hätte, dann würde die Parteiführung vom besonderen deutschen Weg zum Sozialismus viel weniger sprechen und die Bindung an die Sowjetunion noch mehr hervorheben als bisher.
Am 20. September 1947 saß ich erwartungsvoll in der Deutschen Staatsoper. Unter den feierlichen Klängen von Beethovens »Weihe des Hauses« wurde der II. Parteitag der SED eröffnet. Mit Spannung erwartete ich die Reden der Spitzenfunktionäre. Wilhelm Pieck sollte den politischen Bericht, Erich W. Gniffke den Organisationsbericht geben, Otto Grotewohl sollte über die Probleme der Einheit Deutschlands und Walter Ulbricht über den wirtschaftlichen und staatlichen Aufbau der Sowjetzone sprechen. Während der fünf Tage des Parteikongresses wurde die These vom besonderen Weg zum Sozialismus zwar nicht offiziell beseitigt, aber die ständige Betonung der »hervorragenden Leistungen der Sowjetunion« zeigte mir eine Tendenz an, die mich beunruhigte und die zu rechtfertigen mir immer schwerer wurde. In seiner Eröffnungsansprache versuchte Max Fechner noch eine Synthese zwischen enger Zusammenarbeit mit der Sowjetunion und eigenständiger Politik zu finden: »Das Bekenntnis zur engen wirtschaftlichen und kulturellen Zusammenarbeit mit der Sowjetunion bedeutet nicht, Verzicht auf eine eigenständige Politik und deutsche Politik zu betreiben, bedeutet nicht, antisowjetische Hetze zu betreiben.«
Otto Grotewohl ging jedoch in seinem Referat weiter: »Die Stärke der neuen demokratischen Ordnung, die in Ost- und Südosteuropa und auch in der sowjetischen Besatzungszone entstanden ist, beruht auch darauf, daß sie die Unterstützung der Sowjetunion genießt.«
Schon am nächsten Tage spürte ich die Bedeutung dieser Erklärungen für die praktische Politik. In seinem großen politischen Bericht nahm Wilhelm Pieck zu einem Problem Stellung, das uns allen damals sehr zu schaffen machte – der Demontage.
Anfang 1947 hatte Marschall Sokolowskij der SED-Führung feierlich versichert, die Demontagen seien beendet. In Massenversammlungen wurde das als

1 Mischa Wolf (= Markus Johannes Wolf), seinerzeit Redakteur beim Berliner Rundfunk, später im Ministerium für Staatssicherheit, dort 1958–1987 Chef der Hauptverwaltung »Aufklärung«. (Anm. d. Red.)

2 »Grundsätze und Ziele der Sozialistischen Einheitspartei Deutschlands« = Beschluß des Vereinigungsparteitages (21./22. 4. 1946). Die »Grundsätze und Ziele« hatten die Funktion eines Parteiprogramms. (Anm. d. Red.)

Sieg und Erfolg der SED gefeiert und mit untertänigstem Dank an die großzügige sowjetische Militärverwaltung verbunden.
Dann aber, nur wenige Wochen später, wurden die Demontagen fortgesetzt. Das war ein offener Wortbruch. In der Partei wurden Stimmen laut, die forderten, man sollte sich wenigstens in diesem Falle, wenn auch in höflicher und bescheidener Form, von den Demontagemaßnahmen distanzieren.
Wir durften es nicht. Funktionäre, die in Betrieben oder allgemeinen Versammlungen zu sprechen hatten, befanden sich in einer hoffnungslosen Lage.

Quelle: Leonhard, 1956, S. 467–469.

5.3. Beginn der Planwirtschaft

Erich W. Gniffke

Ulbrichts »große Stunde«, die er ersehnt hatte, war gekommen. Der Zweijahresplan war ihm von den Russen fix und fertig geliefert worden, nachdem die Sowjetische Militäradministration ihn mit der Wirtschaftskommission wochenlang durchberaten hatte. An diesen Beratungen hatten nicht nur leitende Angestellte der DWK, die zur SED gehörten, teilgenommen, sondern auch solche, die Mitglieder bürgerlicher Parteien waren. So waren deshalb auch die führenden Persönlichkeiten der bürgerlichen Parteien über alle Einzelheiten des Planes unterrichtet worden. Nachdem er endlich von der SMAD fertiggestellt war, mußte er zur Überraschung aller, die daran mitgearbeitet hatten, als Plan der SED plakatiert werden. Dazu war die Parteivorstandssitzung am 27. Juni 1948 ausersehen. Walter Ulbricht gab die ihm vorgeschriebene Begründung.
Es war der »Plan der Partei«. Damit sollte etwas Neues, etwas Neuartiges verkündet werden. Nicht mehr irgendwelche Sachverständige haben einen Plan erdacht, sondern die Partei. Die Partei, die alles kann, die alles macht – die Partei!
Die SED sollte damit zum Kristallisationspunkt allen gesellschaftlichen Lebens werden. Ulbricht wollte eins erreichen: Ulbricht-Partei und Arbeiterklasse sind identisch, vielleicht sogar Ulbricht-Zweijahresplan – deutsches Volk. So erklärte er u. a.: »Der Zweijahresplan ist der einzige Plan, der dem deutschen Volk helfen kann, denn er ist ein deutscher Plan.«
Demgegenüber stellte er den Marshallplan als Plan der Versklavung des deutschen Volkes hin. Als er dann deklamierte: »Heute glauben noch viele an das Wunder der Dollarhilfe, aber wie können Dollarkredite Nutzen bringen, wenn Deutschland mit Hilfe des Dollars durchgeschnitten wird? geschah etwas Unvorhergesehenes: Ein gewaltiger Knall dröhnte durch den Raum. Mit unvorstellbarer Geschwindigkeit sprang Ulbricht vom Rednerpult und ging hinter dem breiten Rücken Wilhelm Piecks in Deckung. Alle brachen in schallendes Gelächter aus.
Was war geschehen? Die Verkündung des Planes sollte für die Wochenschau festgehalten werden. Bei den Dreharbeiten war eine Jupiterlampe mit lautem Knall zersprungen.
Als Ulbricht seine Fassung wiedergefunden hatte, fuhr er in seiner Rede fort. Er forderte eine Steigerung der Arbeitsproduktivität um 30 Prozent gegenüber 1947, womit 80 Prozent der Vorkriegszeit erreicht sein würden. Dann wandte er sich, und das war das Entscheidende der ganzen Sitzung, den politischen Konsequenzen der gegenwärtigen Situation zu:
»Nach Schaffung der demokratischen Grundlagen in Staat und Wirtschaft gilt es, die Demokratie zu festigen, den Staat auf neue Weise zu leiten und die ganze Initiative des Volkes für den Neuaufbau der Wirtschaft zu entfalten.
Manche Werktätige glauben, daß sich mit der Entwicklung der demokratischen Ordnung der Klassenkampf abschwächt. Das Gegenteil ist richtig! Die kleinen Cliquen der Vertreter alter, vergangener Zeiten, unterstützt von den feindlichen Agenturen in den Westzonen, kämpfen um so verzweifelter. Es gibt kein friedliches Hineinwachsen in den Sozialismus. Sprechen wir es offen aus: Die Durchführung des Zweijahresplanes macht den entschiedenen Kampf gegen die Saboteure notwendig, gleichgültig, unter welcher Tarnung sie auftreten.«
Das Stichwort war gefallen. Die Diskussion konnte beginnen.
Alle hatten Zeit, das soeben Gehörte eine Nacht lang zu überschlafen, da die Aussprache für den nächsten Tag angesetzt war.
Nachdem Pieck die Sitzung eröffnet hatte, begaben sich nacheinander die Redner mit ihren vorbereiteten Reden ans Pult, 22 Kommunisten und 2 Sozialdemokraten. Es lief wie am Schnürchen.

Quelle: Gniffke, 1966, S. 320–321.

5.4. Kominformresolution gegen die KP Jugoslawiens

Wolfgang Leonhard

Am 4. Juli 1948 veröffentlichten alle SED-Zeitungen auf der ersten Seite eine sogenannte »Erklärung zur jugoslawischen Frage«. Die Kominformresolution wurde von der SED – obwohl diese gar nicht der Kominform angehörte – rückhaltlos begrüßt:
»Das Zentralsekretariat der Sozialistischen Einheits-

partei Deutschlands hat zu dem Kommuniqué des Informationsbüros der kommunistischen Parteien Stellung genommen und die dadurch erfolgte Verurteilung der Politik des Zentralkomitees der Kommunistischen Partei Jugoslawiens als richtig erkannt.«
Aus diesem Beschluß war viel deutlicher als aus der Kominformresolution selbst zu ersehen, worum es in der Auseinandersetzung wirklich ging:
»Vor allem aber zeigen die Fehler der jugoslawischen Kommunistischen Partei, wohin es führt, wenn eine führende Arbeiterpartei die selbstverständliche Grundlage der brüderlichen Beziehung zur sozialistischen Sowjetunion und zur Partei Lenins und Stalins aufgibt . . . Ganz besonders zeigen die Fehler der Kommunistischen Partei Jugoslawiens unserer Partei, daß die klare und eindeutige Stellungnahme für die Sowjetunion heute die einzig mögliche Position für jede sozialistische Partei ist . . .«
Mir lief es kalt über den Rücken. An die Parteisprache gewöhnt, wußte ich, was das zu bedeuten hatte: die noch stärkere Unterordnung der SED unter die Sowjetunion und die sowjetische Politik, das Ende der These vom besonderen deutschen Weg zum Sozialismus.
Dann kam der Schlußabsatz:
»Im übrigen verurteilt das Zentralsekretariat der SED, daß einige führende jugoslawische Kommunisten in Berlin Materialien verteilen, die gegen das Kommuniqué gerichtet sind. Das Zentralsekretariat erblickt darin einen groben Verstoß gegen die Gepflogenheiten der internationalen Arbeiterbewegung.«
Das war der Gipfel der Perfidie. Nicht nur, daß die SED darauf verzichtete, die selbstverständliche Pflicht zu erfüllen, in einer politischen Auseinandersetzung innerhalb der kommunistischen Parteien beide Materialien zu veröffentlichen – sie protestierte nun sogar, wenn Vertreter der jugoslawischen Kommunisten von sich aus alles taten, um den Standpunkt ihrer Partei zu Gehör zu bringen!
Nun waren die Tanjug-Bulletins vom offiziellen SED-Standpunkt aus »parteifeindlich« – aber viele SED-Funktionäre empfanden es doch als eine zu starke Zumutung: Materialien einer kommunistischen Partei sollten »parteifeindlich« sein? Weitere Tanjug-Bulletins erschienen, in denen einzelne Fragen des Konflikts genauer behandelt wurden. Als Absender waren, wie wir bald feststellten, erfundene Namen und Adressen angegeben, und die Materialien wurden in den verschiedensten Umschlägen verschickt, um das Abfangen zu erschweren. »Gelernt ist gelernt«, schmunzelte vergnügt ein Parteifunktionär, »die Jugoslawen verstehen was von solchen Dingen.«
(. . .)
Viele Funktionäre, mit denen ich in jenen Tagen sprach, waren auf seiten der Jugoslawen – wenn manche es auch nur sehr vorsichtig durchblicken ließen –, zumindest aber waren sie der Meinung, daß die SED sich keineswegs ausschließlich auf die Seite der Kominform stellen sollte. Selbst die Kominformanhänger gingen nicht soweit, sich mit allen Behauptungen der Resolution zu identifizieren.
Besonders interessant für mich war ein Gespräch mit Paul Wandel, der damals Präsident der Zentralverwaltung für Volksbildung war und seit 1953 Sekretär des ZK der SED ist.
Ich kannte Wandel noch als »Klassner« von der Kominternschule her und beschloß, meine Meinung nicht offen darzulegen. In dem Glauben, daß ich in der Jugoslawien-Frage »SED-treu« sei, beschwerte er sich über die Wirkung der Tanjug-Bulletins:
»Stell dir nur vor, Wolfgang, es ist einfach unglaublich: Ich komme gestern in mein Büro und mußte meine Sekretärin zweimal laut rufen, ehe sie überhaupt reagierte. Was tat sie? Sie las das Tanjug-Bulletin. Sie ist eine Genossin, die mir bisher alle parteifeindlichen Materialien sofort überreichte.«
Es fiel mir schwer, meine Freude zu verbergen. »Also nicht nur im Parteiapparat, sondern auch in den Zentralverwaltungen werden die Bulletins gelesen«, dachte ich.
Ich befand mich nun im Zimmer meines früheren Lehrers der Kominternschule. Er hatte mich zum Funktionär ausgebildet. Wie würde er mir jetzt das Ganze erklären?
»Wenn wir ernst darüber sprechen, Wolfgang: Was in der Resolution steht, ist natürlich vereinfacht für die Massen. Man muß die Dinge nicht so wörtlich nehmen, sondern den politischen Sinn erkennen.« Paul Wandel versuchte eine Rechtfertigung der Kominformresolution gewissermaßen auf »höherer Ebene«, da er wohl der Meinung war, daß man einem geschulten Funktionär eine solche Resolution nicht vorsetzen könne.
»Ich habe mich lange mit Fragen des Balkans beschäftigt, schon durch meine frühere Tätigkeit im Balkan-Sekretariat. Man muß sich die Dinge etwa so vorstellen . . .« Und dann begann er mit dem 19. Jahrhundert, mit den Besonderheiten der dortigen Klassenverhältnisse, der Rolle der nationalrevolutionären Intelligenz, die zwar revolutionär, aber niemals wirklich marxistisch gewesen sei, deren Einfluß aber auf die Partei abgefärbt habe. Er sprach über die Trotzkisten, die in der jugoslawischen Partei zwar eliminiert, deren Gedankengänge aber niemals ganz überwunden worden seien, und über die jugoslawischen Parteiführer, die zwar vorbildliche Kämpfer gewesen seien, aber – da sie fast immer im Lande waren – keine Möglichkeit gehabt hätten, sich ernsthaft zu

schulen. »Alle diese Faktoren zusammengenommen« – Paul Wandel hatte inzwischen länger als eine halbe Stunde gesprochen –, »ergeben dann die Situation, die zur heutigen Lage geführt hat.«
Es war ein sehr gründliches Referat – überzeugt hatte es mich nicht.
Vielleicht konnte Anton Ackermann mir das Problem erklären? Ich schätzte ihn als den klügsten Kopf der Parteiführung, als den einzigen, den man wirklich mit Recht als Parteitheoretiker bezeichnen konnte – obwohl ich wußte, daß auch er mir gegenüber die Resolution verteidigen würde.
Wir saßen in einem geschmackvoll eingerichteten Raum in seiner Villa.
»Na, nehmen wir zuerst einmal einen Kognak. Du machst ja ein Gesicht, als ob du politische Bauchschmerzen hättest.«
»Habe ich auch. Weißt du, ich meine . . .«
»Brauchst gar nicht weiterzureden, ich kann mir schon denken: Jugoslawien.«
Ich kam gar nicht dazu, ihm etwas zu sagen. Fast schien es mir, als ob er fürchtete, ich könnte einige Argumente für die Jugoslawen vorbringen, die ihm seine Stellungnahme noch schwerer machen würden.
Er war aufgestanden und ging im Zimmer auf und ab. Im Unterschied zu Wandel suchte er weder eine historische noch soziologische oder sonstige Begründung der Kominformresolution zu geben. »Wolfgang, du bist ja trotz deiner jungen Jahre schon ein alter Parteihase. Man muß sich da an manches gewöhnen. Wenn du mit einem Schiff fährst, dessen Kapitän dich bisher durch alle Klippen und Gefahren immer richtig hindurchgesteuert hat, und einmal macht er plötzlich eine scharfe Wendung, die dir völlig unmotiviert oder sogar falsch erscheint, dann muß man eben Vertrauen zum Kapitän haben, da er sicher weiß, warum er das tut; man muß denken, daß er vielleicht eine bessere Übersicht hat, ihn nicht dabei stören, sondern unterstützen – auch wenn einem diese Wendung noch so unklar ist.«
Er hatte mich nicht angeschaut, sondern immer vor sich auf den Boden geblickt.
Wenn ich heute an das Gespräch zurückdenke, kommt es mir in vieler Hinsicht typisch für die Zwiespältigkeit der stalinistischen Ideologie vor, einer Ideologie, die den Anspruch erhebt, streng und logisch nach der dialektischen Methode vorzugehen, in Wirklichkeit sich ihrer jedoch nur als Mittel einer nachträglichen Rechtfertigung bedient, einer Ideologie, in der es zum Grundprinzip jeder Schulung gehört, sich genau an festgelegte Definitionen zu halten, alle Maßnahmen logisch und klar zu begründen, um dann plötzlich und unvermittelt – und zwar gerade bei solchen »Wendungen« der sowjetischen Politik, die einfach nicht mehr logisch zu begründen sind – irrationale Momente eines blinden Glaubens an einen »unfehlbaren Kapitän« einzuführen.

Quelle: Leonhard, 1956, S. 510–514.

5.5. Adolf Hennecke, der deutsche Stachanow

Wolfgang Leonhard

Die Sowjetisierung ging mit riesigen Schritten voran. Nachdem die Theorie des besonderen Weges zum Sozialismus verurteilt, die »Geschichte der KPdSU« zur Grundlage aller Lehrpläne gemacht, die Kritik- und Selbstkritikabende nach sowjetischem Muster eingeführt worden waren, wurde Mitte Oktober 1948 getreu nach sowjetischem Muster der deutsche Stachanow »entdeckt«. Am 13. Oktober hatte Adolf Hennecke in einem Stollen der Grube Karl Liebknecht im Zwickauer Kohlenrevier das bisher übliche Tagessoll um 380 % überboten. Dies wurde – ähnlich wie 1935 bei Stachanow – sofort zum Ausgangspunkt einer mächtigen »Bewegung« gemacht. Ich erinnerte mich noch gut, wie wir in der Sowjetschule den Rekord Stachanows vom 31. August 1935 im Irmino-Schacht bei Stalino – Stachanow hatte die Norm mit 1400 % erfüllt – bis zum Überdruß durchgenommen hatten.
Bei Hennecke war man bescheidener. Er hatte die Norm nicht mit 1400 %, sondern »nur« mit 380 % erfüllt. Sonst war aber alles ebenso.
In der Sowjetunion hatte ich allmählich ein wenig über die Hintergründe der Stachanow-Bewegung erfahren: Wie lange man ein bestimmtes Arbeitsgebiet vorbereitet, besonders günstige Arbeitsbedingungen schafft, eine ganze Brigade damit beschäftigt, Zubringerdienste zu leisten, um dann den »Rekord« zu brechen. Ich hatte keine Illusionen mehr darüber, und doch war ich erstaunt, mit welch nüchterner Offenheit wir auf einer internen Lehrerbesprechung von Rudolf Lindau[1] über die beginnende Hennecke-Bewegung informiert wurden:
»Wir wollen hier ganz offen sprechen. Wir befinden uns jetzt in der Zeit, da es sich als notwendig erweist, durch eine besondere Bewegung eine neue Einstellung zur Arbeit, einen neuen mächtigen Aufschwung der Arbeitsproduktivität zu erzielen. Solche Dinge gehen natürlich nicht spontan, sondern müssen sorgfältig geplant und organisiert werden. Bereits vor mehr als zwei Monaten haben die Besprechungen darüber begonnen. Es mußte zunächst die Frage geklärt werden, in welchem Teil unserer Zone der Aus-

1 Rudolf Lindau war Direktor der Parteihochschule »Karl Marx« beim ZK der SED. (Anm. d. Red.)

gangspunkt einer solchen Bewegung zu liegen habe.
Nach längeren Diskussionen entschied man sich, diese Bewegung in Sachsen ins Leben zu rufen.
Danach wurde die Entscheidung über den Industriezweig getroffen. Ähnlich wie in der Sowjetunion wurde der Bergbau als günstigster Ausgangspunkt erkannt. Sollte man nun einen jüngeren oder einen älteren Arbeiter zu dieser Funktion auswählen? In der Sowjetunion hat man sich für einen Komsomolzen entschieden. Bei uns in der Zone liegen die Dinge aber anders. Die jüngere Generation der Arbeiter wird leichter für eine Aktivistenbewegung zu gewinnen sein. Bei uns ist die Hauptfrage, einen Umschwung bei den älteren Industrie- und Facharbeitern zu erreichen. Daher wurde festgelegt, einen älteren Arbeiter auszuwählen.
Schließlich galt es noch, eine andere Frage zu klären: Sollte man einen Parteilosen oder ein SED-Mitglied damit beauftragen? Nach eingehenden Beratungen entschied man sich für ein SED-Mitglied, um damit die Rolle der Partei in dieser wichtigen Frage deutlich zu unterstreichen.
Nachdem diese wesentlichen Fragen beantwortet waren, konnte man mit der Auswahl beginnen. Einige verantwortliche Genossen fuhren ins sächsische Bergbaugebiet und sprachen vertraulich mit den zuständigen Parteisekretären bzw. Betriebsdirektoren, um den geeigneten SED-Arbeiter zu finden.
Bei dieser Schicht stieß man auf Adolf Hennecke, der den gewünschten Anforderungen entsprach. Er ist jetzt 43 Jahre alt, seit über 20 Jahren im Bergbau, Mitglied unserer Partei und hat auch eine SED-Parteischule besucht.
Unerwartet gab es jedoch eine Schwierigkeit: Adolf Hennecke wollte zunächst nicht. Er fürchtete, seine Arbeitskollegen würden ihm diese Rolle übelnehmen. Erst als ihm die politische Bedeutung und auch seine eigenen Aufstiegsmöglichkeiten klargemacht wurden, erklärte er sich bereit, die Aufgabe zu übernehmen. Am 13. Oktober erfolgte dann sein Rekord, und damit stehen wir nun am Ausgangspunkt einer Aktivistenbewegung.«
Einige Tage später erschien ein Brief des Zentralsekretariats über Adolf Hennecke in allen Zeitungen der Sowjetzone. Es wurde von seiner »wegweisenden Tat« gesprochen, von seiner »revolutionären Leistung zur Erfüllung des Wirtschaftsplanes«, »die eine schlagende Antwort auf die Marshallplan-Politik im Westen« sei. Da ich wußte, wie die Sache wirklich vor sich gegangen war, wurde ich schamrot, als ich in dem Brief las:
»Hieraus geht klar hervor, daß Deine Tat das Ergebnis der in Dir lebendig gewordenen revolutionären Tradition der deutschen Arbeiterbewegung, wie sie sich unter anderem in Karl Liebknecht, dessen Namen Deine Grube mit Stolz trägt, verkörpert. Sie ist das Ergebnis des sozialen Verantwortungs- und höchsten Pflichtbewußtseins gegenüber Deiner Partei, Deiner Klasse und unserem Volk.«

Quelle: Leonhard, 1956, S. 525-527.

6. Säuberungsaktionen (1950 bis 1953)

6.1. Gegen »Westemigranten«

Heinz Brandt

Tito war abtrünnig geworden.[1] Das gab Ulbricht die Hände frei, wen immer er wollte, als »Titoisten« zu vernichten. Längst hatte er die Überreste innerparteilicher Demokratie beseitigt. Er hatte die SED zu einer »Partei neuen Typus«, also von Stalinschem Typ, gemacht, zum Zerrbild einer Arbeiterpartei.

Eine Katastrophe brach über die Partei herein, deren Herrschaft längst zur Katastrophe für die Bevölkerung geworden war.

Eines der ersten Opfer Ulbrichts war Lex Ende, ein Freund von Kurt und mir aus meiner Versöhnlerzeit.[2] Genau zu seinem fünfzigsten Geburtstag wurde er als Chefredakteur der »Deutschen Volkszeitung« (das spätere »Neue Deutschland«) abgelöst und durch Rudolf Herrnstadt ersetzt.[3] Diese Funktionsenthebung – Ulbricht kopierte getreu seinen Meister Stalin – war nur das Vorspiel. Bald darauf wurde er mit all dem abscheulichen Ritus, den der Kreml zur Norm erhoben hatte, aus der Partei ausgestoßen und – ohne Prozeß – zur Zwangsarbeit in den Uranbergbau des Sowjet-Konzerns Wismut in Sachsen geschickt. Wenige Wochen darauf erlag er den unmenschlichen Bedingungen, denen die dortigen Arbeitssklaven unterworfen waren.

Ursprünglich hatten die Sozialdemokraten und Kommunisten, die infolge ihrer antifaschistischen Tätigkeit gemeinsam gelitten, in endlosen Kerkerdiskussionen über die »Fehler der Vergangenheit«, über das Versagen von SPD und KPD gestritten hatten, eine erneuerte, vereinigte Partei der Arbeiterbewegung herbeigesehnt. (...) Eine sehr große Anzahl sozialdemokratischer Genossen war deshalb durchaus freiwillig – nicht erst im Verlauf der bald darauf einsetzenden Zwangsmaßnahmen – zuversichtlich und hoffnungsvoll in die SED gegangen, ähnlich wie die meisten ihrer kommunistischen Kampfgefährten aus der Nazizeit.

Jetzt breitete sich unter ihnen tiefe Enttäuschung aus. Gaben sie ihrer Unruhe Ausdruck, so fielen sie dem Terror zum Opfer. Einer nach dem anderen wurde passiv, floh nach dem Westen oder landete im Kerker des Staatssicherheitsdienstes.

Verständlicherweise hatten gerade wir Überlebenden, die dem Hitlerfaschismus entronnen waren, demokratischen Träumen nachgehangen. So sah Ulbricht gerade in den ehemaligen KZlern – gleichgültig, ob sie ehemals Sozialdemokraten oder Kommunisten gewesen waren – eine ständige Gefahr.

Das gleiche galt für die »Westemigranten«, Menschen also, welche durch die bürgerlichen demokratischen Freiheiten, die sie schätzengelernt hatten, »ideologisch aufgeweicht«, für »liberalistische Vorstellungen anfällig« waren.

Jene hingegen, die einst in Moskau »geschult« und nicht »verdorben« worden waren durch Einflüsse »bürgerlicher Dekadenz«, wuchsen zusehends zu einer Elite heran. Ihnen waren die führenden Positionen vorbehalten. Sie wurden dort postiert, wo es um »Sicherheit von Partei und Staat« ging.

Unter ihnen gab es eine große Anzahl ehemaliger NSDAP-Mitglieder und Wehrmachtsoffiziere, die in den sowjetischen Antifa-Lagern »umgeschult« worden waren. Vielen von ihnen war die Umstellung von Hitler auf Stalin gar nicht so schwer gefallen. Nun bildeten sie das Rückgrat der »Volkspolizei«, der »Nationalen Volksarmee«, des Staatssicherheitsdienstes und des Staatsapparates.

In Abwandlung des bekannten Göring-Wortes: »Wer Jude ist, bestimme ich«, hieß es nun im Volksmund von Ulbricht: »Wer Nazi war, bestimme ich.«

Die Field-Prozesse[4] boten die langersehnte Gele-

1 S. in dieser Edition Text 5.4., S. 179 (Anm. d. Red.)

2 Mit Kurt ist Kurt Heinrich (= Parteiname von Heinrich Süßkind), den Brandt seit 1931 kannte, gemeint. Er gehörte wie Brandt innerhalb der KPD zur »parteifeindlichen« Fraktion der »Versöhnler«, die eine gemeinsame Politik mit der SPD anstrebten. (Anm. d. Red.)

3 Im März 1949 wurde Rudolf Herrnstadt Chefredakteur von »Neues Deutschland«. Die »Deutsche Volkszeitung«, das Zentralorgan der KPD, war erstmals am 13. Juni 1945 herausgekommen, die entsprechende Zeitung der SPD, »Das Volk«, erstmals am 7. Juli 1945. Beide stellten ihr Erscheinen ein, als am 23. 4. 1946 die erste Nummer von »Neues Deutschland« veröffentlicht wurde. (Anm. d. Red.)

4 Hermann und Noel H. Field galten im kommunistischen Machtbereich als »amerikanische Spione«. Mit ihren Namen waren die Prozesse gegen Laszlo Rajk (in Ungarn), Traitscho Kostoff (in Bulgarien) und Rudolf Slansky (Tschechoslowakei) verbunden (s. unten Texte 6.2. und 7.1.). Die SED veröffentlichte am 24. 8. 1950 eine Erklärung zu den Verbindungen ehemaliger deutscher politischer Emigranten zu dem Leiter des Unitarian Service Committee, Noel H. Field, aufgrund derer »Westemigranten« verfolgt wurden. Später mußten die kommunistischen Führer allerdings zugeben, daß Field kein Agent gewesen ist. (Anm. d. Red.)

genheit, gegen die »aufgeweichten«, wenn nicht gar als »Agenten« geworbenen Westemigranten und die »vorgestrigen« KZler vorzugehen: Lex Ende bildete den Anfang, es folgten viele, viele andere, darunter auch Willi Kreikemeier, ehemaliger Reichsbahnpräsident. Er starb unter dunklen Umständen in der Haft. Es verschwand mein Freund Bruno Goldhammer, mit dem ich täglich bei den Pressebesprechungen im ZK zusammengekommen war. Es verschwand Leo Bauer, er hatte wie Bruno Goldhammer eine führende Funktion im Rundfunk innegehabt. Es verschwand der – schon vor längerem aus dem Politbüro entfernte – Paul Merker. Er hatte in der mexikanischen Emigration der Versöhnlergruppe angehört. Es füllten sich die Zuchthäuser von Bautzen und Brandenburg, das Konzentrationslager Workuta mit einer neuen Kategorie von Häftlingen: Altkommunisten, Altsozialdemokraten, Antifaschisten.
Der stellvertretende Vorsitzende der westdeutschen KPD, Kurt Müller, wurde hinterhältig nach Ostberlin gelockt und unter unsinnigen Beschuldigungen verhaftet. Mit ihm hatte ich jahrelang im KZ Sachsenhausen gesessen.
Als ich Emil Carlebach, meinen ehemaligen Blockältesten im KZ Buchenwald und zur damaligen Zeit führenden KPD-Funktionär in der Bundesrepublik, bei einem seiner Besuche in Ostberlin nach Kurt Müller fragte, winkte er nervös und deprimiert ab:
»Es ist besser, heutzutage solche Fragen nicht zu stellen.«
Albert Buchmann, mir eng vertraut durch unsere Sachsenhausener Diskussionen, sagte mir offen:
»Ich komme mit all dem nicht mehr mit.«

Quelle: Brandt, 1967, S. 183–186.

6.2. Gegen Juden

Heinz Brandt

Der Januar-Artikel (1953) der »Prawda« über die Verhaftung von leitenden Ärzten, »Bestien der Menschheit«, erscheint. Die »Ungeheuer«, Juden zumeist, hätten bereits gestanden, höchste Sowjetführer ermordet und weitere teuflische »medizinische Morde« geplant zu haben. Ihre Verbrechen sollten in der Ermordung »unseres geliebten Führers Stalin« gipfeln.
Das Pamphlet war in einem unverhüllt antisemitischen Gassenton geschrieben und enthielt zum Schluß einige dunkle Andeutungen über »mangelnde Wachsamkeit« höchster Stellen des sowjetischen Staats- und Parteiapparates.
(. . .)
An dem Sonntagvormittag, der den Rundfunkberichten über den »Prawda«-Artikel folgt, gehe ich zu Bruno Baum. Soeben ist im »Neuen Deutschland« die Übersetzung der Moskauer Veröffentlichung im Wortlaut erschienen.
Bruno Baum ist wie ich Sekretär der Berliner Bezirksleitung der SED. Mein Bereich ist die Agitation. Er ist für das heikle Gebiet der Wirtschaftsaufgaben verantwortlich. Bruno Baum ist gelernter Elektriker, Autodidakt. Wir haben im Zuchthaus Brandenburg in einer Zelle gesessen, sind später in Auschwitz wieder zusammengetroffen: ich als Mitglied der konspirativen Leitung des Außenlagers Budy, er als Mitglied der zentralen Leitung des Stammlagers Auschwitz.
(. . .)
Bruno Baum verbirgt ursprüngliche Gutmütigkeit und innere Unsicherheit unter übertrieben selbstsicherem Auftreten. An diesem Sonntag aber sehe ich ihn zum erstenmal bestürzt und verwirrt. Er weiß durch eigene Erfahrung aus seiner Moskauer Zeit, was dieser »Prawda«-Artikel bedeutet.
Ich bin viel zu erregt, um taktischen Erwägungen zu folgen, wage eine offene Sprache. Zudem ist Bruno Baum selbst verstört, fahrig, deprimiert – er, der in Auschwitz selbst in den bedrohlichsten Situationen unerschütterliche Ruhe ausstrahlte.
»Ich glaube kein Wort von dem, was hier steht«, bricht es aus mir heraus, »es geht wieder los, schlimmer als je zuvor.«
Und der parteiergebene Bruno Baum, sonst der treueste der Treuen, erwidert:
»Natürlich ist das Quatsch mit den Ärzten, aber gegen *wen* geht es eigentlich? Ist jetzt Molotow dran?«
»Auf alle Fälle wird Stalin gegen die Juden losschlagen, sie am Ende als ›illoyale Nation‹ deportieren, wie einst die Kalmücken, von denen uns Maria Niederkirchner erzählte. Die jüdischen Parteimitglieder werden liquidiert, und nicht nur sie. Er wird alle umbringen, die zuviel wissen, verlaß dich drauf. Jetzt verschafft er sich seine Endgloriole. Berija wird den Weg Jagodas und Jeschows gehen. Er verfährt mit seinen Sicherheitsleuten wie der Auschwitzer Lagerkommandant Höß mit den ›Sonderkommandos‹ . . .«
»Heinz«, unterbricht Bruno Baum, »so geht es nicht! Wie ein wildgewordener Handfeger . . .«
»Was brauchst *du* denn, um wild zu werden? Was soll noch geschehen? Pawlow würde sagen, das ist die ultraparadoxe Phase. Das ist Stalins ultraparadoxe Phase, und die hier werden ihm folgen wie bisher.«
Ich wechsle zum Persönlichen hinüber. »Was würdest du denn machen, wenn du verhaftet würdest?«
»Das kann ich dir ganz genau sagen«, meint Bruno Baum. »Das habe ich mir nämlich schon in Moskau überlegt, damals bei den Säuberungen, an der Lenin-Schule. Ich würde auch in Sibirien, auch in Wor-

kuta durch meine Haltung beweisen, daß ich Kommunist bin, durch nichts zu erschüttern. Ich falle nicht gleich aus allen Wolken wie du.«
»Und wie ist es mit den Geständnissen?«
»Mich würden sie nie zu solch einem ulkigen ›Geständnis‹ bringen; das können sie mit anderen machen, nicht mit mir.«
»Um so eher würden sie dich liquidieren.«
»Sollen sie doch, dann sterbe ich als Kommunist.«
»Mit einem Hoch auf Stalin!«
»Mit einem besonders lauten.«
»Tut mir leid, da komme ich nicht mit.«
»Kommunisten, Heinz, kommen mit *allem* mit.«
Wenn er auch – wie stets – mit seiner Überlegenheit, seiner »Härte« posierte, er meinte es so, wie er es sagte. Und doch war es ein ganz anderer Bruno Baum, als ich ihn je kennengelernt hatte. Hätte er sich sonst auf eine solche Diskussion überhaupt eingelassen? Hätte er sich sonst im Verlaufe unseres Gespräches verplappert und eingestanden, daß Hanna Wolf, Direktorin der Parteihochschule, entgegen seiner eigenen eisernen Haltung eingestanden habe, sie würde Selbstmord begehen, falls man sie verhaften sollte? Eines Dinges konnte ich auf alle Fälle sicher sein: Bruno Baum war kein Denunziant.
Bald darauf zog mich Hans Jendretzky zur Seite. Hans Jendretzky war damals Erster Sekretär der Berliner Parteiorganisation der SED und Mitglied des Politbüros. Vor 1933 hatte er wie ich in Weißensee gewohnt. Ich kannte ihn aus unserer dortigen Parteizelle, er sympathisierte mit uns Versöhnlern. Ich hatte ihn dann, während unserer Haft, auf dem Berliner Polizeipräsidium und im Zuchthaus Luckau wiedergetroffen. Dort hatte er an unseren kritischen Diskussionen teilgenommen.
Hans, sonst kein Freund von langen Umschweifen, rasch zur Hand, wenn es galt, eine neue Arbeit anzupacken, druckste herum; es fiel ihm sichtlich schwer zu sprechen:
»Es werden jetzt unangenehme Dinge auf dich zukommen. Nimm sie nicht schwer und vor allem nicht persönlich. Die Kaderunterlagen der Genossen jüdischer Abstammung werden auf Grund der mulmigen Ärztesache zur Zeit überprüft. Was genau dahintersteckt, weiß ich selbst nicht, und ich habe mich gehütet, danach zu fragen. Eins ist aber sicher, sie beginnen oben (im ZK), dann erst kommen wir 'ran, die Bezirksleitungen. Es ist also noch Zeit. Wenn es soweit ist, sage ich es dir schon.«
Daß es nicht nur um mich ging, war ein zweifelhafter Trost. Außerdem konnte ich nichts weniger gebrauchen als eine intensive Beschäftigung mit mir.
Nein, um mein Gespräch mit Bruno Baum brauchte ich mir keine Sorgen zu machen. Es waren nur einige Tage vergangen, und er tat etwas, was früher undenkbar gewesen wäre. Er vertraute mir – gegen alle Regeln der Wachsamkeit und parteiinternen Verschwiegenheit – ein beunruhigendes Geheimnis an.
Seit seiner langjährigen Haft sah Bruno immer blaß aus, aber an diesem Tage war er noch fahler und schnaufte kurzatmig beim Sprechen, als käme das Herz nicht mit:
»Eben war Tarchow bei mir...«
Tarchow war der Beauftragte der russischen Kommandantur und des NKWD für die Berliner Bezirksleitung. Er erhielt sämtliche Berichte und nahm ständig an den Sekretariatssitzungen der Bezirksleitung teil. Sein besonderes Hobby war es zu berlinern. Er wollte damit beweisen, wie sehr er mit den Berliner Verhältnissen vertraut war. In der Zeit des Dritten Reiches hatte er – wenn ich nicht irre – (ebenso wie sein Vorgänger Sajzew) der Sowjetischen Botschaft in Berlin angehört. Persönlich war er recht umgänglich und gut zu leiden, wenn man von der Politik, die er zu vertreten hatte, absah. Später leitete er die russische Repatriierungskommission in Berlin.
Ich ahnte, was jetzt kommen würde, hatte mir doch bereits Hans Jendretzky diesen Tarchow als Quelle seiner Information genannt.
»Na und«, sagte ich leichthin.
»Eine blöde Geschichte, hat mir gar nicht gefallen.«
»Dann hängt es bestimmt mit dem ›Prawda‹-Artikel zusammen.«
»Fang nur nicht wieder mit deinen wilden Reden an. Sie sind weniger am Platze denn je. Er wollte wissen, wer in meinem Bereich *jüdischer* Abstammung sei. Stell dir das mal vor. Ich habe es ihm natürlich gegeben«, Brunos Kraftmeiertum klang nicht sehr überzeugend. »›Oh, niemand‹, habe ich geantwortet, ›außer mir keiner.‹
Stell dir vor, er hat nicht geahnt, daß ich Jude bin. Hätte mich sonst bestimmt nicht gefragt. Dann sagte ich ihm: ›Ihre Frage verstehe ich nicht ganz, Genosse Tarchow, bisher war ich sie nur von den Nazis gewohnt!‹ Hat sich gar nicht wohl gefühlt in seiner Haut, der liebe Tarchow. Ich sage ja immer, man muß den Freunden (so wurden die Angehörigen der russischen Besatzungsmacht innerhalb der SED bezeichnet) nur entschieden gegenübertreten. Ich komme glänzend mit ihnen zurecht. Die werden nur von den anderen Genossen verdorben, weil die ihnen ständig in den Hintern kriechen. Zuletzt habe ich dem Tarchow noch gesagt, wenn ihn *das* interessiert, soll er doch zu Fritz Reuter gehen, der ist doch Kadersekretär und nicht ich.«
»Von dem habe ich ihn gerade rausgehen sehen. Wir haben's ja weit gebracht«, sagte ich, »ob du nun Tarchow entgegentrittst oder nicht. Es geht los bei uns. Seid wachsam, Genossen!...«
Bruno Baum sah mich mißbilligend an. Ich hatte das

Gefühl, der fürchtete mehr für mich als für sich. Dabei kannte er von mir nichts anderes als meine gelegentlichen Offenherzigkeiten, denen ich die Form rein gefühlsmäßiger Ausbrüche gab, als schwanke ich hin und wieder, lasse mir aber »den Kopf wieder zurechtsetzen«.

In der nächsten Sekretariatssitzung gab Fritz Reuter bereits – wenn auch verdeckt – eine ideologische Begründung für die zu erwartende »Sonderbehandlung« der jüdischen Mitarbeiter: »Wir mußten«, so meinte er vage, »ja auch die Funktionäre aus der Westemigration besonders unter die Lupe nehmen, infolge der Lehren des Slansky-Prozesses.[1] Ist es nicht eine Tatsache – und das hat doch mit rassistischem Antisemitismus überhaupt nichts zu tun –, daß die Juden zumeist kleinbürgerlichen Schichten entstammen, sozial nicht mit der Arbeiterklasse verbunden sind und überall im Westen Verwandte und Bekannte haben? Daher bilden sie für den Klassengegner sehr geeignete Ansatzpunkte, stellen einen Unsicherheitsfaktor dar.«

1 Rudolf Slansky, Generalsekretär der KPČ, wurde im November 1951 verhaftet, in einem Schauprozeß (20.–27. 11. 1952) wegen »titoistischer« und »zionistischer« Auffassungen und Handlungen zum Tode verurteilt und hingerichtet. 1968 wurde er rehabilitiert. Die SED veröffentlichte am 20. 12. 1952 einen ZK-Beschluß »Lehren aus dem Prozeß gegen das Verschwörerzentrum Slansky«, aufgrund dessen 1953 Franz Dahlem entmachtet wurde. Vgl. auch in dieser Edition Text 7.1., S. 187 (Anm. d. Red.)

Quelle: Brandt, 1967, S. 187–192.

6.3. Gegen »Objektivisten«

Alfred Kantorowicz

Berlin, den 20. Februar 1951. Ich komme aus einer Sitzung der Parteigruppe (Philosophische Fakultät der Universität). Es wurde über die Delegiertenkonferenz der Universitäts-Parteileitung berichtet, die vor etwa einer Woche getagt hatte. Der Referent erwähnte, man habe einen Professor – den Namen habe ich nicht verstanden – wegen »Objektivismus« getadelt, da bekanntgeworden sei, daß er bei einer Diskussion mit Katholiken aus theologischen Schriften zitiert hatte und sich außerdem noch im Parteikreise auf seine theologischen Kenntnisse berief.

Ich glaubte zunächst nicht recht verstanden zu haben und wollte mir Klarheit verschaffen. Daher bemerkte ich in der Diskussion, daß es doch nicht zu tadeln sei, wenn jemand auf dem Gebiet, über das ein geistiger Meinungsstreit geführt werde, gut Bescheid wisse – wenn anders, müßte man Marx oder Lenin, deren Schriften sehr fundierte Kenntnisse der Materie zeigten, mit der sie sich auseinandersetzten, noch nachträglich tadelnd als »Objektivisten« bezeichnen. Das Unglaubliche geschah, daß eine (mir unbekannte) Funktionärin, die offenbar von der Berliner Parteileitung als Kontrolleurin entsandt worden war, mit unverschämtem Gekreisch diese sachlich notwendige Feststellung bestritt; es sei, schrie sie zornrot, nicht nötig, die Argumente und Thesen unserer Gegner zu kennen, eben dieses Sichvertrautmachen mit der Wissenschaft oder Weltanschauung unserer Gegner beziehungsweise aller nichtmarxistischen Diskussionspartner sei »Objektivismus«. Ein kleiner Teil der Kommilitonen (früh krümmt sich, was ein Funktionärchen werden will) machte durch Zustimmung zu diesem Nonsens auf sich aufmerksam. Der Vorsitzende ließ mich nicht mehr darauf antworten. Die Diskussion über diese Frage sei mit der Feststellung der Genossin aus der Bezirksleitung beendet. Wir hätten das zur Kenntnis zu nehmen.

Quelle: Kantorowicz, 1979, S. 149–150.

7. Der 17. Juni 1953

7.1. Im Vorfeld der Ereignisse: Parteiinterne Auseinandersetzungen und politische Fehleinschätzungen

Heinz Brandt

Am Vorabend des 1. Mai 1953 bat Hermann Axen[1] mich zu sich in sein Büro. Er gab die letzten Agitationsanweisungen für die Demonstration am nächsten Tag. Dann lächelte er verkniffen und sagte nebenhin:

»Morgen darf das Bild von Franz Dahlem (zur damaligen Zeit Kader-Sekretär und Pol-Büro-Mitglied) bei der Bild-Parade der Pol-Büro-Mitglieder nicht mitgeführt werden. Die Bilder von ihm müssen noch vor Beginn der Demonstration im Schuppen vernichtet werden. Du bist verantwortlich.«

Augenblicklich fiel mir Tschoppes hysterische Frage, die Flüsterpropaganda, ein: »Wer wird der deutsche Slansky sein?«[2]

Damals aber hatte Stalin noch gelebt. Nun war er tot[3] – wie mir schien, auch politisch – und diejenigen rehabilitiert, die er noch hatte vernichten wollen. Was sollte nun noch dieser gespenstische Mummenschanz?

Ich stellte mich naiv und stotterte:

»Ja, aber Dahlem ist Pol-Büro-Mitglied . . . Es gibt keinen Beschluß . . . Ich habe weder von Hans Jendretzky[4] etwas gehört, noch gibt es einen Hinweis im ›Neuen Deutschland‹. Solange ich keinen Beschluß sehe – schwarz auf weiß –, rühre ich keinen Finger.«

Axen wurde eiskalt: »Es gibt interne Beschlüsse, die noch geheimgehalten werden. Provoziere nicht!«

»Ich werde mich erst einmal bei Hans erkundigen. Das alles klingt verrückt, gar nicht mehr zeitgemäß.«

Ich ging zu Hans, aufgebracht, beunruhigt.

»Das war wieder einmal zu weit vorgeprellt von dir«, sagte Hans bedrückt, »Franz ist in die Slansky-Geschichte hineingezogen und interimistisch aller Funktionen enthoben. Es gibt tatsächlich einen solchen streng vertraulichen Pol-Büro-Beschluß, aber er muß erst einmal vom nächsten ZK-Plenum bestätigt werden . . .«

Ich verstand Hans.

»Bis dahin kann ja noch manches geschehen«, sagte ich.

»Das hängt von unseren Freunden (den Russen) ab«, seufzte Hans.

»Einmal muß sich ja der neue Wind von dort auch bei uns auswirken«, meinte ich leichthin.

»Hoffentlich«, sagte Hans ziemlich kleinlaut. Und dann, wie nach plötzlichem Entschluß: »Weißt du, wir zeigen den Entwurf für meine 1.-Mai-Ansprache am besten vorher noch Rudolf Herrnstadt.[5] Wenn wir nur nicht zu weit gegangen sind . . .«

Diese Ansprache hatten wir am vorangegangenen Tage gemeinsam ausgearbeitet. Sie war auf den Verständigungsgedanken aufgebaut, die durch Malenkows und Churchills Vorschläge für eine Gipfelkonferenz gekennzeichnet waren. Kurz aufeinander waren Artikel in der »Times« und in der »Prawda« gefolgt, in denen sich eine weitgehende Übereinstimmung zeigte.

Nach wenigen Stunden schon sandte Herrnstadt das Manuskript zurück. Nichts war verändert, aber dort, wo von den sowjetischen Verhandlungsvorschlägen die Rede war, hatte er ein einziges Wort hinzugefügt: Vor dem Namen »Malenkow« stand jetzt in Herrnstadts zierlicher Schrift auch noch der Name »Berija«.

Der Sinn dieser Ergänzung sollte mir erst einige Wochen später klarwerden.

Ulbricht hingegen hatte ganz andere Beanstandungen. Er bemängelte an dem Entwurf, daß nichts vom »Aufbau des Sozialismus« in der DDR gesagt worden war, und sprach von der »typisch kapitulantenhaften Brandt-Rede Jendretzkys«.

All diese winzigen ersten Keime der internen Ausein-

1 Hermann Axen, seinerzeit Sekretär des Zentralkomitees der SED für Agitation und Propaganda. (Anm. d. Red.)

2 Von dieser Äußerung Tschoppes berichtet Brandt (1967) auf Seite 182. Werner Tschoppe war damals Parteisekretär an der Humboldt-Universität zu Berlin. (Anm. d. Red.)

3 Stalin war am 5. März 1953 gestorben. (Anm. d. Red.)

4 Hans Jendretzky war bis Anfang 1953 1. Sekretär der SED-Bezirksleitung Berlin, vgl. auch in dieser Edition Text 6.2., S. 184. (Anm. d. Red.)

5 Rudolf Herrnstadt, der Chefredakteur von »Neues Deutschland«, verlor am 26. 7. 1953 alle seine Funktionen. (Anm. d. Red.)

andersetzung in der Partei standen in einem grotesken Mißverhältnis zu dem Umfang und dem Tempo, in dem sich die Stimmung der Massen verschlechterte und eine revolutionäre Krise heranwuchs.
Der Verlauf der 1.-Mai-Demonstration kündete allen, die sehen konnten, die heraufkommende Katastrophe an. Die Stimmung war lustloser als je, die Beteiligung trotz verstärkten Zwanges auffällig schwach. Doch die SED-Führung, von den Massen isoliert, von ihrer eigenen Propaganda betört, verschloß die Augen vor den Zeichen des nahenden Sturmes.
Anstatt diese ersten Signale zu beachten und den heraufkommenden Konflikt zu entschärfen, setzten Ulbricht und seine Handlanger Hermann Matern (Pol-Büro-Mitglied und Vorsitzender der Partei-Kontrollkommission) zu den provokativen Beschlüssen des 13. ZK-Plenums an, das für die Mitte des Monats Mai einberufen worden war.
Seit der Mai-Demonstration gab es ein Geraune in der Partei:
»Was ist mit Dahlem los? Was in der SED? Was geht da vor?«
Die viel gerühmte »innerparteiliche Demokratie« bestand nun nicht einmal mehr in Restbeständen. Parteimitglieder und Massen erfuhren nur auf dem kalten, indirekten Wege – dadurch, daß sein Bild nicht mehr bei der byzantinischen Papp-Parade mitgeführt wurde – davon, daß wieder einmal ein Pol-Büro-Mitglied, ein Stück »kollektiver Weisheit«, in der Versenkung verschwunden war.
Es ging nun in der SED haargenau so zu wie in George Orwells prophetischer Zukunftsvision »1984«. Über Nacht war Franz Dahlem zur »Unperson« geworden.
Er war für die Gesellschaft nicht mehr existent. Warum aber? Wieso? Weshalb? – Das war in ein dichtes Geheimnis gehüllt.
Was war da passiert, was mit ihm geschehen?
Die Frage allein war schon gefährlich.
Erst das 13. ZK-Plenum der SED brachte Aufschluß über die Machenschaften von Ulbricht und Matern.
Auf dieser Tagung wurde (am 14. Mai 1953) neuerdings ein Beschluß »zur Auswertung des Slansky-Prozesses« gefaßt. Er wirkte angesichts der dramatischen Veränderungen in Moskau als seltsamer Anachronismus:
Franz Dahlem wurde »zur Sicherung der Parteiführung« sämtlicher Funktionen enthoben und aus dem ZK – das bedeutete natürlich auch aus dem Pol-Büro sowie dem ZK-Sekretariat, den beiden höchsten Gremien der Partei – ausgeschlossen.
Ulbricht und Matern beschuldigten ihn, den »Agenten Field« unterstützt und »gegenüber den Versuchen imperialistischer Agenten, in die Partei einzudringen, völlige Blindheit« bewiesen zu haben.
Das Pol-Büro der SED und die Zentrale Partei-Kontrollkommission hätten eine Untersuchung über den gesamten Komplex Dahlem eingeleitet, der vorliegende Beschluß sei nur deren erstes Ergebnis, »die Untersuchung wird fortgesetzt«.
Diese letzte Feststellung war die bedrohlichste.
Offensichtlich bereitete Ulbricht einen Schauprozeß gegen den »Agenten Dahlem« vor. Sollte dieser langjährige Rivale zum Sündenbock für die wachsenden inneren Schwierigkeiten gemacht werden? Schreckte selbst die unmittelbare Nachbarschaft Westberlins und der Bundesrepublik Ulbricht nun nicht mehr von einer historisch verspäteten stalinistischen Rache zurück? Brauchte er gar Unruhen für ein blutiges Strafgericht?
Die 13. ZK-Tagung ist durch drei abenteuerliche Beschlüsse gekennzeichnet, die in gleichem Maße zu dem kommenden Unheil beitrugen, die Tragödie des 17. Juni vorbereiteten:

- Der eben erwähnte Beschluß über »weitere Lehren aus dem Slansky-Prozeß«;
- der Beschluß über die sofortige administrative Erhöhung der Arbeitsnormen um mindestens 10 Prozent. Dieser Beschluß wurde am 28. Mai (!) als Regierungsverordnung öffentlich verkündet und sofort durchgeführt – als Teilstück des äußerst umfangreichen und tiefgreifenden »Feldzugs für strengste Sparsamkeit«;
- der Beschluß, den sechzigsten Geburtstag Walter Ulbrichts am 30. 6. 1953 zu einem »politischen Höhepunkt« zu gestalten. Das bedeutete im dortigen Gesellschaftssystem: Die gesamte »Selbstverpflichtungs- und Wettbewerbsbewegung« wurde auf diesen Termin abgestellt. Jeder Werktätige, jeder Funktionär wurde angehalten, »Selbstverpflichtungen zu Ehren des 60. Geburtstages unseres geliebten Walter Ulbricht« einzugehen und sich der individuellen und kollektiven Wettbewerbsbewegung zum 30. Juni anzuschließen. Bis zu diesem Termin galt es, die Normen zu erhöhen und in der Industrie- und Landwirtschaftsproduktion zu denkbar hohen Leistungen zu gelangen.

Diese administrative Normenerhöhung und Leistungssteigerung erbitterte die Arbeiter um so mehr, als sich die Lebenshaltung in diesen Wochen rapide verschlechterte. Unter diesen Umständen wirkten die erzwungenen »freiwilligen« Selbstverpflichtungen für den Geburtstag Ulbrichts als übler Hohn. Sie erhöhten den allgemeinen Haß gegen den »Spitzbart«. So war es gerade dieser zwangsweise verordnete Geburtstagsrummel, der die Losung »Der Spitzbart muß weg« zur populärsten Forderung des 17. Juni machte.

Quelle: Brandt, 1967, S. 200–203.

7.2. Der Aufstand

Heinz Lippmann

Als am Vormittag des 16. Juni die Bauarbeiter zum Haus der Ministerien marschierten, um von Ulbricht und Grotewohl Rechenschaft zu fordern, nahm Erich Honecker an der üblichen Politbürositzung teil, die jeden Dienstag stattfand. Seinem Bericht war folgendes zu entnehmen: Die Politbürositzung verlief zunächst nach dem üblichen Schema. Auf der Tagesordnung standen unter anderem das Problem der Arbeitsnormen und die Stimmung der Bauarbeiter der Stalinallee, die schon in den letzten Tagen öffentliche Kritik an der SED und der Gewerkschaftspolitik geübt hatten. Während die Punkte der Tagesordnung routinemäßig behandelt wurden, trafen die ersten Nachrichten von einem großen Demonstrationszug der Bauarbeiter ein, der sich zum Haus des FDGB und dann zum Haus der Ministerien in der Leipziger Straße bewegte. Daraufhin wurde die Diskussion im Politbüro unterbrochen, ein provisorischer Informations- und Kurierdienst eingerichtet sowie eine direkte telefonische Verbindung zum Haus der Ministerien hergestellt. Auf diesem Wege erfuhr das Politbüro, daß die Demonstranten das Erscheinen von Ulbricht und Grotewohl verlangten. Selbmann, der sich im Haus der Ministerien befand, forderte Ulbricht auf, zu den Demonstranten zu sprechen, um sie zu beruhigen. Er schilderte die bedenkliche Situation und seinen vergeblichen Versuch, Ruhe zu schaffen. Die einzige Möglichkeit, die Arbeiter zu beruhigen, sei das Erscheinen von Ulbricht. Wie Honecker mitteilte, lehnte Ulbricht diese Aufforderung mit der Begründung ab, die Sitzung des Politbüros sei wichtiger. Er sei sicher, die Demonstranten würden sich verlaufen und nach Hause gehen, wenn sich niemand um sie kümmere. Er wurde in dieser Meinung bestärkt, als es zu regnen begann. Das Politbüro war der Ansicht, daß jede Provokation zu vermeiden sei und die Leute nicht gereizt werden dürften, dann würden sie von allein auseinandergehen. So kam es auch zu der Anweisung an die Volkspolizei, Zusammenstöße soweit wie möglich zu vermeiden, die Demonstranten frei gewähren zu lassen und auf keinen Fall von der Waffe Gebrauch zu machen.

Gegen Mittag erschien Honecker kurz im Sekretariat des Zentralrates, das ebenfalls ununterbrochen tagte und den Sender RIAS eingeschaltet hatte, weil nur über ihn Informationen zu erhalten waren. Honecker gab Anweisungen, das Gebäude zu sichern und alle verfügbaren Funktionäre in Agitationsgruppen unter den Demonstranten einzusetzen. Eine Information der Bezirksleitungen lehnte er ab. Er meinte in Übereinstimmung mit dem Politbüro, man wolle diese Angelegenheit auf Berlin begrenzen und in der DDR die »Pferde nicht scheu machen«.

Die Hoffnung Ulbrichts, daß die Angelegenheit mit der Kundgebung vor dem Haus der Ministerien abgeschlossen sei, erfüllte sich nicht. Immer größere Teile der Bevölkerung schlossen sich den nun im gesamten Ostsektor Berlins demonstrierenden Arbeitern an. Die Losungen gegen das Regime erhielten schärfere Nuancen. Immer häufiger waren Rufe und Sprechchöre zu hören: »Der Spitzbart muß weg; wir fordern freie Wahlen!« Angesichts dieser Entwicklung – Honecker war inzwischen wieder in das Politbüro zurückgekehrt und hatte einen Kurierdienst zwischen dem Zentralkomitee und dem Zentralrat vereinbart – beschloß die Parteiführung, die Normenerhöhungen mit sofortiger Wirkung rückgängig zu machen.[1] Ulbricht war der Auffassung, damit sei die Angelegenheit erledigt, denn die Arbeiter hätten doch erreicht, was sie wollten. Das war die zweite verhängnisvolle Fehleinschätzung, denn die Normen allein waren längst nicht mehr die Kernfrage. Schon erhoben die Arbeiter politische Forderungen. Sie verlangten den Sturz der Regierung und freie Wahlen. Den dritten Fehler beging Ulbricht, als er für den Abend des 16. Juni eine Konferenz der Berliner SED-Funktionäre in den Friedrichstadtpalast einberief, um zu den Ereignissen des Tages Stellung zu nehmen.

Dadurch wurden die Funktionäre aus den Betrieben geholt, in denen sie als Repräsentanten der SED-Politik gegen die beabsichtigte Vorbereitung des Generalstreiks hätten agitieren können. Er überließ damit die rebellierenden Belegschaften sich selbst und ermöglichte ihnen die ungestörte Vorbereitung der Demonstrationen des 17. Juni. Die politischen Organe waren führerlos. Es wurden keine Anweisungen an ihre Organisationen und Verbände ausgegeben. Als die Kundgebung gegen 22 Uhr zu Ende ging, war in den Betrieben niemand, der Anweisungen hätte entgegennehmen können. Auch Ulbrichts Referat offenbarte die völlige Fehleinschätzung der Situation. Er beschränkte sich darauf, den allen Anwesenden bekannten, am 9. Juni proklamierten Neuen Kurs noch einmal zu erläutern, kein Wort fiel zu den Ereignissen des Tages. Die Demonstrationen der Bauarbeiter wurden ignoriert, als hätten sie gar nicht stattgefunden. Unter den Funktionären entstand deshalb der Eindruck, als habe sich nichts Wesentliches ereignet. Auf die Anfragen von Bezirksfunktionären, die sich durch den RIAS über die Ereignisse des Tages informiert hatten, wurde gleichlautend geantwortet, die Aktionen seien beigelegt, die RIAS-Meldungen übertrieben, man solle sich nicht provozieren lassen

1 Politbüro-Beschluß vom 16. 6. 1953, in: Dokumente der SED, Bd. IV, S. 432 f., abgedruckt in: Spittmann/Fricke (Hrsg.), a. a. O., S. 185. (Anm. d. Red.)

und Ruhe bewahren. Die SED-Führung habe die Hoffnung, die Unruhen am nächsten Tag in Berlin lokalisieren zu können.
Obgleich dem Zentralrat ganz andere Meldungen aus der DDR vorlagen (Berichte von vereinzelten Streiks, wachsende Unruhe in den Betrieben usw.) und auch Erich Honecker nicht so recht daran glaubte, daß am nächsten Tag alles ruhig bleiben würde, lehnte er doch jeden Vorschlag ab, in den Bezirksleitungen Vorkehrungen zu treffen. Seine Begründung: Genosse Ulbricht habe so entschieden.
Honecker selbst suchte noch in der Nacht die Berliner Bezirksleitung auf, die sich in Alarmbereitschaft befand. Später gab er einen wenig schmeichelhaften Bericht über die Zustände in der Berliner Leitung. Nicht ohne Schadenfreude stellte er dabei fest, daß in den Lagern des von Jendretzky so geschmähten »Dienst für Deutschland«[2], etliche hundert Kilometer vom Zentralrat entfernt, mehr Ordnung geherrscht habe als im Büro des Genossen Jendretzky. Das Bezirkssekretariat sei völlig isoliert gewesen. Alle Bemühungen, Verbindung zu den Großbetrieben zu erhalten, seien fehlgeschlagen. Die Führung der SED in Berlin sei nicht nur von der Arbeiterschaft, sondern auch von ihren unteren Funktionären vollständig isoliert. Ein Teil von ihnen war nicht zu erreichen, ein anderer ließ sich verleugnen, andere wieder gebrauchten Ausreden, um sich vor Aufträgen zu drücken. Das Sekretariat sei nicht einmal über die Lage in den Berliner Bezirken richtig informiert gewesen, weil sein Kurierdienst nicht imstande war, kontinuierlich zu berichten.
Das Politbüro »tagte« in der Nacht weiter. Obwohl nach außen Optimismus zur Schau getragen wurde, verhandelte man bereits mit sowjetischen Vertretern über die Evakuierung der Familienangehörigen in die Sowjetunion. Als Margot Feist am nächsten Tag davon erfuhr – Lotte Kühn hatte sie im Auftrage Ulbrichts gefragt, ob sie sich nicht eintragen lassen wolle –, lehnte sie empört ab. Spätabends erlebte ich den ersten Krach zwischen Margot Feist und Erich Honecker, als dieser die Notwendigkeit des Beschlusses zu begründen versuchte.
Der 17. Juni stellte auch Erich Honecker vor eine persönliche Entscheidung, die sein ganzes weiteres Leben beeinflussen sollte. Mit den Ereignissen des 16. und 17. Juni trat die seit langem unter der Oberfläche schwelende Opposition gegen Ulbricht offen zutage. Zu ihren Wortführern machten sich Herrnstadt und Zaisser. Sie wurden – mehr oder weniger zögernd – von Hans Jendretzky, Elli Schmidt und Fred Oelßner unterstützt. Andere Politbüromitglieder und Kandidaten verhielten sich abwartend. Honecker, den ich mittags kurz im Zentralkomitee sprach, wohin ich mich unter Schwierigkeiten durchgeschlagen hatte, um ihm den vereinbarten Bericht zu geben, meinte, es gebe noch andere, die mit der Zaisser/Herrnstadt-Gruppe sympathisierten, aber erst abwarten wollten, weil sie »feige« seien. Zweifellos meinte er Grotewohl, Ackermann, Ebert und Rau. Die oppositionelle Fraktion führte die Ursachen des 17. Juni auf die selbstherrliche Politik Ulbrichts zurück. Seine Arbeitsmethoden hätten eine Bürokratisierung und Versteinerung der Partei bewirkt. Die Parteikader seien eingeschüchtert und hätten nicht den Mut zu ehrlicher Berichterstattung. Die Partei laste auf den Massen und sei von ihnen völlig isoliert. Es gebe keine echte ideologische Auseinandersetzung in den Parteileitungen und Massenorganisationen. Vom Politbüro bis zu den Grundeinheiten herrsche das Prinzip der Ein-Mann-Leitung. Dieser falsche Arbeitsstil habe auch den Skandal um den »Dienst für Deutschland« heraufbeschworen. Deshalb sei eine »Erneuerung der Partei« dringend erforderlich.
Als ich Honecker für kurze Zeit aus der Politbürositzung in dem von Panzern umgebenen Gebäude des Zentralkomitees rufen ließ, wirkte er nervös. Meinem Bericht schien er nicht zuzuhören. Als ich mich erkundigte, ob er krank sei, schüttelte er den Kopf und sagte resigniert: »Alle fallen über Walter her. Er wird wohl unterliegen. Aber das schlimmste ist, ich weiß nicht, wie ich mich verhalten soll . . .« Seine Worte klangen so monoton und deprimiert, wie ich ihn noch nie gehört hatte. Er hatte es auch gar nicht mehr eilig, in das Sitzungszimmer zurückzugehen, so, als hoffe er, sich einer Entscheidung entziehen zu können.
Der Rest ist bekannt: Ulbricht siegte, weil er der überlegene Taktiker war und weil ihm indirekt die Aufständischen »zu Hilfe kamen«. Als er begriff, daß er keine sichere Mehrheit mehr hatte, verzögerte er eine Entscheidung, indem er die oppositionelle Gruppe aufforderte, ihre Auffassung schriftlich vorzulegen und mit einer Kommission zu beraten. Inzwischen verhandelte Ulbricht mit Semjonow, der Ulbrichts Position stärkte, weil er nicht in dieser Situation den Führer wechseln wollte. Als Honecker spät in der Nacht in das Sekretariat des Zentralrats zurückkehrte, wirkte er erleichtert, wenn auch ein wenig beschämt, daß er mit dem Gedanken gespielt hatte, seinen Gönner im Stich zu lassen und zum Gegner überzugehen.

2 Die Arbeitsdienstorganisation »Dienst für Deutschland« (ODD), 1952 ins Leben gerufen, wurde bereits 1953 wieder aufgelöst. FDJler waren zum Bau von Straßen und Anlagen für die Kasernierte Volkspolizei abkommandiert worden. Vgl. Lippmann, 1971, S. 149 ff. (Anm. d. Red.)

Quelle: Lippmann, 1971, S. 158–161.

8. Der XX. Parteitag der KPdSU (14.–25. 2. 1956) und die Folgen

8.1. Eine gefahrvolle Situation für die SED-Führung

Heinz Brandt

Dann kam das Jahr 1956 mit seinen beiden politischen Erdstößen: dem XX. Parteitag der KPdSU im Frühjahr – dem polnischen Oktober, der ungarischen Revolution im Herbst.

Chruschtschow entgottete Stalin, distanzierte die KPdSU von der »Periode des Personenkults«. Er verwarf Stalins Theorien von der »Verschärfung des Klassenkampfes beim Aufbau des Sozialismus« und der »Unvermeidlichkeit von Kriegen, solange der Imperialismus nicht im Weltmaßstabe geschlagen« sei. Chruschtschow zeigte, daß die »friedliche Koexistenz« der Staaten unterschiedlicher Gesellschaftsordnungen im atomaren Zeitalter möglich und notwendig sei, und er verwies auf den friedlichen, parlamentarischen Übergang zum Sozialismus, die Einheitsfront mit den Sozialdemokraten, die Volksfront mit allen »fortschrittlichen« Schichten. Den sozialistischen Staaten billigte er einen eigenständigen, unabhängigen Weg zum Aufbau des Kommunismus zu. Kurzum, die Sowjetunion begann sich – unter gefährlichen Krämpfen – den unerbittlichen Gesetzen der modernen Industriegesellschaft anzupassen.

Niemals hat Walter Ulbricht vor einer schwierigeren Situation gestanden. Niemals hat er sie machiavellistischer gemeistert.

In seinem Grußtelegramm an den XX. Parteitag hatte er noch – ahnungslos – das Andenken des »weisen« Stalin gefeiert. Kaum aber war der große Jongleur aus Moskau zurückgekehrt, so verkündete er auch schon, Stalin sei im Unterschied zu Marx, Engels, Lenin »nie ein Klassiker« gewesen, denn er habe schwerwiegende »Fehler« begangen.

Ulbricht verbannte Stalin aus dem Olymp, ohne auch nur eine Spur von »Selbstkritik« aufzubringen, unverfroren, als habe er nie etwas anderes behauptet. Das war selbst den Treuesten seiner Getreuen zuviel. Viele Funktionäre murrten, insbesondere die jüngeren, denen Ulbricht mit eiserner Stirn kritiklose dogmatische Verherrlichung ihres Idols vorwarf...

Zum erstenmal bildete sich in der DDR eine konservativ-stalinistische Opposition, die Kritik an der »revisionistischen« Linie des XX. Parteitages übte und Ulbricht Prinzipienverrat, Charakterlosigkeit vorwarf.

»Ich habe das Stalin-Bild bei mir an der Wand hängen lassen«, sagte Hanna Wolf[1] zu mir, »wenn es jetzt auch modern geworden ist, es zu entfernen.«

Hanna Wolf begründete ihre erstmalig abweichende Einstellung streng theoretisch mit Lenin. Aus dem historischen Zusammenhang gerissen zitierte sie seinen recht bekannten Ausspruch: »Wem nützt es?«

Sie dozierte:

»Lenin hat uns gelehrt, zuallererst immer dieses ›Wem nützt es?‹ zu klären, bevor wir einen politischen Schritt tun. Nützt die Abwertung Stalins unserer Bewegung oder nützt sie nicht vielmehr dem Klassenfeind?«

Hanna Wolf war Stalins pragmatisch-skrupellose Methode in Fleisch und Blut übergegangen.

Seit Stalin wurde das Bemühen, die historische Wahrheit zu erforschen, als »Mangel an Parteilichkeit« gebrandmarkt; es galt als »objektivistisch«: Die geschichtliche Wahrheit zu unterschlagen, ja zu verfälschen war längst zur Methode geworden.

»Aber haben Marx und Engels die Arbeiterbewegung nicht gelehrt, die wissenschaftliche Wahrheit als ihre Waffe anzusehen, weil deren Interessen mit der gesetzmäßigen historischen Entwicklung identisch sind?«, das war meine Gegenfrage.

»Nur konservative, reaktionäre Regime, die gegen die Geschichte gerichtet sind, haben die Wahrheit zu fürchten. Wehe uns also, wenn sie uns nichts nützt.«

Hanna Wolf war fassungslos: »Aus dir spricht der Klassenfeind...«, fauchte sie.

Sie hatte so unrecht nicht... Allerdings ging es hier um die – als »Herrschaft der Arbeiterklasse« ausgegebene – Herrschaft der *Neuen* Klasse.

Übrigens sah sich Walter Ulbricht sehr bald gezwungen, wiederum einen Haken zu schlagen.

Die enthüllende Geheimrede Chruschtschows auf dem XX. Parteitag über die Verbrechen Stalins war

1 Hanna Wolf, die langjährige (1950–1983) Direktorin der Parteihochschule »Karl Marx« beim ZK der SED. (Anm. d. Red.)

vom Westen her im Wortlaut in die DDR eingeschleust worden.
Es ergab sich der paradoxe Sachverhalt, daß die gedruckte Rede des amtierenden sowjetischen Parteiführers in der DDR als »feindliche Hetzschrift« beschlagnahmt wurde.
In Polen, in Ungarn waren die Parteiführer ausgewechselt worden. Würde es auch in der DDR einen Wechsel geben? Gomulkas Reden nach dem »polnischen Oktober« wurden in der DDR-Presse nur verstümmelt wiedergegeben oder unterschlagen. Eine Ostberliner Zeitung, die Gomulkas Ansprache vor dem neuen polnischen ZK zitierte, wurde auf Geheiß Ulbrichts an den Kiosken beschlagnahmt.
Wie lange konnte das noch angehen? Konnte sich Walter Ulbricht überhaupt noch halten?
Viel gefährlicher als die murrenden Alt-Stalinisten wurden ihm nun all jene, die mit dem XX. Parteitag entschieden ernst machen wollten und darum auf das polnische, das ungarische Beispiel verwiesen.
Schon meldeten sich auch die ersten »wahren«, »humanen« Sozialisten zu Wort, denen selbst der XX. Parteitag nicht weit genug ging, die nicht nur die Abkehr von der Person, sondern vom System Stalins verlangten.
Wie unmarxistisch war es doch, die erschütternden, die ganze Gesellschaft aufwühlenden Konflikte der Stalin-Ära, statt auf ökonomische, gesellschaftliche Antagonismen – Klassenauseinandersetzungen – zurückzuführen, rein personalistisch zu deuten, sie einzig und allein auf die krankhafte, verbrecherische Charakteranlage einer einzelnen Persönlichkeit zu gründen.
Immer nervöser warnte Ulbricht vor den polnischen, ungarischen »revisionistischen« Irrlehren. Aber hatte der polnische Oktober nicht bewiesen, daß eine Renaissance des Sozialismus möglich war, daß das Bündnis der Arbeiter und Intellektuellen, der Universitäten und Betriebe keineswegs zu dem von Ulbricht prophezeiten Untergang des Sozialismus führte?
»Jedes vom Untergang bedrohte konservative Regime sieht sein Ende als den Untergang der gesamten Gesellschaft an«, spöttelte Robert Havemann.[2]
Ulbricht, vom Sturze bedroht, gab die beschwörende Losung aus:
»Den Blick nicht nach rückwärts wenden, in die Vergangenheit, sondern nach vorwärts, der Zukunft zu.«
Hatte Ulbricht vergessen, daß er einst als junger USPD- und KPD-Funktionär gegen eben diese typisch reaktionäre Losung zu Felde gezogen war, als sie der rechte Flügel der Mehrheitssozialisten, die Ebert, Noske und Scheidemann zur Abdeckung ihrer 4.-August-Politik (Bewilligung der Kriegskredite 1914) verkündeten, die ihnen nach der militärischen Niederlage und der Novemberrevolution 1918 zum Vorwurf gemacht wurde?
Die Konservativen in der Bundesrepublik propagieren die gleiche Formel, um von der Auseinandersetzung mit den Sünden des Dritten Reiches abzulenken.
Es ist das die Losung derer, welche die Vergangenheit nicht bewältigen wollen, nicht bewältigen können, weil sie mit ihr verfilzt sind.
Plötzlich kam der Umschwung.
Die ungarische Revolution wurde als »Konterrevolution« niedergeschlagen. Das russische Imperium ließ so wenig wie irgendein anderes den Verlust seiner Einflußzone zu. Im übrigen waren gegen die ungarische Revolution, gegen die rechtmäßige Regierung Nagy *zwei* Armeen aufmarschiert: Die englisch-französisch-israelische Interventionsarmee in Suez gegen die VAR schuf den Sowjettruppen eine unbezahlbare moralisch-politische Rückendeckung. Eine bessere Entlastungsoffensive war gar nicht denkbar – am Suez-Kanal entstand der ungarischen Revolution die »zweite Front«.
Ich werde nie diesen Sonntagabend bei Bruno Baum[3] vergessen. Das Budapester Revolutionszentrum war im Blut erstickt worden. Bruno und seine Lebensgefährtin Erika (Dozentin an der Parteihochschule »Karl Marx«) feierten den Sieg. Sie hatten schon eine Flasche ungarischen Plattenseer geleert, doch es war nicht der Wein, es war der Siegesrausch, der aus ihnen sprach.
»Endlich haben die Freunde durchgegriffen«, frohlockte Bruno. »Ein wahres Glück, sonst wäre es hier auch so gekommen.«
Genau das war es: Walter Ulbricht war wieder einmal gerettet. Diesmal durch die ungarische Revolution, so wie ihn drei Jahre zuvor der 17. Juni vor dem sicheren Sturz bewahrt hatte.
Bruno prahlte mit seiner Voraussicht, seinem Einfluß auf die Freunde: »Puschkin[4] hat mich neulich gefragt, wie ich die Lage hier einschätze. Ich habe ihm ganz offen geantwortet: ›Wenn ihr die treuen Funktionäre in Ungarn Wasser saufen laßt, dann verlieren auch die Besten hier den Mut. Dann kommt es schlimmer als am 17. Juni. Die Partei ist wieder einmal völlig durcheinander. Überall geht das Geraune um: Wir brauchen einen deutschen Gomulka, einen deutschen Nagy. Die schwankenden Intellektuellen erstreben einen deutschen Petöfi-Klub. Wenn ihr in Budapest nicht durchgreift, dann geht euch nicht nur Ungarn, dann geht euch auch die DDR verloren.‹«

2 Vgl. auch Havemanns eigene Erinnerungen weiter unten, Text 8.4., S. 197 (Anm. d. Red.)
3 Vgl. in dieser Edition Text 6.2., S. 184 (Anm. d. Red.)
4 G. M. Puschkin, Botschafter der UdSSR in der DDR. (Anm. d. Red.)

Bruno empfand die russische Intervention als seinen eigenen Erfolg.
Wie weit war es mit ihm gekommen! Der Revolutionär, der sein Leben lang von der bewaffneten Aktion der Arbeiter geschwärmt, sie zu erleben, in ihr mitzuwirken erträumt hatte, beging nun festlich deren Niederlage, begoß ihre erbarmungslose Niederschlagung.
Das Radio brachte die Proklamation der von den Russen eingesetzten Regierung Kádár:
»Die sprechen ja immer noch von der ›verbrecherischen‹ Rákosi-›Clique‹«, empörte sich Erika.
Bruno, ganz Staatsmann, beruhigte sie:
»Das müssen die doch am Anfang noch. Das hört auch bald auf.«
Kurz darauf brüstete sich Bruno erneut einer Unterredung mit Puschkin. Aber diesmal war er mit ihm unzufrieden. Sein abenteuerlicher Vorschlag hatte beim sowjetischen Botschafter taube Ohren gefunden:
An der Berliner Sektorengrenze hatte eine Westberliner Protestdemonstration gegen die russische Intervention in Ungarn stattgefunden. Puschkin befragte auch diesmal wieder routinemäßig einfache, mittlere und leitende Funktionäre der SED nach ihrer Meinung, um ein Stimmungsbild zu erhalten.
»Die werden das bestimmt bald wiederholen«, wollte Bruno zu Puschkin gesagt haben, »dann dürft ihr aber nicht wieder die Sektorengrenze absperren, sondern müßt die Demonstranten bis zur Sowjetbotschaft Unter den Linden herankommen lassen. Und nach dem ersten Steinwurf in die Botschaftsfenster müßt ihr die Provokateure im Gegenschlag durch das Brandenburger Tor und über die Sektorengrenze hinaus verfolgen und Westberlin kassieren, in Notwehr sozusagen.«
»Und was würde die Welt dazu sagen?« hatte Puschkin ironisch zurückgegeben.
»Die schreit jetzt gerade so laut wegen Ungarn«, erwiderte Bruno, »da wird sie eben gleich wegen Westberlin mitschreien. Auf ein bißchen Geschrei mehr oder weniger kommt es doch in diesem Augenblick gar nicht mehr an...«
Puschkin habe gelächelt – und geschwiegen.
Soweit Brunos Bericht.

Quelle: Brandt, 1967, S. 321–326.

8.2. Unsicherheit unter den Propagandisten

Herbert Prauß

Ich wurde in den Propaganda-Sektor des ZK berufen, um dort die Propagierung der Geschichte der KPdSU verbessern zu helfen. Kurz nach Aufnahme meiner Tätigkeit fand aber der XX. Parteitag in Moskau statt, auf dem eindeutig festgestellt wurde, der bisherige »Kurze Lehrgang der Geschichte der KPdSU (B)«[1] enthalte viele Unrichtigkeiten und sei von Tendenzen des Personenkultes um Stalin getragen. Die Massenpropaganda in russischer Parteigeschichte wurde sofort eingestellt. Lediglich an den SED-Parteischulen wurde in reduziertem Umfange noch russische Parteigeschichte unterrichtet. Unter den Propagandisten entstand große Unsicherheit, was man nun überhaupt über die KPdSU lehren sollte.
Nikita Chruschtschows berühmtes Geheimreferat, das auf diesem Parteitag Stalin entlarvte, hat mich zutiefst erschüttert. Den Hauptinhalt des Referats erfuhr ich auf offiziellem Wege in einer vertraulichen Versammlung, außerdem studierte ich den Wortlaut in der Westpresse. Die amtliche interne Parteiinformation und die Fassung der Westpresse stimmten inhaltlich voll überein.
Mich erschütterte vor allem die unerhörte Grausamkeit der kommunistischen Parteiführung im Umgang mit den eigenen Funktionären und das Ausmaß der Lügen, die insbesondere über Stalin verbreitet worden waren. Zwar war ich schon vorher in manchem hellhöriger und kritischer geworden; aber was nun bekannt wurde, hatte ich immer noch für undenkbar gehalten. Ich war von der inneren Anständigkeit der Parteiführung der KPdSU überzeugt gewesen. Hauptthesen der westlichen Propaganda, denen ich bisher scharf und leidenschaftlich entgegengetreten war, weil ich sie als Verleumdung angesehen hatte, wurden nun als wahr zugegeben. Ungeschminkt wurde Stalin als Despot und Urheber gemeinster Verbrechen hingestellt. (...)
Da ich als Verantwortlicher für die Propagierung der Geschichte der internationalen Arbeiterbewegung mehrere Westzeitungen mit dem vollen Wortlaut des Geheimreferats besaß, wurde ich von vielen Genossen bestürmt, die Zeitungen auszuleihen. Ein ZK-Instrukteur sagte mir: »Ich möchte wissen, was los ist. Schließlich sagt mir ein Genosse: Stalin war schlimmer als Iwan der Schreckliche. Dann stehe ich da und weiß nicht: Ist das nun Hetze, oder hat Chru-

1 Auf der Grundlage dieses »Kurzen Lehrganges« wurde in allen kommunistischen Parteien unterrichtet. Seit 1949 nahm das Studium der russischen Parteigeschichte den zentralen Platz in der innerparteilichen Schulung ein. Der »Kurze Lehrgang der Geschichte der KPdSU (B)« wurde als das von Stalin verfaßte unübertreffliche Meisterwerk der Parteigeschichtsschreibung ausgegeben. (Anm. d. Verf.)

schtschow das wirklich gesagt!« Die Genossen schlossen sich zum Teil in ihrem Zimmer ein, um ungesehen und ungestört die Enthüllungen zu verschlingen. Alles andere wurde liegengelassen. Es gab ehrlich empörte Genossen, die das für jedes Dienstzimmer obligatorische Stalinbild herunterrissen und mitunter kurz und klein schlugen.

(...)

Eine kurze Zeitspanne hindurch gab es tatsächlich in der SED ernst zu nehmende Ansätze, die eine neue Ära verhießen. Damals versuchte man eine offene Diskussion mit Wissenschaftlern zu führen, um das Eis des Schweigens aufzutauen. In einer Beratung der Propaganda-Kommission des ZK[2] machte Kurt Hager bedeutsame Ausführungen über den nach dem XX. Parteitag einzuschlagenden Kurs in der Parteidiskussion. Kurt Hager sagte sinngemäß:

»Die Wissenschaftler haben viele neue Ideen. Sie wagen aber nicht, ihre Auffassungen darzulegen. Sie fürchten, gebrandmarkt zu werden. Die Wissenschaftler stellen die Frage: Können Probleme nicht ohne Prügelei diskutiert werden? Wir wollen eine offene Diskussion. Die Wissenschaftler können und sollen ihre Auffassungen offen darlegen. Mit faschistischen Ideen kann es keine Verständigung geben, diese müssen bis zur restlosen Vernichtung bekämpft werden. Gegenüber der bürgerlichen Wissenschaft darf man nicht den Standpunkt beziehen, es gäbe keine ideologische Koexistenz, sondern wir sind für sachlichen Meinungsaustausch ohne Diffamierung. In der Frage der ideologischen Koexistenz müssen wir elastischer sein und uns mit allen einigen, mit denen eine Einigung möglich ist. Das gilt sogar für die Auseinandersetzungen mit dem Katholizismus. Die katholische Kirche besitzt auch soziale Ideen, die man nicht mit Aberglauben und Dunkelmännertum abtun kann. Selbst hier muß man Berührungspunkte suchen. In der Partei gibt es zuviel Rückversicherer, Leute, die glauben, ein schiefes Wort schädige ihre Laufbahn. Nach dem XX. Parteitag müssen wir beharrlich den alten eingewurzelten dogmatischen Stil und die Starrheit im Denken überwinden.«

Die meisten empfanden diese Konzeption wie eine Erleichterung. Eigene unabhängige Ideen wurden offen vertreten. In der Hegelfeier eines wissenschaftlichen Instituts in Berlin stand im Mittelpunkt die Erneuerung der marxistischen Philosophie und die Bereitschaft zum entschlossenen Bruch mit dem dogmatischen Stalinismus. Es wurde gefordert, »nicht mehr Mühle zu spielen, sondern Schach«, man wünschte eine schöpferische Wissenschaft, die nicht länger nur marxistische Klassiker interpretierte. Angesehene Parteiwissenschaftler vertraten offen die Ansicht, die bisherige Periode der Öde und Leere, die der Dogmatismus geschaffen habe, sei nun durch eine Periode schöpferischen Marxismus abgelöst worden. Dies war auch meine Hoffnung.

Aber nach einer kurzen Periode einsetzenden Tauwetters standen in der Propaganda-Kommission des ZK wieder die alten Dogmatiker und Stalinisten Lene Berg und Hanna Wolf, die Direktorin der Parteihochschule Karl Marx, auf und warnten vor den Folgen der größeren Freizügigkeit. Sie wandten sich gegen Hagers Konzeption, die sie als nicht genügend prinzipiell und als eine unzweckmäßige, die Gegner ermunternde Taktik ansahen. Sie waren für den alten harten Kurs, gegen jede freimütige Aussprache. Sie fürchteten, daß eine freie Diskussion zur Lawine werden und, wenn man gar eine große Parteidiskussion über die Fehler der Vergangenheit zulasse, dies das Ende der kommunistischen Macht einleiten könne.

Damals benutzte Kurt Hager oft den gerade bei den chinesischen Kommunisten gebräuchlichen bildhaften Ausdruck: »Alle Blumen sollen blühen.« Kurt Hager war der Meinung, daß ein schöpferischer freier Meinungsaustausch dazu beitragen werde, den Marxismus zu bereichern und eine Vielfalt nützlicher Ideen entstehen zu lassen. Doch sehr bald wurde unter Ulbrichts, Lene Bergs und Hanna Wolfs Einfluß das Blumengleichnis »dogmatisch« erweitert: »Alle Blumen sollen blühen, aber deshalb muß man das Unkraut ausreißen.« Was aber Blume und was Unkraut sei, definierte wieder allein das Politbüro der Partei...

Später, im Herbst 1956, nach dem 29. Plenum des ZK hieß es dann bereits wieder: »Wir müssen eine Atmosphäre schaffen, daß niemand mit bürgerlichen oder parteifremden Ideen auftreten kann, ohne daß sofort dagegen die Auseinandersetzung mit aller Schärfe und Grundsätzlichkeit entbrennt.«

Nach dem XX. Parteitag hatte zunächst selbst an der Parteihochschule ein offener und versteckter Widerstand gegen die Direktorin Professor Hanna Wolf eingesetzt. Lange Zeit wurde er auch von verantwortlichen Mitarbeitern der damaligen ZK-Abteilung »Leitende Organe der Partei- und Massenorganisationen« unterstützt. Ja, es war sogar die Absetzung Hanna Wolfs beabsichtigt. Aber da Ulbricht der Stalinistin Hanna Wolf zu Hilfe kam, weil er sie gut für sei-

2 Dieser Kommission gehörten 1956 u. a. an: Kurt Hager (Vorsitzender), Lene Berg, Hanna Wolf, Otto Winzer (Staatssekretär im ostzonalen Außenministerium), Ludwig Einicke, FDGB-Sekretär Helbig, FDJ-Zentral-Sekretärin Edith Brandt, Rolf Gutermuth (»Neues Deutschland«), Hannes Hörnig, Otto Reinhold, Ernst Diehl, Albert Pietschmann, Helga Lauenroth, Hilde Stölzel, der Verfasser dieses Buches, und je ein Redakteur der »Einheit« und des »Neuen Weges«. Diese Kommission hatte beratende Aufgaben in allen Fragen der Parteipropaganda und galt als verantwortliches Leitungskollektiv. Oft wurden Beschlußvorlagen für das Politbüro hier nochmals beraten, damit sie hieb- und stichfest waren. (Anm. d. Verf.)

nen harten Kurs gebrauchen konnte, behauptete sie sich. Logischerweise folgte dann eine Säuberungsaktion gegen alle angeblichen »Opportunisten« und »Revisionisten«, die gegen Hanna Wolf aufgetreten waren. Dabei wurden der stellvertretende Direktor der Parteihochschule Kurze und die ZK-Funktionäre Rolf Kleinert, ein Abteilungsleiter, und Georg Gläser, ein Sektorenleiter, in die Wüste geschickt.
In der Parteihochschule kursierte damals unter den Genossen der Witz: »Was ist der Unterschied zwischen Hanna Wolf und dem lieben Gott? – Der liebe Gott weiß alles, aber Hanna Wolf weiß alles besser!«

Quelle: Prauß, 1960, S. 152–153, 156, 161–164.

8.3. Die Parteimitglieder werden über Chruschtschows Geheimrede informiert

Fritz Schenk

Die Unterrichtung unserer Grundorganisation[1] übernahm Parteisekretär Sieber persönlich. In der Einladung zu dieser Versammlung wurde darauf hingewiesen, daß ihr eine außergewöhnliche Bedeutung zukomme und daher kein Genosse entschuldigt oder beurlaubt werden könne. Alle Mitglieder erschienen rechtzeitig. Die Türen wurden verschlossen, und ein Genosse mußte neben dem Eingang sitzen bleiben, um eventuelle Störenfriede fernzuhalten.
Sieber begann: »Genossen! Die Partei hält es für notwendig, ihre Mitglieder von einer internen Angelegenheit zu unterrichten, die nur uns Kommunisten angeht. In einer geschlossenen Sitzung des XX. Parteitages hat Genosse Chruschtschow zu einigen Problemen des Personenkultes, der mit der Person des Genossen Stalin getrieben wurde, und dessen Auswirkungen Stellung genommen. Die nach Stalins Tod bekanntgewordenen Tatsachen zwingen uns zu einer kritischen Einschätzung der Person und der Arbeit des Genossen Stalin und darüber hinaus zu tiefgreifenden Schlußfolgerungen für unsere weitere politische Arbeit. Die Verdienste des Genossen Stalin im Kampf um den Sozialismus sowie gegen Trotzkisten und andere parteifeindliche Gruppen brauchen hier nicht besonders hervorgehoben zu werden. Das ist in der Vergangenheit überreichlich geschehen. Ja sogar in einem solchen Maße, daß viele Leistungen anderer Genossen, vor allem aber die aufopfernden Taten des ruhmreichen Sowjetvolkes und der Kommunistischen Partei der Sowjetunion, Stalin allein zugeschrieben wurden. Die dadurch entstandenen falschen Schlußfolgerungen unserer Geschichtswissenschaft gilt es nunmehr zu korrigieren.«
Danach sprach er über die »Lehren der Partei zur Frage der Rolle der Persönlichkeit in der Geschichte« und wies darauf hin, daß sich die Klassiker des Sozialismus, Marx, Engels und Lenin, stets gegen jeden Personenkult gewandt hätten. Später konnte ich feststellen, daß er sich genau an die Ausführungen Chruschtschows in der Fassung hielt, die bald darauf vom amerikanischen Außenministerium veröffentlicht wurde. Schließlich kam er zu den Verbrechen Stalins, die er mit den Schwierigkeiten beim Aufbau des Sozialismus begründete und zum Teil entschuldigte. Er sprach auch von Massenrepressalien, Folterungen, Geständnisfälschungen und Morden.
Ich sah mich in der Runde unserer Genossen um. Die meisten blickten unbewegt vor sich hin. Sie spielten mit Bleistiften oder mit ihren Fingern und drehten Kügelchen aus Zigarettenschachteln. Sobald mein Blick den eines anderen Genossen traf, wandten wir uns beide rasch ab. Es war, als wenn Heranwachsende ihre erste Lektion in sexueller Aufklärung erhalten: Jeder wußte Bescheid, aber keiner wollte es zeigen – alle waren peinlich berührt. Es gab sicherlich nur ganz wenige unter den fünfzig Genossen unserer Einheit, die nicht gewußt hatten, welch grausamer Despot Josef Stalin gewesen war. Neu war lediglich, daß auf einmal offen ausgesprochen wurde, was wir bisher nur hatten denken dürfen; aber daß wir alles schon kannten, durften wir auch jetzt noch nicht sagen. So schienen während Siebers Referat, das reichlich eine Stunde dauerte, alle zu überlegen, wie sie die vertrackte Situation am besten ausnutzen könnten, ohne anzuecken.
Sieber kam zum Ende. Er versicherte, die Partei werde den Personenkult restlos beseitigen und Verhältnisse herstellen, wie sie Lenin vorgeschwebt hätten. Man werde zwar keine »Bilderstürmerei« zulassen, aber Schritt um Schritt alle ungesunden Erscheinungen abbauen. In Zukunft werde es auch nicht mehr vorkommen, daß Fabriken, Straßen, Plätze, Staatspreise usw. nach lebenden Personen benannt würden. Stalin erhalte jetzt den ihm zustehenden Platz in der Geschichte. Er werde weiter als einer der hervorragenden Organisatoren des Kommunismus gelten, aber Klassiker des Marxismus-Leninismus sei er nicht.
Nach dem Referat wollte zunächst keine Diskussion in Gang kommen. Das war in der Regel so, es sei denn, die Leitung hatte im voraus Diskussionsredner verpflichtet. Diesmal aber wirkte das Schweigen eisig.
»Nun, Genossen«, suchte uns Sieber zu ermuntern, »ich kann mir nicht denken, daß es zu meinen Ausführungen keine Fragen oder Unklarheiten gibt. Die

1 Es handelt sich um die Grundorganisation der Staatlichen Plankommission. (Anm. d. Red.)

Partei hat uns da von einer sehr schwerwiegenden Sache in Kenntnis gesetzt, und ich möchte doch darum bitten, daß wir jetzt in der Versammlung versuchen, mit den Unklarheiten fertigzuwerden, damit nicht nachher wieder Grüppchen auf den Gängen stehen und unter sich stundenlange Diskussionen führen. Die sowjetischen Genossen haben die gesamte kommunistische Bewegung von den Fehlern, die uns der Personenkult gebracht hat, informiert. Es ist doch selbstverständlich, daß auch die gesamte Partei darüber sprechen muß.«
Es meldete sich noch immer niemand zu Wort. Sieber versuchte es nach kurzer Pause nochmals: »Nur Mut, Genossen! Dadurch, daß ihr euren schweren Kopf für euch behaltet, wird der Fall auch nicht einfacher.«
Erst als er einsah, daß er unser Schweigen nicht brechen konnte, entschloß er sich, selbst einen Vorstoß zu machen, der uns aus der Reserve herauslocken sollte.
»Wenn wir mal ganz ehrlich sind«, begann er, »so haben wir doch einer wie der andere vieles von dem gewußt, was jetzt offen ausgesprochen wurde. Wir hatten beispielsweise alle ein unsicheres Gefühl, wenn von der Staatssicherheit auch nur die Rede war. Bestimmt wußte oder ahnte jeder, daß es dort in der Vergangenheit zu manchen Verletzungen der sozialistischen Gesetzlichkeit gekommen war.«
Klara Schröder, die älteste Genossin unter uns, hakte als erste ein. In unverfälschtem Berlinerisch knurrte sie den Parteisekretär an: »Ich verstehe das nicht, Genosse Sieber. Woher sollen wir gewußt haben, daß bei der Staatssicherheit unerhörte Schweinereien passiert sind? Bisher hat so etwas immer nur der RIAS verbreitet. Und wenn jemand zur Parteileitung gekommen ist und gesagt hat, daß ihm dies oder jenes über die Stasi zu Ohren gekommen ist, dann waren das RIAS-Lügen, und die Partei hat ihn prompt vom Gegenteil überzeugt. Manchmal genügte auch schon eine Frage, um sich ein Parteiverfahren einzuhandeln. Ich muß schon sagen, ich bin erst mal sprachlos. Mich hat dein Bericht völlig erschlagen. Hauptsächlich eben deshalb, weil damit erwiesen ist, daß die Westsender die Wahrheit gesagt haben, während wir die Lügner gewesen sind.«
»Den RIAS und die gesamte Westpresse wollen wir doch lieber mal aus dem Spiel lassen«, wehrte Sieber energisch ab. »Ich habe vorhin schon gesagt, daß dieses heikle Thema absichtlich auf einer internen Sitzung behandelt wurde und eine interne Angelegenheit der Partei zu bleiben hat.«
Damit löste er einen Sturm der Entrüstung aus. »Das meinst du«, entgegnete Klara Schröder, »und ich möchte nur wünschen, daß die Angelegenheit wirklich in der Partei bleibt. Aber machen wir uns doch nichts vor. In höchstens zwei oder drei Tagen ist die Sache 'rum, und wir haben die Kritik der Bevölkerung auf dem Hals.«
Klara erntete einhellige Zustimmung. »In welchen hohen Regionen schwebt eigentlich unsere Parteiführung?«, fragte ein anderer Genosse. »Die Moskauer Parteitagsdelegierten mögen so abgeschieden von der Bevölkerung leben, daß es für sie mit der Diskussion im Parteiapparat getan ist. Wir aber leben und wohnen mit Parteilosen zusammen, hier in Berlin, mit Menschen, die täglich nach Westberlin gehen, Westsender hören und sehen, Westzeitungen lesen, und die wir trotzdem überzeugen sollen! Sie müssen uns ja für unglaubwürdig halten, wenn wir sie gestern noch als Lügner, Provokateure und Hetzpropagandisten bezeichneten und heute zugeben müssen, daß sie recht hatten.«
»Wer garantiert mir dafür, daß das jetzt die volle Wahrheit ist?«, wollte ein anderer wissen. Und: »Welche Garantien denkt die Partei zu schaffen, damit sich solche Auswüchse nicht wiederholen?«, fragte der nächste den Parteisekretär. Sieber war auf diese Fragen vorbereitet. Ich hatte bereits das geheime Informationsmaterial gelesen, das das Politbüro den Parteisekretären auf ihren schweren Gang mitgegeben hatte. Daran hielt sich Sieber: »Zunächst muß man berücksichtigen, daß der XX. Parteitag die Untersuchungen über den Personenkult und die damit zusammenhängenden Verletzungen der Leninschen Normen des Parteilebens erst eingeleitet hat. Wohl sind die wichtigsten Verfehlungen des Genossen Stalin kritisiert und die schwerwiegendsten Irrtümer korrigiert worden. Aber dieser Prozeß wird weitergehen, Genossen. Die KPdSU hat eine Kommission eingesetzt, die sich mit der Überprüfung aller Verfahren und Urteile gegen bewährte Kommunisten beschäftigt und im einzelnen klären soll, wo persönliche Willkür Stalins oder der Berija-Clique vorgelegen hat. In dieser Weise wird auch unsere Partei verfahren. Das betrifft jedoch nicht nur Fälle von persönlicher Willkür und Massenrepressalien, sondern die Untersuchungen werden auf alle Bereiche unserer Gesellschaft ausgedehnt. Die Genossen Wissenschaftler müssen beispielsweise kritisch überprüfen, welche Lehrsätze des Genossen Stalin unsere Entwicklung hemmen, weil sie überholt sind, nicht mehr mit dem Leben übereinstimmen oder auf einer falschen Beurteilung der realen Gegebenheiten aufgebaut waren. Das ist besonders wichtig für unsere Parteiorganisation. Auf uns Genossen in der Plankommission wird es ankommen, die ökonomischen Lehrsätze des Genossen Stalin kritisch zu beleuchten, ohne dabei jedoch dem Revisionismus, Trotzkismus, Sozialdemokratismus und anderen parteifeindlichen Ideologien Tür und Tor zu öffnen. Aber das Wichtigste

ist: Die Partei ist fest entschlossen, die Leninschen Normen des Parteilebens wiederherzustellen, das heißt, die kollektive Führung zu respektieren und zu sichern, damit Willkürakte eines einzelnen ausgeschlossen werden.«
Danach machte er eine wesentliche Einschränkung: »Ich darf jedoch darauf hinweisen, daß es in der SED zu keinen Ausschreitungen dieser Art gekommen ist. Unser Zentralkomitee hat unter Führung des Genossen Walter Ulbricht regelmäßig seine Sitzungen abgehalten. Wir haben statutengemäß unsere Parteitage und dazwischen sogar noch Parteikonferenzen einberufen. Das Kollektiv des Politbüros hält seine Sitzungen allwöchentlich ab, und der Ministerrat sowie die Volkskammer wurden bei uns in keiner wichtigen Staatsangelegenheit übergangen. Wo dennoch Fehler und Überspitzungen vorgekommen waren, sind sie von unserer Partei bereits vor drei Jahren, kurz nach Stalins Tod, mit großer Kühnheit aus der Welt geschafft worden. Indem wir auf diesem Weg fortschreiten, wird am ehesten die Gewähr geboten, daß sich solche Ausschreitungen nicht wiederholen, oder vielmehr, daß es bei uns gar nicht erst zu solchen Dingen kommt wie in der Sowjetunion.«
Damit war die offizielle Diskussion beendet. Sieber hatte deutlich den von Ulbricht bestimmten Kurs der SED verteidigt und damit zu verstehen gegeben, daß es in der Zone zu keiner wirklichen Entstalinisierung kommen werde. Aber damit war der XX. Parteitag keineswegs abgetan. Wenn die offene Aussprache in der Partei auch erstickt worden war, in kleinen Gruppen und Grüppchen lebte sie um so heftiger auf. Sie sollte nie mehr ein Ende finden.

Quelle: Schenk, 1962, S. 283–289.

8.4. Aktivtagung der SED-Organisation in der Humboldt-Universität (Mai 1956)

Robert Havemann

Welche großen Hoffnungen hatten uns vor zehn Jahren bewegt!
Es mag auch im Mai gewesen sein, im Mai 1956, als die Parteiorganisation der Humboldt-Universität eine Aktivtagung durchführte, in der Schlußfolgerungen für die Politik an der Universität aus den Ergebnissen des XX. Parteitages gezogen werden sollten. Es war ein kleines, sorgfältig ausgewähltes Aktiv, etwa hundertfünfzig Genossen. Im Präsidium saß die gesamte Universitätsparteileitung und, das war das Außergewöhnliche dieser Tagung, der Genosse Walter Ulbricht.
Es begann mit einem Referat des Sekretärs der Parteileitung. Offensichtlich war es das mühsam zustande gebrachte Werk eines Kollektivs. Gähnende Langeweile breitete es aus, eine Sammlung von Parteigrundsätzen der Vergangenheit, trotz ängstlich eingefügter Wenn und Aber ohne jede Stellungnahme zu den umwälzenden neuen Ideen des XX. Parteikongresses. Dann folgte die Diskussion, auf gleichem Niveau. Als siebter Redner erhielt ich das Wort. Wir hatten in unserer Grundorganisation schon stundenlange Diskussionen über den XX. Parteitag geführt, auch mit vielen Parteilosen, und großen Erfolg dabei gehabt. Ich sagte einfach, was aus diesen Diskussionen hervorgegangen war:
»Der XX. Parteitag der KPdSU bedeutet einen historischen Wendepunkt in der Entwicklung der Weltrevolution. Seit der siegreichen sozialistischen Oktoberrevolution kämpfte unsere Bewegung in dem einen Land in der tödlichen Umkreisung durch den Imperialismus. Aber die Revolution behauptete sich, sie siegte über die Interventen, über den Hunger, sie zermalmte die faschistische Bestie, neue Völker beschritten den Weg zum Sozialismus, das riesige China mit seinen 500 oder 600 Millionen Menschen, halb Asien, die osteuropäischen Staaten, dieser Teil Deutschlands, unsere DDR. Wir haben den Kreis, der uns einschnüren sollte, immer wieder ausgedehnt in dieser Welt. Und wie es mit einem Kreis ist, auf unserer Weltkugel, er kann wohl wachsen und immer mehr wachsen, aber dann kommt der Augenblick, wo er zum größten Kreis geworden ist, und dann, je mehr sich seine Peripherie vom Mittelpunkt entfernt, wird der Kreis kleiner, aus einem Kreis um uns zu einem Kreis um die anderen. In dieser Phase befinden wir uns jetzt. Noch sind große Kämpfe zu bestehen. Die vielen Völker, die noch in kolonialer Unterdrückung leben, in Asien, in Afrika und Südamerika, sie sind doch schon unsere Verbündeten, unsere potentiellen Mitstreiter. Und auch die Arbeiterklasse in den großen kapitalistischen Zentren beginnt den neuen Hauch der Weltrevolution zu spüren. Der Sozialismus, das ist nicht mehr dieses arme riesige Rußland mit seinen landlosen Bauern, seinen Analphabeten, seinem Hunger, das ist heute eine Weltmacht, die alle respektieren, ob sie wollen oder nicht. So treten wir in eine neue Phase der Weltrevolution, aus der Defensive in die Offensive, aber nicht in eine Offensive mit den Waffen des Krieges, sondern bewaffnet mit unseren unüberwindlichen Ideen, den Ideen des Marxismus, die in der vergangenen ersten Phase durch den Pulverrauch des Kampfes vernebelt, durch unsere eigene Blindheit verzerrt und verschüttet worden sind. Wir werden die Menschen in aller Welt mit unseren alten, ewig jungen Ideen in Bewegung setzen. Das erfordert neue Methoden des politischen Kampfes, besser sage ich, der unermüdlichen politischen Arbeit. Wir müssen

durch Überzeugung, nicht mit Gewalt die Menschen für uns gewinnen.
Gewalt? Bisher wurde sie gegen uns angewendet, jetzt verfügen wir selbst über die mächtigsten Waffen der Welt. Die Sowjetunion besitzt nicht nur die Atombombe, sie schuf auch als erste eine militärisch brauchbare Wasserstoffbombe mit einer Sprengkraft von vielen Megatonnen gewöhnlicher Sprengstoffe. Aber wir bedrohen die Welt nicht mit der Wasserstoffbombe. Sie ist nur unser Argument für die amerikanischen Atomstrategen, ihren verbrecherischen Mut zu kühlen, sie abzuhalten von dem Wahnsinn eines neuen Krieges. Weil wir die Welt besiegen könnten, ist der Weltkrieg nicht mehr unvermeidlich, wie noch zu Lenins Zeiten. Das ist die Dialektik. Wir werden die Welt gewinnen, aber nicht als rauchenden Trümmerhaufen, sondern in Frieden mit der Waffe unserer Ideen. Wir müssen sie wieder neu beleben. In der Periode des Personenkults um Stalin ist der Marxismus arm geworden. Unsere sowjetischen Genossen haben diesen Teufelskreis durchbrochen. Was Personenkult bedeutet, das haben wir hier in Hitlerdeutschland zur Genüge erlebt. Aber der Personenkult um Hitler konnte nur in den Trümmern unseres Landes untergehen. Wir Kommunisten haben unseren Personenkult selbst überwunden, aus eigener Kraft. Das war die historische Notwendigkeit, die sich, wie der Marxismus lehrt, durchsetzt, auch bei uns selbst. Wir hier an der Universität haben große Aufgaben vor uns. Unsere Gesellschaftswissenschaftler müssen den Dogmatismus überwinden. In freiem wissenschaftlichem Meinungsstreit mit allen Ideen der Welt müssen wir unsere alte Kraft wiedergewinnen. Unsere Philosophie ist modern, sie wird die Jugend begeistern. Wir müssen sie nur freilegen, mit neuen Ideen bereichern. Wir müssen uns endlich auch als Marxisten schöpferisch betätigen. Das ist die Aufgabe, die uns der XX. Parteitag stellt, die von uns abverlangt wird als Beitrag in der Endphase der Weltrevolution, die jetzt anhebt.«
Ich hatte kaum geendet, noch nicht das Rednerpult verlassen, als eine junge Genossin, Mitglied der Parteileitung, aufsprang, neben mich ans Pult trat und mit hektischer Röte übergossen rief:
»Das ist unerhört, eine Beleidigung der Partei, nie hätte ich das von dir erwartet, Genosse Havemann, in Gegenwart unseres Genossen Walter Ulbricht so maßlos und unverschämt zu sprechen, ich weiß nicht, was ich sagen soll, ich. . .«
Sie beendete ihren Protestschrei nicht, man zog sie weg und gab dem nächsten Diskussionsredner das Wort. Es kamen noch viele Redner. Einer nach dem anderen, größtenteils Philosophen und Gesellschaftswissenschaftler, lobte die junge Genossin, bezeugte Verständnis für ihre spontane Erregung und rechnete dann unbarmherzig mit mir ab. »Kleinbürgerliches Gefasel, Großsprecherei und Protzerei mit dem aufgeblasenen Wort Weltrevolution, Beleidigung der Sowjetunion, das kann nicht unwidersprochen bleiben, das kann man nicht dem Schlußwort überlassen.« Das waren die Kraftworte, mit denen man mich erschlug. Die Redner versuchten, sich gegenseitig in der Demonstration ihrer Parteitreue zu übertreffen. Die Gelegenheit war auch einzigartig. Der Genosse Ulbricht war Augen- und Ohrenzeuge ihres mutigen Eintretens für die Partei und – für ihn. Das Schlußwort, dem man es nicht allein überlassen wollte, das wußten alle, würde der Genosse Ulbricht selber halten. Jeder rechnete sich schon aus, wie groß die Portion Lob und Segen sein werde, die ihm dank seiner klugen und mutigen Rede zuteil werden würde. In ihrem hemmungslosen Eifer hatten diese Arschkriecher nicht den geringsten Sinn dafür, in wie peinlicher Weise sie die schlechte Meinung zum Ausdruck brachten, die sie alle von dem Genossen Ulbricht hatten.
Dann kam die Pause vor dem Schlußwort. Wie ein Aussätziger gemieden, schlich ich einher. Man kannte mich nicht mehr, sie gingen an mir vorbei, das Äußerste war ein mitleidiger Blick, gemischt mit der Neugierde, die sich einem Opfer zuwendet, dessen Hinrichtung kurz bevorsteht.
Als Walter Ulbricht an das Rednerpult trat, herrschte eine von äußerster Spannung geladene Stille. Mit einer merkwürdigen Liebenswürdigkeit, merkwürdig, weil ihr unverkennbar eine genau berechnete Dosis Hohn beigemischt war, machte er den atemlos lauschenden Klassenkämpfern klar, daß sie noch sehr wenig vom Wesen und Sinn des XX. Parteitages erfaßt hätten. »Man kann das verstehen, wenn man bedenkt, daß ihr hier an der Universität ziemlich weit ab vom wirklichen Leben in einer recht sterilen Atmosphäre lebt. Hier muß jetzt endlich ein frischerer Wind wehen. . .« Und dann fiel das Wort, das niemand erwartet hatte: »Eins muß ich sagen, der einzige hier von euch, der gezeigt hat, worauf es jetzt ankommt, das ist der Genosse Havemann.« Eine geradezu gespenstische Lautlosigkeit folgte diesen Worten. Keiner der lobhudelnden Schönredner wurde in der Rede Ulbrichts auch nur mit einem Wort bedacht. Ulbricht sagte mit aller Deutlichkeit, was zu sagen war, aber zugleich sagte er es mit Behutsamkeit, mit landesväterlicher Freundlichkeit.
Die professoralen Kriecher und Karrieristen haben mir den blamablen Reinfall nie verziehen. Als die Versammlung sich auflöste, wagten es zwar einige wieder, sich mit mir zu zeigen, mir freundschaftlich auf die Schulter zu klopfen und mich nach draußen zu begleiten. Aber sie wußten auch, daß einige der Mächtigen unter ihnen auf Rache aus waren.

Das erste Ergebnis dieses außergewöhnlichen Vorfalls war, daß ich von der Redaktion des »Neuen Deutschland« aufgefordert wurde, einen ganzseitigen Artikel über das Thema »Gegen den Dogmatismus, für den wissenschaftlichen Meinungsstreit« zu schreiben.[1] Der Artikel erschien wenige Tage später in großer Aufmachung. Er löste eine wochenlang dauernde Pressediskussion aus.

1 Veröffentlicht unter dem Titel »Meinungsstreit fördert die Wissenschaften. Idealistische Wurzeln des Dogmatismus. Erstarrung behindert wissenschaftliche Erkenntnis«, in: Neues Deutschland, Nr. 162, vom 7./8. Juli 1956, Beilage S. 3; vgl. auch R. Havemann, »Philosophie und Dogmatismus«, in: Neues Deutschland, Nr. 225, vom 20. 9. 1956, S. 4. (Anm. d. Red.)

Quelle: Havemann, 1979, S. 107–112.

8.5. Versammlungen, Diskussionen im Institut für Literatur in Leipzig

Erich Loest

Mit größter Erwartung setzte sich L. in eine Institutsversammlung, in der Michael Janzen über den XX. Parteitag referieren wollte.[1] Von herrlichen wirtschaftlichen Erfolgen hörte L., von gigantischen Plänen, von der Geschlossenheit der Sowjetvölker, mit der sie dem Kommunismus entgegeneilten. Gewiß, auch von bestimmten Unzulänglichkeiten der letzten Jahre wäre gesprochen worden, wie sollte bei einem so riesigen Werk nicht hier und da ein wenig Sand ins Getriebe geraten können? Die Genossen hätten ihn inzwischen hinausgepustet. Daraus machten nun westliche Gazetten eine Sensation! Michael Janzen lächelte siegesgewiß: Die Geschichte würde darüber hinweggehen. Der Chronist ist sich nicht sicher, ob schon Janzen dieses Wort für die Untaten Stalins gebrauchte oder ob es erst später durch Wagner[2] aufkam: »Sensatiönchen«.

Nach der Vorlesung, noch auf dem Korridor, ging L. auf Janzen zu. »Herr Professor, ich bin sehr traurig«, begann er. »Und warum sind Sie das?« fragte Janzen. Er hätte eine Antwort auf das erwartet, was ihn bewegte, klagte L., die umschwirrenden Gerüchte über Straflager und Liquidierung verdienter Genossen, was wäre denn nun wahr am bisherigen Geschichtsbild und was nicht? Kirow wäre also, das hätte Chruschtschow angeblich enthüllt, nicht ermordet worden, und was wäre dann mit dem Mord an Gorki, mit...

Im Nu waren Janzen und L. umringt. Einer mischte sich ein, ein Freund L.s – wie sich hinterher herausstellte, wollte er ihm beispringen –, aber L. war schon so in Fahrt, daß er ihn anschrie: »Halt die Schnauze, jetzt rede ich!« Enttäuschung brach aus ihm heraus, daß sie wie Kinder behandelt würden, über Maisanbau und Erdölförderung dürften sie etwas wissen, aber das ideologisch Wichtige bliebe für sie in den Schubläden. »Deshalb bin ich traurig«, schloß L., »und das besonders über Sie.«

Erstarrung in allen Gesichtern. Janzen machte nicht die geringsten Ausflüchte. Wenn es der allgemeine Wunsch wäre, wollte er die Versammlung fortsetzen. Er werde sich bemühen, neues Material zu bekommen, in einigen Tagen wolle er noch einmal konferieren.

Aber nicht Janzen sprach, sondern Kurella[3]. Er merkte, daß in seinem Institut eine Bombe tickte, und machte sich daran, sie zu entschärfen. Da war nichts von der Leichtfertigkeit, Chruschtschows Stalinkritik als »Sensatiönchen« abzutun. Er konzentrierte sich auf die Prozesse vor dem Krieg; die Sowjetunion sei umstellt gewesen von Feinden, die sie zu erwürgen drohten, mit allen Mitteln der Spionage und Sabotage sei versucht worden, sie zu unterwühlen, sie habe sich gegen den weißen mit dem roten Terror wehren müssen, dabei wäre es nicht immer möglich gewesen, die Gerechten von den Ungerechten zu scheiden. Eine Metapher brauchte er, die den Atem stocken ließ, dabei kreiste sein Zeigefinger auf dem Unterarm: Wenn ein Arzt ein Krebsgeschwür herausschneide, wäre es nicht zu vermeiden, daß er auch gesunde Zellen entfernte. Im *gesunden* Fleisch müsse er schneiden, denn wenn nur eine einzige befallene Zelle bliebe, wucherte das Geschwür nach. In dieser Versammlung offenbarte er, worüber er weder vorher noch nachher gesprochen hat, daß sein Bruder Heinrich Kurella, Kommunist und Emigrant wie er, damals verhaftet worden, in ein Lager gebracht und seitdem verschollen sei. Kurella stand vor seinen Schülern als einer, dessen Bruder zum Opfer geworden war, Kurella war Kommunist geblieben, wie konnten seine Zuhörer nun, bei aller Schrecklichkeit dessen, was enthüllt worden war und vielleicht noch enthüllt werden würde, am Kommunismus zweifeln? Die Revolution in ihrer Kompliziertheit erfordere Opfer, vielleicht sei in der Erziehung der jungen Generation zu wenig auf die Schwere dieses Prozesses hingewiesen worden, davon spreche auch er sich nicht frei. Immer müsse sich der Kommunismus auf neue innere und äußere Bedingungen einstellen. Man werde weiter diskutieren, er stehe zur Verfügung.

1 Gemeint ist eine Versammlung in dem 1955 in Leipzig gegründeten Institut für Literatur (später: Institut für Literatur »Johannes R. Becher«). Michael Janzen, ein Russe, lehrte dort marxistische Philosophie. (Anm. d. Red.)
2 Siegfried Wagner, Abteilungsleiter für Kultur der SED-Bezirksleitung Leipzig. (Anm. d. Red.)
3 Alfred Kurella war der erste Direktor (bis 1957) des Instituts für Literatur. (Anm. d. Red.)

Seine Hörer saßen wie gebannt. Kurella hatte ihnen Vertrauen entgegengebracht, sie fühlten sich einbezogen. Vor drei Jahren, als Stalin gestorben war – diese Reden, Gedichte, Gefühle galten nicht mehr. Stalin war kein Gott, er war ein Mensch und hatte Fehler von schwindelerregendem Ausmaß begangen.

Natürlich Fragen, Fragen. Der Hitler-Stalin-Pakt in neuem Licht? Wenn es in der Sowjetunion Verstöße gegen die Demokratie gegeben hatte, wenn in der ČSSR, in Ungarn und Bulgarien die Gesetzlichkeit verletzt worden war, wie stünde es damit in der DDR? Wenn der Weg Stalins oder doch ein Teil davon falsch war, vielleicht wäre dann der seines ärgsten Widersachers, Trotzki, richtig gewesen? Auf einmal hatten alle das Gefühl, daß es möglich war, *alle* Fragen aufzuwerfen, selbst solche, vor denen sie sich gehütet hatten, sie in der eigenen Brust zu stellen. Kurella warnte: Wenn etwas falsch gewesen war, mußte nicht das Gegenteil richtig sein. Mochte Stalin noch mehr Fehler begangen haben, als bekannt waren: Trotzki war und blieb ein Feind.

Eine Debatte war in Fluß gekommen, sie schwoll an, Begriffe wurden wie Bälle geworfen: Personenkult, Dogmatismus, Verletzung der Gesetzlichkeit, Apparat, Apparatschik, sehr bald: Stalinismus. Für L. war dieses Suchen, Bohren nicht neu; jetzt, sagte er sich und anderen, tauchen Probleme wieder auf, die wir nach dem 17. Juni verdrängt haben. Die große Gelegenheit ist da, Verkrustungen aufzubrechen, den Kommunismus wieder in Bewegung zu bringen. An ihm sollte es abermals nicht fehlen.

(...)

Eine Nacht war gefüllt damit, die Geheimrede Chruschtschows zu lesen. Irgendwie war sie aus der geschlossenen Parteitagssitzung in den Westen gelangt, dort publiziert und in die DDR geschleust worden, sie kursierte unter der Hand. L. bekam sie von einem Freund, las sie, gab sie tags darauf zurück.

(...)

Ganz langsam, vorsichtig rührte sich die verschreckte SED:

In einigen Parteiorganisationen wurde Chruschtschows Geheimrede gelesen, nicht am Institut für Literatur. In der DDR wäre die Gesetzlichkeit nie verletzt worden, hieß es beharrlich, auch mit der innerparteilichen Demokratie stünde es hierzulande zum besten. Jetzt gelte es, alle Angriffe auf die Sowjetunion zurückzuweisen, Geschlossenheit sei oberstes Gebot. Klären müssen wir! lärmten junge Genossen dazwischen. Auch Kurella sprach nun wieder verbissener von Festigkeit als nach dem ersten Schock.

L. wartete. Die SED mußte doch reden! Kurt Hager hatte Tito als Faschisten verteufelt, nahm er nun den Hut? Ulbricht hatte Stalin wieder und wieder gepriesen, dieser Kult am 70. Geburtstag und als Stalin starb – wie mochte Ulbricht das erklären? Und die Dichter der Stalinhymnen, Becher, Kuba, Hermlin? Überall hingen Bilder, standen Büsten Stalins. Stalinalleen, Stalinplätze, Stalinstadt sogar. Was nun?

Auf der Bezirksdelegiertenkonferenz in Leipzig Mitte März fand die neue Lage nur spärlichen Niederschlag. Im Referat wurden die Ergebnisse des XX. Parteitags natürlich begrüßt, die friedliche Koexistenz freilich so erklärt, daß der Friedenskampf nur dann Erfolg hätte, wenn die sozialistischen Länder stark blieben. Keine Schwächung der Volksarmee und der Kampfgruppen! Ein Parlamentssieg des Sozialismus sei nur einer geeinten, starken Arbeiterklasse möglich. Nicht etwa, daß die SPD nun auf einmal recht gehabt hätte! Sekretär Paul Fröhlich[4] – unter seiner Bezirksherrschaft wurde später die Universitätskirche in die Luft gejagt – zog an bewährten Zügeln: »So kritisierten wir die Redaktion der ›LVZ‹[5], weil sie zuließ, daß besonders während der Weihnachtszeit religiöser Aberglauben verbreitet wurde.« Immerhin: Es sollten Aktivs gebildet werden, die sich mit den neuen Fragen beschäftigten. Albert Norden als Gast des ZK rief: »So war und bleibt Genosse Stalin ein hervorragender Funktionär der Arbeiterbewegung, und niemand denkt daran, sich von ihm zu trennen. Wir trennen uns nur von seinen Fehlern.« Und, fragte er, hätten Karl Liebknecht und Rosa Luxemburg nicht auch Fehler begangen? Die kollektive Führung in der Sowjetunion sei wiederhergestellt, der Feind selbst spüre die Wirkung. »Denn warum erhebt er ein solches Geschrei über das, was er am liebsten als einen ›Fall Stalin‹ konstruieren möchte? Er will, daß wir uns mit nichts anderem beschäftigen sollen. Er will ablenken davon, daß die Sowjetunion 1960 dreimal so viel Industrieprodukte erzeugen wird wie 1950!« Das sei die Hauptsache: In historisch kürzester Frist werde die Sowjetunion die USA wirtschaftlich überflügeln.

Ulbricht war es, der auf der Berliner Bezirkskonferenz ein Schrittchen weiterging: »Zu den Klassikern des Marxismus kann man Stalin nicht rechnen.« Vor Jahren hätte es beim Ministerium für Staatssicherheit Tendenzen zu Eigenmächtigkeiten gegeben, aber die seien korrigiert. »Der Stoß, den wir vom XX. Parteitag bekommen haben, ist für uns sehr gesund.« Und: »Für diesen Führerkult tragen wir mit dem ZK der KPdSU die gemeinsame Verantwortung.« Aber Ulbricht ritt auch schon wieder ein flottes Pferd: »Die jungen Genossen sind zum großen Teil so geschult, daß sie bestimmte Dogmen auswendig

4 Paul Fröhlich, 1952–1970 Erster Sekretär der SED-Bezirksleitung Leipzig. (Anm. d. Red.)

5 LVZ = Leipziger Volkszeitung. (Anm. d. Red.)

gelernt haben. Sie wissen über die Biographie des Genossen Stalin mehr und Genaueres als das ganze Politbüro. Aber wenn man sie jetzt fragt: Wie verhalten wir uns in den Fragen der sozialistischen Ökonomik, da liegen sie glatt auf dem Kreuz.« Der Reporter des ›Neuen Deutschland‹ vermerkte Heiterkeit. Da erboste sich L.: Hatte nicht gerade Ulbricht das Studium der Stalinbiographie befohlen? Und L. dachte und sagte es: Es wird endlich Zeit, daß dieser Mann verschwindet.

(...)

Bezirksvorsitzender der Schriftsteller in Leipzig war jetzt Kurella, L. sein Stellvertreter. In dieser Eigenschaft fuhr er bisweilen nach Berlin und geriet in eine Parteiversammlung, in der es heiß herging. Information wurde verlangt, der Schrei nach Wahrheit gellte wieder einmal hinter verschlossenen Türen. Inge v. Wangenheim, während des Faschismus in die Sowjetunion emigriert, gelernte Schauspielerin, rief mit beeindruckender Geste: »Genossen, sagt mir, ob Blut an meinen Händen klebt!« Ein andermal machte sich Bestürzung breit. Verbittert berichtete Bredel, ein »hochgestellter Genosse« hätte seinen Diskussionsbeitrag als feindlich bezeichnet. Wutentbrannt war Bredel, rückte dennoch parteidiszipliniert nicht mit dem Namen dessen heraus, der ihn da beleidigte, fraß seinen Zorn in sich hinein. Andere, darunter Kuba und Hermlin, versicherten, wenn es hart auf hart käme, an Bredels Seite zu stehen. Der Zwist muß wohl still beigelegt worden sein, L. hörte nicht wieder davon.

Wie nach dem 17. Juni ist es, sagte L. im Freundeskreis. Wieder keine Debatte, keine Erneuerung, schon wieder ist fast alles unter den Teppich gekehrt. Was, wenn darunter kein Platz mehr ist?

Diese Flut von Witzen! Sarkastisch waren sie, böse, sie ließen das Lachen erfrieren.

Drei Sträflinge sind entlassen und fahren mit dem Zug nach Hause. Sie fragen sich, warum sie gesessen haben. Der erste: »Ich war für Popow.« Der zweite: »Ich war gegen Popow.« Nach einer Weile der dritte: »Ich bin Popow.«

Stalin hält ein Referat, ein Genosse niest. Stalin fragt: »Genossen, wer hat hier geniest?« Als sich niemand meldet, kommen NKWD-Männer herein und erschießen die erste Reihe. Stalin fragt: »Genossen, wer hat hier geniest?« Als sich wieder niemand meldet, wird die zweite Reihe liquidiert. Der Mann, der geniest hat, sitzt in der dritten Reihe, er denkt: Es hat keinen Zweck mehr, jetzt bist du so oder so dran. Als Stalin ein drittes Mal fragt, wer geniest hat, steht er auf: »Ich, Genosse Stalin.« Und Stalin sagt: »Gesundheit!«

Quelle: Loest, 1981, S. 271–279.

Erich Honecker

9. Aus dem »Porträt« von Heinz Lippmann*

9.1. Ein Schlüsselerlebnis: Die erste Reise nach dem Kriege in die Sowjetunion

Tatsächlich war diese erste Reise in die Sowjetunion für Honecker und für die anderen Delegationsteilnehmer ein nachhaltiges Erlebnis. Sie waren die ersten, die nach dem Kriege Gelegenheit hatten, die Sowjetunion zu besuchen. Die fürchterlichen Verwüstungen in Stalingrad und Leningrad waren noch deutlich sichtbar und erschütterten Honecker tief. Es war keine Schau und gehörte nicht zu seiner politischen Rolle, als er uns im privaten Gespräch nach der Sondersitzung des Zentralrates über seine persönlichen Eindrücke berichtete. Er erzählte begeistert von den Veränderungen in Moskau im Vergleich zu seinen Erinnerungen aus dem Jahre 1930. Besonders hätten ihn die vielen neuen Bauten beeindruckt. Er vertrat die Meinung, daß die ungeheure Bautätigkeit – er meinte, mehr als die Hälfte der Häuser habe 1930 noch nicht gestanden – Ausdruck der Unbesiegbarkeit des Sowjetsystems sei. Wenn man bedenke, so sagte er damals, unter welchen Umständen die sowjetischen Genossen 1917 angefangen hätten, umgeben von einer Welt von Feinden, mit einem rückständigen, analphabetischen Volk, geschwächt durch Intervention, Bürgerkrieg, Not, Hunger, inneren Terror und Sabotage, wenn man die Dimensionen dieses Riesenreiches berücksichtige und wenn man vor allem daran denke, daß sie eigentlich nur zehn oder zwölf Jahre Zeit gehabt hätten, um zwischen den Wirren von Bürgerkrieg und Intervention bis zum Zweiten Weltkrieg den inneren Aufbau vorzunehmen, dann werde deutlich, welch ungeheure Pionierleistungen der Kommunismus vollbringen könne. Damals hörte ich Honecker zum ersten Mal überzeugend und glaubwürdig seine Meinung über die Zukunft Deutschlands äußern. »Ich kann euch nur sagen, Genossen, 1930 war ich begeistert von dem Zukunftsglauben der sowjetischen Genossen. Damals habe ich weniger die Aufbauleistungen als die Dynamik und die Kraft der Sowjetmenschen bewundert. Sie sprachen immer nur davon, was morgen alles sein wird, und ich mußte viel Phantasie aufbringen, um mir das vorstellen zu können. Jetzt dagegen habe ich gesehen, was sie in den zehn Jahren alles geschafft haben. Und nun weiß ich hundertprozentig, daß nichts mehr geschehen kann, sie auf ihrem Weg zum Kommunismus aufzuhalten. Und ich will euch noch etwas sagen: Wenn wir in Deutschland unser Ziel erreichen wollen, aus den Trümmern des Hitler-Faschismus ein modernes sozialistisches Deutschland zu bauen, dann können wir das nur und einzig und allein mit Unterstützung und an der Seite der sowjetischen Genossen. Die Nazi-Okkupanten haben zwar dem Sowjetland ungeheure Wunden geschlagen, aber nachdem ich gesehen habe, was sie von 1930 bis 1940 geschaffen haben, besteht für mich kein Zweifel mehr. Die Sowjetunion wird in wenigen Jahren nicht nur diese Wunden geheilt haben, sondern ein starker, nein der stärkste Staat der Welt geworden sein. Wenn wir mit der Sowjetunion verbündet bleiben, werden wir bald ganz Deutschland besitzen, und dann kann nichts mehr den Sozialismus in Europa aufhalten. . .«

Dieses Gespräch fand vor mehr als 20 Jahren statt, aber es ist mir heute noch sehr lebendig in Erinnerung, so begeistert und mit suggestiver Überzeugungskraft hat Erich Honecker damals sein Bekenntnis zur Sowjetunion abgelegt. Rückblickend bin ich der Überzeugung, daß diese erste Reise in die Sowjetunion nach dem Zweiten Weltkrieg für ihn ein Markstein seiner Entwicklung gewesen ist. Wenn in späteren Jahren im Entscheidungszentrum der FDJ Zweifel oder Kritik an der Sowjetunion auftauchten, begnügte Honecker sich nicht damit, auf die Beschlüsse der Partei oder die Opfer der Sowjetunion im Zweiten Weltkrieg hinzuweisen. Immer wieder erinnerte er sich seiner Reiseeindrücke von 1947 und betonte, was immer auch geschehen sei, nur an der Seite der Sowjetunion könne die SED eine erfolgreiche Politik betreiben.

Während der Reise zeigten manche Begebenheiten aber auch gewisse kleinbürgerliche Wesenszüge Honeckers, die damals nicht nur von anderen Delegationsmitgliedern registriert wurden, sondern die später auch sowjetische Jugendfunktionäre als Ku-

* Honecker. Porträt eines Nachfolgers, Köln 1971.

riosum verzeichneten. So berichtet Herbert Geisler in seinen Tagebuchblättern amüsiert, daß Honecker einen Satz Skatkarten mit auf die Reise genommen hatte: »Zollabfertigung. Unsere Koffer werden überprüft. Es ist alles in Ordnung. Nur Erichs Skatkarten werden belächelt. . .«[1]
Oder: »Immer wieder sehen wir, daß Männer ihre Kinder auf den Armen tragen, mit einer stolzen Miene, die ihresgleichen sucht. Edith (Baumann) kann sich nicht beruhigen, ›das wird in Berlin beim Frauenbund besprochen!‹ – Erich widerspricht, indem er sagt: ›Aber nicht eingeführt!‹«[2]
So sehr er die Sowjetunion bewunderte, für seine persönlichen Verhältnisse und auch für Deutschland wollte er gewisse Dinge nicht übernommen sehen. In Erinnerung an seine Eindrücke aus Stalingrad, wo damals noch viele Menschen in Erdhöhlen hausten, erklärte er mit einem Seitenblick auf Edith Baumann: »Wir könnten uns so etwas überhaupt nicht vorstellen. Bei uns würde schon die Welt zusammenbrechen, wenn wir kein Klosett mit Wasserspülung und keine Bademöglichkeit hätten.« Diese Bemerkung schien mir damals trotz aller Bewunderung für die Genügsamkeit der Sowjetmenschen doch auch zu zeigen, daß sich Honecker sehr wohl über das historisch bedingte Zivilisationsgefälle zwischen Rußland und Deutschland im klaren war.
Und noch etwas wurde deutlich: Honecker war damals bereits fest in das bürokratische Stufensystem integriert. Er berichtete zwar bewegt und überzeugend von seinem Schamgefühl, das er als Deutscher empfunden hätte angesichts der Verwüstungen in Stalingrad und Leningrad. Es schien ihm aber völlig selbstverständlich zu sein, daß die Delegation mit allem Komfort untergebracht und reichlich bewirtet wurde, während die Einwohner dieser Städte in Erdlöchern hausten und mit einem Existenzminimum auskommen mußten. Die sowjetischen Gastgeber zu bitten, von dieser reichen Bewirtung abzusehen und die deutsche Gruppe nicht anders als die Bürger der Sowjetunion zu verpflegen, dieser Gedanke kam ihm nicht. Ich glaube, es war Otto Funke aus Thüringen, der ihn damals mit einer solchen Frage konfrontierte. Honecker sah Funke verständnislos an. Er schien peinlich berührt und sagte dann, sie hätten zwar erwartet, in Stalingrad in Zelten übernachten zu müssen. Als sie aber die bewunderungswürdigen Aufbauerfolge in dieser Stadt gesehen hätten, wäre es für sie als Delegation der deutschen Jugend selbstverständlich gewesen, die sowjetischen Genossen nicht zu beleidigen. . . Er setzte hinzu, eine solche Vorstellung käme der Gleichmacherei sehr nahe und sei bürgerliches Geschwätz.
So hatte diese Reise in die UdSSR neben ihrer offiziellen politischen Bedeutung für Honecker auch eine persönliche: Nach zehn Jahren Haft und mancher ideologischen Unsicherheit durch die komplizierte Volksfronttaktik in der überparteilichen Jugendorganisation hatte er nun wieder festen Boden unter den Füßen. Er hat das zwar nie ausgesprochen, aber wir alle spürten: Seit dieser Reise war er selbstbewußter und in seinem Auftreten entschiedener geworden.

1 E. Honecker, Friedensflug nach Osten, aufgezeichnet von Herbert Geisler, Berlin (Ost) 1947, S. 49. (Anm. d. Verf.)
2 A. a. O., S. 71. (Anm. d. Verf.)

9.2. Erschütterung bei Stalins Tod

Am 5. März 1953 starb Stalin. Sein Tod verstärkte die Unsicherheit der führenden Funktionäre. Honecker war erschüttert. Als das erste Bulletin der Leibärzte den Ernst der Erkrankung Stalins bekanntgab, konnte ich Honecker beobachten. Er schien es nicht fassen zu können. Offensichtlich hatte er sich nie Gedanken darüber gemacht, daß auch Stalin – inzwischen 73 Jahre alt – einmal sterben mußte. Als Honecker das Sekretariat zusammenrief, versagte seine Stimme, und Tränen rannen über seine Wangen. Aber auch alle anderen Sekretäre konnten eine tiefe Bewegung nicht unterdrücken. Als ich Honekker berichtete, wie Johannes R. Becher, damals Minister für Kultur, auf die Nachricht von der Erkrankung Stalins reagiert hatte, war seine Empörung zweifellos echt. Ich hatte Becher in seiner Privatwohnung aufgesucht, als ich ihm die Bitte übermittelte, die Präsidentschaft für das Nationale Komitee der nächsten Weltfestspiele zu übernehmen. Er sagte, er habe wenig Zeit und müsse an dem Nachruf für Stalin, einem Gedicht, arbeiten. Auf meine erstaunte Entgegnung, Stalin sei doch noch gar nicht gestorben, antwortete Becher ohne jede Bewegung, fast heiter: »Er wird schon, und ich muß schließlich der erste sein. . .« Als ich das Honecker erzählte, war er zuerst verblüfft, und dann entlud sich seine Abneigung gegenüber Intellektuellen und Künstlern. Sie seien gefühllos, undankbar, besäßen keine Bindung an die Partei, Opferfreudigkeit und Einsatzfähigkeit seien ihnen unbekannt. Dafür ständen Egoismus, Unaufrichtigkeit und Karrierismus bei ihnen an erster Stelle.
Als die Nachricht von Stalins Tod eintraf, wurde er sehr ernst und sagte, jetzt würden sehr schwere Zeiten kommen, die wir nur überwinden könnten, wenn wir fest zusammenhielten, jetzt müsse jeder sein Letztes geben usw. Ich hatte den Eindruck, als befürchte Honecker, daß alles, was seit 1945 aufgebaut worden war, nun zusammenstürzen würde. Natürlich hatte der Tod Stalins uns alle tief erschüttert, aber der Gedanke, daß sich nun alles ändern könne, war uns gar nicht gekommen. Unser Vertrauen in die Sowjet-

union war so stark, daß wir selbstverständlich annahmen, auch der Tod Stalins könnte die kontinuierliche Aufwärtsentwicklung der UdSSR nicht beeinträchtigen. Bei Honecker muß das anders gewesen sein. Als er von der ersten Besprechung bei Ulbricht zurückkam, wirkte er nachdenklich und immer noch bedrückt. Er sprach von der Möglichkeit eines neuen Krieges, von der Chance, die die amerikanischen Imperialisten jetzt ausnutzen würden, um »das führerlos gewordene Weltfriedenslager« zu überfallen. Deshalb müsse vor allem die Wachsamkeit gegenüber inneren und äußeren Feinden verstärkt werden. Die FDJ-Presse wurde angewiesen, den verstärkten Klassenkampf und die Wachsamkeit gegenüber Klassengegnern zu propagieren und über entlarvte Agenten zu berichten.

9.3. Der FDJ-Chef: Einige notierenswerte Geschichten

1949: Begegnung in Budapest mit FDJ-Mitgliedern aus dem Saargebiet

Für Honecker und die FDJ brachte das Jahr 1949 auch einen internationalen Erfolg: Erstmals nach dem Zweiten Weltkrieg konnte eine starke deutsche Jugendgruppe an einer internationalen Veranstaltung teilnehmen. Vom 14. bis 28. August 1949 reisten 750 Jungen und Mädchen, ausschließlich Mitglieder der FDJ, zu den 2. Weltfestspielen nach Budapest, wo sie mit einem eigenen Kulturprogramm aufwarteten und sich auch an den Sportwettkämpfen beteiligten. Vorher hatte die Gruppe an einem mehrwöchigen Lehrgang teilgenommen, der ein einheitliches Auftreten garantieren sollte. Unter den westdeutschen Teilnehmern befand sich auch eine Delegation aus dem Saargebiet, die neben der FDJ-Fahne eine französische Trikolore mitführte. Der Leiter der Delegation, Heinz Merkel, vertrat die Auffassung, das Saargebiet werde nicht mehr zu Deutschland zurückkehren, und die Jugendbewegung an der Saar habe bessere Verbindungen zur Republikanischen Jugend in Frankreich (eine ähnliche Massenorganisation wie die FDJ) als zur FDJ Westdeutschlands. Als Honecker davon erfuhr, erboste er sich. Ich habe ihn selten so unbeherrscht gesehen wie damals. Er bestellte die ganze Gruppe zu sich. Es folgte eine erregte Auseinandersetzung, bei der Honecker vom Kampf der KPD und des KJVD während der Saarbesetzung in den zwanziger Jahren erzählte. Seine Erklärungen gipfelten in der Feststellung, die Saar sei deutsch und bleibe deutsch, und er verbiete der Gruppe, die Trikolore mit sich zu führen. Den erstaunten Einwand Merkels, das sei doch ziemlich gleichgültig, da wir doch alle Internationalisten seien und die viel stärkere kommunistische Bewegung in Frankreich eher Hilfe gewähren könne als die KPD und FDJ in Westdeutschland, die sogar wahrscheinlich eines Tages verboten würden, tat Honecker brüsk ab. Er ließ sich auf kein Argument ein und erklärte abschließend, die Gruppe könne sich an der Delegation nur beteiligen, wenn sie auf die französische Fahne verzichte. Auch in den zwanziger und dreißiger Jahren sei die sozialistische Bewegung in Frankreich stark gewesen, KJVD und KPD hätten auch damals mit den französischen Genossen zusammengearbeitet, ihr Ziel sei jedoch stets gewesen, die Saar für Deutschland zu erhalten. Diese Perspektive dürfe man auch heute nicht aus den Augen verlieren. Selten habe ich Honecker persönlich so engagiert gesehen wie in diesem Fall. Die Saarländer waren durchaus nicht gleich überzeugt. Sie gaben zwar die Fahne ab, versuchten aber in Budapest mit der französischen Delegation zu marschieren. Es kostete erhebliche Anstrengungen, das zu verhindern. Schon auf dem III. Parlament[1] in Leipzig hatte es eine ähnliche Auseinandersetzung zwischen Honecker und Ulbricht einerseits und dem Vertreter des Weltbundes Jacques Denis gegeben (heute Mitglied des ZK der KPF). Damals war ich Zeuge einer Diskussion, in der der französische Kommunist die Meinung vertrat, das Saargebiet müsse bei Frankreich bleiben, während die beiden deutschen Kommunisten Honecker und Ulbricht verbissen dafür eintraten, daß die Saar deutsch sei und deutsch bleibe. Diese Diskussion, die im Salon des Hotels stattfand, begann recht harmlos, wurde dann aber von Ulbricht, assistiert von Honecker, mit außerordentlicher Schärfe geführt. Denis vertrat die Meinung, wenn auch Frankreich und Westdeutschland kapitalistische Staaten seien, so sei doch die sozialistische Bewegung in Frankreich weit stärker als die in den Westzonen Deutschlands. Die französischen Genossen könnten den Genossen an der Saar viel bessere Hilfe geben, und letztlich sei die Bildung einer Volksfrontregierung in Paris nur eine Frage der Zeit, während überhaupt nicht abzusehen sei, ob die deutschen Kommunisten jemals eine solche Situation erreichen könnten. Käme die Saar aber an Westdeutschland, so würde das dort bereits bestehende starke industrielle Potential noch mächtiger, was auch für die SBZ nicht von Vorteil sein könne. Ulbricht bezeichnete diesen Standpunkt als chauvinistisch und arrogant, und Honecker fügte hinzu, noch sei nicht sicher, wem es eher gelingen würde, die Machtverhältnisse zu verändern.

1 Das III. Parlament der FDJ tagte vom 1. bis 5. Juni 1949 in Leipzig. (Anm. d. Red.)

1950: Reise ins Ruhrgebiet

Das größte Ereignis des Jahres 1950 war für Honecker zweifellos das Deutschlandtreffen. Zu Pfingsten sollte eine Million Jugendlicher aus allen Teilen Deutschlands ein unüberhörbares Bekenntnis für die DDR und die Nationale Front des demokratischen Deutschland ablegen. Honecker ließ es sich nicht nehmen, nach Westdeutschland zu reisen, um auf der Landesdelegiertenkonferenz der FDJ von Nordrhein-Westfalen und bei einer Kundgebung in Duisburg die Einladung der FDJ an die westdeutsche Jugend persönlich zu überbringen. Als der für die Westarbeit verantwortliche Sekretär begleitete ich ihn. Ich konnte sehr deutlich feststellen, welche Veränderung in Honecker vorging, als wir im Ruhrgebiet ankamen. Wir wohnten bei Ewald Kaiser, damals Mitglied der Landesleitung der KPD, den Honecker schon aus seiner illegalen Tätigkeit im Ruhrgebiet während der dreißiger Jahre kannte. Kaiser war bereits vor 1933 Bezirkssekretär des KJVD im Ruhrgebiet in Essen gewesen. In dieser Eigenschaft war es ihm gelungen, einen relativ guten Kontakt mit Gruppen junger katholischer Arbeiter an der Ruhr herzustellen, die sich vor allem um den damaligen Kaplan Rossaint (heute Vizepräsident der VVN in der Bundesrepublik) in Oberhausen und später in Düsseldorf gesammelt hatten.[2] Als die Nationalsozialisten 1933 an die Macht kamen, wurde die Zusammenarbeit zwischen der Katholischen Arbeiterjugend um Rossaint und Ewald Kaiser noch enger. Hier lernte auch Honecker Dr. Rossaint kennen, der den bedrängten Jungkommunisten vielfältige Hilfe und Schutz angedeihen ließ. Aus Gesprächen, die Honecker und Kaiser Ende 1949 führten, konnte ich entnehmen, daß Honecker Dr. Rossaint während der illegalen Zeit sehr viel verdankte und das auch nicht vergessen hatte. Wenn er von ihm sprach, wurde deutlich, daß er in Rossaint jene Form der Einheitsfront personifiziert sah, an die er tatsächlich zu glauben schien. Immer unterstrich er Rossaints mutige und selbstlose Haltung während der Nazi-Zeit: »Wenn alle christlichen Kräfte von solchem Geist beseelt wären wie Dr. Rossaint, dann würde die Bildung der Nationalen Front keine Schwierigkeiten bereiten. . .«
Diese Reise war für Honecker ein Ausflug in die Vergangenheit. Selten habe ich ihn so gefühlsbetont und ergriffen gesehen wie in diesen Tagen. Alle Würde und Bürde des Ersten Sekretärs der FDJ, der in der DDR zu den politischen Entscheidungsträgern gehörte, war von ihm abgefallen. Nicht nur bei den abendlichen und nächtlichen Gesprächen mit Ewald Kaiser, Josef Ledwohn und anderen, wenn die Vergangenheit lebendig wurde, sondern auch bei seinem Auftreten auf der Landesdelegiertenkonferenz und auf der Kundgebung wirkte er viel gelöster als in der DDR, sprach mit mehr Enthusiasmus und ließ sich von Begeisterung mitreißen.
Auf der Rückfahrt vertraute er mir an, daß er sich am liebsten selbst für die Funktion des westdeutschen FDJ-Vorsitzenden vorschlagen würde, denn zu diesem Zeitpunkt gab es noch keinen Kandidaten.
Auf dieser Reise habe ich einen anderen Erich Honecker kennengelernt, einen, der spontan reagierte, dessen Temperament mit ihm durchging und der an der unmittelbaren Konfrontation Freude zu haben schien.

1951: Weltjugendfestspiele in Berlin-Ost

Höhepunkt der FDJ-Arbeit 1951 waren die Weltfestspiele in Ostbrlin. Das Treffen bot ein vielfältiges Sport-, Kultur- und Diskussionsprogramm und wurde besonders von den ausländischen Teilnehmern als machtvolle und imposante Massendemonstration betrachtet. Bald zeigte sich dem Eingeweihten jedoch, daß die FDJ dieser gigantischen organisatorischen Aufgabe nicht gewachsen war. Die Verpflegung blieb aus, die Quartiere reichten nicht. Es kam zu grotesken Pannen wie dieser, daß Ministerpräsident Grotewohl nicht auf eine Veranstaltungstribüne gelassen wurde, weil er keine Eintrittskarte besaß. Das Chaos wurde so groß, daß die Partei eingriff und Funktionäre aus dem ZK-Apparat (Gerhard Heidenreich u. a.) dem Organisationskomitee zu Hilfe schicken mußte.
Die Partei, insbesondere Franz Dahlem, übte Kritik an der Leichtfertigkeit und der mangelnden Kontrolle der FDJ-Führung. Die organisatorischen Mißstände waren so offensichtlich, daß auch Ulbricht Honecker in diesem Falle nicht schützen konnte, sondern die Tätigkeit des Sekretariats und des Organisationskomitees kritisierte. Politisch am schwersten wog aber das Verhalten derjenigen FDJler, die die Gelegenheit benutzten, um die Westsektoren aufzusuchen, sich dort verpflegen ließen und an Veranstaltungen teilnahmen. Das war ein harter Schlag für Honecker. Die Kritik der SED-Führung konzentrierte sich auf diesen Punkt. Honecker wurde vorgeworfen, er hätte damit rechnen müssen. Nun hieß es plötzlich, der Bewußtseinsstand der FDJler sei gar nicht so, wie man bisher behauptet habe. Honecker trage dafür die Verantwortung. Er hätte wissen müssen, wie »seine FDJ« reagieren würde. Dieser Grenzverkehr zeige jedenfalls, so meinten Oelßner, Dahlem, Jendretzky und

2 E. Kaiser, »Junge Kommunisten und Katholiken eine Front«, in: Junge Welt, Berlin (Ost), vom 15./16. 6. 1963. (Anm. d. Verf.)

andere, daß Honecker ohne Rücksicht auf diese Gefahren die Weltfestspiele so großartig aufgezogen habe, um sich in den Vordergrund zu spielen.
Angesichts dieser harten Kritik entschloß sich Honecker zur Flucht nach vorn. Er wollte das Überwechseln von FDJlern nach Westberlin mit allen Mitteln verhindern und vielleicht auch durch eine dramatische Aktion die Kritik von sich ablenken. Seine Idee war einfach: »Der Reuter-Magistrat hat uns eingeladen. Wir werden kommen. Aber nicht, wie er sich das vorstellt, einzeln oder in Gruppen, sondern in geschlossenen Formationen, mit unseren blauen Hemden und unseren Fahnen werden wir in die Westsektoren marschieren. Dann werden wir sehen, was sie unternehmen. . .« Honecker rechnete offensichtlich mit Zusammenstößen, die er propagandistisch ausnutzen könnte. Dann würde der Westen die Besuche der FDJler in Westberlin stoppen. Wenn Honecker in Bedrängnis geriet, faßte er leicht rasche Entschlüsse, ohne die Folgen in allen Einzelheiten zu überdenken. Alle Warnungen, daß eine solche Aktion blutig enden könne, wischte er beiseite. Im Gegenteil: Er erinnerte an seine Erlebnisse während des großen Streiks im Jahre 1923: »Damals haben wir Kinder die Kumpels auch vor der Polizei geschützt. Warum sollen das diesmal nicht unsere Mädel tun?« Die Polizei würde sich schon überlegen, ob sie friedlich demonstrierende Mädel und Jungen, die Jugendlieder singen, zusammenknüppeln würde.
Am 15. August marschierten mehrere Marschsäulen zu je 5 000 bis 10 000 Jugendlichen über die Sektorengrenze und wurden fürchterlich zusammengeprügelt. Ein Augenzeuge, Robert Bialek, der als Leiter einer zehntausendköpfigen sächsischen Delegation zu den Weltfestspielen in Berlin weilte, beschreibt die Aktion:
»Es wurde uns erklärt, daß wir nach Überschreiten der Sektorengrenze die strenge Marschordnung auflösen sollten und immer drei Jungen und zwei Mädel einhaken sollten. Dabei müsse darauf geachtet werden, daß die Mädel in der Mitte bleiben. Bialek fragte, ob man Mädel überhaupt mitnehmen müsse, denn ›es steht doch ohne Zweifel fest, daß die Westberliner Polizei nicht ruhig zusehen wird. . .‹. Honecker antwortete darauf: ›Wir werden keine Zusammenstöße provozieren, wir folgen nur der Einladung des Herrn Reuter, wenn aber die Westberliner Polizei die Schande auf sich nehmen will, auf wehrlose Jungen und Mädel einzuschlagen, dann wird die ganze Welt diese »Freiheitsfreunde« verurteilen. Ich bin der Meinung, daß kein Grund vorliegt, ohne Mädel einzumarschieren, denn dann würde es so aussehen, als ob wir eine Schlägerei provozieren wollten. Das aber liegt nicht in unserer Absicht.‹ Anschließend kam Honecker zu Bialek und beschimpfte ihn: ›Warum hast du denn diese blöde Zwischenbemerkung gemacht? Wenn du auch zehnmal mit Zusammenstößen rechnest, deshalb brauchst du doch nicht noch die anderen verrückt machen.‹«
». . . Nach stundenlangem Marsch sammelten wir uns am Treptower Park. Erich Honecker kam angesaust, rief nach mir und sagte: ›Robert, du übernimmst ab sofort die zehntausend Mann und gehst an der linken Seite an der Spitze des Zuges. Es wird ernst, und es wird wahrscheinlich zu ernsten Zusammenstößen kommen. Einige Züge sind schon einmarschiert, und ihr folgt gleich. Nehmt die Mädel gut in die Mitte und schützt sie. Ich vertraue darauf, daß du alle Leute wieder zurückbringst.‹
Ehe ich noch etwas erwidern konnte, war Honecker schon wieder verschwunden. Ich beschloß, den Demonstrationszug ganz langsam weiterzuführen, weil ich die Hoffnung hatte, daß inzwischen das Ganze schon ein Ende haben würde. Da kamen uns auf einmal, ungefähr fünf Minuten von der Sektorengrenze entfernt, Jungen und Mädel in zerrissenen FDJ-Blusen entgegengerannt. Ein mir bekannter Jugendlicher schrie: ›Robert, geh ja nicht dorthin, die schlagen euch alle kaputt. Wir waren schon drinnen, uns haben sie 'rausgeprügelt. Wir haben viele Verletzte . . . Es hat gar keinen Zweck . . . Ihr kommt nicht weiter. Sie gehen mit Gummiknüppeln, Pistolen und Wasserwerfern gegen euch vor. . .‹
Langsam näherten wir uns dem Sektorenübergang. Mit Erleichterung sah ich schon einige Volkspolizeioffiziere auf mich zukommen. . . Ein Hauptmann schrie: ›Kameraden, ihr könnt unmöglich in den Westsektor marschieren. Alle Übergänge sind von Polizei abgeriegelt. . . Wir können euch nicht helfen, weil wir den Sektor nicht verlassen können. Wir müssen zusehen, wie man euch zusammenschlägt. Bleibt deshalb unbedingt hier. . .‹
Inzwischen waren wir bis auf 30 Meter der Sektorengrenze nahe gekommen. Ich ließ den Zug halten und ging auf den Sektorenübergang zu. Hier standen in doppelter Kette Westberliner Polizisten, den Sturmriemen unterm Kinn und den Holzknüppel in der Hand. Die Pistolentaschen waren aufgeknöpft. . . Der Volkspolizeioffizier sagte neben mir: ›Da siehst du, was los ist. Aber das ist noch nicht alles. Die 20 Polizisten, die du hier siehst, sind nur eine Finte. In den Nebenstraßen stehen eine ganze Anzahl besetzter Mannschaftswagen und Wasserwerfer.‹«
Während die beiden noch diskutierten, kam Honekker angefahren. Bialek fährt fort:
»Er kam auf mich zu und sagte: ›Es ist gut, daß du noch nicht drüben bist. Es geht nicht mehr. Wir haben schon Hunderte von Verletzten. Ich werde hier eine Ansprache halten, und dann geht ihr in das Lager zurück.‹ Auf meinen Einwand, daß das vorauszusehen

war, erwiderte er: ›Vergiß nicht den politischen Propagandawert dieser Aktion vor der ganzen Jugend der Welt, die in Berlin ist. Im übrigen, Robert, haben wir bloß nebenbei festgestellt, daß wir mit Hunderttausenden entschlossenen FDJlern in der Lage wären, Westberlin innerhalb von zwei Stunden zu besetzen, wenn wir das gut organisieren und wenn wir das wollen. Das ist auch schon was wert. . .‹«[3]
Soweit der Bericht von Robert Bialek. Tatsächlich war die Anzahl der Schwerverletzten unverhältnismäßig groß.
Auf der Abschlußkundgebung am 19. August erklärte Honecker: »Das ganze deutsche Volk blickt mit Liebe und Verehrung auf die mehr als hunderttausend deutschen Mädchen und Jungen, die am 15. August in dem zur Zeit noch unter dem Zepter der Reuter-Clique stehenden Westberlin durch ihre mutige Demonstration für den Frieden bewiesen haben, daß keine Sektorengrenzen und Sperrgebiete die deutsche Jugend daran hindern können, den Frieden bis zum äußersten zu verteidigen. . .
Aber die Liebe des deutschen Volkes und seiner Jugend zu diesen tapferen jungen Friedenskämpfern ist untrennbar verbunden mit dem glühenden Haß gegen jene entmenschten Horden, die mit Knüppeln, Revolverknäufen, Schlagwaffen und Überfallwagen wie Amokläufer unter den friedliebenden Mädchen und Jungen wüteten, die mit fröhlichen Liedern und Freundschaftsrufen auf den Lippen nach Westberlin kamen, um sich dort mit den friedliebenden Menschen über die Erhaltung des Friedens auszusprechen. . .«[4]
Auf diese Weise versuchte Honecker, die eindeutig fehlgeschlagene Aktion in einen Sieg umzumünzen, aber seine Position in der Partei hatte gelitten.

3 Robert Bialek, Unveröffentlichtes Manuskript, Berlin-Köln 1953–1955, im Besitz von Frau Inge Bialek, Köln, S. 415–418. (Anm. d. Verf.)
4 Dokumente zur Geschichte der Freien Deutschen Jugend, Berlin (Ost), Band II (1960), S. 247 f. (Anm. d. Verf.)

9.4. Zur Kennzeichnung des politischen Führers in seiner Frühzeit Umgang mit Feinden und Freunden

Der schwierigste Teil des Parlamentes[1] stand noch bevor: die Tagung der Ausschüsse, ihre Berichterstattung und die Wahl der neuen Leitung. Hier zeigte sich, daß Honecker bei der Auswahl der Kommissionsleiter keine glückliche Hand gehabt hatte. Obwohl ihm klar war, daß in der Statutenkommission der gefährlichste Sprengstoff lag, wurde mit seiner Zustimmung der sächsische Landessekretär der FDJ, Robert Bialek, als Leiter vorgeschlagen und gewählt. Honecker kannte Bialek als erklärten Feind der Kirchen, der viel lieber eine Arbeiterjugendorganisation gesehen hätte statt der FDJ, die er anfangs als »Mischmasch« bezeichnete. Honecker wußte auch, daß die Kirchen bei der Formulierung der Statuten Bedenken anmelden würden. Schon vor Beginn des Parlamentes hatte er Bialek erklärt: ». . . die Grundrechte der jungen Generation sind vom Sekretariat einstimmig gebilligt worden. Dadurch besteht die Möglichkeit, die Grundrechte auch einstimmig auf dem Parlament zu beschließen. Anders verhält sich die Sache aber bei den Statuten. Hier haben die Vertreter der Kirchen schwere Bedenken geäußert. . . Ich habe daraufhin mit der Partei Rücksprache genommen. Die Partei hat entschieden, daß wir bei den Statuten große Zugeständnisse machen können. Wir haben weiter beschlossen, daß du (Bialek) die Leitung der Statutenkommission übernehmen sollst, da du ja die Statuten selbst mitentworfen hast und am besten darüber Bescheid weißt. Bleib aber auf der Hut, die Kirchen schicken ihre beiden stärksten Vertreter in die Kommission. . .«[2] Am strittigsten war die Frage, wie die Kirchenvertreter in die Leitungen der FDJ integriert werden sollten. Während ein Teil der SED-Funktionäre, vor allem aber Kommunisten aus den Westzonen, die Meinung vertraten, sie müßten wie alle anderen Funktionäre gewählt werden – wer würde schon »Pfaffen« in die FDJ-Leitungen delegieren –, waren die Vertreter der Kirchen der Auffassung, sie würden als Verbindung zwischen Kirche und FDJ wirken, und deshalb sei es das Recht ihrer Kirchenleitung, die entsprechenden Beauftragten in die jeweiligen FDJ-Leitungen zu delegieren. In den Vorbesprechungen hatte man sich auf eine Kompromißformel geeinigt: »Die Leiter der Verbindungsstellen werden nach gemeinsamer Beratung mit der FDJ von den zuständigen Kirchen entsandt.«[3]
Diese Formulierung ging aber jenen FDJlern zu weit, die noch nicht begriffen hatten, warum die Parteiführung soviel Wert auf die Zusammenarbeit mit der Kirche legte. Also war von Anfang an damit zu rechnen, daß es gerade in der Statutenkommission zu Auseinandersetzungen kommen würde. Deshalb war es ein schwerer taktischer Fehler Honeckers, den begabten, aber unbeherrschten Robert Bialek mit der Leitung gerade dieser Kommission zu beauftragen. Und noch einen Fehler beging Honecker damals: Er versäumte, die SED-Mitglieder aus den Ländern und die kommunistischen Vertreter aus den Westzonen, die in diese Kommission gewählt worden waren, vorher

1 Gemeint ist das I. Parlament, 8. – 10. 6. 1946. (Anm. d. Red.)
2 R. Bialek, Unveröffentlichtes Manuskript, a. a. O. [s. Anm. 3 unter 9.3.], S. 133 (Anm. d. Verf.)
3 Erstes Parlament der Freien Deutschen Jugend, Brandenburg an der Havel, Pfingsten 1946, Berlin (Ost) 1946, S. 203. (Anm. d. Verf.)

über den Beschluß der Partei zu informieren und sie zur Parteidisziplin zu verpflichten. Er versäumte sogar, Bialek mitzuteilen, wer in dieser Kommission zur SED und KPD gehörte und wer kein Kommunist war. Es ist später bezweifelt worden, ob es sich dabei tatsächlich um ein Versäumnis handelte, wie Honecker selbstkritisch angab. Edith Baumann vertrat vielmehr die Meinung, es entspreche dem Wesen Honeckers, von einem gewissen Zeitpunkt an die Zügel lockerzulassen und Schwierigkeiten aus dem Wege zu gehen.

Es kam tatsächlich zum Eklat, der in diesem Zusammenhang nur deshalb von Bedeutung ist, weil er eine Verhaltensweise Honeckers deutlich machte. Der Tatbestand ist schnell erzählt. Den härtesten Widerstand gegen Kompromisse bei den Statuten leistete der Landessekretär von Sachsen-Anhalt, Hans Gerats (SED). Dennoch gelang es Robert Bialek, Gerats wenigstens zur Stimmenthaltung zu veranlassen. Nachdem die Kommissionssitzung beendet war, dauerte die Auseinandersetzung zwischen Gerats und Bialek an. Bei dieser Gelegenheit erklärte Bialek:

»... Entsprechend der politischen Notwendigkeit ... ist die FDJ die richtige Politik. Gerade weil wir langsam die deutsche Jugend dem Einfluß der Kirchen und der bürgerlichen Parteien entziehen wollen, deshalb brauchen wir die FDJ. Wir werden dann im Lauf der Entwicklung in der FDJ die Stärkeren sein und den Einfluß der Kirchen und der Bürgerlichen Schritt für Schritt ausschalten. Das darf man aber nicht mit dem Holzhammer machen. .. Damit können wir nur Porzellan zerschlagen.«

Gerats erwiderte: »Das ist doch verflucht gefährlich, diese Politik. Die Schwarzröcke werden einen immer stärkeren Einfluß auf die Jugendlichen gewinnen. Was sollen wir denn gegen sie unternehmen? Durch die vielen Zugeständnisse gegenüber den Kirchen und den Bürgerlichen sind uns die Hände praktisch gebunden, um gegen die immer frecher werdenden Pfaffen in Sachsen vorzugehen. Ich hasse diese Bande. Sie betrügen uns doch sowieso nur. . .«

Darauf Bialek: »Meinst du, ich liebe sie besonders? Darauf kommt es aber doch gar nicht an. Wir betreiben doch gegenwärtig praktisch gesehen die Politik des Zuckerbrots und der Peitsche. Gegenwärtig sind wir gerade dabei, das Zuckerbrot auszuteilen, und du möchtest am liebsten schon die Peitsche schwingen. Du machst eine verkehrte Politik. In der FDJ wird der siegen, der die aktivste und beste Arbeit leistet. Gib doch deinen Schwarzröcken ... mehr Arbeit, daß sie sich um die Jugend weniger kümmern können. Nimm sie in deine Landes- und Kreisleitungen hinein und beschäftige sie dort. Dann haben sie weniger Zeit, sich um die praktische Jugendarbeit zu kümmern. . .«[4]

Diese laut geführte Unterhaltung hörte Kurt Woituczek mit, ein katholischer Delegierter aus dem Eichsfeld (Thüringen), der ebenfalls zur Kommission gehörte, von dem aber weder Bialek noch Gerats Notiz nahmen.[5] Woituczek alarmierte Domvikar Lange und Pfarrer Hanisch, die sich wiederum mit ihren Kirchenleitungen in Verbindung setzten. Es wurde beschlossen, die Veranstaltung zu verlassen, falls sich das Parlament am nächsten Tage nicht offiziell von den Äußerungen Bialeks distanzierte.

Das war die Lage zu Beginn des dritten Konferenztages. Die Reaktion Honeckers bewies, daß er schon damals komplizierten Situationen durchaus gewachsen war. Manfred Klein, katholischer Delegierter auf dem Parlament, schreibt in seinem Buch »Jugend zwischen den Diktaturen«:

»Als wir nach dem Gottesdienst etwas verspätet zu dem Tagungsort kamen, erwarteten uns Honecker und Major Bodin vor der Tür. Ganz offen sprachen sie ihre Befürchtung aus, ob es irgend etwas gegeben habe, was die so gute Harmonie des Parlaments beeinträchtigt hätte. Bodins weiteren Ausführungen entnahmen wir, daß er befürchtete, die Störung des Gebetes hätte uns tief verletzt. Pfarrer Hanisch setzte Offenheit gegen Offenheit: Das sei ja eine Kinderei gewesen, aber wenn ein so hoher Funktionär wie der Landesleiter der FDJ in Sachsen, Robert Bialek, den Kirchen den ›Schnorchel umdrehen wolle‹, gebe es künftig keine Basis für eine Zusammenarbeit.

Das aber solle das Parlament wissen. Wir hätten vor, diesen Vorfall dem Plenum zu schildern und dann das Parlament zu verlassen. Die Bestürzung Honeckers war echt und tief. Er beschwor uns, dieses Vorhaben nicht auszuführen und, bevor wir in den Versammlungsraum gingen, die Sache zu klären. . .«[6]

Die »echte Bestürzung Honeckers« war in Wahrheit gespielt; denn zu diesem Zeitpunkt wußte er bereits über die Reaktion der Kirchenvertreter und deren Anlaß genau Bescheid. Noch am Morgen hatte eine interne Besprechung mit allen Landesleitern stattgefunden, auf der diese angewiesen worden waren, jede Provokation zu vermeiden, ihre Delegationen zu veranlassen, Disziplin zu üben und jeden Versuch der Kirchenvertreter, einen Bruch herbeizuführen, mit Bekundungen für Einheit und Überparteilichkeit der FDJ zu beantworten. Paul Verner hatte Bialek be-

4 R. Bialek, Unveröffentlichtes Manuskript, a. a. O., S. 137. (Anm. d. Verf.)
5 M. Klein, Jugend zwischen Diktaturen, 1945–1956, Mainz 1968, S. 59. (Anm. d. Verf.)
6 A. a. O., S. 61 f. (Anm. d. Verf.)

reits Redeverbot erteilt und ihn angewiesen, sich durch nichts provozieren zu lassen. Der Antrag von Gerhard Heidenreich, den Fall einer Kommission zu überweisen, die aus der Mitte des Parlaments zu wählen sei, war ebenfalls von oben angeordnet und gemeinsam mit dem Jugendoffizier der SMA Sachsen, Kapitän Jerochin, formuliert worden.[7]
Wie Honecker wirklich dachte, zeigte sich während der Konferenzpause, als die Angelegenheit recht und schlecht beigelegt worden war. Gegenüber Robert Bialek erklärte er:
»Robert, das war ein Ding. Beinahe wäre uns das Parlament auseinandergeplatzt. Die Zukunft der FDJ hing an einem seidenen Faden. Du siehst, man kann nicht vorsichtig genug sein, wenn man etwas sagt, was nicht für andere Ohren bestimmt ist. Natürlich hast du recht, aber man darf heute eben gewisse Dinge einfach nicht aussprechen. Na, wir werden die Sache schon irgendwie wieder einrenken...«
Auf die Einwendung des zerknirschten Bialek, man müsse ihm doch wohl jetzt eine Parteistrafe geben und ihn von seiner Funktion ablösen, antwortete Honecker:
»Du bist wohl verrückt, natürlich brauchen wir überall Funktionäre. Aber in der Jugendarbeit brauchen wir sie am dringendsten... Wegen diesen Knallfröschen unseren besten Funktionär in der Jugendarbeit zu opfern, kommt gar nicht in Frage. Wir werden sie schon beruhigen. Kommt Zeit, kommt Rat. Wir werden den Untersuchungsausschuß bilden und den Vorsitz Paul Verner übertragen. Du kennst Paul noch nicht. Das ist ein mit allen Wassern gewaschener Fuchs, gewandt, entgegenkommend und verbindlich. Der bändigt sie schon und ist ein Meister der geschickten Verschleppungstaktik. Paul wird sie totdiskutieren, so daß sie am Ende selbst nicht mehr wissen, was hinten und vorn ist. Sie selbst werden nach einigen Monaten das Bedürfnis haben, den Vorfall irgendwie aus der Welt zu schaffen... Wir haben die besseren Nerven...«[8]
Die Quittung für den Zwischenfall erhielt Bialek jedoch später. Als er die Angelegenheiten schon vergessen hatte, im November 1946, beschloß das Sekretariat des Parteivorstandes der SED auf Antrag von Honecker und Verner, daß Bialek seine Funktion als Landesvorsitzender der FDJ Sachsen an Gerhard Heidenreich (heute Parteisekretär im Ministerium für Staatssicherheit) abgeben und die Funktion eines Landesjugendsekretärs der SED Sachsen übernehmen solle. Auf diese Weise wollten Honecker und Verner Bialek aus der aktiven Jugendarbeit entfernen, ohne ihn offiziell zu maßregeln. Da die Partei als führende Kraft galt und der Jugendsekretär der Partei formal die FDJ anleitete, bedeute das keine Zurücksetzung für Bialek. In der Tat jedoch waren ihm dadurch die Hände gebunden, und seine dynamische Aktivität wurde erheblich beschränkt, da sich die Tätigkeit eines Jugendsekretärs der SED im wesentlichen in parteibürokratischer Arbeit erschöpfte, während die Arbeit unter der Jugend sich in der FDJ vollzog.
Welche Bedeutung Honecker und Verner der Versetzung Bialeks beimaßen, ging allein daraus hervor, daß beide Funktionäre nach Dresden eilten, als sich herausstellte, daß die SMA Sachsen sich gegen den Beschluß der Parteiführung stemmte und Robert Bialek nicht aus der FDJ freigeben wollte.
Die Auseinandersetzungen, die sich zwischen Honecker und Verner einerseits und den Vertretern der sächsischen SMA andererseits abspielten, waren typisch für das Verhalten Honeckers zu dieser Zeit. Obwohl er genauso wie Verner, wenn nicht noch mehr, an der Lösung des Falles Bialek interessiert war, ließ er Verner die Verhandlungen weitgehend allein führen. Er wollte vermeiden, in einen Konflikt mit der SMAD zu geraten. Seine Überlegung mag folgende gewesen sein: Gelingt es Verner, Bialek als FDJ-Vorsitzenden abzulösen und als Jugendsekretär einzusetzen, dann wäre er, Honecker, einen seiner gefährlichsten Konkurrenten in der FDJ los. Gelingt es ihm jedoch nicht, dann hätte sich Verner exponiert, wodurch dessen Position in der Partei geschwächt würde.
Robert Bialek erzählte später, Honecker habe ihm bei einem Zusammentreffen triumphierend gesagt: »Siehst du, Robert, es hat gar keinen Zweck, sich gegen uns zu stemmen. Wir haben die verschiedensten Möglichkeiten, uns durchzusetzen...« Als Bialek ihn daran erinnerte, daß er selbst bei der ganzen Angelegenheit kaum in Erscheinung getreten sei, soll Honecker verschmitzt lächelnd geantwortet haben: »Gerade darauf kommt es an. Nicht der ist ein guter Funktionär, der alles selbst macht, sondern vielmehr derjenige, der die Arbeit auf andere verteilt, aber immer den Überblick behält... Diese Sache war Pauls Bier...«

7 R. Bialek, Unveröffentlichtes Manuskript, a. a. O., S. 141 f. (Anm. d. Verf.)
8 A. a. O., S. 143. (Anm. d. Verf.)

Chronik

Vorbemerkungen der Redaktion

Die wichtigsten Ereignisse in der Geschichte der SED sind die Parteitage und Parteikonferenzen sowie die Plenartagungen des Zentralkomitees (ZK). Auf sie beschränkt sich diese Chronik.

Im Jahre 1986 hat die SED ihren XI., den vorerst letzten, Parteitag abgehalten. Von 1950 bis 1971 fand diese Veranstaltung im Vier-Jahres-Rhythmus statt, danach im Abstand von fünf Jahren entsprechend den Fünfjahrplänen (Ausnahme: Der VI. Parteitag, der 1962 hätte tagen müssen, kam erst 1963 zusammen). Parteikonferenzen können zwischen den Parteitagen aus besonderen Anlässen einberufen werden. Die dritte und bisher letzte tagte im Jahre 1956.

Die Plenartagungen des ZK müssen laut Statut mindestens alle sechs Monate abgehalten werden. Ihre Zählung beginnt seit 1958 nach jedem Parteitag neu; auf der jeweils ersten Tagung, die unmittelbar im Anschluß an einen Parteitag zusammentritt, werden die Mitglieder und Kandidaten der höchsten Gremien der Partei: des Politbüros, des Sekretariats des ZK und der Zentralen Parteikontrollkommission, »gewählt«[1].

Die Parteitage sind im Sinne der SED »Höhepunkte im Leben der Partei« und der von ihr gesteuerten Gesellschaft. Sie befassen sich deshalb prinzipiell mit allen Bereichen des gesellschaftlichen Lebens in der DDR, also neben den Parteiinterna mit der Wirtschafts-, Sozial-, Kultur-, Außenpolitik etc. Sie ziehen Bilanz, definieren die innen- und außenpolitische Lage und legen die »Generallinie« fest; den verschiedenen gesellschaftlichen Organisationen und Gruppen werden Lob und Tadel erteilt und Anweisungen für künftiges Handeln gegeben. Im Zentrum der Verhandlungen jedes Parteitags stehen der »Rechenschaftsbericht« sowie das »Schlußwort«, die üblicherweise vom Generalsekretär (Ersten Sekretär) des ZK vorgetragen werden. Ähnlich die ZK-Plenartagungen und die Parteikonferenzen. Sie können als Zwischen-Parteitage oder Kleine Parteitage angesehen werden. Oft werden sie einberufen, um vorangegangene Ereignisse der nationalen und internationalen Politik ideologisch-propagandistisch in die jeweilige Parteilinie einzuordnen; oder es werden unmittelbar folgende gesetzliche Vorhaben u. ä. angekündigt bzw. im Form von Beschlüssen vorweggenommen.

Diese Chronik führt alle Parteitage und -konferenzen auf, aber nur ausgewählte ZK-Plenen; sie werden jeweils kurz kommentiert. Die Chronik berichtet also über ausgewählte Einzelereignisse und soll damit groben Orientierungs- und Nachschlagebedürfnissen dienen.[2] Der Auswahl der Plenartagungen und den Kommentaren für alle Veranstaltungen liegt als Prinzip zugrunde, daß nur solche Begebenheiten in Stichworten genannt werden, die markant, also Anfangs-/Endpunkte oder Höhe-/Tiefpunkte sind oder eine weitreichende Bedeutung haben.[3] Auf die Routinearbeit der Parteiveranstaltungen kann hier ebensowenig hingewiesen werden wie auf das Auf und Ab der Entwicklung in den einzelnen gesellschaftlichen Bereichen.

Die SED veröffentlicht die Berichte und Referate der Parteitage und -konferenzen aktuell in *Neues Deutschland,* dann in Buchform als *Protokoll* der jeweiligen Veranstaltung. Über die ZK-Tagungen wird ebenfalls in *Neues Deutschland* berichtet; anschließend erscheinen (wie übrigens auch bei den Parteitagen und -konferenzen) Broschüren mit dem Politbürobericht, einzelnen Referaten und gelegentlich mit Diskussionsbeiträgen. Beschlüsse und Entschließungen der Veranstaltungen werden darüber hinaus im allgemeinen in der Reihe *Dokumente der SED* abgedruckt.[4] Im Westen Deutschlands dokumentiert das *Deutschland Archiv* alle Veranstaltungen ausführlich und kommentiert sie.

Die Berichterstattung in der Parteizeitung und den of-

1 Diese Angaben entsprechen dem derzeit gültigen (5.) Statut von 1976; vgl. auch das Organisationsschema auf S. 228.

2 Eine zusammenhängende Darstellung der Geschichte der SED enthält diese Edition auf den Seiten 6 bis 42.

3 Bei den Plenartagungen des ZK ist zusätzlich zu berücksichtigen, daß der im Kommentar herausgestellte Themenbereich auch auf der jeweils vorangegangenen oder nachfolgenden Tagung eine Rolle gespielt haben mag. Ähnliches gilt für Plenartagungen und Parteitage, wenn der zeitliche Abstand gering ist.

4 Zu den Beschlüssen gehören auch die Statuten und Programme der Partei.

fiziellen Buchveröffentlichungen ist nicht immer vollständig; was hinter verschlossenen Türen verhandelt wird, wird manchmal erst zu einem späteren Zeitpunkt oder auch gar nicht publiziert. Insgesamt ist davon auszugehen, daß alle Verlautbarungen auf den Parteitagen, -konferenzen und ZK-Plenen für die Öffentlichkeit präpariert werden. Die »Diskussionsbeiträge« sind in aller Regel vorbereitete und bei der Parteiführung eingereichte Manuskripte mit festgelegten Themenschwerpunkten (die sich aus der Funktion des Redners im Partei- und Berufsleben ergeben). Spontane Meinungsäußerungen zu Referaten oder Reden gibt es, abgesehen von wenigen Ausnahmen, nicht, und schon gar nicht finden sie Eingang in die Publikationen. Doch ebenso gilt, daß die SED im Laufe ihrer vierzigjährigen Geschichte mehr Diskussion auf ihren Veranstaltungen zugelassen hat.

21.–22. April 1946

I. Parteitag (auch Gründungs- oder Vereinigungsparteitag)

Die Delegierten von SPD und KPD, die von ihren ein Jahr zuvor in Berlin und der Sowjetzone gegründeten Organisationen zu einem gemeinsamen Parteitag nach Berlin entsandt worden waren, beschließen die Vereinigung der beiden Parteien zur Sozialistischen Einheitspartei Deutschlands (SED). Sie verabschieden ein (1.) Statut und ein provisorisches Programm, die »Grundsätze und Ziele der Sozialistischen Einheitspartei Deutschlands«.

Die neue Partei wird von den Vorsitzenden der in ihr aufgegangenen Parteien geleitet, von Otto Grotewohl (SPD) und Wilhelm Pieck (KPD); alle Leitungsgremien, von Parteivorstand (PV) und Zentralsekretariat (ZS) an der Spitze der Parteihierarchie bis hinunter zu den Kreisvorständen, werden paritätisch aus ehemaligen Sozialdemokraten und Kommunisten besetzt. Walter Ulbricht wird Stellvertretender Parteivorsitzender und der entscheidende Mann im Zentralsekretariat.
Die »Grundsätze und Ziele« propagieren 14 »Gegenwartsforderungen«, in denen sich demokratische Grundsätze (Meinungsfreiheit, Streikrecht) mit sozialistisch-kommunistischen (z. B. Enteignung, Verstaatlichung) mischen. Der »Sozialismus« in Deutschland ist das Ziel, das auf »demokratischem Weg« erreicht werden soll; »revolutionäre Mittel« werden angedroht – für den Fall, daß »die kapitalistische Klasse den Boden der Demokratie verläßt«. Die ideologische Linie für dieses Programm ist in Form der These vom »besonderen deutschen Weg zum Sozialismus«* schon vorher bekannt gegeben worden.

* Diese These hat Anton Ackermann, zunächst Mitglied der Gruppe Ulbricht und dann ZS-Sekretär, im ersten Heft der Zeitschrift »Einheit« (Februar 1946) pointiert formuliert. Sie entsprach seinerzeit den von den Sowjets vertretenen deutschlandpolitischen Vorstellungen und war auch schon 1945 in verschiedenen kommunistischen Verlautbarungen aufgetaucht.

20.–24. September 1947

II. Parteitag

Er verabschiedet, wie schon der I. Parteitag, ein »Manifest an das deutsche Volk«. Der Kampf um die Einheit Deutschlands wird zu Hauptaufgabe der Arbeiterklasse (vertreten durch die SED als politisch führende Kraft in ganz Deutschland) erklärt.

29.–30. Juni 1948 – 11. (25.) Tagung des Parteivorstandes
Sie wird einen Tag nach dem Ausschluß Jugoslawiens (unter Tito) aus dem Kominform* einberufen und fordert, die SED zur »Partei neuen Typus« zu entwickeln. Damit sind die Weichen gestellt, um die sozialistische Massenpartei SED in eine marxistisch-leninistische Kampfpartei umzuwandeln; entsprechend betonen Grotewohl und Ulbricht, die SBZ sei am volksdemokratischen Vorbild zu orientieren und habe von der UdSSR zu lernen. Die Tagung berät über den ersten Volkswirtschaftsplan für die SBZ, den »Zweijahres-Wirtschaftsplan 1949–1950«.

28.–29. Juli 1948 – 12. (26.) Tagung des Parteivorstandes
Die »organisatorische Festigung der Partei«, d. h. im wesentlichen die »Ausmerzung von schädlichen und feindlichen Elementen« und die »Festigung und Verstärkung des Funktionärkörpers«, ist der wichtigste Programmpunkt. Als Instrument der Disziplinierung der Parteimitglieder wird die »Kritik und Selbstkritik« von der KPdSU übernommen.
Mit dieser Tagung beginnt die erste einer Reihe von »Säuberungen«, die denjenigen gilt, die sich der »Bolschewisierung« der Partei widersetzen, also vor allem solchen ehemaligen Sozialdemokraten, die an den Traditionen ihrer Partei festhalten wollen.

15.–16. September 1948 – 13. (27.) Tagung des Parteivorstandes
Die Parteikontrollkommissionen werden ins Leben gerufen. Sie haben das Recht, jedes Mitglied aus sei-

* Kominform ist die im Westen gebräuchliche Abkürzung für »Informationsbüro der kommunistischen und Arbeiterparteien« (1947–1956).

nen Partei- und beruflichen Funktionen abzuberufen. Die Tagung befaßt sich mit der Kominform-Entschließung über Jugoslawien (gegen »Titoismus«), fordert die »Verschärfung des Klassenkampfes« in der SBZ und wendet sich gegen »Nationalismus«. Die bis dahin parteioffizielle These vom »besonderen deutschen Weg zum Sozialismus« (vgl. I. Parteitag) wird verworfen; jedes SED-Mitglied hat die führende Rolle der KPdSU und der Sowjetunion anzuerkennen. Kurz nach der Tagung (am 20. 9. 1948) faßt der Parteivorstand einen Beschluß, der allen Parteimitgliedern die Pflicht auferlegt, den »Kurzen Lehrgang« der Geschichte der KPdSU (B), als dessen Verfasser Stalin gilt, zu studieren.

20.–21. Oktober 1948 – 14. (28.) Tagung des Parteivorstandes
Der Organisationskonflikt, ob die Grundorganisationen der Partei am Wohnort (SPD-Tradition) oder am Arbeitsplatz (KPD-Tradition) gebildet werden sollen, wird insofern entschieden, als die Organisierung der Parteimitglieder auf Betriebsebene verstärkt wird (Beschluß: »Zur Verbesserung der Arbeit der Parteibetriebsgruppen in den Großbetrieben«).

24. Januar 1949 – 16. (30.) Tagung des Parteivorstandes
Als parteiorganisatorische Änderungen werden beschlossen: die Aufhebung der paritätischen Besetzung von Leitungsfunktionen; in Anlehnung an die Organisationsstruktur der KPdSU die Einrichtung eines Politischen Büros mit (kleinem) Sekretariat auf der zentralen Ebene des Parteiapparates (und, analog, auf Landes- und Kreisebene): die Einführung der Kandidatenzeit als Vorbedingung für die Mitgliedschaft in der Partei.

25.–28. Januar 1949 – 1. Parteikonferenz
Sie bestätigt die auf den vorangegangenen PV-Sitzungen beschlossenen parteiorganisatorischen Änderungen und definiert in ihrer Entschließung die »Partei neuen Typus«. Gemäß dieser Definition ist, zusätzlich zu den bereits erwähnten Neuerungen, die Bildung von Fraktionen und Gruppierungen in der Partei verboten; die Mitglieder werden zu »höchster Klassenwachsamkeit« gegen »Opportunisten«, »Spione«, »Agenten der Schumacher-SPD« verpflichtet. »Der Kampf um die Einheit Deutschlands und einen gerechten Frieden« wird als nächste Aufgabe der SED propagiert.

4. Oktober 1949 – 22. (36.) Tagung des Parteivorstandes
Sie faßt den Beschluß zur Bildung einer Provisorischen Regierung der Deutschen Demokratischen Republik (DDR).

20.–24. Juli 1950

III. Parteitag

Dies ist der erste Parteitag nach Gründung der DDR. Das (2.) Statut besiegelt die Umwandlung der SED in eine »Partei neuen Typus«. Im Gegensatz zum Statut von 1946, das lediglich organisatorische Fragen regelte, enthält dieses wie alle späteren Statuten an erster Stelle nach der Präambel Bestimmungen über die »Pflichten und Rechte der Parteimitglieder«. Leitungsgremien der Partei sind von nun an das Zentralkomitee (ZK, früher PV), das Politbüro und das Sekretariat des Zentralkomitees (mit Ulbricht als Generalsekretär an der Spitze).
Die »Grundsätze und Ziele« (s. I. Parteitag) werden für überholt erklärt, der Marxismus-Leninismus zur theoretischen Grundlage der Partei gemacht.
Die Entschließung des Parteitages stellt fest, die Welt sei in zwei Lager, das »Lager« der »Friedensanhänger« und das der »imperialistischen Kriegstreiber«, gespalten; sie fordert die Anerkennung der führenden Rolle der KPdSU, den Kampf gegen reaktionäre Elemente in den bürgerlichen Parteien und Kirchen, gegen »kosmopolitische Irrlehren« des Ostbüros der SPD und des Trotzkismus sowie Wachsamkeit der Staatssicherheitsorgane.

24. August 1950 – 2. Tagung des Zentralkomitees
Die »Erklärung des Zentralkomitees und der Zentralen Parteikontrollkommission zu den Verbindungen ehemaliger deutscher politischer Emigranten zu dem Leiter des Unitarian Service Committee, Noël H. Field«, wird angenommen. Sie bildet die Grundlage dafür, daß »Westemigranten«, d. s. SED-Mitglieder, die während der NS-Zeit im »westlichen Ausland« (von der UdSSR aus gesehen) gelebt hatten, verfolgt werden. Zu den Prominenten unter ihnen gehören: Paul Merker, Mitglied des Politbüros und Staatssekretär im Landwirtschaftsministerium; Leo Bauer, Chefredakteur des Deutschlandsenders; Willy Kreikemeyer, Generaldirektor der Deutschen Reichsbahn; Lex Ende, bis 1949 Chefredakteur von »Neues Deutschland«. Auf Beschluß dieser Tagung verlieren sie ihre Posten und werden aus der Partei ausgeschlossen.*

17.–19. Januar 1951 – 4. Tagung des Zentralkomitees
Sie befaßt sich mit Fragen des Schul- und Hochschulwesens und nimmt u. a. eine Entschließung an,

* Merker muß zunächst in seinem erlernten Beruf (Kellner) arbeiten und wird 1952 verhaftet; Bauer, schon am 23. August verhaftet, wird später von einem sowjetischen Militärtribunal zum Tode verurteilt (nach Stalins Tod zu Zwangsarbeit begnadigt); Kreikemeyer soll noch im August (31. 8.) in der Haft gestorben sein; Ende, zur Bewährung in den Uranbergbau geschickt, stirbt 1952.

die die am 22. Februar 1951 vom Ministerrat der DDR beschlossene »Verordnung über die Neuorganisation des Hochschulwesens« vorbereitet. Damit wird das »gesellschaftswissenschaftliche Grundstudium« (einschließlich Erlernen der russischen Sprache) allen Studenten als Pflicht auferlegt.

15.–17. März 1951 – 5. Tagung des Zentralkomitees
Sie nimmt die Entschließung »Der Kampf gegen den Formalismus in Kunst und Literatur, für eine fortschrittliche deutsche Kultur« an. So wird eine kulturpolitische Phase eingeleitet, in der die gesamte moderne Kunst als »entartet«, »formalistisch« und »kosmopolitisch« verfemt und verfolgt wird; der »sozialistische Realismus« wird verbindliche Kunstdoktrin.

13.–15. Juni 1951 – 6. Tagung des Zentralkomitees
Sie faßt weitgehende wirtschaftspolitische Beschlüsse (Erhöhung der Arbeitsproduktivität und Einführung des Prinzips der Wirtschaftlichen Rechnungsführung in den Volkseigenen Betrieben).

18.–20. Oktober 1951 – 7. Tagung des Zentralkomitees
Im Mittelpunkt steht die ideologische und propagandistische Arbeit der Partei im Sinne der weiteren Entwicklung der SED zur Partei neuen Typus. Ein Beschluß über die Herausgabe der Werke von Marx/Engels und Lenin wird gefaßt.

9.–12. Juli 1952 – 2. Parteikonferenz

Dieser Konferenz kommt in der SED-offiziellen Geschichtsschreibung eine große Bedeutung zu; sie markiert den Beginn der Periode des »planmäßigen Aufbaus der Grundlagen des Sozialismus« (bis 1958).
Die Konferenz beschließt die Organisierung bewaffneter Streitkräfte und erklärt, die »Verschärfung des Klassenkampfes« sei unvermeidlich. Das ist der Auftakt zu vermehrten Repressalien gegen den bürgerlichen Mittelstand (u. a. drastische Steuererhöhungen für Privatunternehmen, Entzug der Lebensmittelkarten) und die Bauern (Beginn der Kollektivierung). Gegen die »Vasallenregierung in Bonn« und die »rechten sozialdemokratischen Führer und Gewerkschaftsführer« wird der »nationale Befreiungskampf« proklamiert.
Die Geschichtsschreibung wird angewiesen, die antinapoleonischen Freiheitskriege und ihre Führer Scharnhorst, Fichte, Gneisenau, Jahn herauszustellen.*

* S. dazu im einzelnen S. 101 in dieser Edition.

6. März 1953 – 12. Tagung des Zentralkomitees
Sie ist eine Trauersitzung aus Anlaß des Todes von J. W. Stalin (5. 3. 1953).

13.–14. Mai 1953 – 13. Tagung des Zentralkomitees
Der Spitzenfunktionär F. Dahlem, zuständig für Kaderfragen, wird aus dem Politbüro, ZK-Sekretariat und ZK ausgeschlossen.
Die Tagung faßt den Beschluß »Über die Erhöhung der Arbeitsproduktivität und die Durchführung strengster Sparsamkeit«, in dem gefordert wird, die Arbeitsnormen um mindestens zehn Prozent zu steigern. Diese Normerhöhung, die mit dem vom Politbüro am 9. Juni verkündeten »Neuen Kurs« nicht zurückgenommen wird, löst die Arbeitsniederlegungen am 16. und 17. Juni (Juniaufstand) aus.

21. Juni 1953 – 14. Tagung des Zentralkomitees
Sie nimmt zu den Ereignissen des 17. Juni 1953 Stellung und bezeichnet den Aufstand als vom Westen Deutschlands gelenkte »faschistische Provokation gegen die Deutsche Demokratische Republik«. Doch gibt die Parteiführung auch Fehler zu und macht die Normerhöhung rückgängig. Der »Neue Kurs« gilt weiterhin als offizielle Linie.

24.–26. Juli 1953 – 15. Tagung des Zentralkomitees
Die Führungsspitze der Partei wird reorganisiert: Die Ulbricht-Gegner W. Zaisser (Minister für Staatssicherheit), R. Herrnstadt (Chefredakteur von »Neues Deutschland«) u. a. verlieren ihre Mitgliedschaft im ZK und damit alle anderen Funktionen*; A. Ackermann, H. Jendretzky** und E. Schmidt werden nicht wieder ins Politbüro gewählt; E. Honecker rückt als Kandidat ins Politbüro auf.
Mit der Abschaffung des Titels »Generalsekretär« und Einführung des »Ersten Sekretärs des Zentralkomitees« (Positionsinhaber nach wie vor W. Ulbricht) wird eine statutenmäßige Änderung vorweggenommen (s. IV. Parteitag).
Die Tagung faßt den Beschluß »Der Neue Kurs und die Aufgaben der Partei«, der sich vor allem auf die Wirtschafts- und Kulturpolitik bezieht.

22.–23. Januar 1954 – 17. Tagung des Zentralkomitees
Die Säuberungsmaßnahmen der 15. Tagung werden fortgesetzt: Zaisser und Herrnstadt werden aus der SED, Ackermann, Jendretzky und Schmidt aus dem

* Das gilt auch für M. Fechner (Minister der Justiz), der sich bereits in Haft befindet, weil er am 29. Juni den Streikenden des 17. Juni den Schutz der Verfassung zugesichert hatte. Er wird ganz aus der SED ausgeschlossen.
** Jendretzky wird Anfang August als 1. SED-Bezirkssekretär von Berlin abgesetzt.

Zentralkomitee ausgeschlossen. Die Tagung faßt einen Beschluß, aufgrund dessen die Kollektivierungsmaßnahmen in der Landwirtschaft verstärkt werden.

30. März bis 6. April 1954

IV. Parteitag

Er beschließt das (3.) Statut, das der Partei weitgehende Rechte in allen gesellschaftlichen Bereichen einräumt (als aktuell Wichtigstes: Die Betriebsparteiorganisationen erhalten Kontrollrechte über die Betriebsleitungen in allen Volkseigenen Betrieben). Als letztes Residuum aus der Gründungszeit der SED werden die »Vorsitzenden des Zentralkomitees« (also die Ämter von Grotewohl und Pieck*) abgeschafft. Das neue Statut betont das Prinzip der »kollektiven Führung« und sanktioniert die Umbenennung des Postens »Generalsekretär« in »Erster Sekretär« des Zentralkomitees.
Der Parteitag schließt ideologisch-programmatisch an die 2. Parteikonferenz an und bilanziert: »Wir haben die Schaffung der Grundlagen des Sozialismus in Angriff genommen.«

1.–2. Juni 1955 – 24. Tagung des Zentralkomitees
Sie findet kurz nach Abschluß der Warschauer Konferenz statt, auf der die Sowjetunion mit sieben Ostblockstaaten (einschließlich der DDR) den sogenannten Warschauer Vertrag geschlossen hat. Ulbricht hält ein Referat über »Die Warschauer Konferenz und die neuen Aufgaben in Deutschland«, in dem er – angesichts der Genfer Konferenz der Regierungschefs von 1955 – zehn Vorschläge für die »Annäherung der beiden Teile Deutschlands« formuliert.
Die Tagung faßt einen Beschluß über »Maßnahmen zur Förderung des wissenschaftlich-technischen Fortschritts« in der DDR.

* Bei Gründung der DDR im Jahre 1949 war Grotewohl Ministerpräsident, Pieck Staatspräsident geworden; ihre Sitze im Politbüro behalten sie bis zu ihrem Tode (1964 bzw. 1960).

24.–30. März 1956 – 3. Parteikonferenz

Sie findet kurz nach dem XX. Parteitag der KPdSU (14.–25. 2. 1956) statt, ohne daß sie sich öffentlich mit den Problemen der Entstalinisierung befaßt hätte. Hinter verschlossenen Türen aber wird den Delegierten die Geheimrede Chruschtschows über die Verbrechen Stalins zur Kenntnis gebracht. Später werden in den Bezirken nichtöffentliche Funktionärsversammlungen über diese Rede abgehalten.

27.–29. Juli 1956 – 28. Tagung des Zentralkomitees
Sie revidiert die nach innen und außen gerichtete »Klassenkampf«-Politik und zieht damit für die SED und die DDR Lehren aus dem XX. Parteitag. Im Gegensatz zu den Festlegungen ab 1948 werden nun wieder »verschiedenartige demokratische Formen des Übergangs vom Kapitalismus zum Sozialismus«, d. h. auch eine DDR-Entwicklung mit gewissen nationalen Besonderheiten, für möglich gehalten. Die These von der »friedlichen Koexistenz von Staaten mit verschiedener sozialer und politischer Ordnung« wird übernommen, der »Annäherung und Zusammenarbeit zwischen Kommunisten und Sozialdemokraten« Chancen eingeräumt.
Die unter dem Stichwort »Titoismus« erhobenen Beschuldigungen werden ausdrücklich bedauert und zurückgenommen, die entsprechenden Beschlüsse aufgehoben. Überhaupt gesteht die Partei Fehler ein: Die über Ackermann, Jendretzky und Schmidt verhängten Parteistrafen werden kassiert, Dahlem wird rehabilitiert und die strafrechtliche Verfolgung von Merker für unrechtmäßig erklärt.
Mit der Tagung startet eine Kampagne zur Aufnahme von Produktionsarbeitern in die Partei, um den hohen Anteil von Angestellten und Angehörigen der Intelligenz an der Parteimitgliedschaft herabzudrücken.

12.–14. November 1956 – 29. Tagung des Zentralkomitees
Sie befaßt sich mit den Ereignissen in Polen und Ungarn (Sommer/Herbst 1956), und der Bericht des Politbüros verweist nicht ohne Genugtuung auf die weniger explosive Lage in der DDR. Ausdrücklich wird aber auch »vor der Gefahr, die Koexistenz auf das Gebiet der Ideologie zu übertragen«, gewarnt. Diese Warnung gilt vor allem jenen Intellektuellen in und außerhalb der Partei, die aus dem XX. Parteitag und der Entstalinisierung in der Sowjetunion andere Schlußfolgerungen gezogen haben als die Dogmatiker der Partei.*
Arbeitsrechtliche und sozialpolitische Verbesserungen (u. a. die Einführung der 45-Stunden-Woche) werden angekündigt.

30. Januar bis 1. Februar 1957 – 30. Tagung des Zentralkomitees
Die ideologische Diskussion verschärft sich. »Revisionistische« Erscheinungen bei Geschichts-, Wirtschafts- und Agrarwissenschaftlern werden kritisiert.

* Zu den Betroffenen gehören: Wolfgang Harich, der zusammen mit anderen Mitgliedern der sog. Harich-Gruppe am 29. 11. 1956 verhaftet wird; Ernst Bloch, der 1957 zwangsemeritiert und mit einem Vorlesungs- und Publikationsverbot bestraft wird; Alfred Kantorowicz, der am 22. 3. 1957 in der Bundesrepublik um politisches Asyl nachsucht; Robert Havemann, den die SED vorerst allerdings noch verschont (s. aber unten 5. ZK-Tagung, 3.–7. 2. 1964).

Diese Kritik bezieht sich auf Veröffentlichungen u. a. von Jürgen Kuczynski, Fritz Behrens, Arne Benary und Kurt Vieweg.
Ulbricht trägt ein neues deutschlandpolitisches Konzept der »Konföderation« vor.

10.–12. Juli 1957 – 32. Tagung des Zentralkomitees
Sie behandelt Fragen des Staatsaufbaus und der Verwaltung in der DDR. Damit bereitet sie das von der Volkskammer im Februar 1958 beschlossene »Gesetz über die Vervollkommnung und Vereinfachung der Arbeit des Staatsapparates« vor, in dem auch die Aufgaben der neu eingerichteten Vereinigungen Volkseigener Betriebe geregelt werden.

16.–19. Oktober 1957 – 33. Tagung des Zentralkomitees
Sie beschließt für den Parteiapparat Veränderungen im Bereich »Kultur«: Eine Kommission für Fragen der Kultur (Leiter: Alfred Kurella) wird beim Politbüro eingerichtet; Paul Wandel, ZK-Sekretär für Kultur und Erziehung, verliert seinen Posten.

3.–6. Februar 1958 – 35. Tagung des Zentralkomitees
In der Parteiführung wird eine Fraktion »Schirdewan, Wollweber und andere« aufgedeckt, die im Herbst 1956 einen Kurswechsel wollte.* Politbüromitglied und ZK-Sekretär Karl Schirdewan (zuständig für Kader- und Sicherheitsfragen) sowie der im November 1957 abgelöste Minister für Staatssicherheit Ernst Wollweber werden aus dem ZK ausgeschlossen. Fred Oelßner, der Schützenhilfe geleistet habe, verliert seinen Sitz im Politbüro und seine Funktionen im Staatsapparat.

* Später wird auch der ZK-Sekretär für Wirtschaft, Gerhart Ziller, der am 14. Dezember 1957 Selbstmord beging, dazu gerechnet.

10.–16. Juli 1958
V. Parteitag

Das (3.) Statut wird abgeändert, vor allem, um der Gründung der Nationalen Volksarmee (1. 3. 1956) Rechnung zu tragen.
Ideologisch-programmatisch legt der Parteitag fest, daß durch den »Ausbau der materiell-technischen Basis des Sozialismus« die »sozialistischen Produktionsverhältnisse in der DDR zum Siege zu führen« seien.
Ulbricht, auf der Höhe seiner Macht, hält eine berühmt gewordene (und zum Parteitagsbeschluß erhobene) Rede: »Der Kampf um die Sicherung des Friedens, für den Sieg des Sozialismus und für die nationale Wiedergeburt Deutschlands als friedliebender demokratischer Staat«. Darin wird als »ökonomische Hauptaufgabe« formuliert, die Überlegenheit über das kapitalistische System beweisen und die Bundesrepublik im »Pro-Kopf-Verbrauch der Bevölkerung« überholen zu wollen. Außerdem verkündet Ulbricht zehn »Grundsätze der sozialistischen Moral und Ethik«, die für den Atheisten an die Stelle der christlichen Zehn Gebote treten sollen.

15.–17. Januar 1959 – 4. Tagung des Zentralkomitees
Sie berät »Thesen« über die »sozialistische Entwicklung des Schulwesens«, die die Einführung der »zehnklassigen allgemeinbildenden polytechnischen Oberschule« (mit Gesetz vom 2. 12. 1959) vorbereiten.

10.–13. Dezember 1959 – 7. Tagung des Zentralkomitees
Die Agrarpolitik steht im Vordergrund. Dieses Plenum leitet den Abschluß der Kollektivierung aller privaten landwirtschaftlichen Betriebe ein, der im Frühjahr 1961 mit Zwangsmaßnahmen durchgesetzt werden wird.
Die Tagung ist auch deshalb von Bedeutung, weil an ihr erstmals in der Geschichte der SED parteilose Wissenschaftler und Fachleute (in diesem Fall aus dem Agrarsektor) teilnehmen. Das Hauptreferat hält Landwirtschaftsminister Reichelt, der nicht der SED, sondern der Demokratischen Bauernpartei Deutschlands (DBD) angehört.

23.–26. November 1961 – 14. Tagung des Zentralkomitees
Sie ist die erste Plenarsitzung nach den »Grenzsicherungsmaßnahmen« am 13. August 1961 (Errichtung einer Mauer in Berlin etc.). Die Deutschlandpolitik ist das beherrschende Thema (s. 15. Tagung).
Außerdem geht es darum, »richtige Lehren« aus dem XXII. Parteitag der KPdSU (17.–31. 10. 1961) zu ziehen. Die Folgen des »Personenkults« seien zu überwinden und die Grundsätze der »Kollektivität der Leitung« sowie des »demokratischen Zentralismus« strenger zu befolgen. In geschickter Weise wendet Ulbricht die Kritik von seiner Person ab: Der (sowjetische) Personenkult habe sich deshalb in der DDR »ausgewirkt«, weil das sowjetische Politbüro-Mitglied L. P. Berija eine gegen den Aufbau des Sozialismus in der DDR gerichtete Politik betrieben und dafür Helfershelfer in der Gruppe Schirdewan, Wollweber und Ziller* gefunden habe.

21.–23. März 1962 – 15. Tagung des Zentralkomitees
Das Dokument »Die geschichtliche Aufgabe der DDR und die Zukunft Deutschlands«, kurz: »nationa-

* S. 35. ZK-Tagung, 3.–6. 2. 1958.

les Dokument«, wird vorgestellt.* Es enthält aus marxistisch-leninistischer Sicht und in Propagandasprache formulierte Thesen zur Geschichte und Lage der deutschen Nation. Gleichzeitig schreibt es die damals geltenden deutschlandpolitischen Ziele der SED fest; zwei Phasen werden unterschieden: die der friedlichen Koexistenz, des friedlichen Nebeneinander-/Miteinanderlebens der beiden deutschen Staaten in der Form der »deutschen Konföderation« (mit West-Berlin als entmilitarisierter, freier und neutraler Stadt); die der endgültigen Wiedervereinigung. Als Voraussetzungen für die »Lösung unserer nationalen Frage« gelten der »Sieg des Sozialismus« in der DDR und die Überwindung des »deutschen Imperialismus« in »Westdeutschland«.

26.–28. Juni 1962 – 16. Tagung des Zentralkomitees
Sie billigt den von einer ZK-Kommission unter Ulbrichts Leitung ausgearbeiteten »Grundriß der Geschichte der Deutschen Arbeiterbewegung«, der endgültig (mit Änderungen) auf der 2. ZK-Tagung, 10.–12. 4. 1963, bestätigt wird.

* Dieses Dokument wird am 25. März auf der 11. Tagung des Nationalrates der Nationalen Front des Demokratischen Deutschland verabschiedet.

15.–21. Januar 1963

VI. Parteitag

Die Partei gibt sich ihr erstes Programm*, das verkündet: »Ein neues Zeitalter in der Geschichte des deutschen Volkes hat begonnen: das Zeitalter des Sozialismus.«
Für die DDR wird der »Sieg der sozialistischen Produktionsverhältnisse in allen Bereichen der Volkswirtschaft« festgestellt, und die SED-Mitglieder werden aufgefordert, nun mit dem »umfassenden Aufbau des Sozialismus« zu beginnen. Wenn diese Phase abgeschlossen sei, wäre die Periode des Übergangs vom Kapitalismus zum Sozialismus vollendet; dann könne man in die Entwicklungsstufe des Kommunismus eintreten.
Zur Regelung der »nationalen Frage in Deutschland« propagiert das Programm, auf der Linie des »nationalen Dokuments« (s. 15. ZK-Tagung, 21.–23. 3. 1962), eine »Konföderation der beiden deutschen Staaten, der sich auch die Freie Stadt Westberlin anschließen könnte«.
Zusätzliche Bedeutung erlangt der Parteitag dadurch, daß Ulbricht die Grundsätze des »neuen ökonomischen Systems der Planung und Leitung der Volkswirtschaft« (NÖSPL), eines Reformprogramms zur Modernisierung und Rationalisierung der Wirtschaftsordnung, bekanntgibt.
Ein neues (4.) Statut wird beschlossen. Entsprechend den Intentionen des NÖSPL wird in ihm das Produktionsprinzip, d. i. der an wirtschaftlichen Strukturen und Erfordernissen orientierte Aufbau der Partei und eine demgemäße Gestaltung ihrer Tätigkeit, betont und das Territorialprinzip auf Platz zwei verwiesen. Kurz nach dem Parteitag (mit Politbüro-Beschluß vom 26. 2. 1963) werden Büros für Industrie und Bauwesen (BfI), für Landwirtschaft (BfL) sowie Ideologische Kommissionen (IK) auf der zentralen, der Bezirks- und Kreisebene der Partei eingerichtet.
Die SED-Führung kündigt einen »Perspektivplan 1964–1970« an, nachdem der 1959 nach sowjetischem Muster begonnene »Siebenjahrplan« bereits 1961/62 abgebrochen worden war.

3.–7. Februar 1964 – 5. Tagung des Zentralkomitees
Sie gibt die Bildung einer Kommission für Partei- und Organisationsfragen beim Politbüro sowie die Einrichtung von Abteilungen für Parteiorganisation und Ideologie in allen BfI und BfL bekannt. Beide Maßnahmen dienen dazu, die neuen Büros ideologisch besser unter Kontrolle zu halten.
Die Auffassungen, die Robert Havemann in einer Vorlesungsreihe an der Humboldt-Universität vertreten hat, werden scharf kritisiert.** Seine »revisionistischen Theorien« werden in Verbindung gebracht zu jenen ideologischen Vorstellungen, die seit der Kafka-Konferenz auf Schloß Liblice bei Prag im Mai 1963 unter den linken europäischen Intellektuellen öffentlich diskutiert werden.

2.–5. Dezember 1964 – 7. Tagung des Zentralkomitees
Es gibt weitere Anzeichen dafür, daß der Parteiführung die Veränderungen im Apparat, die mit dem NÖSPL eingetreten sind, zu weit gehen. Das Territorialprinzip wird nun wieder stärker betont als das Produktionsprinzip, die Politik gegenüber der Ökonomie als vorrangig bezeichnet.

15.–18. Dezember 1965 – 11. Tagung des Zentralkomitees
Ulbricht behandelt in seinem Referat den auf dem VI. Parteitag angekündigten »Perspektivplan« und muß eingestehen, daß es »Probleme« gibt.*** Die auf

* Die »Grundsätze und Ziele« von 1946 sind offiziell niemals als Parteiprogramm bezeichnet worden, obwohl sie zunächst diese Funktion hatten.
** Am 13. 3. 1964 wird Havemann aus der Partei ausgeschlossen und verliert seine Funktionen. Seine Vorlesungen werden in der Bundesrepublik veröffentlicht: Robert Havemann, Dialektik ohne Dogma? (rororo aktuell, 683), Hamburg 1964.
*** Erst im Mai 1967 wird der Plan als Gesetz vorgelegt und verabschiedet.

der Tagung vorgestellten und bestätigten »Maßnahmen zur Durchführung der zweiten Etappe des neuen ökonomischen Systems der Planung und Leitung« sollen Abhilfe schaffen.
Jene Kulturschaffenden, die »nihilistische, ausweglose und moralzersetzende Philosophien in Literatur, Film, Theater, Fernsehen und in Zeitschriften verbreiten«, werden gerügt: vor allem Stefan Heym und Wolf Biermann, ferner Manfred Bieler, Werner Bräunig, Peter Hacks, Heiner Müller u. a.

27.–28. April 1966 – 12. Tagung des Zentralkomitees
Schwerpunkte sind die Außenpolitik (Verhältnis zur Sowjetunion) und die Deutschlandpolitik. Im chinesisch-sowjetischen Konflikt stellt sich die SED jetzt vorbehaltlos auf die Seite der KPdSU. In der Deutschlandpolitik geht es vor allem um das Verhältnis zur SPD. Auf dem Plenum wird die Vertagung des zwischen SED und SPD geplanten Redneraustausches beschlossen.*

* Am 29. 6. 1966 wird die SED endgültig ihre Bereitschaft zu dem Redneraustausch zurückziehen.

17.–22. April 1967
VII. Parteitag

Das (4.) Statut wird revidiert; für die Organisation, Anleitung und Kontrolle des Parteiapparates wird (oberhalb der Betriebsebene) das Territorialprinzip wieder beherrschend.*
Ideologisch-programmatisch faßt die SED ihre Ziele für die nächsten Jahre in der Formel »Gestaltung des entwickelten gesellschaftlichen Systems des Sozialismus« zusammen. »Bis zur Vollendung des Sozialismus« soll es darum gehen, die einzelnen gesellschaftlichen Teilbereiche (Politik, Ökonomie, Kultur etc.) – im Sinne eines »Systems« aufeinander abgestimmt – zu entwickeln.**
In der Deutschlandpolitik konkretisiert die SED ihre Vorstellungen dahingehend, daß sie vorschlägt, diplomatische Beziehungen zwischen den beiden deutschen Staaten herzustellen und einen Vertrag über »Westberlin als besondere politische Einheit« zu schließen.
Das NÖSPL wird durch das »ökonomische System der Sozialismus« (ÖSS) abgelöst.
Das Bemühen der Partei um eine breite Unterstützung durch die Bevölkerung der DDR wird sowohl in dem von Ulbricht vorgetragenen Konzept der »sozialistischen Menschengemeinschaft« deutlich wie in den auf dem Parteitag angekündigten sozialpolitischen Verbesserungen (Erhöhung der Mindesteinkommen und -renten, Einführung der Fünf-Tage-Arbeitswoche u. a.).

22.–25. Oktober 1968 – 9. Tagung des Zentralkomitees
Die Parteiführung verteidigt die Okkupation der ČSSR (20./21. 8.), an der die Nationale Volksarmee zusammen mit den Streitkräften von vier weiteren Warschauer-Pakt-Staaten beteiligt war.***
»Revisionistische« und eurokommunistische Ideen werden, aus Anlaß der Prager Ereignisse, heftig kritisiert. Unter Hinweis auf die Erfolge des NÖSPL und ÖSS in der DDR verurteilt die Tagung die tschechoslowakischen wirtschaftspolitischen Reformideen (Ota Šik) und das jugoslawische Modell der Selbstverwaltung.

12.–13. Dezember 1969 – 12. Tagung des Zentralkomitees
Das Tagungsreferat von Ulbricht enthält eine Einschätzung der »neuen Ostpolitik« in der Bundesrepublik. Weniger haßerfüllt und in der Wortwahl gemäßigter wiederholt der SED-Chef, was bereits auf der 5. und 6. Tagung 1964 zum Ausdruck gekommen war: Die »neue Ostpolitik« der Großen Koalition sei gegen den Sozialismus gerichtet; »sie sollte die DDR von ihren Freunden isolieren und das Eindringen in die DDR vorbereiten«. Mit Blick auf die seit Oktober 1969 amtierende sozialliberale Regierung Brandt/Scheel entwickelt Ulbricht Vorstellungen über vertragliche Beziehungen zwischen den beiden deutschen Staaten, und kurz nach der Tagung (am 18. 12.) sendet er den Entwurf eines Vertrages »Zur Aufnahme gleichberechtigter Beziehungen« an Bundespräsident Heinemann.

9.–10. Juni 1970 – 13. Tagung des Zentralkomitees
Im Schlußwort der ansonsten von der Wirtschaftspolitik bestimmten Tagung nimmt Ulbricht zu den Treffen zwischen Bundeskanzler Brandt und Ministerpräsident Stoph in Erfurt (19. 3.) und Kassel (21. 5.) Stellung. Stoph äußert sich ablehnend zu den von Brandt vorgelegten »20 Punkten von Kassel«: Sie seien »ein geschlossenes Programm gegen gleichberechtigte völkerrechtliche Beziehungen zwischen der DDR und der BRD«.

* Die BfI und BfL sowie die 1963 gebildeten Kommissionen wurden bereits 1966 stillschweigend aufgelöst.
** Wenig später, in einer Rede am 12. September, wird Ulbricht vom Sozialismus als einer »relativ selbständigen sozialökonomischen Formation in der historischen Epoche des Übergangs vom Kapitalismus zum Kommunismus« sprechen.
*** Die 8. Tagung (23. 8. 1968) hatte bereits »einstimmig die in der Mitteilung von TASS vom 21. August 1968 enthaltene Entscheidung der Regierungen der verbündeten Länder zur Hilfeleistung für die ČSSR gegen die konterrevolutionären, dem Sozialismus feindlichen Kräfte« bestätigt.

9.–11. Dezember 1970 – 14. Tagung des Zentralkomitees
Schwierigkeiten in der Wirtschafts- und Planungspolitik werden zugegeben; sie haben Ulbrichts Position geschwächt. Die Periode des NÖSPL und des ÖSS gilt als beendet.

3. Mai 1971 – 16. Tagung des Zentralkomitees
Erich Honecker, schon seit einiger Zeit und mit Ulbrichts Unterstützung der zweite Mann in der Partei, übernimmt das Amt des Ersten Sekretärs des Zentralkomitees; Ulbricht tritt »aus Altersgründen« zurück.

15.–19. Juni 1971
VIII. Parteitag

Er markiert das Ende der Ära Ulbricht. Nicht nur NÖSPL und ÖSS gehören nunmehr der Vergangenheit an, sondern auch die Vorstellungen vom gesellschaftlichen »System« des Sozialismus und der »sozialistischen Menschengemeinschaft«. Das bedeutet zugleich eine ausdrücklichere Anerkennung der Sowjetunion als Vorbild und Vormacht.
Die Ära Honecker beginnt mit einem Parteitagsbeschluß, der als »Hauptaufgabe« des Fünfjahrplans 1971–1975 die »weitere Erhöhung des materiellen und kulturellen Lebensniveaus« in der DDR propagiert (später: »Hauptaufgabe in ihrer/der Einheit von Wirtschafts- und Sozialpolitik«). Diese »Hauptaufgabe« wird auch für die folgenden Fünfjahrpläne gültig bleiben.
Die ideologische Linie wird mit dem Begriff »entwikkelte sozialistische Gesellschaft« charakterisiert, aber erst im neuen Programm von 1976 kodifiziert (s. IX. Parteitag).
Am (4.) Statut von 1963 werden nochmals Änderungen angebracht: Parteitage sollen von nun an alle fünf Jahre (entsprechend den Planperioden) stattfinden; Parteiorganisationen erhalten das Recht der Kontrolle über die Tätigkeit der Betriebsleitungen auch in Kultur-, Wissenschafts- und Bildungseinrichtungen.

19. Juni 1971 – 1. Tagung des Zentralkomitees
Alle amtierenden Politbüromitglieder und -kandidaten sowie ZK-Sekretäre werden wiedergewählt. Zusätzlich werden einige personelle Veränderungen vorgenommen: Werner Lamberz steigt vom Kandidaten zum Mitglied des Politbüros auf; Werner Krolikowski rückt als Mitglied in das Politbüro ein, Erich Mielke und Harry Tisch als Kandidaten.
Der entmachtete und kranke Ulbricht, nun wie einst Pieck und Grotewohl »Parteivorsitzender«, ist weiterhin Mitglied des Politbüros.*

16.–17. September 1971 – 2. Tagung des Zentralkomitees
Sie faßt einen Beschluß zum Viermächte-Abkommen** über Berlin (SED-offiziell: Vierseitiges Abkommen über Westberlin) und beschäftigt sich mit deutschlandpolitischen Fragen.

16.–17. Dezember 1971 – 4. Tagung des Zentralkomitees
Auf ihr werden, wie schon auf dem VIII. Parteitag, die die »Parteilichkeit« akzeptierenden Künstler zum »Meinungsstreit« ermuntert. Honecker sagt: »Wenn man von den festen Positionen des Sozialismus ausgeht, kann es meines Erachtens auf dem Gebiet von Kunst und Literatur keine Tabus geben. Das betrifft sowohl die Fragen der inhaltlichen Gestaltung als auch des Stils . . .«

27.–28. April 1972 – 5. Tagung des Zentralkomitees
Sozialpolitische Maßnahmen, die 1972 und 1973 in Kraft treten, werden bekanntgegeben: Verbesserungen der Rentenleistungen und der Sozialfürsorge; die Förderung berufstätiger Mütter, junger Ehen und der Geburtenentwicklung; eine günstigere Gestaltung der Mietregelungen.

6.–7. Juli 1972 – 6. Tagung des Zentralkomitees
Kurt Hager hält ein grundlegendes Referat »Zu Fragen der Kulturpolitik der SED«. Er umreißt genauer, was mit dem zweiten Teil der auf dem VIII. Parteitag formulierten »Hauptaufgabe«, der Hebung des »Kulturniveaus«, gemeint ist. Die Kunstschaffenden werden ebenso wie die übrigen Werktätigen in der DDR in die Pflicht genommen.

28.–29. Mai 1973 – 9. Tagung des Zentralkomitees
Der von Honecker verlesene Rechenschaftsbericht nimmt zum Verhältnis DDR – Bundesrepublik*** Stellung. Dabei fällt auch die vielzitierte Bemerkung über die »westlichen Massenmedien«, den »Rundfunk und das Fernsehen der BRD, die ja bei uns jeder nach Belieben ein- oder ausschalten kann«.
Hager beschäftigt sich mit der Verbesserung der ideologischen Arbeit der Partei, insbesondere der Auseinandersetzung mit der »bürgerlichen Ideologie«: Zum »real existierenden Sozialismus« gebe es keine Alternative. Diese Feststellung zielt insbeson-

* Ulbricht bleibt bis zu seinem Tod (1. 8. 1973) auch Vorsitzender des Staatsrates der DDR. Trotzdem ist er politisch ausgeschaltet und wird auch als staatliche Symbolfigur demontiert (etwa durch Streichung seines Namens aus den Namen von öffentlichen Einrichtungen, Einzug der mit seinem Kopf versehenen Briefmarken).
** Am 3. 9. 1971 war es von den Botschaftern der vier Siegermächte des Zweiten Weltkriegs (USA, UdSSR, Großbritannien, Frankreich) unterzeichnet worden.
*** Am 21. 6. 1973 tritt der Grundlagenvertrag in Kraft.

dere auf Entwicklungen in Literatur und Kunst, die – aus der Sicht der SED – das sozialistische Persönlichkeitsideal und die sozialistische Moral untergraben.*

2. Oktober 1973 – 10. Tagung des Zentralkomitees
Eine Reihe von personalpolitischen Veränderungen an der Spitze der Partei, mit denen Honecker seine Macht festigt, werden gebilligt: Verteidigungsminister Heinz Hoffmann wird Mitglied des Politbüros; zu Politbüro-Kandidaten werden Werner Felfe, Joachim Herrmann, Ingeburg Lange, Konrad Naumann und Gerhard Schürer ernannt.

2.–3. Oktober 1975 – 15. Tagung des Zentralkomitees
Sie befaßt sich mit der KSZE-Schlußakte, die Bundeskanzler Schmidt für die Bundesrepublik Deutschland und der Erste Sekretär des Zentralkomitees der SED, Honecker, für die DDR am 1. 8. 1975 in Helsinki unterzeichnet hatten. Ferner steht der neue »Vertrag über Freundschaft, Zusammenarbeit und gegenseitigen Beistand« mit der Sowjetunion auf der Tagesordnung (gebilligt wird er auf der 16. Tagung, 26.–27. 11. 1975).

* Ein Beispiel ist das erfolgreiche Stück von Ulrich Plenzdorf »Die neuen Leiden des jungen W.«.

18.–22. Mai 1976
IX. Parteitag

Das Programm von 1963 wird ersetzt. Übergreifende Zielsetzung des neuen Programms ist die »Gestaltung der entwickelten sozialistischen Gesellschaft« in der DDR. Es propagiert den »allmählichen Übergang zum Kommunismus« und damit eine verhältnismäßig enge Verkoppelung von Sozialismus und Kommunismus (als zwei Phasen einer einheitlichen Gesellschaftsformation).
Die »Wiederherstellung der nationalen Einheit Deutschlands«, explizites Ziel im Programm von 1963, wird aufgegeben. Das neue Programm stellt auf die Entwicklung der »sozialistischen deutschen Nation« in der DDR ab.* Demgemäß eindeutig wird der Orientierung auf das »sozialistische Weltsystem« Ausdruck verliehen; die SED bezeichnet sich als »eine Abteilung der internationalen kommunistischen Bewegung«.
Ein neues (5.) Statut wird beschlossen. In ihm werden die SED-Mitglieder, erstmals in der Geschichte ihrer Partei, als »Kommunisten« angesprochen, und der »Erste Sekretär« erhält den Titel »Generalsekretär« (in Anlehnung an die KPdSU und wie in der SED in den Jahren 1950 bis 1953).
Der Bericht des Zentralkomitees an den Parteitag konzentriert sich auf die Wirtschafts- und Sozialpolitik, ebenso das Referat von Horst Sindermann und die meisten Diskussionsbeiträge – ohne daß die Parteiführung konkrete Maßnahmen zur Verbesserung der Lage der Bevölkerung angeboten hätte. Erst nach dem Parteitag und offensichtlich auf Druck der SED-Mitglieder ist es dann (am 27. 5.) zu Beschlüssen über die Erhöhung von Mindestlöhnen und Renten, über die Arbeitszeitverkürzung und Urlaubsverlängerung gekommen.

28. Oktober 1976 – 3. Tagung des Zentralkomitees
Auf ihr werden die Personalveränderungen an der Spitze des Staates vorbereitet, die am 29. Oktober von der Volkskammer beschlossen werden und bis heute gelten: SED-Generalsekretär Honecker erhält das Amt des Vorsitzenden des Staatsrates**, Politbüromitglied Stoph wird Vorsitzender des Ministerrates und Politbüromitglied Sindermann Präsident der Volkskammer.

17.–18. März 1977 – 5. Tagung des Zentralkomitees
Im Politbürobericht wird erkennbar, daß sich die SED durch die internationale Debatte über die Verwirklichung der Menschenrechte (KSZE-Schlußakte und Politik des amerikanischen Präsidenten Carter) in die Defensive gedrängt fühlt. Vor allem im Kulturbereich sieht sie sich einer vielfältigen Opposition gegenüber. Die Ausbürgerung Wolf Biermanns (16. 11. 1976) und die Verhängung des Hausarrestes über Robert Havemann (26. 11. 1976) haben zu Solidarisierungen geführt, die die Parteiführung vermutlich nicht vorausgesehen hat.

* Vorausgegangen waren entsprechende Änderungen der Verfassung der DDR von 1968, die am 7. 10. 1974 novelliert worden war.
** Bereits am 24. 6. 1971 hatte Honecker von Ulbricht den Vorsitz des Nationalen Verteidigungsrates übernommen.

11.–16. April 1981
X. Parteitag

Herausragender Themenbereich ist auch diesmal die Wirtschaftspolitik. An der 1971 formulierten »Hauptaufgabe«, die im Programm von 1976 kodifiziert worden war, wird festgehalten. Honecker formuliert im Rechenschaftsbericht des Zentralkomitees »zehn Schwerpunkte« für die »ökonomische Strategie der achtziger Jahre«.

15.–16. Juni 1983 – 6. Tagung des Zentralkomitees
Auf der ersten Sitzung des Zentralkomitees, die nach der »Wende« in Bonn (CDU/CSU-FDP-Regierung unter Helmut Kohl) stattfindet, versichert die SED,

daß ihre Haltung zur Bundesrepublik von »Kontinuität, Stetigkeit und Zuverlässigkeit« geprägt sei.

24.–25. November 1983 – 7. Tagung des Zentralkomitees
Honecker benutzt die Tagung, um der SED-Politik der »Schadensbegrenzung« anläßlich des Beginns der NATO-Nachrüstung in der Bundesrepublik Ausdruck zu verleihen. Ausdrücklich lobt der Politbürobericht (vorgetragen von Werner Felfe) den Generalsekretär wegen seines »persönlichen Einsatzes« für die Politik des Dialogs mit Repräsentanten der Bundesrepublik. Egon Krenz, der von Honecker favorisierte Nachfolger im Amt des Generalsekretärs, rückt ins Politbüro und ZK-Sekretariat auf.

24. Mai 1984 – 8. Tagung des Zentralkomitees
Das Politbüro wird vergrößert und verjüngt: Der Altfunktionär Paul Verner zieht sich »aus gesundheitlichen Gründen« zurück; Herbert Häber, Leiter der ZK-Abteilung für Westfragen und Spezialist für die Beziehungen zur Bundesrepublik, wird neu aufgenommen und gleich zum Mitglied ernannt; die bisherigen Kandidaten Werner Jarowinsky, Günther Kleiber und Günter Schabowski erhalten Mitglieder-Status. Konrad Naumann, Politbüromitglied und 1. Sekretär der SED-Bezirksleitung Berlin (Ost), wird zusätzlich Sekretär des Zentralkomitees.

22.–23. November 1984 – 9. Tagung des Zentralkomitees
Sie erhält ihre Bedeutung, weil zwei Ereignisse der aktuellen SED-/DDR-Geschichte ausgeklammert werden. Anfang September hatte die SED den für Ende des Monats vorgesehenen Besuch Erich Honeckers in der Bundesrepublik ohne Angabe von Gründen abgesagt; auf dem Plenum wird keine Erklärung nachgereicht. Vorausgegangen waren scharfe Angriffe der sowjetischen Presse wegen der Intensivierung der Beziehungen zwischen beiden deutschen Staaten. Ferner bleibt, zumindest in den veröffentlichten Materialien, die Ausreisepolitik der SED unerwähnt; im ersten Halbjahr 1984 waren überraschend Ausreisegenehmigungen an insgesamt ca. 32 000 DDR-Bürger erteilt worden.

22. November 1985 – 11. Tagung des Zentralkomitees
Sie beschließt weitere Veränderungen in der Besetzung der Führungspositionen. Die spektakulärste ist die Entmachtung von Konrad Naumann. Der langjährige 1. Sekretär der SED-Bezirksleitung Berlin, der seit 1973 im Politbüro gewesen und im Mai 1984 zusätzlich ZK-Sekretär geworden war, verliert seine ZK-Funktionen und kurz darauf (25. 11.) auch das Amt des Bezirkssekretärs.* Weiterhin scheidet Herbert Häber aus Politbüro und ZK-Sekretariat »aus gesundheitlichen Gründen« aus.

* Günter Schabowski, seit 1981 im Politbüro, wird Naumanns Nachfolger im Amt des ZK-Sekretärs und als 1. Sekretär der SED-Bezirksleitung Berlin.

17.–21. April 1986
XI. Parteitag

In Anwesenheit von KPdSU-Generalsekretär Gorbatschow* feiert die SED ihr 40jähriges Bestehen. Die im Programm von 1976 festgelegte ideologische Linie und die »Hauptaufgabe« im Sinne der »Einheit von Wirtschafts- und Sozialpolitik« bleiben richtungweisend.
Westliche Beobachter stellen in ihren Interpretationen vor allem folgendes heraus: Dies ist voraussichtlich der letzte Parteitag mit Honecker (Jg. 1912) als Generalsekretär. Im Grunde hat diese Veranstaltung nichts Neues gebracht; der SED-Herrschaftsapparat ist erstarrt, die Parteitage laufen nach einem Ritual ab. Notierenswert aber sind gewisse Verschiedenheiten im persönlichen Stil und in den Äußerungen vor allem zu Fragen der internationalen Politik, wie sie Honecker und Gorbatschow auf dem Parteitag zu erkennen geben.
Neue Mitglieder des Politbüros wurden Heinz Keßler, neuer DDR-Verteidigungsminister nach dem Tod von Heinz Hoffmann, Hans-Joachim Böhme, 1. SED-Bezirkssekretär von Halle, sowie die auf dem 11. ZK-Plenum zu Kandidaten ernannten 1. Bezirkssekretäre von Magdeburg, Werner Eberlein, und von Karl-Marx-Stadt, Siegfried Lorenz.

* Gorbatschow ist nicht der erste KPdSU-Generalsekretär, der an einem SED-Parteitag teilnimmt. Im Jahre 1963 besuchte Chruschtschow die SED zu ihrem VI. Parteitag, 1971 war Breshnew zum VIII. Parteitag in Ost-Berlin.

Übersicht über Parteitage, Parteikonferenzen und Tagungen des Zentralkomitees der SED 1946 bis 1987

I. Parteitag, 21.–22. April 1946

1.	Tagung des Parteivorstandes	25. April 1946
2.	Tagung des Parteivorstandes	14.–15. Mai 1946
3.	Tagung des Parteivorstandes	18.–20. Juni 1946
4.	Tagung des Parteivorstandes	16.–17. Juli 1946
5.	Tagung des Parteivorstandes	18.–19. September 1946
6.	Tagung des Parteivorstandes	24.–25. Oktober 1946
7.	außerordentliche Tagung	14. November 1946
8.	Tagung des Parteivorstandes	22.–23. Januar 1947
9.	Tagung des Parteivorstandes	14. Februar 1947
10.	Tagung des Parteivorstandes	26.–27. März 1947
11.	Tagung des Parteivorstandes	21.–22. Mai 1947
12.	Tagung des Parteivorstandes	1.–3. Juli 1947
13.	Tagung des Parteivorstandes	20.–21. August 1947
14.	Tagung des Parteivorstandes	16. September 1947

II. Parteitag, 20.–24. September 1947

1.	(15.)	Tagung des Parteivorstandes	25. September 1947
2.	(16.)	Tagung des Parteivorstandes	15.–16. Oktober 1947
3.	(17.)	Tagung des Parteivorstandes	12.–13. November 1947
4.	(18.)	außerordentliche Tagung	26. November 1947
5.	(19.)	Tagung des Parteivorstandes	8. Dezember 1947
6.	(20.)	Tagung des Parteivorstandes	14.–15. Januar 1948
7.	(21.)	Tagung des Parteivorstandes	11.–12. Februar 1948
8.	(22.)	Tagung des Parteivorstandes	20. März 1948
9.	(23.)	Tagung des Parteivorstandes	14.–15. April 1948
10.	(24.)	Tagung des Parteivorstandes	12.–13. Mai 1948
11.	(25.)	Tagung des Parteivorstandes	29.–30. Juni 1948
12.	(26.)	Tagung des Parteivorstandes	28.–29. Juli 1948
13.	(27.)	Tagung des Parteivorstandes	15.–16. September 1948
14.	(28.)	Tagung des Parteivorstandes	20.–21. Oktober 1948
15.	(29.)	außerordentliche Tagung	30. Oktober 1948
16.	(30.)	Tagung des Parteivorstandes	24. Januar 1949

1. Parteikonferenz, 25.–28. Januar 1949

17.	(31.)	Tagung des Parteivorstandes	9.–10. März 1949
18.	(32.)	Tagung des Parteivorstandes	4.–5. Mai 1949
19.	(33.)	Tagung des Parteivorstandes	27. Mai 1949
20.	(34.)	Tagung des Parteivorstandes	20.–21. Juli 1949

21.	(35.) Tagung des Parteivorstandes	23.–24. August 1949
22.	(36.) Tagung des Parteivorstandes	4. Oktober 1949
23.	(37.) Tagung des Parteivorstandes	9. Oktober 1949
24.	(38.) Tagung des Parteivorstandes	10.–11. Januar 1950
25.	(39.) Tagung des Parteivorstandes	14.–15. März 1950
26.	(40.) Tagung des Parteivorstandes	2.–3. Juni 1950
27.	(41.) Tagung des Parteivorstandes	18. Juli 1950

III. Parteitag, 20.–24. Juli 1950

1.	Tagung des Zentralkomitees	25. Juli 1950
2.	Tagung des Zentralkomitees	24. August 1950
3.	Tagung des Zentralkomitees	26.–27. Oktober 1950
4.	Tagung des Zentralkomitees	17.–19. Januar 1951
5.	Tagung des Zentralkomitees	15.–17. März 1951
6.	Tagung des Zentralkomitees	13.–15. Juni 1951
7.	Tagung des Zentralkomitees	18.–20. Oktober 1951
8.	Tagung des Zentralkomitees	21.–23. Februar 1952
9.	Tagung des Zentralkomitees	8. Juli 1952

2. Parteikonferenz, 9.–12. Juli 1952

10.	Tagung des Zentralkomitees	20.–22. November 1952
11.	Tagung des Zentralkomitees	7. Februar 1953
12.	Tagung des Zentralkomitees	6. März 1953
13.	Tagung des Zentralkomitees	13.–14. Mai 1953
14.	Tagung des Zentralkomitees	21. Juni 1953
15.	Tagung des Zentralkomitees	24.–26. Juli 1953
16.	Tagung des Zentralkomitees	17.–19. September 1953
17.	Tagung des Zentralkomitees	22.–23. Januar 1954
18.	Tagung des Zentralkomitees	29. März 1954

IV. Parteitag, 30. März–6. April 1954

19.	Tagung des Zentralkomitees	7. April 1954
20.	Tagung des Zentralkomitees	8.–9. September 1954
21.	Tagung des Zentralkomitees	12.–14. November 1954
22.	Tagung des Zentralkomitees	7. Dezember 1954
23.	Tagung des Zentralkomitees	13.–15. April 1955
24.	Tagung des Zentralkomitees	1.–2. Juli 1955
25.	Tagung des Zentralkomitees	24.–27. Oktober 1955
26.	Tagung des Zentralkomitees	22. März 1956

3. Parteikonferenz, 24.–30. März 1956

27.	Tagung des Zentralkomitees	30. März 1956
28.	Tagung des Zentralkomitees	27.–29. Juli 1956
29.	Tagung des Zentralkomitees	12.–14. November 1956
30.	Tagung des Zentralkomitees	30. Januar–1. Februar 1957
31.	Tagung des Zentralkomitees	27. März 1957

32. Tagung des Zentralkomitees	10.–12. Juli 1957
33. Tagung des Zentralkomitees	16.–19. Oktober 1957
34. Tagung des Zentralkomitees	27. November 1957
35. Tagung des Zentralkomitees	3.–6. Februar 1958
36. Tagung des Zentralkomitees	10.–11. Juni 1958

V. Parteitag, 10.–16. Juli 1958

1. Tagung des Zentralkomitees	16. Juli 1958
2. Tagung des Zentralkomitees	18.–19. September 1958
3. Tagung des Zentralkomitees	2. Dezember 1958
4. Tagung des Zentralkomitees	15.–17. Januar 1959
5. Tagung des Zentralkomitees	22.–23. Mai 1959
6. Tagung des Zentralkomitees	18.–19. September 1959
7. Tagung des Zentralkomitees	10.–13. Dezember 1959
8. Tagung des Zentralkomitees	30. März–2. April 1960
9. Tagung des Zentralkomitees	20.–23. Juli 1960
10. Tagung des Zentralkomitees	9. September 1960
11. Tagung des Zentralkomitees	15.–17. Dezember 1960
12. Tagung des Zentralkomitees	16.–19. März 1961
13. Tagung des Zentralkomitees	3.–4. Juli 1961
14. Tagung des Zentralkomitees	23.–26. November 1961
15. Tagung des Zentralkomitees	21.–23. März 1962
16. Tagung des Zentralkomitees	26.–28. Juni 1962
17. Tagung des Zentralkomitees	3.–5. Oktober 1962
18. Tagung des Zentralkomitees	12. Januar 1963

VI. Parteitag, 15.–21. Januar 1963

1. Tagung des Zentralkomitees	21. Januar 1963
2. Tagung des Zentralkomitees	10.–12. April 1963
3. Tagung des Zentralkomitees	29.–30. April 1963
4. Tagung des Zentralkomitees	30. Oktober–1. November 1963
5. Tagung des Zentralkomitees	3.–7. Februar 1964
6. Tagung des Zentralkomitees	4. Oktober 1964
7. Tagung des Zentralkomitees	2.–5. Dezember 1964
8. Tagung des Zentralkomitees	11.–12. Februar 1965
9. Tagung des Zentralkomitees	26.–28. April 1965
10. Tagung des Zentralkomitees	23.–25. Juni 1965
11. Tagung des Zentralkomitees	15.–18. Dezember 1965
12. Tagung des Zentralkomitees	27.–28. April 1966
13. Tagung des Zentralkomitees	15.–17. September 1966
14. Tagung des Zentralkomitees	15.–17. Dezember 1966
15. Tagung des Zentralkomitees	15. April 1967

VII. Parteitag, 17.–22. April 1967

1. Tagung des Zentralkomitees	22. April 1967
2. Tagung des Zentralkomitees	6.–7. Juli 1967
3. Tagung des Zentralkomitees	23.–24. November 1967
4. Tagung des Zentralkomitees	29.–30. Januar 1968

5. Tagung des Zentralkomitees	21. März 1968
6. Tagung des Zentralkomitees	6.–8. Juni 1968
7. Tagung des Zentralkomitees	7. August 1968
8. Tagung des Zentralkomitees	23.August 1968
9. Tagung des Zentralkomitees	22.–25. Oktober 1968
10. Tagung des Zentralkomitees	28.–29. April 1969
11. Tagung des Zentralkomitees	29.–30. Juli 1969
12. Tagung des Zentralkomitees	12.–13. Dezember 1969
13. Tagung des Zentralkomitees	9.–10. Juni 1970
14. Tagung des Zentralkomitees	9.–11. Dezember 1970
15. Tagung des Zentralkomitees	28. Januar 1971
16. Tagung des Zentralkomitees	3. Mai 1971
17. Tagung des Zentralkomitees	10. Juni 1971

VIII. Parteitag, 15.–19. Juni 1971

1. Tagung des Zentralkomitees	19. Juni 1971
2. Tagung des Zentralkomitees	16.–17. September 1971
3. Tagung des Zentralkomitees	19. November 1971
4. Tagung des Zentralkomitees	16.–17. Dezember 1971
5. Tagung des Zentralkomitees	27.–28. April 1972
6. Tagung des Zentralkomitees	6.–7. Juli 1972
7. Tagung des Zentralkomitees	12. Oktober 1972
8. Tagung des Zentralkomitees	6.–7. Dezember 1972
9. Tagung des Zentralkomitees	28.–29. Mai 1973
10. Tagung des Zentralkomitees	2. Oktober 1973
11. Tagung des Zentralkomitees	14.–15. Dezember 1973
12. Tagung des Zentralkomitees	4.–5. Juli 1974
13. Tagung des Zentralkomitees	12.–14. Dezember 1974
14. Tagung des Zentralkomitees	5. Juni 1975
15. Tagung des Zentralkomitees	2.–3. Oktober 1975
16. Tagung des Zentralkomitees	26.–27. November 1975
17. Tagung des Zentralkomitees	17. März 1976
18. Tagung des Zentralkomitees	14. Mai 1976

IX. Parteitag, 18.–22. Mai 1976

1. Tagung des Zentralkomitees	22. Mai 1976
2. Tagung des Zentralkomitees	2.–3. September 1976
3. Tagung des Zentralkomitees	28. Oktober 1976
4. Tagung des Zentralkomitees	8.–9. Dezember 1976
5. Tagung des Zentralkomitees	17.–18. März 1977
6. Tagung des Zentralkomitees	23.–24. Juni 1977
7. Tagung des Zentralkomitees	24.–25. November 1977
8. Tagung des Zentralkomitees	24.–25. Mai 1978
9. Tagung des Zentralkomitees	13.–14. Dezember 1978
10. Tagung des Zentralkomitees	26.–27. April 1979
11. Tagung des Zentralkomitees	13.–14. Dezember 1979
12. Tagung des Zentralkomitees	21.–22. Mai 1980
13. Tagung des Zentralkomitees	11.–12. Dezember 1980
14. Tagung des Zentralkomitees	6. April 1981

X. Parteitag, 11.–16. April 1981

1. Tagung des Zentralkomitees	16. April 1981
2. Tagung des Zentralkomitees	19. Juni 1981
3. Tagung des Zentralkomitees	19.–20. November 1981
4. Tagung des Zentralkomitees	23.–24. Juni 1982
5. Tagung des Zentralkomitees	25.–26. November 1982
6. Tagung des Zentralkomitees	15.–16. Juni 1983
7. Tagung des Zentralkomitees	24.–25. November 1983
8. Tagung des Zentralkomitees	24. Mai 1984
9. Tagung des Zentralkomitees	22.–23. November 1984
10. Tagung des Zentralkomitees	20.–21. Juni 1985
11. Tagung des Zentralkomitees	22. November 1985

XI. Parteitag, 17.–21. 4. 1986

1. Tagung des Zentralkomitees	24. April 1986
2. Tagung des Zentralkomitees	13. Juni 1986
3. Tagung des Zentralkomitees	20.–21. November 1986
4. Tagung des Zentralkomitees	18.–19. Juni 1987

Die SED in Zahlen

Zahlenmaterial über ihre Mitglieder hält die SED seit je zurück. Eine Übersicht gar, die Aufschluß über die vierzigjährige Entwicklung geben könnte, sucht man vergeblich. Aus den jeweils aktuell, meist anläßlich der Parteitage veröffentlichten statistischen Angaben lassen sich aber, mehr oder weniger vollständig, einige Datenreihen zusammenstellen. Die wichtigsten seien hier mitgeteilt und kurz kommentiert.

(1) Mitgliederstand
Die zahlenmäßige Entwicklung der SED-Mitgliedschaft sieht wie folgt aus (bis Januar 1949 nur Mitglieder, ab Juli 1950 Mitglieder und Kandidaten):

1946 (April)	1 298 415
1947 (Mai)	1 786 138
1948 (Juni)	ca. 2 000 000
1949 (Januar)	1 773 689
1950 (Juli)	ca. 1 750 000
1951 (Juni)	ca. 1 221 300
1953 (September)	ca. 1 230 000
1954 (April)	1 413 313
1957 (Dezember)	1 472 932
1961 (Dezember)	1 610 769
1963 (Dezember)	1 680 446
1966 (Dezember)	1 769 912
1971 (Juni)	1 909 859
1973 (Dezember)	1 951 924
1976 (Mai)	2 043 697
1977 (März)	2 074 799
1980 (Dezember)	2 130 671
1981 (April)	2 172 110
1984 (Mai)	2 238 283
1986 (April)	2 304 121

Zum Zeitpunkt ihrer Gründung hatte die SED ca. 1,3 Millionen Mitglieder; davon kamen 53 v. H. aus der SPD und 47 v. H. aus der KPD. Dieses Bild sollte sich schnell ändern. Im (1.) Statut von 1946 waren noch keine besonderen Bedingungen für den Eintritt in die neue Partei formuliert. Zunächst sind daher so gut wie alle Bewerber aufgenommen worden, einschließlich ehemaliger Mitglieder der NSDAP.[1] So ist es nicht verwunderlich, daß die Partei im Juni 1948 ca. 2 Millionen Mitglieder zählte, also zu etwa einem Drittel aus Personen bestand, die seit der Gründung neu hinzugekommen waren.

In den Jahren 1948 bis 1951 bewirkten die Umorientierung auf die »Partei neuen Typus« und die entsprechenden Säuberungsaktionen einen Rückgang der Mitgliedschaft. Beginnend mit dem (2.) Statut von 1950, enthalten alle Statuten restriktive Aufnahmebedingungen; die Neuaufnahmen werden, entsprechend den jeweiligen politischen Zielen, kontrolliert vorgenommen.[2] Zugleich ist die Mitgliederzahl (einschließlich Kandidaten) ab 1951 ständig gestiegen; zwischen 1973 und 1976 hat sie die 2-Millionen-Marke überschritten.

Für den XI. Parteitag (1986) lauten die offiziellen Angaben: 2 199 741 Mitglieder und 104 380 Kandidaten. Diese verteilen sich auf 59 116 Grundorganisationen[3], deren Größe variiert. Grundorganisationen, zu denen mehr als 150 Parteimitglieder und -kandidaten gehören, können in Abteilungsparteiorganisationen (APO) untergliedert werden; davon gab es zum Zeitpunkt des XI. Parteitages 28 039. Die Anzahl der Parteigruppen, d. s. die untersten Einheiten der Parteihierarchie[4] innerhalb der Grundorganisationen und der APOs, betrug 96 104.

Jeder sechste erwachsene Bürger der DDR ist heute Mitglied oder Kandidat der SED; unter den Berufstätigen ist es jeder fünfte.

(2) Sozialstruktur
Aus den Angaben, die die SED zur Sozialstruktur ihrer Mitglieder und Kandidaten im Laufe der Jahre veröffentlicht hat, kann die auf S. 227 folgende Tabelle zusammengestellt werden (Angaben jeweils in v. H. der Gesamtmitgliedschaft).

Diese Zahlen allerdings sind wenig aussagekräftig, da wir nicht wissen, aufgrund welcher Kriterien die

1 Vgl. den Beschluß des Parteivorstandes vom 20. 6. 1946: »SED und nominelle Pgs«.
2 Gegenwärtig bevorzugt die Aufnahmepolitik junge (unter 25 Jahre) »Produktionsarbeiter«.
3 Überwiegend auf Betriebsebene bzw. am Arbeitsplatz (Betriebsparteiorganisationen – BPO), sehr viel seltener in städtischen Wohngebieten (Wohnparteiorganisationen – WPO) oder ländlichen Wohngebieten (Ortsparteiorganisationen – OPO).
4 Vgl. das Organisationsschema in dieser Edition, S. 228.

	Arbeiter	Bauern, Genossenschaftsbauern	Angestellte und Intelligenz	Intelligenz	Angestellte	Sonstige*
1947	48,1	9,4	22,0			20,5
1957	33,8	5,0	42,3			18,9
1961	33,8	6,2	41,3			18,7
1966	45,6	6,4	28,4			19,6
1973	56,6	5,7	30,7			7,0
1976	56,1	5,2		20,0	K. A.	(18,7)
1981	57,6	4,7		22,1	9,1	(6,5)
1986	58,1	4,8		22,4	7,6	7,1

* Zahlen für 1976 und 1981 durch Addition auf 100 Prozent; in der Zahl von 1976 ist die Gruppe der »Angestellten« enthalten.

Mitglieder/Kandidaten in die statistischen Kategorien »Arbeiter« etc. aufgenommen wurden, ob die Zuordnungskriterien über die Jahre die gleichen geblieben sind, ob sie auf allen Ebenen des Parteiapparates in derselben Weise gehandhabt wurden und werden u. ä. m. Als Tendenzen lassen sich festhalten, daß der Anteil der Arbeiter über die Jahre gestiegen, der der Genossenschaftsbauern gesunken ist. Beide Gruppen zusammen liegen seit 1973 ständig leicht über 60 v. H.; die übrigen Gruppen machen etwas weniger als 40 v. H. aus. Für die der »Intelligenz« zugerechneten Mitglieder/Kandidaten ist, seitdem sie gesondert aufgeführt werden, ein geringer Anstieg zu verzeichnen – und zwar vermutlich auf Kosten der »Angestellten«. In jüngster Zeit hat die SED zwar detailliertere Angaben zur sozialen Zusammensetzung der Partei veröffentlicht, doch die angedeuteten grundsätzlichen Mängel werden damit nicht behoben. In »Neues Deutschland« vom 9. 1. 1986 (S. 3) findet sich nachstehende Tabelle:

	Stand Jahresende 1985 %	Stand X. Parteitag (1981) %
Arbeiter	58,2	57,6
Produktionsarbeiter	37,9*	37,4*
Genossenschaftsbauern	4,8	4,7
Angehörige der Intelligenz	22,4	22,1
Angestellte	7,7	9,1
Studenten/ Schüler gesamt	2,1	2,0
Mitglieder von Produktionsgenossenschaften, Selbständige	0,8	0,8
Hausfrauen	0,9	1,1

* Ebenfalls bezogen auf Gesamtzahl der Mitglieder und Kandidaten der Partei

Es wurde also eine Kategorie »Produktionsarbeiter« – als Sonderklasse – eingeführt. Ferner haben die Parteistatistiker die »Sonstigen« aufgeschlüsselt, wobei sie allerdings ein paar Prozentpunkte unberücksichtigt ließen. Bis zu den jeweils 100 Prozent fehlen 3,1 v. H. bzw. 2,6 v. H.; hier ist wahrscheinlich vor allem die Gruppe der Rentner zu suchen.

(3) Altersstruktur

Zur Altersstruktur der Mitglieder und Kandidaten der SED läßt sich die Tabelle auf S. 228 erstellen (Altersgruppen jeweils in v. H. der Gesamtmitgliedschaft). Die Zahl der Mitglieder/Kandidaten in der jüngsten Altersgruppe hat sich ständig erhöht. Ferner sind über die Jahre hinweg die prozentualen Anteile der Gruppen »bis 40 Jahre« mit 40–45 v. H. und »über 40 Jahre« mit 50–55 v. H. offenbar relativ unverändert geblieben. Nur die Daten für 1950 weichen leicht von dieser Regel (38,5 : 61,5) ab.

Wichtiger als eine gewisse statistische Kontinuität sind jedoch die Entwicklungen, die sich unter generationssoziologischem Aspekt vollzogen haben. Die Mitglieder, die vor 1933 einer der deutschen Arbeiterparteien angehört hatten, wurden mehr und mehr zu einer Minderheit in der Gesamtpartei. 1946 mit mehreren Hunderttausenden[5] die Gründergeneration, betrug ihre Zahl im Jahre 1966 noch ca. 120 000 Personen; 1971 war sie auf 95 000 gesunken; neuere Angaben fehlen. Seit längerem also wird die SED von Generationen beherrscht, die ihre politischen Erfahrungen im wesentlichen nach 1945 und vermutlich ausschließlich in dieser Partei und ihrer Jugendorganisation gemacht haben.

(4) Frauenanteil

Der Anteil der Frauen an der Gesamtmitgliedschaft der SED ist ständig gestiegen: von 23,5 v. H. (1950) auf 35,5 v. H. (1986). Als Zwischenstationen können festgehalten werden: 26,5 v. H. (1967), 31,3 v. H. (1976), 33,7 v. H. (1981).[6]

5 Genaue Angaben sind nicht bekannt.
6 Alle Zahlen nach G. Meyer (in: Deutschland Archiv, Heft 12/1986, S. 1298), der sich auf SED-Veröffentlichungen beruft und eigene Berechnungen vorgenommen hat.

Altersstruktur der Mitglieder und Kandidaten der SED

	1947	1950	1966	1976	1981	1985
bis 25 Jahre	6,8	8,8	8,2	12,2	12,8	12,9
26 bis 30 Jahre	13,6	11,0	12,1	7,9	11,2	10,8
31 bis 40 Jahre	23,7	18,7	25,1	23,3	18,5	19,3
41 bis 50 Jahre	27,3	27,6	17,2	K. A.	22,6	21,1
über 50 Jahre	29,2	33,9	37,4	K. A.		
51 bis 60 Jahre					17,7	18,2
61 bis 65 Jahre					4,2	6,7
über 65					13,0	11,0

Trotz dieser Aufwärtsentwicklung sind die Frauen in der Partei auch heute noch immer unterrepräsentiert: Mit ihrem Anteil von 35,5 v. H. an der SED-Mitgliedschaft bleiben sie weit hinter dem Anteil von über 52 v. H. zurück, mit dem sie in der erwachsenen Bevölkerung der DDR vertreten sind.

Was für die Partei als ganze gilt, trifft in noch stärkerem Maß für deren Führungsgremien zu: Dem Politbüro gehören nach wie vor nur zwei Frauen – Inge Lange und Margarete Müller – als Kandidaten an; unter den fünfzehn 1. Bezirkssekretären befindet sich keine Frau.

Organisationsaufbau der SED

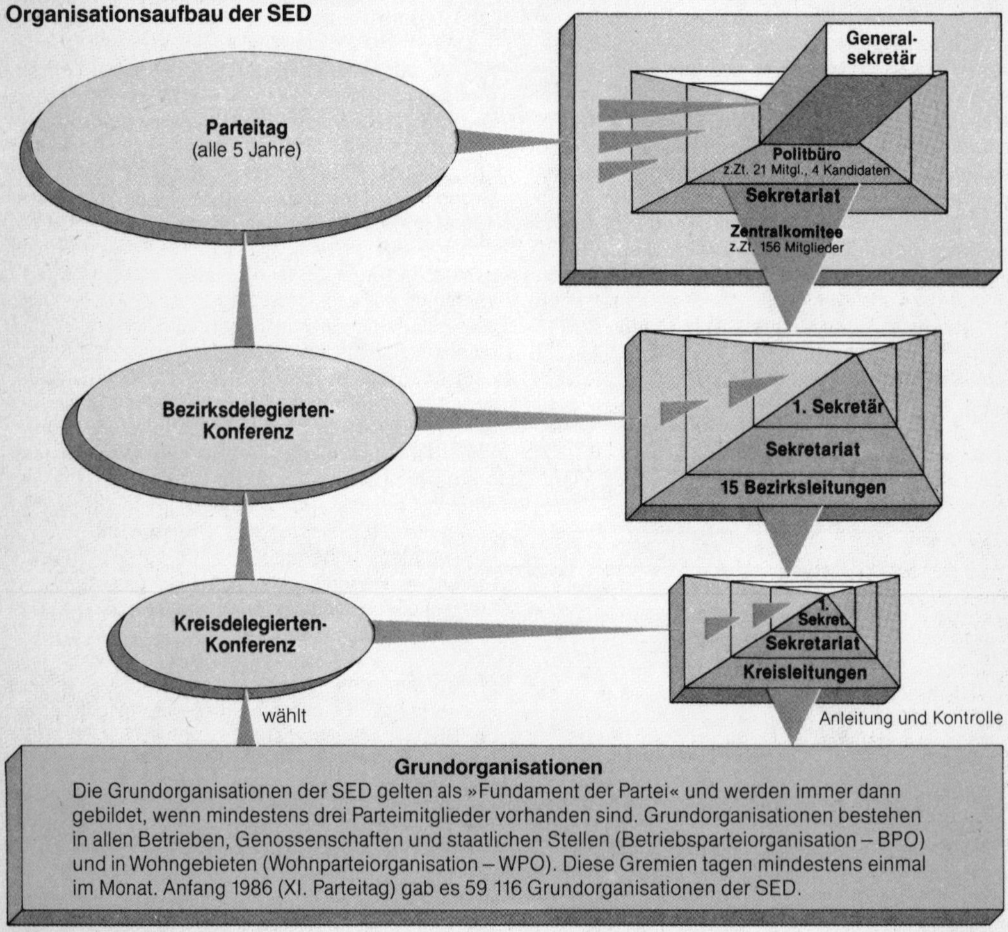
General-sekretär
Parteitag
(alle 5 Jahre)
Politbüro
z.Zt. 21 Mitgl., 4 Kandidaten
Sekretariat
Zentralkomitee
z.Zt. 156 Mitglieder
Bezirksdelegierten-Konferenz
1. Sekretär
Sekretariat
15 Bezirksleitungen
Kreisdelegierten-Konferenz
1. Sekret.
Sekretariat
Kreisleitungen
wählt
Anleitung und Kontrolle
Grundorganisationen
Die Grundorganisationen der SED gelten als »Fundament der Partei« und werden immer dann gebildet, wenn mindestens drei Parteimitglieder vorhanden sind. Grundorganisationen bestehen in allen Betrieben, Genossenschaften und staatlichen Stellen (Betriebsparteiorganisation – BPO) und in Wohngebieten (Wohnparteiorganisation – WPO). Diese Gremien tagen mindestens einmal im Monat. Anfang 1986 (XI. Parteitag) gab es 59 116 Grundorganisationen der SED.

Quelle: Zahlenspiegel des Bundesministeriums für innerdeutsche Beziehungen, 3. Auflage (1987).

Partei

Politbüro unter Leitung des Generalsekretärs der SED:
Fällt die politischen Grundsatzentscheidungen. Lenkt die Arbeit aller staatlichen und gesellschaftlichen Organisationen über Parteimitglieder in diesen Organisationen.
Die von der SED vorgegebene politische Grundlinie ist auch für die in der Nationalen Front zusammengeschlossenen sonstigen Parteien und deren Vertreter in allen Gremien verbindlich.

Sekretariat des Zentralkomitees der SED und ZK-Abteilungen: Vorbereitung, Durchführung und Kontrolle der politischen Grundsatzentscheidungen

Zentralkomitee der SED
Formell höchstes Parteiorgan zwischen den Parteitagen

Parteitag der SED:
Nominell oberstes Parteiorgan. Verabschiedet Parteiprogramme und -statute.

Regionale Organe:
SED-Parteiorganisation der Bezirke
Bezirksleitung mit Sekretariat
Delegiertenkonferenz

Lokale Organe:
SED-Parteiorganisation der Kreise
Kreisleitung mit Sekretariat
Delegiertenkonferenz
Grundorganisation

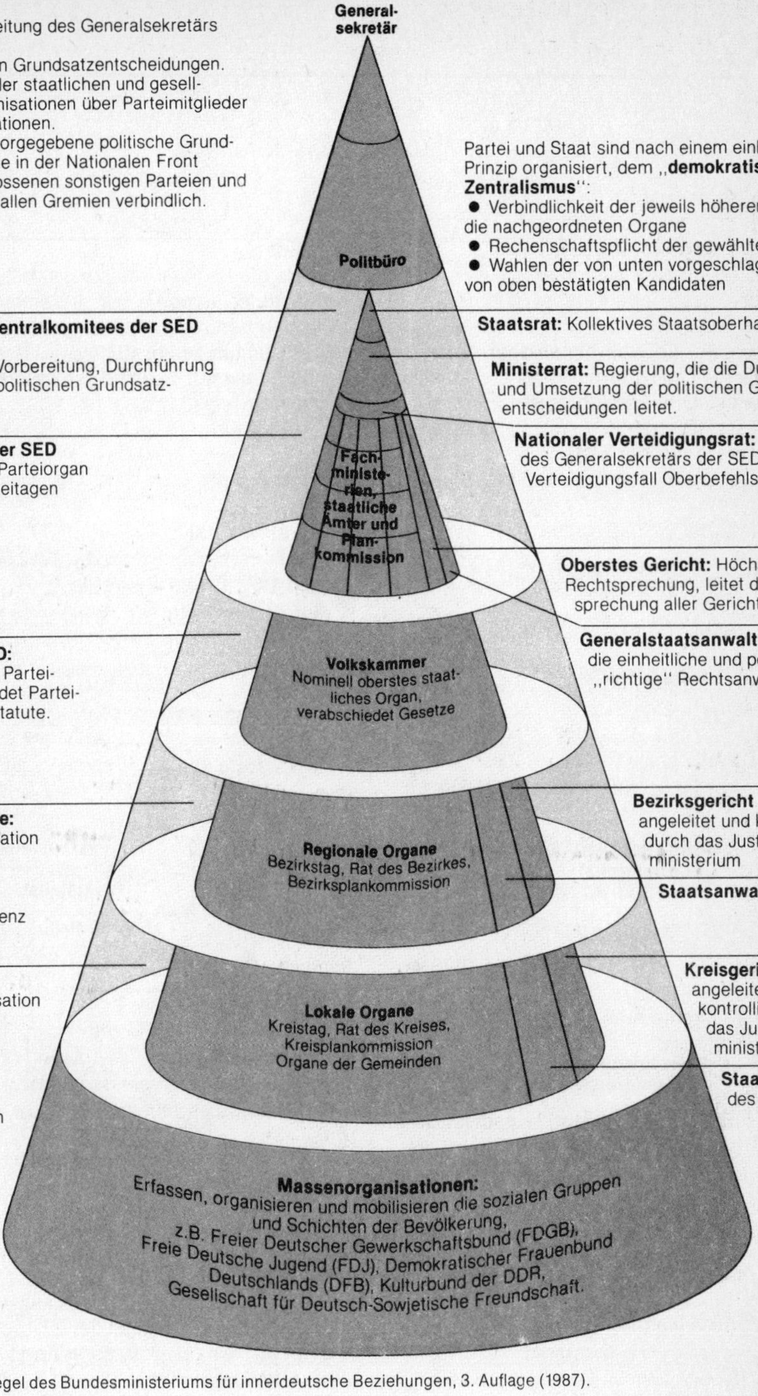

Staat

Partei und Staat sind nach einem einheitlichen Prinzip organisiert, dem „**demokratischen Zentralismus**“:
- Verbindlichkeit der jeweils höheren Organe für die nachgeordneten Organe
- Rechenschaftspflicht der gewählten Organe
- Wahlen der von unten vorgeschlagenen und von oben bestätigten Kandidaten

Staatsrat: Kollektives Staatsoberhaupt

Ministerrat: Regierung, die die Durchführung und Umsetzung der politischen Grundsatzentscheidungen leitet.

Nationaler Verteidigungsrat: unter Vorsitz des Generalsekretärs der SED, der im Verteidigungsfall Oberbefehlshaber ist.

Oberstes Gericht: Höchstes Organ der Rechtsprechung, leitet die Rechtsprechung aller Gerichte.

Generalstaatsanwalt: Kontrolliert die einheitliche und politisch „richtige“ Rechtsanwendung.

Bezirksgericht
angeleitet und kontrolliert durch das Justizministerium

Staatsanwalt des Bezirks

Kreisgericht
angeleitet und kontrolliert durch das Justizministerium

Staatsanwalt des Kreises

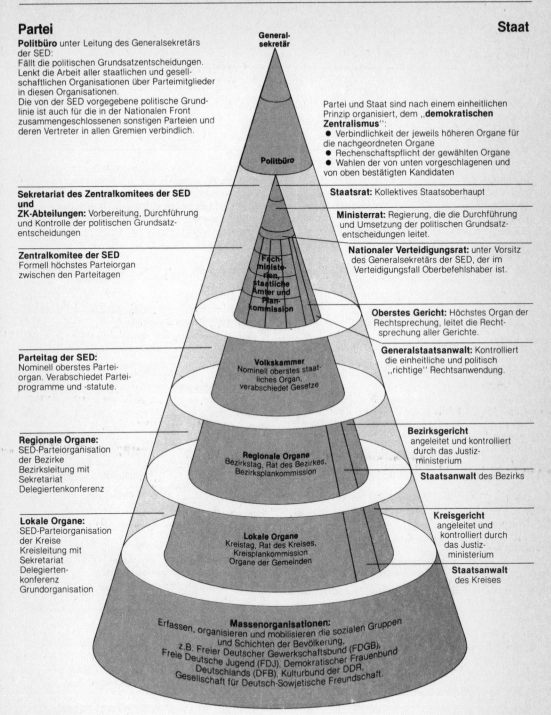

Quelle: Zahlenspiegel des Bundesministeriums für innerdeutsche Beziehungen, 3. Auflage (1987).

Führungsgremien der SED nach dem XI. Parteitag (April 1986)

Politbüro des Zentralkomitees (ZK)

Vollmitglieder

Axen, Hermann, Jg. 1916 (1963 Kandidat, 1970 Vollmitglied)
Böhme, Hans-Joachim, Jg. 1929 (seit 1986)
Dohlus, Horst, Jg. 1925 (1976 Kandidat, 1980 Vollmitglied)
Eberlein, Werner, Jg. 1919 (1985 Kandidat, 1986 Vollmitglied)
Felfe, Werner, Jg. 1928 (1973 Kandidat, 1976 Vollmitglied)
Hager, Prof. Dr. h. c. Kurt, Jg. 1912 (1958 Kandidat, 1963 Vollmitglied)
Herrmann, Joachim, Jg. 1928 (1973 Kandidat, 1978 Vollmitglied)
Honecker, Dr. h. c. Erich, Jg. 1912 (1950 Kandidat, 1958 Vollmitglied)
Jarowinsky, Dr. Werner, Jg. 1927 (1963 Kandidat, 1984 Vollmitglied)
Keßler, Heinz, Jg. 1920 (1985 Kandidat, 1986 Vollmitglied)
Kleiber, Günther, Jg. 1931 (1967 Kandidat, 1984 Vollmitglied)
Krenz, Egon, Jg. 1937 (1976 Kandidat, 1983 Vollmitglied)
Krolikowski, Werner, Jg. 1928 (seit 1971)
Lorenz, Siegfried, Jg. 1930 (1985 Kandidat, 1986 Vollmitglied)
Mielke, Erich, Armeegeneral, Jg. 1907 (1971 Kandidat, 1976 Vollmitglied)
Mittag, Dr. Günter, Jg. 1926 (1963 Kandidat, 1966 Vollmitglied)
Mückenberger, Erich, Jg. 1910 (1950 Kandidat, 1958 Vollmitglied)
Neumann, Alfred, Jg. 1909 (1954 Kandidat, 1958 Vollmitglied)
Schabowski, Günter, Jg. 1929 (1981 Kandidat, 1984 Vollmitglied)
Sindermann, Horst, Jg. 1915 (1963 Kandidat, 1967 Vollmitglied)
Stoph, Willi, Jg. 1914 (seit 1953)
Tisch, Harry, Jg. 1927 (1971 Kandidat, 1975 Vollmitglied)

Kandidaten

Lange, Inge, Jg. 1927 (seit 1973)
Müller, Gerhard, Jg. 1928 (seit 1986)
Müller, Margarete, Jg. 1931 (seit 1963)
Schürer, Gerhard, Jg. 1921 (seit 1973)
Walde, Werner, Jg. 1926 (seit 1976)

ZK-Sekretariat

Generalsekretär

Honecker, Dr. h. c. Erich, Jg. 1912 (seit 1971 Erster Sekretär, seit 1976 Generalsekretär)

Sekretäre

Internationale Verbindungen
Axen, Hermann, Jg. 1916 (seit 1966)
Parteiorgane
Dohlus, Horst, Jg. 1925 (seit 1973)
Landwirtschaft
Felfe, Werner, Jg. 1928 (seit 1981)
Kultur, Wissenschaft
Hager, Dr. h. c. Kurt, Jg. 1912 (seit 1955)
Agitation, Propaganda
Herrmann, Joachim, Jg. 1928 (seit 1978)
Handel und Versorgung, Kirchen
Jarowinsky, Dr. Werner, Jg. 1927 (seit 1963)
Sicherheitsfragen, Jugend und Sport
Krenz, Egon, Jg. 1937 (seit 1983)
Wirtschaft
Mittag, Dr. Günter, Jg. 1926 (seit 1976)
Frauen
Lange, Inge, Jg. 1927 (seit 1973)

Schabowski, Günter, Jg. 1929 (seit 1986; der 1. Bezirkssekretär von Ost-Berlin ist ohne besonderen Geschäftsbereich Mitglied des ZK-Sekretariats)
Alle Sekretäre sind gleichzeitig Kandidaten bzw. Mitglieder des Politbüros.

Die 1. Sekretäre der SED-Bezirksleitungen

Berlin
* Schabowski, Günter, Jg. 1929 (seit 1985)
Cottbus
* Walde, Werner, Jg. 1926 (seit 1969)
Dresden
Modrow, Dr. Hans, Jg. 1928 (seit 1973)
Erfurt
* Müller, Gerhard, Jg. 1928 (seit 1980)
Frankfurt/O.
Hertwig, Hans-Joachim, Jg. 1928 (seit 1971)
Gera
Ziegenhahn, Herbert, Jg. 1921 (seit 1963)
Halle
* Böhme, Dr. Hans-Joachim, Jg. 1929 (seit 1981)
Karl-Marx-Stadt
* Lorenz, Siegfried, Jg. 1930 (seit 1976)
Leipzig
Schumann, Horst, Jg. 1924 (seit 1970)
Magdeburg
* Eberlein, Werner, Jg. 1919 (seit 1983)
Neubrandenburg
Chemnitzer, Johannes, Jg. 1929 (seit 1963)
Potsdam
Jahn, Dr. Günther, Jg. 1930 (seit 1976)
Rostock
Timm, Ernst, Jg. 1926 (seit 1975)
Schwerin
Ziegner, Heinz, Jg. 1928 (seit 1974)
Suhl
Albrecht, Hans, Jg. 1919 (seit 1968)

Die mit * gekennzeichneten Sekretäre sind gleichzeitig Mitglieder bzw. Kandidaten des Politbüros.

Zentrale Parteikontrollkommission

Mückenberger, Erich, Vorsitzender, Jg. 1910 (seit 1971). Mitglied des Politbüros.
Gehre, Edith, Jg. 1931 (seit 22. 5. 1976 Kandidat, seit 25. 5. 1978 Mitglied)
Kasch, Dr. Helmut (seit 1971 Mitglied)
Malcherek, Herbert (seit Juli 1974 Kandidat, seit Mai 1976 Mitglied der ZPKK der SED)
Mennicke, Karl (seit 1976 Kandidat, seit 1986 Mitglied)
Müller, Werner, Jg. 1928 (seit 1971 Mitglied)
Pappenheim, Günther, Jg. 1925 (seit 5. 7. 1974 Mitglied)
Schneikart, Friedrich, Jg. 1926 (seit 1973 Mitglied)
Weber, Wolfgang (seit 1986 Mitglied)

Kandidaten

Bischoff, Brigitte, Jg. 1937 (seit 21. 4. 1986 Kandidat)
Heiser, Horst (seit 1986 Kandidat)
Pahnke, Martin, Generalleutnant, Jg. 1935 (seit 15. 12. 1973 Kandidat)
Schmidt, Dieter (seit 1973 Kandidat)
Seebach, Kurt, Jg. 1928 (seit Juni 1971 Kandidat)
Seidel, Otto, Jg. 1923 (seit 1984 Kandidat)

Zentrale Revisionskommission

Seibt, Kurt, Vorsitzender, Jg. 1908 (seit April 1967)
Lorber, Karl-Heinz, stellv. Vorsitzender, Jg. 1916 (seit 1963 Kandidat, seit April 1967 Vollmitglied)
Brock, Fritz, Jg. 1931 (seit Mai 1976 Mitglied)
Conrad, Wolfgang, Generalmajor, Jg. 1928 (seit Mai 1976 Mitglied)
Eidner, Werner, Jg. 1923 (seit 1963 Mitglied)
Florich-Lieberwirth, Erika (seit 1976 Mitglied)
Funke, Dr. Joachim, Jg. 1930 (seit 1967 Mitglied)
Glende, Gisela, Jg. 1925 (seit 1986 Mitglied)
Glöckner, Elli, Jg. 1925 (seit Mai 1976 Mitglied)
Golle, Hans (seit 1967 Kandidat, seit Juni 1971 Mitglied)
Graf, Prof. Dr. Herbert (seit 22. 5. 1976 Kandidat, seit 16. 4. 1981 Mitglied)
Grimmer, Reginald, Jg. 1926 (seit Mai 1976 Kandidat, seit 16. 4. 1981 Mitglied)
Gurgeit, Hildegard, Jg. 1913 (seit 1958 Mitglied)
Gurke, Konrad (seit 1986 Mitglied)
Hennig, Günther, Jg. 1928 (seit 16. 4. 1981 Kandidat)
Heyden, Prof. Dr. Günter, Jg. 1921 (seit 16. 4. 1981 Mitglied)
Juch, Heinz, Jg. 1920 (seit 1986 Mitglied)
Kirnich, Walter, Jg. 1928 (seit April 1981 Mitglied)
Lauterbach, Werner, Oberst a. D., Jg. 1913 (seit 1963 Mitglied)
Lindner, Werner, Jg. 1929 (seit 22. 5. 1975 Mitglied)
Mahlow, Bruno (seit 1976 Kandidat, seit April 1981 Mitglied)
Melis, Ernst, Jg. 1909 (seit 1954 Kandidat, seit 1958 Mitglied)
Meyer, Heinz (seit Juni 1971 Kandidat, seit Mai 1976 Mitglied)
Müller, Dr. Sonja, Jg. 1923 (seit Januar 1963 Mitglied)
Pietsch, Johannes, Jg. 1911 (seit 1963 Kandidat, seit 1967 Mitglied)
Rathmann, Emil, Jg. 1903 (seit 1958 Mitglied)
Rohde, Gerhard (seit 1971 Kandidat, seit 22. 5. 1976 Mitglied)

Sandig, Helmut, Jg. 1919 (seit 1958 Kandidat, seit 1963 Mitglied)
Sattler, Hans, Jg. 1935 (seit 22. 5. 1976 Kandidat, seit 16. 4. 1981 Mitglied)
Schmidt, Alexandra (seit 21. 4. 1986 Mitglied)
Scholz, Dr. Werner (seit 1981 Mitglied)
Siegmund, Kurt (seit 1986 Mitglied)
Sonntag, Hannelore (seit Juni 1971 Kandidat, seit 1974 Mitglied)
Steger, Otfried, Jg. 1926 (seit 21. 4. 1986 Mitglied)
Tamm, Erich, Jg. 1911 (seit 1958 Kandidat, seit 1963 Mitglied)
Verner, Irma, Jg. 1905 (seit 1971 Mitglied)
Vogel, Günter (seit 1967 Kandidat, seit Juni 1971 Mitglied)
Weiß, Hilmar, Jg. 1928 (seit 1981 Kandidat, seit 21. 4. 1986 Mitglied)
Wenzel, Käthe (seit 1981 Mitglied)
Witz, Johanna (seit 1971 Mitglied)

Kandidaten

Augustin, Maria (seit 1976)
Becker, Edith (seit 16. 4. 1981)
Gebhardt, Karl-Friedrich, Jg. 1932 (seit 21. 4. 1986)
Hempfing, Rainer (seit 1986)
Hübler, Klaus (seit 21. 4. 1986)
Lembke, Herta, Jg. 1918 (seit Juni 1971)
Schulze, Eva (seit 21. 4. 1986)
Wettengel, Rudolf, Jg. 1924 (seit April 1981)

Kurzbiographien

<u>Ackermann, Anton</u> (richtiger Name: Hanisch, Eugen)
Geboren am 25. 11. 1905 in Thalheim/Erzgebirge.
Gestorben am 4. 5. 1973.
Volksschule, gelernter Strumpfwirker. 1919 Mitglied der Freien Sozialistischen Jugend. 1926 KPD. Bezirksleiter der KPD für das Erzgebirge und Vogtland. 1928 Absolvent der Leninschule in Moskau. 1932 Mitarbeiter der Deutschland-Abteilung der Komintern. 1935 Mitglied des ZK und Kandidat des Politbüros der KPD. 1936–1937 Teilnehmer am Spanischen Bürgerkrieg, anschließend Emigration in die Sowjetunion. Nach 1943 Mitglied des Nationalkomitees »Freies Deutschland« und Leiter des Moskauer Senders »Freies Deutschland«. Ende April 1945 mit der Initiativgruppe Ackermann/Matern Rückkehr nach Deutschland. Mitglied des Sekretariats des ZK der KPD. 1946 Abgeordneter des Sächsischen Landtags. Februar 1946 im Auftrag des ZK Veröffentlichung der These vom besonderen deutschen Weg zum Sozialismus (die er im September 1948 widerrufen mußte). Seit dem 22. 4. 1946 Mitglied des Zentralsekretariats der SED. Oktober 1949 bis Oktober 1953 Staatssekretär im Ministerium für Auswärtige Angelegenheiten. Oktober 1950 bis Juli 1953 Kandidat des Politbüros. 1950–1954 Abgeordneter der Volkskammer. 1953 vorübergehend Direktor des Marx-Engels-Lenin-Stalin-Instituts. Wegen Unterstützung der gegen Walter Ulbricht gerichteten »parteifeindlichen Fraktion« Zaisser und Herrnstadt im Juli 1953 seiner Parteiämter enthoben. Am 23. 1. 1954 strenge Parteirüge und Ausschluß aus dem ZK der SED. 1956 rehabilitiert, ohne seinen politischen Einfluß wiederzugewinnen. Auf dem Gebiet der Kulturpolitik tätig. 1962 Ruhestand. VVO in Gold.

<u>Albrecht, Hans</u>
1. Sekretär der SED-Bezirksleitung Suhl.
Geboren am 22. 11. 1919 in Bochum als Sohn eines Arbeiters.
Volksschule. 1934–1938 Schlosserlehre, Kriegsdienst. 1945–1946 Heizungsmonteur. 1945 SPD. 1946 SED. 1946–1959 politischer Mitarbeiter und Sekretär der SED-Kreisleitung Grimma. 1951–1952 2. bzw. 1. Sekretär der SED-Kreisleitung Frankfurt/O. 1952–1954 1. Sekretär der SED-Kreisleitung Eberswalde. 1954–1958 1. Sekretär der SED-Kreisleitung Stalinstadt (jetzt Eisenhüttenstadt). 1958–1961 Vorsitzender des Bezirkswirtschaftsrates Frankfurt/O. 1963–1965 Studium am Industrieinstitut der Bergarbeiterakademie Freiberg. Dipl.-Ing. oec. März 1965 bis August 1968 stellv. Vorsitzender des Komitees der Arbeiter-und Bauern-Inspektion. Seit dem 15. 8. 1968 1. Sekretär der SED-Bezirksleitung Suhl. 1954 bis 1963 Kandidat, seit 1963 Mitglied des ZK. Seit 1970 Mitglied des Präsidiums der Freundschaftsgesellschaft DDR–Arabische Länder. Seit November 1971 Abgeordneter der Volkskammer. VVO in Gold, Silber und Bronze, Karl-Marx-Orden.

<u>Apel, Dr. Erich</u>
Geboren am 3. 10. 1917 in Judenbach, Krs. Sonnenberg, als Sohn eines Arbeiters.
Am 3. 12. 1965 Selbstmord.
Volks- und Oberschule. 1932–1935 Werkzeugmacherlehre. 1937–1939 Studium an der Ingenieurschule Ilmenau. 1939 Maschinenbauingenieur. Kriegsdienst. 1946–1952 als Oberingenieur in der Sowjetunion tätig. Nach der Rückkehr technischer Leiter der Hauptverwaltung Elektro- und Kraftmaschinenbau im Ministerium für Maschinenbau. 1953 bis 1955 Minister für Maschinenbau. 1955–1958 Minister für Schwermaschinenbau. Seit dem 6. 2. 1958 Leiter der Wirtschaftskommission beim Politbüro des ZK der SED. 1958–1960 Kandidat des ZK der SED. Seit Juli 1960 Mitglied des ZK. Seit dem 16. 11. 1958 Abgeordneter der Volkskammer. 1958–1963 Vorsitzender des Staatlichen Ausschusses für Wirtschafts- und Finanzfragen und Vorsitzender des Wirtschaftsausschusses der Volkskammer. Im Juni 1960 Promotion zum Dr. oec. Seit Juli 1961 Kandidat des Politbüros. Juli 1961 bis Juni 1962 Sekretär des ZK der SED. Juli 1962 zum Minister ernannt. Januar 1963 bis Dezember 1965 Vorsitzender der Staatlichen Plankommission und stellv. Vorsitzender des Ministerrates. Apel war einer der Initiatoren des »Neuen ökonomischen Systems der Planung und Leitung«. 1965 geriet er in Widerspruch zur sowjetischen Wirtschaftspolitik.

Axen, Hermann
Mitglied des Politbüros, Sekretär des ZK für internationale Verbindungen.
Geboren am 6. 3. 1916 in Leipzig als Sohn des KPD-Funktionärs Rolf Axen.
Realgymnasium in Leipzig. 1932 Mitglied des Kommunistischen Jugendverbandes. Am 19. 10. 1935 zu drei Jahren Zuchthaus verurteilt, bis 1938 Häftling im Zuchthaus Zwickau. Laut östlicher Darstellung 1938 Emigration nach Frankreich, 1940–1942 Häftling im KZ Vernet (Frankreich), dann Auschwitz und Buchenwald. Laut westlichen Quellen 1939 im Zuge des deutsch-sowjetischen Paktes in die Sowjetunion haftentlassen und dort bis 1945 Lehrer an Antifa-Schulen. 1945 KPD, 1946 SED. Mitbegründer der FDJ. 1946–1949 Sekretär für Organisation und später für Agitation und Propaganda beim Zentralrat der FDJ. 1950 Sekretär für Agitation im ZK der SED, Mitglied des ZK. 1953–1956 2. Sekretär der SED-Bezirksleitung Berlin. Seit 1954 Berlin-Vertreter bzw. Abgeordneter der Volkskammer, Mitglied des Ausschusses für Auswärtige Angelegenheiten. Juli 1956 bis Februar 1966 Chefredakteur des »Neuen Deutschland«. Januar 1963 bis Dezember 1970 Kandidat, seit Dezember 1970 Mitglied des Politbüros. Seit Juni 1964 Vizepräsident der Deutsch-Belgischen Gesellschaft der DDR. Seit dem 18. 2. 1966 Sekretär des ZK der SED für internationale Verbindungen. Seit November 1971 Vorsitzender des Ausschusses für Auswärtige Angelegenheiten der Volkskammer. Seit Februar 1982 Mitglied des Präsidiums des Friedensrates der DDR. Mitglied der Zentralleitung des Komitees der Antifa-Widerstandskämpfer der DDR, Karl-Marx-Orden, Ehrenspange zum VVO in Gold, VVO in Gold und Silber.

Benjamin, Hilde, geb. Lange
Geboren am 5. 2. 1902 in Bernburg als Tochter eines kaufmännischen Angestellten.
Lyzeum und Studienanstalt Berlin-Steglitz. 1921 bis 1924 Studium der Rechtswissenschaft an der Uni Berlin, Heidelberg und Hamburg. 1927 Assessorexamen. 1926 heiratete sie den kommunistischen Arzt Dr. Georg Benjamin, der 1942 im KZ Mauthausen ums Leben kam. 1927 KPD. 1928–1933 Rechtsanwältin in Berlin. Im Mordfall Horst Wessel Verteidigerin der Wirtin des Wessel-Mörders »Ali« Höhler. Während der NS-Zeit Berufsverbot, juristische Beraterin der sowjetischen Handelsgesellschaft in Berlin, Werkstattschreiberin und Angestellte in der Konfektion. 1936 verhaftet, sechs Jahre Zuchthaus. Im Mai 1945 von der Sowjetischen Militäradministration als Staatsanwältin in Berlin-Steglitz eingesetzt. Ab September 1945 »Vortragender Rat«, 1947–1949 Leiterin der Personalabteilung in der Zentralverwaltung für Justiz. 1949–1953 Vizepräsidentin des Obersten Gerichts der DDR. Vorsitzende in zahlreichen großen Schauprozessen. 1949–1967 Abgeordnete der Volkskammer. 1949–1953 Mitglied des Rechtsausschusses der Volkskammer. Juli 1953 bis Juli 1967 Justizministerin der DDR. Seit April 1954 Mitglied des ZK der SED. Seit 1967 Lehrtätigkeit an der Deutschen Akademie für Staats- und Rechtswissenschaft »Walter Ulbricht« in Potsdam-Babelsberg. Professorin. Leiterin des Lehrstuhls »Geschichte der Rechtspflege«. VVO in Gold mit Ehrenspange.

Böhme, Dr. Hans-Joachim
Mitglied des Politbüros, 1. Sekretär der SED-Bezirksleitung Halle.
Geboren am 29. 12. 1929 in Bernburg (Saale).
Mittelschule. 1945 SPD. 1946 SED. 1945–1948 Verwaltungsangestellter in Bernburg. 1948–1949 Kreisvorsitzender der FDJ in Bernburg. 1949–1951 Abteilungsleiter der SED-Kreisleitung Bernburg. 1951 bis 1952 Abteilungsleiter der Betriebsparteiorganisation der SED Mansfelder Kombinat. 1952–1955 Instrukteur und stellv. Abteilungsleiter der Landesleitung Sachsen-Anhalt der SED und der Bezirksleitung Halle. 1955–1958 Studium an der Parteihochschule. Diplom-Gesellschaftswissenschaftler. 1958–1963 Sekretär der SED-Kreisleitung Weißenfels. 1963 bis 1968 Sektorenleiter und Abteilungsleiter Agitprop. der Bezirksleitung Halle der SED. 1967 Promotion zum Dr. phil. an der Martin-Luther-Universität Halle-Wittenberg. 1968–1974 Bezirkssekretär für Agitation und Propaganda. 1974–1981 2. Sekretär, seit dem 4. 5. 1981 1. Sekretär der SED-Bezirksleitung Halle. Seit dem 16. 4. 1981 Mitglied des ZK der SED. Seit April 1986 Mitglied des Politbüros. Seit dem 14. 6. 1981 Abgeordneter der Volkskammer. VVO in Gold.

Chemnitzer, Johannes
1. Sekretär der SED-Bezirksleitung Neubrandenburg.
Geboren am 24. 3. 1929 in Wildenfels bei Zwickau als Kind einer Arbeiterfamilie.
Volks- und Handelsschule. 1945 FDJ. 1946 SED. 1948–1951 Besuch landwirtschaftlicher Fachschulen, staatlich geprüfter Landwirt. 1952–1955 Tätigkeit in einer Maschinen-Traktoren-Station, Sekretär für Landwirtschaft der SED-Kreisleitung Zwickau-Land. 1955–1958 Besuch der Parteihochschule der KPdSU. Diplom-Gesellschaftswissenschaftler. 1958–1963 Sekretär für Landwirtschaft der SED-Bezirksleitung Gera. Ende 1962 Stellvertreter des Leiters der Delegation der DDR in der Ständigen Kommission für Landwirtschaft beim Rat für Gegenseitige Wirtschaftshilfe im Rang eines stellv. Ministers. Seit dem 15. 2. 1963 1. Sekretär der SED-Bezirksleitung

Neubrandenburg. Seit Oktober 1963 Abgeordneter der Volkskammer. Seit 1963 Abgeordneter des Bezirkstags Neubrandenburg. Seit April 1967 Mitglied des ZK der SED. Seit 1973 Mitglied des Ausschusses für Nationale Verteidigung der Volkskammer. VVO in Gold, Silber und Bronze, Karl-Marx-Orden.

Dahlem, Franz

Geboren am 14. 1. 1892 in Rohrbach (Lothringen) als Sohn eines Weichenstellers.
Gestorben am 17. 12. 1981.
Kaufmännische Lehre in Saarbrücken. 1910 Mitglied der Jungsozialistischen Bewegung. Kaufmännischer Angestellter. 1913 SPD. 1914–1918 Kriegsteilnehmer. 1917 USPD. 1918 Redakteur der USPD-Zeitung »Sozialistische Republik«. 1919 Vorsitzender der USPD im Bezirk Mittelrhein. 1920 Übertritt zur KPD. Parteisekretär und Redakteur der KPD in Köln. KPD-Stadtverordneter in Köln. Abgeordneter des Preußischen Landtages. 1923 von der Interalliierten Kommission wegen Störung der Ruhe und Ordnung aus dem Rheinland ausgewiesen.
KPD-Funktionär in Hannover. 1924 Redakteur der »Roten Fahne« in Berlin. Herausgeber der »Internationalen Pressekorrespondenz« (deutschsprachiges Organ der Komintern). 1928–1933 Mitglied des Reichstages. Seit 1928 Mitglied des ZK der KPD. Nach 1934 Emigration über Prag nach Paris. Dort Mitglied des Auslandskomitees der KPD. 1937–1938 Teilnahme am Spanischen Bürgerkrieg. 1938 Flucht nach Frankreich. 1939–1945 im KZ Vernet und Mauthausen. 1946 Mitglied des Parteivorstandes (ZK) der SED. 1950–1953 Mitglied des Politbüros und des Sekretariats der SED. Stärkster Gegenspieler Ulbrichts. 1949–1954 und 1963–1976 Abgeordneter der Volkskammer. Wurde auf Beschluß des ZK der SED am 14./15. 5. 1953 »wegen politischer Blindheit gegenüber der Tätigkeit imperialistischer Agenten und wegen nichtparteimäßigen Verhaltens zu seinen Fehlern« aller Funktionen enthoben. 1954 strenge Rüge. Seit März Hauptabteilungsleiter (Lehre und Forschung) im Staatssekretariat für Hochschulwesen bzw. stellv. Staatssekretär im Staatssekretariat für Hoch- und Fachschulwesen. Am 29. 7. 1956 rehabilitiert. Ende Januar 1957 ins ZK kooptiert. VVO in Gold mit Ehrenspange.

Dohlus, Horst

Mitglied des Politbüros. Sekretär des ZK für Parteiorgane.
Geboren am 30. 5. 1925 in Plauen (Vogtland) als Kind einer Arbeiterfamilie.
1939–1943 Friseurlehre. Soldat, Kriegsgefangenschaft. 1946 KPD. 1947 Bergarbeiter bei der Wismut AG. 1948 Betriebsparteiorganisations-Sekretär im Schacht Malwine (Annaberg). 1949 Besuch der Landesparteischule der SED. 1950 Objekt-Parteileiter in Oberschlema. 1950–1954 Abgeordneter der Volkskammer. 1950–1963 Kandidat des ZK der SED. 1951 Besuch einer Verwaltungsschule in Mittweida, danach 1. Sekretär, 1953 2. Sekretär der Gebietsparteileitung Wismut. Ab Herbst 1954 Studium in der Sowjetunion. 1956–1958 Sekretär der Kombinatsparteileitung »Schwarze Pumpe« bei Hoyerswerda. 1958 bis 1960 2. Sekretär der SED-Bezirksleitung Cottbus. Seit 1960 Leiter der Abteilung Parteiorgane beim ZK der SED. Seit Januar 1963 Mitglied des ZK. 1964 Leiter der Kommission für Partei- und Organisationsfragen beim Politbüro des ZK der SED. Seit November 1971 erneut Abgeordneter der Volkskammer. Seit 2. 10. 1973 Sekretär des ZK. Seit dem 22. 5. 1976 Kandidat, seit dem 22. 5. 1980 Mitglied des Politbüros. VVO in Gold, Silber und Bronze, Karl-Marx-Orden.

Eberlein, Werner

Mitglied des Politbüros. 1. Sekretär der SED-Bezirksleitung Magdeburg.
Geboren am 9. 11. 1919 in Berlin als Sohn des kommunistischen Spitzenfunktionärs Hugo Eberlein (in der Sowjetunion verschollen).
1934 Emigration mit den Eltern in die Sowjetunion. Elektrikerlehre in einem Sägewerk. 1948 Rückkehr nach Deutschland. Journalist. Zeitweise Leiter der Wirtschaftsredaktion beim »Neuen Deutschland«. Seit 1960 hauptamtlicher Mitarbeiter des ZK der SED (Dolmetscher für Russisch und stellv. Leiter der Abteilung Parteiorgane). Juni 1963 Mitglied des Komitees der Arbeiter-und-Bauern-Inspektion der DDR. 1971–1981 Mitglied der Zentralen Revisionskommission der SED. Seit 1976 Mitglied des Redaktionskollegiums der Zeitschrift »Neuer Weg«. Seit dem 16. 4. 1981 Mitglied des ZK der SED. Seit Juni 1983 1. Sekretär der SED-Bezirksleitung Magdeburg. November 1985 Kandidat, seit April 1986 Mitglied des Politbüros. VVO in Gold.

Ebert, Friedrich

Geboren am 12. 9. 1894 in Bremen als ältester Sohn des späteren Reichspräsidenten Friedrich Ebert.
Gestorben am 4. 12. 1979 in Ost-Berlin.
Volks- und Mittelschule. Buchdruckerlehre. 1910 Mitglied der Sozialistischen Arbeiterjugend. 1913 SPD. 1915–1918 Kriegsdienst. 1919–1925 Redakteur beim »Vorwärts« und Mitarbeiter des »Sozialdemokratischen Pressedienstes«. Ab 1925 Chefredakteur der »Brandenburgischen Zeitung«. 1927–1933 Stadtverordnetenvorsteher in Brandenburg. 1928–1933 Mitglied des Reichstags. 1933 zu acht Monaten Zuchthaus verurteilt (Oranienburg, Börgermoor und Lichtenburg). Danach bis 1945 unter Polizeiaufsicht.

Tankstellenbesitzer in Berlin. 1939 Wehrdienst. 1940 im Reichsverlagsamt tätig. 1945 SPD. Sekretär des SPD-Bezirksverbandes Brandenburg-Land. 1946 Präsident des Landtages Brandenburg. Seit 1946 Mitglied des Parteivorstands bzw. ZK sowie des Zentralsekretariats bzw. Politbüros der SED. November 1948 bis Juli 1967 Oberbürgermeister von Ost-Berlin. Seit 1949 Abgeordneter der Volkskammer. 1960 bis 1971 Mitglied, seit Juni 1971 stellv. Vorsitzender des Staatsrates. 1950–1963 und seit Juni 1971 stellv. Präsident der Volkskammer. Seit 1971 Vorsitzender der SED-Fraktion in der Volkskammer. Karl-Marx-Orden.

Fechner, Max

Geboren am 27. 7. 1892 in Rixdorf bei Berlin.
Gestorben am 13. 9. 1973 in Ost-Berlin.
Volksschule. Werkzeugmacher. 1910 SPD. 1917 USPD, 1922 zurück zur SPD. Ab 1924 Mitarbeiter beim Parteivorstand der SPD, Herausgeber der kommunalpolitischen SPD-Zeitung »Die Gemeinde«. 1928–1933 Mitglied des Preußischen Landtags. 1933/34 und 1944 im KZ. 1945 Vorsitzender des Zentralausschusses der SPD. 1946 Mitglied des Parteivorstands und des Zentralsekretariats der SED, stellv. Parteivorsitzender, 1950 Mitglied des ZK der SED. 1948–1949 Präsident der Deutschen Zentralverwaltung für Justiz, 1949–1953 Minister der Justiz. 15. 7. 1953 abgesetzt, verhaftet und zu acht Jahren Zuchthaus verurteilt, weil er am 17. Juni öffentlich für das Streikrecht eingetreten war. Am 26. 7. 1953 als »Feind des Staates und der Partei« aus der SED ausgeschlossen. 26. 4. 1956 amnestiert und aus der Haft entlassen. Juni 1958 wieder in die SED aufgenommen. Karl-Marx-Orden.

Felfe, Werner

Mitglied des Politbüros. ZK-Sekretär für Landwirtschaft.
Geboren am 4. 1. 1928 in Großröhrsdorf, Krs. Bischofswerda, als Sohn eines Arbeiters.
1942–1945 kaufmännische Lehre. 1945 KPD, 1946 SED. 1946–1949 Sachbearbeiter, Abteilungsleiter, Sekretär der Kreisleitung Kamenz der SED. 1949 bis 1950 Instrukteur der Landesleitung Sachsen der SED. 1950–1953 1. Sekretär der SED-Kreisleitung Flöha. 1953 Besuch der Parteihochschule der SED. Januar 1954 bis März 1957 2. Sekretär des FDJ-Zentralrates. 1954–1958 Abgeordneter der Volkskammer, Vorsitzender des Jugendausschusses der Volkskammer. 1954–1963 Kandidat des ZK der SED. 1957–1960 Vorsitzender des Rates des Kreises Zschopau. Mai 1960 bis August 1963 Vorsitzender des Rates des Bezirks Karl-Marx-Stadt. Seit Januar 1963 Mitglied des ZK der SED. 1963–1965 Studium an der Technischen Universität Dresden. Dipl.-Ing. oec. 1965–1966 stellv. Abteilungsleiter im ZK der SED. 1966–1968 Sekretär für Agitprop., 1968–1971 2. Sekretär, Mai 1971 bis Mai 1981 1. Sekretär der SED-Bezirksleitung Halle. Seit November 1971 erneut Abgeordneter der Volkskammer. Oktober 1973 bis Mai 1976 Kandidat, seit dem 22. 5. 1976 Mitglied des Politbüros des ZK der SED. Seit dem 16. 4. 1981 Sekretär für Landwirtschaft des ZK. Seit dem 25. 6. 1981 Mitglied des Staatsrates. VVO in Gold, Silber und Bronze, Karl-Marx-Orden.

Gniffke, Erich

Geboren am 14. 2. 1895 in Elbing als Sohn eines Arbeiters.
Gestorben am 4. 9. 1964 in Bad Kissingen.
Nach der kaufmännischen Lehre Korrespondent. 1920–1926 Prokurist und Mitinhaber einer Exportfirma. 1913 SPD. 1926 Sekretär des Allgemeinen Freien Angestelltenbundes in Braunschweig. Nach 1933 Inhaber eines Generalvertriebes für Herde, beschäftigte u. a. Otto Grotewohl. Führend in einer SPD-Widerstandsgruppe. 1938–1939 inhaftiert. 1945 Mitbegründer der SPD in Berlin, Mitglied des Zentralausschusses, 1946 Mitglied des Zentralsekretariats der SED. Im Oktober 1948 nach Westdeutschland geflüchtet, dort wieder in der SPD.

Grotewohl, Otto

Geboren am 11. 3. 1894 in Braunschweig als Sohn eines Schneidermeisters.
Gestorben am 21. 9. 1964 in Ost-Berlin.
Volksschule. 1908–1912 Buchdruckerlehre. 1910 Vorsitzender der Sozialistischen Arbeiterjugend in Braunschweig. 1912 SPD. 1918 Krankenkassenangestellter in Braunschweig. Besuch der Leibniz-Akademie in Hannover und der Hochschule für Politik in Berlin. 1920–1925 Landtagsabgeordneter in Braunschweig. 1921 Innen- und Volksbildungsminister. 1923 Justizminister des Landes Braunschweig. 1925–1933 Präsident der Landesversicherungsanstalt Braunschweig. Mitglied des Reichstages und Vorsitzender des Landesverbandes Braunschweig der SPD. Nach 1933 Inhaber eines Lebensmittelgeschäftes. 1937/38 Übersiedlung nach Berlin. Dort Bevollmächtigter in der Firma Gniffke (Grudeherdvertrieb). Am 18. 8. 1938 wegen Verbrechens gegen das Gesetz gegen die Neubildung von Parteien in Haft genommen. Sieben Monate Haft. 1945 Vorsitzender des Zentralausschusses der SPD in Berlin. Maßgeblich an der Fusion von SPD und KPD beteiligt. April 1946 bis April 1954 Mitvorsitzender der SED. Seit April 1946 Mitglied des Zentralsekretariats bzw. Politbüros der SED. 1946–1950 Abgeordneter des Sächsischen Landtages. Mitglied des Präsi-

diums des Deutschen Volksrates. Seit 1949 Abgeordneter der Volkskammer. Seit dem 7. 10. 1949 Ministerpräsident der DDR. Seit September 1960 stellv. Vorsitzender des Staatsrates. Karl-Marx-Orden und VVO in Gold.

Hager, Kurt
Mitglied des Politbüros. ZK-Sekretär für Kultur und Wissenschaft.
Geboren am 24. 7. 1912 in Bietigheim (Enz) als Sohn eines Dieners.
Volks-, Real- und Oberrealschule in Stuttgart. Sozialistischer Schülerbund. 1929 Kommunistischer Jugendverband. Journalist. 1930 KPD. 1933–1936 antifaschistische Tätigkeit. Emigration. 1937–1939 Teilnahme am Spanischen Bürgerkrieg. Von einem Nazigericht in Abwesenheit zu Zuchthaus verurteilt. Direktor von Radio Madrid. Zeitweise Internierungslager. Emigration nach Frankreich und England, journalistische Tätigkeit in England unter dem Decknamen »Felix Albin«. 1946 SED, Leiter der Abteilung Parteischulung. 1946–1948 stellvertr. Chefredakteur des »Vorwärts«. Ab 1949 Leiter der Abteilung Propaganda, ab 1952 Leiter der Abteilung Wissenschaft und Hochschulen im Parteivorstand bzw. ZK der SED. Seit 1949 Professor mit Lehrstuhl für Philosophie an der Humboldt-Universität in Berlin (Ost). 1950–1954 Kandidat, seit 1954 Mitglied des ZK der SED. Seit 1955 Sekretär für Kultur und Wissenschaft des ZK der SED. 1958–1963 Kandidat, seit Januar 1963 Mitglied des Politbüros. Seit dem 16. 11. 1958 Abgeordneter der Volkskammer, Vorsitzender des Ausschusses für Volksbildung. Seit September 1966 Mitglied des Präsidiums des Forschungsrates. Seit Oktober 1976 Mitglied des Staatsrates. VVO in Gold und Silber, Karl-Marx-Orden.

Herrmann, Joachim
Mitglied des Politbüros. Sekretär des ZK für Agitation und Propaganda.
Geboren am 29. 10. 1928 in Berlin als Sohn eines Arbeiters.
Volks- und Mittelschule. 1945–1949 Botenjunge, Redaktionsvolontär, Hilfsredakteur und Redakteur der »Berliner Zeitung« und der Zeitung »Start«. 1946 SED. 1949–1952 stellv. Chefredakteur, 1954–1960 Chefredakteur des FDJ-Zentralorgans »Junge Welt«. 1953–1954 Besuch der Komsomol-Hochschule in Moskau. 1952–1960 Mitglied des Zentralrates der FDJ. 1955 Redakteur-Diplom. 1958–1959 Sekretär des Zentralrates der FDJ. 1960–1962 Mitarbeiter des ZK der SED. 1962–1965 Chefredakteur der »Berliner Zeitung«. 1962–1967 Mitglied der SED-Bezirksleitung Berlin. Dezember 1965 bis Juli 1971 Staatssekretär für gesamtdeutsche bzw. westdeutsche Fragen. 1967–1971 Kandidat, seit Juni 1971 Mitglied des ZK der SED. Juli 1971 bis März 1978 Chefredakteur des »Neuen Deutschland«. Oktober 1973 bis Mai 1978 Kandidat, seit dem 25. 5. 1978 Mitglied des Politbüros der SED. Seit dem 22. 5. 1978 Sekretär für Agitation und Propaganda des ZK der SED. Seit Oktober 1976 Abgeordneter der Volkskammer. Seit März 1979 Mitglied des Präsidiums des Nationalrates der Nationalen Front. VVO in Gold.

Herrnstadt, Rudolf
Geboren am 18. 3. 1903 in Gleiwitz als Sohn eines Rechtsanwalts.
Gestorben am 28. 8. 1966 in Halle (Saale).
Gymnasium. 1924 KPD. Journalist. Warschauer und Moskauer Korrespondent des »Berliner Tageblattes«. Nach 1933 in Moskau Referent für Deutschland in der Westeuropa-Abteilung des Geheimen Nachrichtendienstes der Roten Armee. Sowjetischer Staatsbürger. 1943 Mitbegründer des Nationalkomitees »Freies Deutschland«. 1945 Rückkehr nach Deutschland. Chefredakteur der »Berliner Zeitung«. 1949–1953 Chefredakteur des »Neuen Deutschland«. 1950–1953 Mitglied des ZK und Kandidat des Politbüros. Am 26. 7. 1953 wegen »parteifeindlicher Fraktionsbildung« aus dem ZK und Politbüro ausgeschlossen und seiner Funktionen enthoben. Am 23. 1. 1954 aus der SED ausgeschlossen. Seit Frühjahr 1954 Mitarbeiter im Deutschen Zentralarchiv, Zweigstelle Merseburg.

Hertwig, Hans-Joachim
1. Sekretär der SED-Bezirksleitung Frankfurt/O.
Geboren am 16. 7. 1928 in Schmiedeberg als Sohn eines Tischlers.
Volksschule. 1942–1944 Lehrling. 1945 SPD. 1946 SED. 1945–1950 Neulehrer. 1950–1952 Schulleiter. 1952–1955 Direktor der Grundschule in der Pionierrepublik »Wilhelm Pieck«. 1955–1958 Absolvent der Parteihochschule der SED. 1958–1960 Leiter der Zentralschule der Pionierorganisation »Ernst Thälmann« in Droyßig. 1960–1966 Sekretär und stellv. Vorsitzender der Pionierorganisation »Ernst Thälmann«. Seit 1954 Mitglied des ZK. 1963–1967 Mitglied des Zentralrates der FDJ. Oktober 1966 bis September 1968 Sekretär für Wissenschaft, Volksbildung und Kultur, September 1968 bis Mai 1971 2. Sekretär, seit dem 23. 5. 1971 1. Sekretär der SED-Bezirksleitung Frankfurt/O. Seit November 1971 Abgeordneter der Volkskammer. Seit September 1976 Mitglied des Redaktionskollegiums der Zeitschrift »Einheit«. Karl-Marx-Orden.

Hoffmann, Heinz
Geboren am 28. 11. 1910 in Mannheim als Sohn eines Arbeiters.
Gestorben am 2. 12. 1985.
Volksschule. 1925–1928 Maschinenschlosserlehre. Politischer Leiter des Kommunistischen Jugendverbandes in Mannheim-Jungbusch. 1926–1930 Funktionär des Kommunistischen Jugendverbandes. 1930 KPD. Nach 1933 illegale Tätigkeit. 1935 Emigration in die Sowjetunion, Leninschule. 1936–1937 Besuch der Frunse-Akademie in Rjasan. 1937 Teilnahme am Spanischen Bürgerkrieg, Politkommissar der XI. Intern. Brigade. Flucht nach Frankreich. 1939 Rückkehr in die Sowjetunion. 1941–1943 Kominternschule. Zeitweise Oberleutnant der Roten Armee und Lehrer in Lagern Karaganda, Oranki und Krasnogorsk. 1946 Rückkehr nach Deutschland. Hauptamtlicher Mitarbeiter der SED-Landesleitung Berlin. 1947–1949 Sekretär der Landesleitung Groß-Berlin der SED. Seit dem 1. 7. 1949 Generalinspekteur der Deutschen Volkspolizei und ständiger Vertreter des Leiters der Deutschen Verwaltung des Inneren und Leiter der Hauptabteilung Politik-Kultur in der Hauptverwaltung der Volkspolizei. 1950 Generalinspekteur und Leiter der Hauptverwaltung für Ausbildung. 1950–1952 Kandidat des ZK der SED. Seit 1950 Abgeordneter der Volkskammer. 1952–1955 Generalleutnant der Kasernierten Volkspolizei, stellv. Minister des Innern und Chef der Kasernierten Volkspolizei. Seit 1952 Mitglied des ZK der SED. 1955 bis 1957 Besuch der Generalstabsakademie der UdSSR. Zeitweise Vertreter der DDR im Stab des Oberkommandos der Warschauer-Pakt-Staaten. Chef des Heeres, dann Chef des Stabes. 1956–1960 1. stellv. Minister für Nationale Verteidigung. Oktober 1959 Generaloberst der Nationalen Volksarmee. Seit Juli 1960 Minister für Nationale Verteidigung. Seit dem 1. 3. 1961 Armeegeneral. Seit dem 2. 10. 1973 Mitglied des Politbüros. VVO in Gold, Karl-Marx-Orden.

Honecker, Erich
Generalsekretär der SED. Vorsitzender des Staatsrats der DDR.
Geboren am 25. 8. 1912 in Neunkirchen (Saar) als Sohn eines Bergarbeiters.
Dachdeckerlehre in Wiebelskirchen. 1922–1926 Mitglied der kommunistischen Kinderbewegung, des Jung-Spartakusbundes und der Roten Jungpioniere. 1926 kommunistischer Jugendverband KJV. 1929 KPD. 1930 Teilnahme an einem Jugendkursus der Leninschule Moskau. 1931 Sekretär des KJV im Saargebiet. 1933 Leiter des KJV im Ruhrgebiet. 1934 Leiter des KJV in Hessen, Baden-Württemberg und in der Pfalz. 1935 Leiter des KJV in Berlin. Mitglied des ZK des Kommunistischen Jugendverbandes. Im Dezember 1935 verhaftet. 1937 zu zehn Jahren Zuchthaus verurteilt. 1945 aus dem Zuchthaus Brandenburg-Görden befreit. Erneut Mitglied der KPD. Jugendsekretär des ZK der KPD, Mitglied des ZK. Leiter des Organisationskomitees der FDJ. Mai 1946 bis Mai 1955 1. Vorsitzender der FDJ in der SBZ/DDR. Seit 1946 ununterbrochen Mitglied des Parteivorstands bzw. des ZK der SED. Seit 1949 Abgeordneter der Volkskammer. 1950–1958 Kandidat, seit Juli 1958 Mitglied des Politbüros der SED. 1956 Sekretär der Sicherheitskommission des ZK. 1956 bis 1957 zur Schulung in der Sowjetunion. Danach mit militärischen und Abwehraufgaben im ZK beauftragt. 1958–1971 Sekretär des ZK der SED für Sicherheit. 1960 Sekretär, seit Juni 1971 Vorsitzender des Nationalen Verteidigungsrates. 1971 Mitglied, seit 1976 Vorsitzender des Staatsrates. Seit dem 3. 5. 1971 Erster Sekretär des ZK, Nachfolger von Walter Ulbricht, seit dem 22. 5. 1976 Generalsekretär der SED. VVO in Gold mit Ehrenspange, Karl-Marx-Orden.

Honecker, Margot (geb. Feist)
Mitglied des ZK der SED, Minister für Volksbildung.
Geboren am 17. 4. 1927 in Halle (Saale) als Tochter eines Schuhmachers (KPD).
Volksschule. Telefonistin. 1945–1946 Stenotypistin beim Landesvorstand Sachsen-Anhalt des FDGB. 1945 Mitbegründerin des Antifaschistischen Jugendausschusses in Halle, KPD. Mitglied des Sekretariats der FDJ-Kreisleitung Halle. 1947 Leiterin der Abteilung Kultur und Erziehung, 1948 Sekretärin für Kultur und Erziehung im FDJ-Landesvorstand Sachsen-Anhalt. 1949–1953 Leiterin der Abteilung Junge Pioniere, Sekretärin für Junge Pioniere im Zentralrat der FDJ. Mitglied im Zentralrat der FDJ. 1949–1954 und seit 1967 Abgeordnete der Volkskammer. 1950–1963 Kandidatin des ZK der SED. 1953 Heirat mit Erich Honecker. 1953–1954 Besuch der Komsomol-Hochschule in Moskau. 1955–1958 Abteilungsleiterin in der Hauptabteilung Lehrerbildung im Ministerium für Volksbildung. August 1958 stellv. Ministerin, November 1963 Ministerin für Volksbildung. Seit Januar 1963 Mitglied des ZK der SED. Seit 1970 Mitglied der Akademie der Pädagogischen Wissenschaften.

Jahn, Günther
1. Sekretär der SED-Bezirksleitung Potsdam.
Geboren am 9. 1. 1930 in Erfurt als Sohn einer kommunistischen Arbeiterfamilie.
Oberschule, Abitur. 1946 KPD/SED. Mitbegründer der Antifa-Jugend und FDJ in Erfurt. 1948–1950 Studium der Gesellschaftswissenschaften an der Universität Jena. 1951–1953 Studium an der Hochschule für Ökonomie in Berlin, Diplom-Wirtschaftler.

1953–1954 Mitarbeiter der Staatlichen Plankommission. 1954–1956 Mitarbeiter des ZK der SED. 1956 bis 1961 Aspirantur am Institut für Gesellschaftswissenschaften. Dr. rer. oec. Bis 1962 Wahrnehmungsdozent. 1962–1966 erneut Mitarbeiter des ZK der SED. Seit 1966 Mitglied, 1966–1967 2. Sekretär, Mai 1967 bis Januar 1974 1. Sekretär des Zentralrates der FDJ. Seit April 1967 Mitglied des ZK der SED. Seit Juli 1967 Abgeordneter der Volkskammer. 1967 bis 1976 Mitglied des Jugendausschusses der Volkskammer. Februar 1974 bis Januar 1976 2. Sekretär, seit dem 23. 1. 1976 1. Sekretär der SED-Bezirksleitung Potsdam. Karl-Marx-Orden, VVO in Silber.

Jarowinsky, Dr. Werner
Mitglied des Politbüros. ZK-Sekretär für Handel und Versorgung, Kirchen.
Geboren am 24. 4. 1927 in Leningrad als Sohn eines deutschen Arbeiters.
Volksschule, Lehre zum Industriekaufmann. 1945 Rückkehr nach Deutschland. Mitglied der KPD. Jugendfunktionär in Zeitz. Besuch der Arbeiter-und-Bauern-Fakultät in Halle. Abitur. 1948–1951 Studium an der Martin-Luther-Universität in Halle und an der Humboldt-Universität in Berlin. Promotion zum Dr. rer. oec., Dozent und Institutsdirektor des Forschungsinstituts für den Binnenhandel beim Ministerium für Handel und Versorgung. 1957–1958 Hauptverwaltungsleiter. 1959–1963 stellv. Minister, Staatssekretär und 1. Stellvertreter des Ministers im Ministerium für Handel und Versorgung. Seit 1963 Abgeordneter der Volkskammer, seit 1971 Vorsitzender des Ausschusses für Handel und Versorgung. Seit Januar 1963 Mitglied des ZK der SED und Kandidat des Politbüros, seit November 1963 Sekretär des ZK für Handel und Versorgung, Kirchen. Seit Mai 1984 Mitglied des Politbüros. VVO in Silber, Karl-Marx-Orden.

Keßler, Heinz
Mitglied des Politbüros. Armeegeneral, Minister für Nationale Verteidigung.
Geboren am 26. 1. 1920 in Lauban (Schlesien) als Sohn einer kommunistischen Arbeiterfamilie.
Volksschule. 1926–1933 Roter Jungpionier. 1934 bis 1938 Schlosserlehre. Bis 1940 Tätigkeit als Maschinenschlosser. Kriegsdienst. 1941 an der Ostfront zur Roten Armee übergelaufen. Mitbegründer und Frontbevollmächtigter des Nationalkomitees »Freies Deutschland«. 1945 Rückkehr nach Deutschland. KPD/SED. 1945–1947 Leiter des Hauptjugendausschusses Groß-Berlin. 1946 SED-Stadtverordneter in Berlin, Mitbegründer der FDJ. Seit 1946 Mitglied des Parteivorstands bzw. ZK der SED. 1947–1948 Vorsitzender der FDJ in Berlin. 1948–1950 Sekretär für Arbeit, später Organisation des Zentralrates der FDJ. Seit 1949 Abgeordneter der Volkskammer. 1950–1952 Chefinspekteur der Volkspolizei 1952 bis 1956 Generalmajor der Kasernierten Volkspolizei und Chef der KVP Luft. 1952–1953 stellv. Minister des Inneren. 1957–1986 stellv. Minister für Nationale Verteidigung. 1956–1967 Chef der Luftstreitkräfte/Luftverteidigung. Absolvent der Militärakademie, Diplommilitärwissenschaftler. 1967–1978 Chef des Hauptstabes der Nationalen Volksarmee. 1976 bis 1979 stellv. Oberkommandierender der Vereinigten Streitkräfte des Warschauer Paktes. Januar 1979 Chef der Politischen Hauptverwaltung der Nationalen Volksarmee. Dezember 1985 Minister für Nationale Verteidigung, Armeegeneral. Seit April 1986 Mitglied des Politbüros. VVO in Gold, Karl-Marx-Orden, Sowjetischer Orden der Oktoberrevolution und Orden des Vaterländischen Krieges 1. Grades.

Kleiber, Günther
Mitglied des Politbüros. Stellvertretender Ministerpräsident der DDR, Ständiger Vertreter der DDR im RGW.
Geboren am 16. 9. 1931 in Eula als Sohn eines Arbeiters.
Volksschule. 1946 FDJ. 1946–1949 Elektrikerlehre und Tätigkeit als Elektriker. 1949 SED. 1950–1952 Studium an der Arbeiter- und-Bauern-Fakultät Dresden. 1953–1958 Studium an der Universität Rostock und der TH Dresden. Dipl.-Ing. 1958–1962 wissenschaftlicher Assistent. 1950–1963 Mitglied der Universitäts-Parteileitung. 1962–1963 SED-Parteisekretär der Fakultät für Elektrotechnik der TH Dresden. 1964–1966 Leiter der Abteilung Elektrotechnik und Datenverarbeitung der SED-Bezirksleitung Dresden. 1966 kommissarischer Stellvertreter des Ministers für Elektrotechnik und Elektronik. Dezember 1966 bis Juni 1971 Staatssekretär für die Koordinierung der Leitung des Einsatzes und der Nutzung der elektronischen Datenverarbeitung beim Ministerrat. April 1967 Mitglied des ZK und Kandidat des Politbüros, seit Mai 1984 Mitglied des Politbüros. Seit 1967 Abgeordneter der Volkskammer. Seit dem 24. 6. 1971 stellv. Vorsitzender des Ministerrates der DDR. September 1973 bis Februar 1986 zusätzlich Minister für Allgemeinen Maschinen-, Landmaschinen- und Fahrzeugbau. Seit Februar 1986 Ständiger Vertreter der DDR im RGW. Karl-Marx-Orden.

Krenz, Egon
Mitglied des Politbüros. ZK-Sekretär für Sicherheit, Jugend und Sport.
Geboren am 19. 3. 1937 in Kolberg als Sohn eines Schneiders.
Grundschule. Gruppen- und Freundschaftsratsvorsitzender der Jungen Pioniere. 1953 FDJ. 1955 SED.

1953–1957 Absolvent des Instituts für Lehrerbildung in Putbus, Staatsexamen. 1957–1959 Nationale Volksarmee. 1959–1960 1. Sekretär der FDJ-Kreisleitung Bergen. 1960–1961 1. Sekretär der FDJ-Bezirksleitung Rostock. 1961–1964 Sekretär des Zentralrates der FDJ. 1964–1967 Besuch der Parteihochschule der KPdSU. Diplom-Gesellschaftswissenschaftler. 1967–1974 Sekretär des Zentralrates der FDJ. 1971–1974 Vorsitzender der Pionierorganisation »E. Thälmann«. Seit 1969 Mitglied des Nationalrates der Nationalen Front. 1971–1973 Kandidat, seit dem 2. 10. 1973 Mitglied des ZK der SED. Seit 1971 Abgeordneter der Volkskammer. 1971–1981 Mitglied des Präsidiums der Volkskammer. 1971–1976 Vorsitzender der FDJ-Fraktion in der Volkskammer. Seit dem 9. 1. 1974 1. Sekretär des Zentralrates der FDJ. Seit dem 22. 5. 1976 Kandidat, seit dem 25. 11. 1983 Mitglied des Politbüros und Sekretär des ZK der SED für Sicherheit, Jugend und Sport. Seit dem 25. 6. 1981 Mitglied des Staatsrates.

Krolikowski, Werner
Mitglied des Politbüros. 1. Stellvertreter des Vorsitzenden des Ministerrates.
Geboren am 12. 3. 1928 in Oels (Schlesien) als Sohn eines Arbeiters.
Volksschule. 1942–1944 Lehre. 1945–1946 Arbeiter. 1946–1950 Mitarbeiter bzw. Abteilungsleiter des Rats des Kreises Malchin. 1946 SED. 1950–1952 Leiter der Abteilung Agitation in der Landesleitung Mecklenburg der SED. Bis Dezember 1952 1. Sekretär der SED-Kreisleitung Ribnitz-Damgarten. 1953 bis 1958 Sekretär der Kreisleitung Greifswald. 1958 bis 1960 Sekretär für Agitation und Propaganda der SED-Bezirksleitung Rostock. Abgeordneter des Bezirkstages Rostock. Mai 1960 bis Oktober 1973 1. Sekretär der SED-Bezirksleitung Dresden. Seit Januar 1963 Mitglied des ZK der SED. Seit Oktober 1963 Abgeordneter der Volkskammer. Seit Juni 1971 Mitglied des Politbüros. 1973–1976 Sekretär für Wirtschaft des ZK der SED. Seit dem 1. 11. 1976 1. stellv. Vorsitzender des Ministerrates. 1973–1976 Vorsitzender des Ausschusses für Industrie, Bauwesen und Verkehr. VVO in Silber, Karl-Marx-Orden.

Lange, Ingeburg (geb. Rosch)
Kandidatin des Politbüros, ZK-Sekretärin für Frauen.
Geboren am 24. 7. 1927 in Leipzig als Kind einer Arbeiterfamilie.
Grundschule. 1943–1946 Lehre als Schneiderin. 1945 KPD, 1946 SED. 1946–1951 hauptamtliche FDJ-Funktionärin. 1952–1961 Sekretär des Zentralrates der FDJ. 1952–1954 und erneut 1963 Abgeordnete der Volkskammer. 1954–1961 Fernstudium an der Parteihochschule. Diplom-Gesellschaftswissenschaftlerin. Seit 1961 Leiterin der Abteilung Frauen beim ZK sowie Vorsitzende der Frauenkommission beim Politbüro des ZK der SED. 1963–1964 Kandidatin, seit Dezember 1964 Mitglied des ZK der SED. Seit 1971 1. stellv. Vorsitzende des Ausschusses für Arbeit und Sozialpolitik. Seit dem 2. 10. 1973 Kandidatin des Politbüros und Sekretär des ZK der SED für Frauen. VVO in Silber und Bronze.

Lorenz, Siegfried
Mitglied des Politbüros. 1. Sekretär der SED-Bezirksleitung Karl-Marx-Stadt.
Geboren am 26. 11. 1930 in Annaberg als Sohn eines Färbers.
Volksschule, Mechanikerlehre. 1945 SPD, 1946 SED. 1948–1951 Besuch der Arbeiter-und-Bauern-Fakultät und Studium an der Universität Leipzig. Diplom-Gesellschaftswissenschaftler. 1951–1953 Leiter der Abteilung Studentische Jugend im Zentralrat der FDJ. 1954–1961 Sekretär der FDJ-Bezirksleitung Berlin. 1958–1967 Mitglied der SED-Bezirksleitung Berlin. 1961–1965 1. Sekretär der FDJ-Bezirksleitung Berlin. 1963–1967 Berliner Vertreter in der Volkskammer, seit 1967 Abgeordneter der Volkskammer. 1966–1976 Leiter der Abteilung Jugend im ZK der SED. 1967–1971 Kandidat, seit 1971 Mitglied des ZK der SED. Seit dem 27. 3. 1976 1. Sekretär der SED-Bezirksleitung Karl-Marx-Stadt. Seit dem 22. 11. 1985 Kandidat, seit dem 21. 4. 1986 Mitglied des Politbüros. VVO in Gold.

Matern, Hermann
Geboren am 17. 6. 1893 in Burg bei Magdeburg als Sohn eines Arbeiters.
Gestorben am 24. 1. 1971.
Volksschule. 1907–1911 Gerberlehre. Bis 1926 als Gerber tätig. 1907 Mitglied der Sozialistischen Arbeiterjugend. 1910 Mitglied des Lederarbeiterverbandes. 1911 SPD, 1918 USPD. 1919 KPD, Mitbegründer der Ortsgruppe Burg. 1928 Politischer Sekretär der KPD im Bezirk Magdeburg-Anhalt. Mitte 1932 bis April 1933 Parteisekretär der KPD in Ostpreußen. April 1933 bis Juli 1933 Parteisekretär der KPD in Pommern. Am 14. 7. 1933 verhaftet, Untersuchungshaft in Stettin. Am 19. 9. 1934 Flucht aus dem Gefängnis. Illegaler Aufenthalt in Berlin. November 1934 Emigration in die ČSSR, Schweiz, Österreich, Frankreich, Holland, Dänemark, Norwegen und Schweden. Mai 1941 Übersiedlung nach Moskau. Mitglied und Mitarbeiter des Nationalkomitees »Freies Deutschland«. Ab 1944 Leiter einer politischen Schule für kriegsgefangene Kommunisten, Sozialdemokraten und Gewerkschaftler. Anfang Mai 1945 Rückkehr nach Deutschland. Stadtrat für Personalpolitik in Dresden. Landesvorsitzender der KPD in

Sachsen. Ab April 1946 Vorsitzender der SED-Landesleitung Berlin. April 1946 Mitglied des Zentralsekretariats bzw. Politbüros der SED. Seit dem 24. 1. 1949 Vorsitzender der Zentralen Parteikontrollkommission der SED. Seit 1949 Abgeordneter der Volkskammer. 1950–1954 Vizepräsident der Volkskammer. Seit 1954 1. Stellv. des Präsidenten der Volkskammer. 1957–1963 Vorsitzender des Ständigen Ausschusses für die örtlichen Volksvertretungen. Karl-Marx-Orden, VVO in Gold.

Merker, Paul
Geboren am 1. 2. 1894 in Oberlößnitz bei Dresden als Sohn eines Arbeiters.
Gestorben am 13. 5. 1969 in Ost-Berlin.
Kellner. Während des 1. Weltkrieges Luftschiffer. 1918 USPD. 1920 KPD. 1926–1946 Mitglied des ZK der KPD. Gewerkschaftsfunktionär der KPD. 1930 wegen »sektiererischer Abweichung« in Ungnade gefallen. Nach 1933 Mitglied der Landesleitung der illegalen KPD in Berlin. Emigration nach Frankreich und Mexiko. 1942 in Mexiko Gründer der Bewegung »Freies Deutschland« und Herausgeber einer Zeitung gleichen Namens. Juli 1946 Rückkehr nach Deutschland. 1946–1950 Mitglied des Parteivorstands bzw. ZK sowie des Zentralsekretariats bzw. des Politbüros der SED. 1949–1950 Staatssekretär im Ministerium für Land- und Forstwirtschaft. Am 24. 8. 1950 als »Werkzeug des Klassenfeindes« und wegen Verbindung zu dem »amerikanischen Agenten« Noel H. Field aus der SED ausgeschlossen. Am 20. 12. 1952 als »feindlicher Agent« und »Subjekt der USA-Finanzoligarchie« verhaftet. 1956 aus der Haft entlassen, rehabilitiert, ohne politische Funktionen. 1950–1952 Leiter einer HO-Gaststätte in Luckenwalde, 1957 Lektor im Verlag »Volk und Welt« in Ost-Berlin. VVO in Gold, Karl-Marx-Orden.

Mielke, Erich
Mitglied des Politbüros. Minister für Staatssicherheit.
Geboren am 28. 12. 1907 in Berlin als Sohn eines Stellmachers.
Volksschule. Gymnasium (ohne Abschluß). Lehre als Speditionskaufmann. 1921 Kommunistischer Jugendverband. 1925 KPD. Verschiedene Funktionen im Parteiapparat. Expedient. August 1931 an der Ermordung der Polizeihauptleute Anlauf und Lenk am Bülowplatz in Berlin beteiligt. Anschließend Flucht ins Ausland. Verurteilung in Abwesenheit. Aufenthalt in der Sowjetunion. 1934–1935 Besuch der Lenin-Schule in Moskau. 1936–1939 Teilnehmer am Spanischen Bürgerkrieg. Anschließend in der Sowjetunion. 1945 Rückkehr nach Deutschland. Ab Juli 1946 Vizepräsident der Zentralverwaltung für Inneres in Berlin-Wilhelmsruh. Organisierte zusammen mit Wilhelm Zaisser die politische Polizei. 1950–1953 Staatssekretär im Ministerium für Staatssicherheit. Seit 1950 Mitglied des ZK der SED. 1953–1955 stellv. Staatssekretär für Staatssicherheit im Ministerium des Inneren. 1955–1957 erneut Staatssekretär im Ministerium für Staatssicherheit. Seit November 1957 Minister für Staatssicherheit. Seit dem 16. 11. 1958 Abgeordneter der Volkskammer. Bis Oktober 1959 Generalleutnant, seit Oktober 1959 Generaloberst. Seit Juni 1971 Kandidat, seit Mai 1976 Mitglied des Politbüros des ZK der SED. Seit dem 1. 2. 1980 Armeegeneral. VVO in Gold mit Ehrenspange. Lenin-Orden und Orden der Oktoberrevolution (UdSSR), Karl-Marx-Orden.

Mittag, Günter
Mitglied des Politbüros, ZK-Sekretär für Wirtschaft.
Geboren am 8. 10. 1926 in Stettin-Scheune als Kind einer Arbeiterfamilie.
Volks- und Mittelschule. 1943 Luftwaffenhelfer. Eisenbahner. 1946 SED. Leitende Funktionen bei der IG Eisenbahn. 1951 Mitarbeiter des ZK der SED. 1953–1958 Leiter der Abteilung Verkehrs- und Verbindungswesen beim ZK der SED. 1958 Promotion an der Hochschule für Verkehrswesen Dresden. 1958–1961 Sekretär der Wirtschaftskommission beim Politbüro des ZK der SED. 1958–1962 Kandidat, seit 1962 Mitglied des ZK der SED. 1961–1962 stellv. Vorsitzender und Sekretär des Volkswirtschaftsrates der DDR. Juni 1962 bis Oktober 1973 und seit dem 1. 11. 1976 Sekretär für Wirtschaft des ZK der SED. Oktober 1973 bis November 1976 1. stellv. Vorsitzender des Ministerrates der DDR. Januar 1963 bis September 1966 Kandidat des Politbüros, seit September 1966 Mitglied des Politbüros beim ZK der SED. Oktober 1963 Abgeordneter der Volkskammer. 1963–1971 und seit 1979 Mitglied des Staatsrates. Seit 1963 Vorsitzender des Ausschusses für Industrie, Bauwesen und Verkehr der Volkskammer. 1963–1972 Mitglied des Bundesvorstandes des FDGB. Mitglied des Präsidiums des Forschungsrates. VVO in Gold, Karl-Marx-Orden.

Modrow, Hans
1. Sekretär der SED-Bezirksleitung Dresden.
Geboren am 27. 1. 1928 in Jasenitz, Kreis Ueckermünde, als Sohn eines Arbeiters.
Volksschule. 1942–1945 Schlosserlehre. Kriegsdienst und Gefangenschaft. 1949 SED. 1952–1953 Studium an der Komsomol-Hochschule Moskau. 1953–1961 1. Sekretär der FDJ-Bezirksleitung Berlin. 1953–1971 Mitglied der Stadtverordnetenversammlung Ost-Berlin. 1954–1957 Fernstudent der Parteihochschule der SED. Diplom-Gesellschaftswissenschaftler. 1958–1967 Kandidat, seit 1967 Mit-

glied des ZK der SED. Seit 1958 Berliner Vertreter bzw. Abgeordneter der Volkskammer. 1961–1967 1. Sekretär der SED-Kreisleitung Berlin-Köpenick. Juni 1966 Promotion an der Humboldt-Universität. 1967 bis 1971 Sekretär für Agitation und Propaganda der SED-Bezirksleitung Berlin. 1971–1973 Leiter der Abteilung Agitation im ZK der SED. Am 3. 10. 1973 in die SED-Bezirksleitung Dresden kooptiert und zum 1. Sekretär gewählt. VVO in Gold, Karl-Marx-Orden.

Mückenberger, Erich
Mitglied des Politbüros. Vorsitzender der Zentralen Parteikontrollkommission.
Geboren am 8. 6. 1910 in Chemnitz als Kind eines Arbeiters.
Volksschule. 1924–1927 Schlosserlehre. 1924 Sozialistische Arbeiterjugend. 1925 Mitglied des Reichsbanners. 1927 SPD. In der NS-Zeit mehrmals inhaftiert. Kriegsdienst. 1945 SPD. 1946–1948 Kreissekretär der SED und Stadtverordneter in Chemnitz. Besuch der Parteihochschule der SED. 1948–1949 2. Sekretär der SED-Landesleitung Sachsen. 1949 bis 1952 1. Sekretär der SED-Landesleitung Thüringen. Seit 1949 Abgeordneter der Volkskammer. 1958 bis 1963 Mitglied des Ausschusses für Land- und Forstwirtschaft der Volkskammer. Seit 1950 Mitglied des ZK der SED. 1950–1958 Kandidat des Politbüros. 1952–1953 1. Sekretär der SED-Bezirksleitung Erfurt. Juli 1953 bis 1960 Sekretär für Landwirtschaft des ZK der SED. Seit Juli 1958 Mitglied des Politbüros. August 1961 bis Mai 1971 1. Sekretär der SED-Bezirksleitung Frankfurt/O. Seit März 1963 Mitglied des Präsidiums des Zentralvorstandes der Gesellschaft für deutsch-sowjetische Freundschaft. Seit Juni 1971 Vorsitzender der Zentralen Parteikontrollkommission der SED. Seit Juni 1971 Mitglied des Präsidiums der Volkskammer. Seit dem 20. 5. 1978 Präsident der Gesellschaft für deutsch-sowjetische Freundschaft. Seit März 1979 Mitglied des Präsidiums des Nationalrates der Nationalen Front. Seit Juni 1980 Vorsitzender der SED-Fraktion der Volkskammer. VVO in Gold mit Ehrenspange, Karl-Marx-Orden.

Müller, Gerhard
1. Sekretär der SED-Bezirksleitung Erfurt.
Geboren am 4. 2. 1928 in Chemnitz.
Volksschule. Handelsschule. 1942–1945 Besuch der Lehrerbildungsanstalt in Auerbach. 1945–1946 Landarbeiter und Tiefbauarbeiter. 1946 SPD/SED. 1946 bis 1948 Neulehrer in Breitenfeld (Vogtland). 1948 1., 1950 2. Lehrerprüfung. 1948–1950 Schulleiter in Breitenfeld. 1950–1953 stellv. Kreisschulrat bzw. Kreisschulrat in Olsnitz. 1953–1955 Besuch der Parteihochschule der SED. Diplom-Gesellschaftswissenschaftler. 1955–1963 Sekretär für Kultur und Erziehung der SED-Bezirksleitung Neubrandenburg. Danach Leiter der Abteilung Schulen, Fach- und Hochschulen der SED-Bezirksleitung Neubrandenburg. 1965–1974 1. Sekretär der SED-Kreisleitung Neubrandenburg, Mitglied des Sekretariats der SED-Bezirksleitung und Abgeordneter des Bezirkstages Neubrandenburg. Februar 1974 bis April 1980 2. Sekretär der SED-Bezirksleitung Neubrandenburg. Seit dem 11. 4. 1980 1. Sekretär der SED-Bezirksleitung Erfurt. Seit dem 16. 4. 1981 Mitglied des ZK der SED. Seit dem 14. 6. 1981 Abgeordneter der Volkskammer. VVO in Silber.

Müller, Margarete
Kandidat des Politbüros.
Geboren am 18. 2. 1931 in Neustadt (Oberschlesien) als Kind einer Arbeiterfamilie.
Kam 1945 als Umsiedlerin nach Mecklenburg. Friseuse. Teilnehmerin an einem Traktoristenlehrgang. Traktoristin. 1946 FDJ. 1951 SED. 1950–1953 Besuch der Landwirtschaftsschulen Demmin und Güstrow-Schabernack. 1953–1958 Studium der Landwirtschaftswissenschaft an der Universität Leningrad. Diplom-Agronomin. Danach in der LPG Friedrichshof tätig. 1960–1976 Vorsitzende der LPG in Kotelow, Kreis Neubrandenburg. 1960–1962 Kandidatin, 1962–1963 Mitglied des Büros der SED-Bezirksleitung Neubrandenburg. Seit Januar 1963 Mitglied des ZK der SED und Kandidatin des Politbüros. Seit Oktober 1963 Abgeordnete der Volkskammer. Seit November 1971 Mitglied des Staatsrates. Seit 1972 Mitglied des Rats für Landwirtschaftliche Produktion und Nahrungsgüterwirtschaft. Seit 1976 Leiterin der Agrar-Industrie-Vereinigung Pflanzenproduktion in Friedland. VVO in Gold, Karl-Marx-Orden.

Naumann, Konrad
Geboren am 25. 11. 1928 in Leipzig als Sohn eines Angestellten.
Mittel- und Aufbauschule. 1945 KPD, 1946 SED. 1945–1946 Landarbeiter, Bauhilfsarbeiter. 1946 FDJ. 1946–1947 Abteilungsleiter im Kreisvorstand Leipzig und im Landesvorstand Sachsen der FDJ. 1947 bis 1948 Vorsitzender der FDJ in Leipzig. 1948–1949 Instrukteur des Zentralrats der FDJ. 1949–1951 Sekretär für Arbeit und Soziales im Landesvorstand Mecklenburg der FDJ. 1950–1951 Abgeordneter des Landtages Mecklenburg. 1951–1952 Studium an der Komsomol-Hochschule in Moskau. 1952–1957 1. Sekretär der FDJ-Bezirksleitung Frankfurt (Oder). Abgeordneter des Bezirkstages und Mitglied der SED-Bezirksleitung Frankfurt (Oder). 1952–1967 Mitglied des Zentralrats der FDJ. 1957–1964 Sekretär und Leiter der Abteilung Parteiorgane, 1967–1971 2. Se-

kretär, vom 16. 5. 1971 bis 22. 11. 1985 1. Sekretär der SED-Bezirksleitung Berlin. Seit 1967 Mitglied der Stadtverordnetenversammlung Ost-Berlin. Seit 1967 Berliner Vertreter bzw. Abgeordneter in der Volkskammer, 1967–1971 Mitglied des Jugendausschusses. Seit dem 2. 10. 1973 Kandidat, vom 22. 5. 1976 bis 22. 11. 1985 Mitglied des Politbüros des ZK der SED. VVO in Gold, Karl-Marx-Orden.

Neumann, Alfred

Mitglied des Politbüros. 1. stellv. Vorsitzender des Ministerrates.

Geboren am 15. 12. 1909 in Berlin als Sohn eines Arbeiters.

Volksschule. Tischlerlehre. Anschließend als Tischler tätig. 1929 KPD. Sportwart der Kampfgemeinschaft für rote Sporteinheit. Nach 1933 illegale Tätigkeit für diese Kampfgemeinschaft. Anfang 1934 Mitglied der Landesleitung Berlin-Brandenburg der Kampfgemeinschaft für rote Sporteinheit. Ende 1934 Emigration über Kopenhagen, Schweden und Finnland in die Sowjetunion. Dort als Sportlehrer tätig. 1938 bis 1939 Teilnehmer am Spanischen Bürgerkrieg. Zweimal verwundet. 1939–1940 in Frankreich in den Straflagern Guers und Vernet inhaftiert. Am 23. 4. 1941 Rückkehr nach Deutschland. Verhaftung. Am 26. 2. 1942 vom Volksgerichtshof zu acht Jahren Zuchthaus verurteilt. Häftling in Brandenburg. 1945 KPD. 1946 SED. 1946 Sekretär der SED-Kreisleitung Berlin-Neukölln. 1950 Referent für Kommunalpolitik bei der SED-Landesleitung Berlin. 1951–1953 stellv. Oberbürgermeister von Ost-Berlin. 1953–1957 1. Sekretär der SED-Bezirksleitung Berlin. Seit 1954 Mitglied des ZK der SED und Abgeordneter der Volkskammer. 1954–1958 Kandidat, seit 1958 Mitglied des Politbüros. 1957–1961 Sekretär des ZK der SED. Juli 1961 bis Dezember 1965 Minister und Vorsitzender des Volkswirtschaftsrates der DDR. Seit dem 4. 7. 1962 Mitglied des Präsidiums des Ministerrates. März 1965 bis Juni 1968 stellv. Vorsitzender, seit Juni 1968 1. stellv. Vorsitzender des Ministerrates. Dezember 1965 bis Juni 1968 Minister für Materialwirtschaft. VVO in Gold, Karl-Marx-Orden.

Norden, Albert

Geboren am 4. 12. 1904 in Myslowitz (Ost-Oberschlesien) als Sohn eines Rabbiners.

Gestorben am 30. 5. 1982 in Ost-Berlin.

Realgymnasium in Elberfeld. Abitur. 1918 Freie Sozialistische Jugend. 1920 Kommunistischer Jugendverband, KPD. 1921–1923 Tischlerlehre in Elberfeld. 1924 Volontär, später Redakteur bei kommunistischen Zeitungen in Düsseldorf, Halle, Hamburg, Essen, Berlin. 1932 als Anhänger der Remmele-Neumann-Gruppe in der KPD gemaßregelt. 1933 Emigration nach Frankreich. Am 8. 7. 1938 Aberkennung der deutschen Staatsbürgerschaft. Sekretär des Aktionsausschusses Deutscher Oppositioneller in Paris und Redakteur der »Weltfront«. 1939–1940 in Frankreich interniert. 1941 Emigration in die USA, Mitglied des Rates für ein demokratisches Deutschland. 1946 Rückkehr nach Deutschland. Pressechef der Deutschen Wirtschaftskommission. 1949–1950 Abgeordneter des Deutschen Volksrates bzw. der Provisorischen Volkskammer. 1949–1952 Leiter der Hauptabteilung Presse im Amt für Information der DDR, Sprecher der Regierung der DDR auf Pressekonferenzen. 1952 Professor für Geschichte an der Humboldt-Universität Ost-Berlin. Ab Januar 1954 Sekretär des Ausschusses für Deutsche Einheit. Seit 1954 Mitglied des Präsidiums des Nationalrates der Nationalen Front. April 1955 bis April 1981 Mitglied des ZK der SED und Sekretär für Propaganda. 1958 bis 1981 Mitglied des Politbüros, gleichzeitig Mitglied des Präsidiums des Deutschen Friedensrates und Abgeordneter der Volkskammer. 1963–1966 Leiter der Agitationskommission beim Politbüro. Oktober 1976 bis Juni 1981 Mitglied des Staatsrates. Seit dem 11. 5. 1977 Vizepräsident des Weltfriedensrates. VVO in Gold, Karl-Marx-Orden.

Oelßner, Fred

Geboren am 27. 2. 1903 in Leipzig als Sohn eines Gewerkschaftsfunktionärs.

Gestorben am 7. 11. 1977.

1917 Mitglied einer USPD-Jugendgruppe, 1918–1921 Bezirksleiter der Sozialistischen Proletarierjugend bzw. des Kommunistischen Jugendverbandes im Bezirk Halle/Merseburg. 1920 Mitglied der KPD. Teilnahme am mitteldeutschen Aufstand. Ende 1921 Redaktionsvolontär in Hamburg. Redakteur verschiedener kommunistischer Zeitungen in Breslau, Chemnitz, Stuttgart, Remscheid und Aachen. 1923 vom Reichsgericht in Leipzig wegen Hochverrats zu einem Jahr Gefängnis verurteilt. 1926–1932 Studium der Gesellschaftswissenschaften an der Lenin-Schule und am Institut der Roten Professur in Moskau. 1932–1933 Mitarbeiter des ZK der KPD. Ende 1933 Emigration nach Prag und Paris. 1935 Übersiedlung in die Sowjetunion. Lehrtätigkeit an der Lenin-Schule in Moskau. 1937–1940 wegen ideologischer Fehler Arbeiter in einer Papierfabrik. Während des 2. Weltkrieges unter dem Namen Larew Leiter der Deutschland-Abteilung des Moskauer Rundfunks. Ab 1945 Leiter der Agitprop.-Abt. des ZK der KPD bzw. Leiter der Abteilung Parteischulung im Parteivorstand der SED. 1947–1958 Mitglied des Parteivorstands bzw. des ZK der SED. 1949–1958 Abgeordneter der Volkskammer. 1949–1950 Mitglied des Kleinen Sekretariats des Politbüros. 1950–1958 Politbüro. 1950–1955 Sekretär für Propaganda des ZK der SED. Bis 1956 Chefredakteur der Zeitschrift »Einheit«. 1955–1958 stellv. Vorsitzender des Ministerrates und Vorsitzender der Kommission für Fragen der Konsumgüterproduktion und der Versorgung der Bevölkerung beim Präsidium des Ministerrates. Am 6. 2. 1958 wegen Kritik an Ulbrichts Wirtschaftspolitik aus dem Politbüro ausgeschlossen und von seinen Funktionen im Staatsapparat entbunden. 1958–1969 Direktor des Instituts für Wirtschaftswissenschaften bei der Akademie der Wissenschaften in Ost-Berlin. VVO in Gold, Karl-Marx-Orden.

Pieck, Wilhelm
Geboren am 3. 1. 1876 in Guben als Sohn eines Arbeiters.
Gestorben am 7. 9. 1960 in Ost-Berlin.
Tischlerlehre. Ab 1894 auf Wanderschaft. 1895 SPD. 1896 Vorsitzender des Holzarbeiterverbandes in Osnabrück. 1906 Sekretär der Bremer Parteiorganisation der SPD. 1910 Sekretär des SPD-Bildungsausschusses in Berlin. 1916 Spartakusbund, Soldat, im Herbst vom Kriegsgericht zu eineinhalb Jahren Gefängnis verurteilt. 1918 Flucht nach Holland, Rückkehr nach Deutschland. Am 30. 12. 1918 Mitglied des ZK der KPD. Am 15. 1. 1919 verhaftet. Er wurde unmittelbar vor der Erschießung Liebknechts und R. Luxemburgs nach einer eingehenden Vernehmung auf freien Fuß gesetzt. (1931 setzte Thälmann eine Untersuchungskommission ein, die Piecks Verhalten während seiner Haft 1919 prüfen sollte. Das belastende Material wurde nicht ausgewertet.) 1921 bis 1928 Mitglied des Preußischen Landtages, 1928 bis 1933 des Reichstages. 1924–1933 Leiter der »Roten Hilfe« in Deutschland. Ab 1928 Mitglied des Exekutivkomitees der Kommunistischen Internationale. 1930 Mitglied des Preußischen Staatsrates. Februar 1933 Emigration nach Frankreich und in die Sowjetunion. Am 28. 8. 1933 Aberkennung der deutschen Staatsbürgerschaft. 1935 Vorsitzender der KPD (Brüsseler Konferenz), Sekretär der Komintern. Mai 1945 Rückkehr mit der Roten Armee nach Deutschland. Bis April 1946 Vorsitzender der KPD, dann bis April 1954 zusammen mit Otto Grotewohl Vorsitzender der SED. Seit 1946 Mitglied des Zentralsekretariats bzw. Politbüros. 1948 Präsident des Deutschen Volksrates. Vom 11. 10. 1949 bis zu seinem Tode Präsident der DDR. Karl-Marx-Orden. VVO in Gold.

Rau, Heinrich
Geboren am 2. 4. 1899 als Sohn eines Landwirts in Feuerbach.
Gestorben am 23. 3. 1961 in Ost-Berlin.
Stanzer und Metallpresser bei der Firma Bosch. 1913–1922 Mitglied der Sozialistischen Arbeiterjugend und der Freien Sozialistischen Jugend. 1917 USPD. 1919 Mitbegründer und Vorsitzender der Ortsgruppe Stuttgart der KPD. 1920–1932 Sekretär der Abteilung Landwirtschaft im ZK der KPD. Redakteur der kommunistischen Bauernzeitung »Land- und Forstarbeiter« und »Der Pflug«. 1923–1933 Mitglied des Sekretariats des internationalen Komitees der Land- und Forstarbeiter. 1928–1933 Abgeordneter des Preußischen Landtages. 1930 Mitglied des Internationalen Bauernrates. 1931 Mitglied des Büros des Europäischen Bauernkomitees. 1933 zu zwei Jahren Zuchthaus verurteilt. 1935 Emigration in die ČSR und in die Sowjetunion. Bis 1937 Leiter des Internationalen Agrarinstituts in Moskau. 1937–1938 Teilnehmer am Spanischen Bürgerkrieg. 1938–1939 Leiter des Hilfskomitees der deutschen und österreichischen Spanienkämpfer in Paris. Am 1. 9. 1939 verhaftet, 1942 an die Gestapo ausgeliefert. Bis 1945 Häftling im KZ Mauthausen. 1945 erneut KPD. Vizepräsident der Provinzialverwaltung Brandenburg. 1946–1948 Wirtschaftsminister des Landes Brandenburg. 1948 bis 1949 Vorsitzender der Deutschen Wirtschaftskommission. Juli 1949 in den Parteivorstand, 1950 in das Politbüro der SED kooptiert. Seit 1949 Abgeordneter der Volkskammer. Oktober 1949 Minister für Wirtschaftsplanung. November 1950 stellvertretender Ministerpräsident der DDR. 1952–1953 Leiter der Koordinierungsstelle für Industrie und Verkehr. 1953–1955 Minister für Maschinenbau, danach bis zu seinem Tod Minister für Außenhandel und Innerdeutschen Handel. VVO in Gold.

Schabowski, Günter
Mitglied des Politbüros. 1. Sekretär der SED-Bezirksleitung Berlin.
Geboren am 4. 1. 1929 in Anklam.
Oberschule. Abitur. Nach 1945 Volontär und Hilfsredakteur der »Freien Gewerkschaft«. 1950 FDJ. 1952 SED. 1948–1967 Mitarbeiter des Zentralorgans des FDGB »Tribüne«, zuletzt 1953–1967 stellvertretender Chefredakteur. 1962 Diplom-Journalist an der Karl-Marx-Universität Leipzig. 1967–1968 Besuch der Parteihochschule der KPdSU in Moskau. März 1978 bis November 1985 Chefredakteur des Zentralorgans der SED »Neues Deutschland«. Seit Juni 1978 Mitglied des Zentralvorstandes des Zentralverbandes der Journalisten. Seit dem 16. 4. 1981 Mitglied des ZK der SED und Kandidat, seit dem 24. 5. 1984 Mitglied des Politbüros. Seit November 1985 1. Sekretär der SED-Bezirksleitung Berlin, ZK-Sekretär. Seit Juni 1981 Abgeordneter der Volkskammer. VVO in Gold.

Schirdewan, Karl
Geboren am 14. 5. 1907 in Königsberg (Ostpreußen) als Sohn eines Arbeiters.

Volks- und Mittelschule. Transportarbeiter. 1923 Kommunistischer Jugendverband. 1925 KPD. 1927 bis 1928 Sekretär des Kommunistischen Jugendverbandes in Ostpreußen. 1928 Mitglied des ZK des Kommunistischen Jugendverbandes. 1934 verhaftet und wegen Hochverrat zu drei Jahren Zuchthaus verurteilt. Nach Strafverbüßung Häftling in den KZs Sachsenhausen, Mauthausen und Flossenbürg. 1945 KPD. 1946 im SED-Parteivorstand mit der Überprüfung der Tätigkeit der SED-Mitglieder in der NS-Zeit beauftragt. Februar 1947 Leiter der Westkommission beim SED-Parteivorstand. März 1952 1. Sekretär der SED-Landesleitung Sachsen. Oktober 1952 1. Sekretär der SED-Bezirksleitung Leipzig. Dezember 1952 als Sekretär ins ZK der SED zurückberufen, mit dem Aufbau und der Kontrolle der Abt. »Leitende Organe der Partei und Massenorganisationen« beauftragt. Juli 1953 bis Februar 1958 Mitglied des Politbüros. 1952–1958 Abgeordneter der Volkskammer. Am 6. 2. 1958 wegen »Fraktionstätigkeit« und Opposition gegen Ulbricht sämtlicher Parteifunktionen enthoben und mit einer »strengen Rüge« bestraft. Am 15. 4. 1959 Selbstkritik. 1958–1965 Leiter der Staatlichen Archivverwaltung der DDR in Potsdam. Seitdem im Ruhestand.

Schmidt, Elli

Geboren am 9. 8. 1908 in Berlin.
Gestorben am 30. 7. 1980.
1927 KPD. Leiterin des Frauensekretariats der Bezirksleitung Berlin-Brandenburg der KPD. 1933 bis 1937 illegale Tätigkeit, anschließend Emigration nach Prag, Paris und 1940 in die Sowjetunion. Besuch der Leninschule in der Sowjetunion. Richtete während des 2. Weltkrieges unter dem Namen »Irene Gärtner« über den Sender »Freies Deutschland« Aufrufe an die deutschen Frauen und Soldaten. 1945–1949 Leiterin des Frauensekretariats im zentralen Parteiapparat der KPD bzw. SED. Bis September 1953 Vorsitzende des Demokratischen Frauenbundes Deutschland. 1949/50 Abgeordnete der Provisorischen Volkskammer. 1946–1950 Mitglied des Zentralsekretariats, 1950–1953 des ZK und Kandidatin des Politbüros. Im Zusammenhang mit der Zaisser-Herrnstadt-Affäre als Vorsitzende des DFD abgesetzt. Erhielt im Januar 1954 eine »strenge Rüge« und wurde im April 1954 nicht wieder in das ZK gewählt. 1953–1967 Leiterin des Instituts für Bekleidungskultur. Durch Beschluß des ZK vom 29. 7. 1956 im Zuge der Entstalinisierung rehabilitiert. VVO in Gold mit Ehrenspange, Karl-Marx-Orden.

Schumann, Horst

1. Sekretär der SED-Bezirksleitung Leipzig.
Geboren am 6. 2. 1924 in Berlin als Sohn eines Werkzeugschlossers und kommunistischen Spitzenfunktionärs (Georg Schumann, am 11. 1. 1945 hingerichtet).
Volksschule. 1938–1941 Klavierbauerlehrer. Angehöriger der kommunistischen Widerstandsgruppe Georg Schumann in Leipzig. 1945 KPD. Leiter des Antifa-Jugendausschusses in Leipzig. 1947–1948 1. Sekretär der FDJ in Leipzig. 1949–1950 Sekretär für Pionierfragen im FDJ-Landesverband Sachsen. 1950–1952 1. Sekretär des Landesverbands Sachsen der FDJ. 1952–1953 1. Sekretär der Bezirksleitung Leipzig der FDJ. 1952–1967 Mitglied des Zentralrats der FDJ, Leiter des Sektors Jugend und Sport in der Abteilung Leitende Organe. 1956–1959 Besuch der Parteihochschule der KPdSU. Diplom-Gesellschaftswissenschaftler. Juli 1958 bis Mai 1959 Kandidat, seit 1959 Mitglied des ZK der SED. Mai 1959 bis Mai 1967 1. Sekretär des Zentralrates der FDJ. 1960–1971 Mitglied des Staatsrates. Seit 1963 Abgeordneter der Volkskammer. Juni 1969 bis November 1970 2. Sekretär, seit dem 21. 11. 1970 1. Sekretär der SED-Bezirksleitung Leipzig. VVO in Gold und Bronze.

Schürer, Gerhard

Kandidat des Politbüros. Vorsitzender der Staatlichen Plankommission.
Geboren am 14. 4. 1921 in Zwickau (Sachsen) als Sohn eines Arbeiters.
Volksschule. 1936–1939 Maschinenschlosserlehre. Kriegsdienst. 1942 Unteroffiziers-Flugzeugführerschule Pilsen. 1945–1947 Schlosser, Kraftfahrer und Sachbearbeiter. 1947–1951 in der sächsischen Landesregierung tätig, zuletzt Hauptabteilungsleiter. 1948 SED. 1951 Abteilungsleiter in der Staatlichen Plankommission. 1952 Besuch der Landesparteischule Mecklenburg. 1953–1962 Mitarbeiter des ZK der SED. 1955–1958 Studium an der Parteihochschule beim ZK der KPdSU. Diplom-Gesellschaftswissenschaftler. 1960–1962 Mitglied der Wirtschaftskommission beim Politbüro des ZK der SED. 1962 bis 1963 Stellv., 1963–1965 1. Stellv., seit dem 22. 12. 1965 Vorsitzender der Staatlichen Plankommission. Mitglied des Präsidiums des Ministerrats. Seit 1963 Mitglied des ZK der SED. Seit dem 13. 7. 1967 stellv. Vorsitzender des Ministerrates. Seit Juli 1967 Abgeordneter der Volkskammer. Seit dem 2. 10. 1973 Kandidat des Politbüros des ZK der SED. VVO in Silber und Gold, Karl-Marx-Orden.

Selbmann, Fritz

Geboren am 29. 9. 1899 in Lauterbach (Hessen) als Sohn eines Kupferschmieds.
Gestorben am 26. 1. 1975.
Volksschule. 1915–1917 Bergarbeiter in Bochum und

Bottrop. Teilnehmer am 1. Weltkrieg. 1920 USPD. 1922 KPD. 1923 in französischer Schutzhaft. 1924 Gefängnisstrafe wegen Landfriedensbruchs. 1925 Sekretär des Roten Frontkämpferbundes und Mitglied der Bezirksleitung der KPD im Ruhrgebiet. 1928 Abgeordneter des Rheinischen Provinziallandtages. 1930 Bezirksleiter der KPD in Oberschlesien und Abgeordneter des Preußischen Landtages. 1931–1933 Bezirksleiter der KPD in Sachsen. 1932 bis 1933 Mitglied des Reichstags. 1934–1945 inhaftiert (Zuchthaus, KZ Sachsenhausen und Flossenbürg). 1945 Präsident des Landesarbeitsamtes und Vizepräsident der Landesverwaltung Sachsen. 1946 Abgeordneter des Sächsischen Landtages. 1946 Minister für Wirtschaft und Wirtschaftsplanung des Landes Sachsen. 1948–1949 stellv. Vorsitzender der Deutschen Wirtschaftskommission. 1949–1955 Minister für Industrie, Minister für Schwerindustrie und Minister für Berg- und Hüttenwesen. 1950–1963 Abgeordneter der Volkskammer. 1954–1958 Mitglied des ZK der SED. November 1956 bis September 1958 stellv. Vorsitzender des Ministerrates der DDR. 1953–1961 stellv. Vorsitzender der Staatlichen Plankommission. 1958 wegen »Managertums« und indirekter Unterstützung der Fraktion »Schirdewan und Wollweber« scharf kritisiert, übte mehrfach Selbstkritik. 1961–1964 stellv. Vorsitzender des Volkswirtschaftsrates bzw. Vorsitzender der Kommission für Wissenschaftlich-Technische Dienste bei der Plankommission. Danach freiberuflicher Schriftsteller. VVO in Gold, Karl-Marx-Orden.

Sindermann, Horst

Mitglied des Politbüros. Präsident der Volkskammer.
Geboren am 5. 9. 1915 in Dresden als Sohn eines Buchdruckers.
Realgymnasium in Dresden. 1929 Kommunistischer Jugendverband. 1932–1933 Unterbezirksleiter des Kommunistischen Jugendverbandes in Dresden. 1934–1945 inhaftiert, u. a. im Zuchthaus Waldheim, KZ Sachsenhausen und Mauthausen. 1945 KPD. 1946 SED. 1945–1946 Chefredakteur der »Sächsischen Volkszeitung« in Dresden und der »Volksstimme« in Chemnitz. 1947–1949 1. Sekretär der SED in Chemnitz und Leipzig. 1950–1953 Chefredakteur der »Freiheit« in Halle (Saale). 1953–1963 Mitarbeiter des ZK der SED, Leiter der Abteilung Agitprop. 1958–1963 Kandidat, seit 1963 Mitglied des ZK der SED. 1963–1967 Kandidat, seit 1967 Mitglied des Politbüros. Seit 1963 Abgeordneter der Volkskammer. 1963–1971 1. Sekretär der SED-Bezirksleitung Halle. Mai 1971 bis Oktober 1973 1. stellv. Vorsitzender des Ministerrates und Mitglied des Präsidiums. Oktober 1973 bis Oktober 1976 Vorsitzender des Ministerrates. Seit dem 29. 10. 1976 Präsident der Volkskammer und stellv. Vorsitzender des Staatsrates der DDR. VVO in Gold mit Ehrenspange, Karl-Marx-Orden.

Stoph, Willi

Mitglied des Politbüros. Vorsitzender des Ministerrats der DDR.
Geboren am 9. 7. 1914 in Berlin als Sohn eines Maurers.
Volksschule. 1928–1931 Maurerlehre. Anschließend als Maurer, Maurerpolier und Bauleiter in Berlin tätig. 1928 Kommunistischer Jugendverband. 1931 KPD. 1935–1937 Militärdienst. Während des 2. Weltkrieges erneut Soldat (zuletzt Stabsgefreiter). 1945 erneut KPD. 1945–1947 Leiter der Abteilung Baustoffindustrie und Bauwirtschaft, 1947–1948 Leiter der Hauptabteilung Grundstoffindustrie der Zentralverwaltung Industrie. 1948–1950 Leiter der Abteilung Wirtschaftspolitik beim Parteivorstand bzw. ZK der SED. Seit 1950 Abgeordneter der Volkskammer und Mitglied des ZK der SED. 1950–1953 Sekretär des ZK der SED. 1951–1952 Leiter des Büros für Wirtschaftsfragen beim Ministerpräsidenten der DDR. 1952 bis 1955 Minister des Innern. Seit 1953 Mitglied des Politbüros. 1954 Stellv. des Vors. des Ministerrates. Januar 1956 bis Juli 1960 Minister für Nationale Verteidigung der DDR. 1956–1959 Generaloberst, seit dem 1. 10. 1959 Armeegeneral. Im Juli 1960 mit der Koordinierung und Kontrolle der Durchführung von Beschlüssen des ZK der SED und des Ministerrates beauftragt. Seit 1963 Mitglied des Staatsrats. 1962 bis 1964 1. stellv. Vorsitzender des Staatsrates. September 1964 bis Oktober 1973 Vorsitzender des Ministerrates. Vom 3. 10. 1973 bis Oktober 1976 Vorsitzender des Staatsrates. Seit dem 29. 10. 1976 erneut Vorsitzender des Ministerrates sowie stellv. Vorsitzender des Staatsrates. VVO in Gold mit Ehrenspange, Karl-Marx-Orden.

Timm, Ernst

1. Sekretär der SED-Bezirksleitung Rostock.
Geboren am 16. 10. 1926 in Brandenburg (Havel).
Volksschule. 1941–1944 Metallflugzeugbauerlehre. 1950 SED. 1952–1959 Abteilungsleiter im Zentralrat der FDJ. 1953–1955 1. Sekretär der Stadtleitung Rostock der FDJ. 1955–1958 Besuch der Parteihochschule der SED. 1958–1960 Sekretär für Agitation und Propaganda der SED-Stadtleitung Rostock. 1960–1961 Abteilungsleiter und Sekretär für Agitation und Propaganda der SED-Bezirksleitung Rostock. 1961–1966 2. Sekretär, zuständig für Organisation und Kader in der SED-Bezirksleitung Rostock. 1966–1967 erneut Sekretär für Agitation und Propaganda der SED-Bezirksleitung Rostock. Dezember 1967 bis April 1975 1. Sekretär der SED-Stadtleitung

Rostock. Seit 1963 Abgeordneter des Bezirkstages Rostock. Seit dem 28. 4. 1975 1. Sekretär der SED-Bezirksleitung Rostock. Seit dem 22. 5. 1976 Mitglied des ZK der SED. Seit Oktober 1976 Abgeordneter der Volkskammer. VVO in Gold.

Tisch, Harry
Mitglied des Politbüros. Vorsitzender des FDGB.
Geboren am 28. 3. 1927 in Heinrichswalde, Krs. Uekkermünde, als Sohn eines Arbeiters.
Volksschule. 1941–1943 Lehre als Bauschlosser. Bis 1948 als Schlosser tätig. 1945 KPD. 1946 SED. 1948–1953 hauptamtlicher Gewerkschaftsfunktionär, Vorsitzender der IG Metall im Land Mecklenburg. 1953–1955 Besuch der Parteihochschule der SED, Diplom-Gesellschaftswissenschaftler. 1955–1959 Sekretär für Wirtschaft der SED-Bezirksleitung Rostock. 1959–1961 Vorsitzender des Rats des Bezirks Rostock. Juli 1961 bis April 1975 1. Sekretär der SED-Bezirksleitung Rostock. Seit Januar 1963 Mitglied des ZK der SED. Seit Oktober 1963 Abgeordneter der Volkskammer. Juni 1971 bis Juni 1975 Kandidat, seit dem 5. 6. 1975 Mitglied des Politbüros des ZK der SED. Am 28. 4. 1975 in den Bundesvorstand des FDGB kooptiert und zum Vorsitzenden gewählt. Seit dem 19. 6. 1975 Mitglied des Staatsrates. Seit 1975 Mitglied des Präsidiums des Nationalrates der Nationalen Front. Seit Oktober 1975 Mitglied des Generalrates und des Büros des Weltgewerkschaftsbundes. VVO in Gold, Karl-Marx-Orden.

Verner, Paul
Geboren am 26. 4. 1911 in Chemnitz als Sohn eines Metallarbeiters.
Gestorben am 12. 12. 1986 in Ost-Berlin.
Oberrealschule. Metallarbeiter und Redakteur der kommunistischen Presse. 1925 Funktionär des Kommunistischen Jugendverbandes. 1929 KPD. Nach 1933 Chefredakteur der illegalen Zeitschrift »Junge Garde«. Emigration. 1936–1939 Teilnehmer am Spanischen Bürgerkrieg. 1939–1943 in Schweden inhaftiert. 1943–1945 Schlosser und Dreher in Schweden. 1945 Rückkehr nach Deutschland. 1946 Mitbegründer der FDJ, Mitglied des Organisationskomitees. 1946–1949 Mitglied des Sekretariats des I. und II. Zentralrates der FDJ und Leiter der Abteilung Jugend im Parteivorstand der SED. 1949 Leiter der Org.-Instrukteurabteilung im Parteivorstand der SED. Seit 1950 Mitglied des ZK. 1950–1953 Mitglied des Sekretariats des ZK der SED. Danach Leiter der Abteilung für Gesamtdeutsche Fragen im ZK der SED. 1958 wieder Sekretär des ZK. 1958–1963 Kandidat, seit 1963 Mitglied im Politbüro. Seit 1958 Abgeordneter der Volkskammer. März 1959 bis Mai 1971 1. Sekretär der SED-Bezirksleitung Berlin. Mai 1971 bis Mai 1984 Sekretär für Sicherheit des ZK der SED. 1971–1981 Mitglied, seit dem 25. 6. 1981 stellvertretender Vorsitzender des Staatsrates. Seit 1971 Vorsitzender des Ausschusses für Nationale Verteidigung. VVO in Gold, Karl-Marx-Orden.

Walde, Werner
Kandidat des Politbüros, 1. Sekretär der SED-Bezirksleitung Cottbus.
Geboren am 12. 2. 1926 in Döbeln (Sachsen) als Sohn eines Arbeiters.
Volksschule. 1940–1943 Lehre als Verwaltungsangestellter. 1946 SPD/SED. 1948 FDJ. 1945–1950 Angestellter der Sozialversicherungskasse Döbeln. 1951 bis 1953 Assistent, Lehrer und Parteisekretär an der Landesparteischule der SED in Meißen. 1953–1955 Leiter bzw. stellv. Leiter der Bezirksparteischule Cottbus. 1954–1960 Fernstudium an der Parteihochschule der SED. 1955–1961 Mitarbeiter bzw. Leiter der Abteilung Organisation/Kader der SED-Bezirksleitung Cottbus. 1961–1964 1. Sekretär der SED-Kreisleitung Senftenberg. 1964–1966 Studium an der Hochschule für Ökonomie in Berlin-Karlshorst. Diplom-Wirtschaftler. April 1966 bis Juni 1969 2. Sekretär, seit dem 1. 6. 1969 1. Sekretär der SED-Bezirksleitung Cottbus. Seit Juni 1971 Mitglied des ZK der SED. Seit November 1971 Abgeordneter der Volkskammer. Abgeordneter des Bezirkstags Cottbus. Seit dem 22. 5. 1976 Kandidat des Politbüros des ZK der SED. VVO in Gold, Karl-Marx-Orden.

Wandel, Paul
Geboren am 16. 2. 1905 in Mannheim als Sohn eines Arbeiters.
Volksschule, Maschinentechniker. 1919 Mitglied der Sozialistischen Arbeiterjugend. 1923 KPD. Bezirkssekretär der KPD in Baden und Vorsitzender der KPD-Stadtverordnetenfraktion in Mannheim. Februar 1933 Emigration in die Sowjetunion. Studium an der Lenin-Schule, Mitarbeiter der Komintern. 1941–1943 Leiter der Deutschen Sektion und Lehrer an der Kominternschule in Kuschnarenkowo. Polit. Sekretär von Wilhelm Pieck in der Sowjetunion. 1945 Chefredakteur des damaligen KPD-Zentralorgans »Deutsche Volkszeitung«. 1945–1949 Leiter der Zentralverwaltung für Volksbildung. 1949–1952 Minister für Volksbildung der DDR. 1946–1958 Mitglied des Parteivorstandes bzw. des ZK der SED. 1949 bis 1958 Abgeordneter der Volkskammer. 1952–1953 Leiter der Koordinierungs- und Kontrollstelle für Unterricht, Wissenschaft und Kunst. Juli 1953 bis Oktober 1957 Sekretär für Kultur und Erziehung im ZK. Im Oktober 1957 von der Funktion als Sekretär des ZK »wegen ungenügender Härte bei der Durchsetzung der kulturpolitischen Linie der SED-Führung« ent-

bunden. April 1958 bis Februar 1961 Botschafter in Peking, 1961–1964 stellvertretender Minister für Auswärtige Angelegenheiten. 1964 Präsident, 1976 Vizepräsident der Liga für Völkerfreundschaft. VVO in Gold, Karl-Marx-Orden.

Warnke, Herbert
Geboren am 24. 2. 1902 in Hamburg als Sohn eines Arbeiters.
Gestorben am 26. 3. 1975 in Ost-Berlin.
Volksschule. 1919–1923 Lehre. Danach als Nieter auf der Schiffswerft Blohm & Voss tätig. 1923 KPD. 1927 Mitglied der Bezirksleitung Wasserkante der KPD. 1929–1930 Vorsitzender des Betriebsrates der Schiffswerft Blohm & Voss. 1929 aus dem Metallarbeiterverband wegen oppositioneller Tätigkeit ausgeschlossen. Danach Mitglied in der Revolutionären Gewerkschaftsopposition. 1931–1933 Sekretär für Gewerkschaftsfragen der Bezirksleitung Weser-Ems der KPD. 1932–1933 Mitglied des Reichstags. 1933 bis 1936 illegale Tätigkeit für die KPD. 1936 Emigration nach Dänemark, 1938 nach Schweden. 1939 bis 1943 in Schweden interniert. 1945 Rückkehr nach Deutschland. 1946 Vorsitzender des Landesvorstandes Mecklenburg des FDGB. Danach Leiter der Hauptabteilung Betriebsräte und der Organisationsabteilung im Bundesvorstand des FDGB. Seit dem 25. 10. 1948 ununterbrochen Vorsitzender des Bundesvorstands des FDGB. Seit 1949 Abgeordneter der Volkskammer. Seit 1950 Mitglied des ZK der SED. 1950–1953 Sekretär des ZK. 1953–1958 Kandidat, seit 1958 Mitglied des Politbüros. Seit 1953 Vizepräsident des kommunistischen Weltgewerkschaftsbundes. 1971 Mitglied des Staatsrates der DDR. VVO in Gold, Karl-Marx-Orden.

Wollweber, Ernst
Geboren am 28. 10. 1898 in Hannoversch-Münden als Sohn eines Tischlers.
Gestorben am 3. 5. 1967.
Volksschule. Schiffsjunge, Matrose. 1916–1918 Teilnehmer am 1. Weltkrieg. 1918 maßgeblich an der Matrosenmeuterei in Kiel beteiligt (SMS »Helgoland«), 1919 KPD. Verschiedene leitende Funktionen im KPD-Parteiapparat. 1921–1923 Politischer Sekretär des Bezirks Hessen-Waldeck. Mitglied des ZK der KPD. Generalsekretär der Deutschen Sektion der Internationale der Hafenarbeiter und Seeleute. 1928 bis 1932 Abgeordneter des Preußischen Landtages. 1929–1930 Mitglied des Provinziallandtages Niederschlesien. 1932 Abgeordneter des Reichstages. 1932 Leiter der Organisationsabteilung des ZK der KPD. Nach 1933 illegale Tätigkeit, dann Emigration. Leitender Komintern-Funktionär in Skandinavien. Organisierte von Skandinavien aus zahlreiche Sprengstoffattentate auf Schiffe der Achsenmächte. 1940 in Schweden verhaftet und zu drei Jahren Zuchthaus verurteilt. Auf Ersuchen der sowjetischen Regierung von Schweden an die Sowjetunion ausgeliefert. 1946 stellv. Leiter, ab 1947 Leiter des Generaldirektoriums Schiffahrt in der SBZ. 1949 Staatssekretär im Ministerium für Verkehr. Ab 1. 5. 1953 Staatssekretär für Schiffahrt. Juli 1953 bis November 1955 Staatssekretär für Staatssicherheit und stellv. Innenminister. 1955–1957 Minister für Staatssicherheit. 1954–1958 Mitglied des ZK der SED und Abgeordneter der Volkskammer. Am 6. 2. 1958 zusammen mit Schirdewan wegen »Fraktionstätigkeit« und Opposition gegen Ulbricht aus dem ZK der SED ausgeschlossen und mit einer strengen Rüge bestraft. VVO in Gold.

Zaisser, Wilhelm
Geboren am 20. 6. 1893 in Rotthausen bei Gelsenkirchen als Sohn eines Gendarmeriewachtmeisters.
Gestorben am 3. 3. 1958 in Berlin.
1907–1910 Besuch einer Präparandenanstalt, 1910 bis 1913 des Evangelischen Lehrerseminars Essen. 1913–1914 Militärdienst. Teilnehmer am 1. Weltkrieg (Leutnant). 1918 USPD. 1919 KPD. Leiter der »Roten Armee« an der Ruhr. Mitorganisator des kommunistischen Aufstandes in Kanton. 1932 KPdSU. 1924 Teilnehmer an einem Lehrgang der 1. Militärschule in Moskau. Danach als Agent des militärischen Nachrichtendienstes der Sowjetunion tätig. Journalistische Tätigkeit im Ruhrgebiet. 1936 Kommandeur der XIII. Internationalen Brigade in Spanien. Später unter dem Decknamen »General Gomez« Stabschef aller Internationalen Brigaden in Spanien. Ab 1938 in der Sowjetunion. 1939–1943 Chefredakteur der deutschen Sektion im Verlag für fremdsprachige Literatur in Moskau. Ab 1943 Leiter der Antifa-Schule Krasnogorsk. 1947 Polizeichef des Landes Sachsen-Anhalt. 1948–1950 sächsischer Innenminister und Chefinstrukteur der Volkspolizei. 1950 bis Juli 1953 Minister für Staatssicherheit. 1950–1953 Mitglied des ZK und des Politbüros. Im Juli 1953 zusammen mit Herrnstadt sämtlicher Funktionen enthoben, da er »mit einer defaitistischen gegen die Einheit der Partei gerichteten Linie aufgetreten« war und eine »parteifeindliche Fraktion« gebildet hatte. Im Januar 1954 aus der SED ausgeschlossen. Zuletzt Mitarbeiter des Dietz-Verlages und des Instituts für Marxismus-Leninismus beim ZK der SED. Karl-Marx-Orden.

Ziegenhahn, Herbert
1. Sekretär der SED-Bezirksleitung Gera.
Geboren am 27. 10. 1921 in Dankerode, Mansfelder Seekreis, als Sohn eines Landwirts.
Volksschule. 1936–1941 Landarbeiter. Maurer. Kriegs-

dienst. Sowjetische Kriegsgefangenschaft. Assistent an einer Antifa-Zentralschule. 1948 SED. Bürgermeister von Dankerode und Harzgerode. 1952 bis 1959 1. Sekretär der SED in Quedlinburg. 1954 bis 1960 Fernstudium an der Parteihochschule der SED. Diplom-Gesellschaftswissenschaftler. 1959 bis 1963 1. Sekretär der SED-Kreisleitung Dessau. Januar 1963 bis September 1966 Kandidat, seit September 1966 Mitglied des ZK der SED. Seit Februar 1963 1. Sekretär der SED-Bezirksleitung Gera. Seit Oktober 1963 Abgeordneter der Volkskammer. Seit 1967 Mitglied des Mandatsprüfungsausschusses der Volkskammer. Abgeordneter des Bezirkstages Gera. VVO in Silber und Gold, Karl-Marx-Orden.

Ziegner, Heinz

1. Sekretär der Bezirksleitung Schwerin.

Geboren am 13. 7. 1928 in Annarode, Krs. Eisleben, als Sohn eines Arbeiters.

Mittelschule. 1945 SPD. 1946 SED. 1945 Angestellter des Rats des Kreises Hettstedt. Leiter des Statistischen Kreisamtes. 1949–1950 Abteilungsleiter der SED-Kreisleitung Hettstadt. 1950–1953 Abteilungsleiter, Sekretär, 2. Sekretär und 1. Sekretär der SED-Kreisleitung Salzwedel. 1954 1. Sekretär der SED-Kreisleitung Schönebeck. 1954–1969 Abgeordneter des Bezirkstags Magdeburg. 1954–1960 1. Sekretär der FDJ-Bezirksleitung Magdeburg. 1955–1960 Mitglied des Zentralrates der FDJ. 1960–1969 Sekretär für Landwirtschaft der SED-Bezirksleitung Magdeburg. 1967–1971 Kandidat, seit Juni 1971 Mitglied des ZK der SED. Juni 1969 bis Februar 1974 2. Sekretär. Seit dem 17. 2. 1974 1. Sekretär der SED-Bezirksleitung Schwerin. Seit 1971 Abgeordneter der Volkskammer. 1976–1982 Mitglied des Ausschusses für Auswärtige Angelegenheiten, seit März 1982 Mitglied des Ausschusses für Land-, Forst- und Nahrungsgüterwirtschaft der Volkskammer. Seit 1971 Abgeordneter des Bezirkstags Schwerin. VVO in Bronze, Karl-Marx-Orden.

Ziller, Gerhart

Geboren am 19. 4. 1912 in Dresden als Sohn eines Arbeiters.

Gestorben am 14. 12. 1957 in Berlin.

Elektromonteur und technischer Zeichner, 1927 Kommunistischer Jugendverband. 1930 KPD. Während der NS-Zeit mehrmals inhaftiert. 1945 Stadtrat in Meißen. August 1945 Hauptabteilungsleiter für Industrie und Verkehr in Sachsen. 1950 Minister für Maschinenbau der DDR. Februar 1953 bis Januar 1954 Minister für Schwermaschinenbau. Juli 1953 bis zu seinem Tode Mitglied und Sekretär für Wirtschaft des ZK der SED. Verübte Selbstmord und wurde später beschuldigt, zur »parteifeindlichen Gruppe Schirdewan und Wollweber« gehört zu haben.

Literaturauswahl

Die Literaturauswahl wurde bewußt knapp gehalten, sie erfüllt keine wissenschaftlichen Ansprüche. Aufgenommen wurden, abgesehen von Standardwerken, vor allem Titel, die im Buchhandel oder in Bibliotheken erhältlich sind. Insbesondere gilt das für Titel aus der DDR. Da die SED-Geschichte eng mit der DDR-Geschichte verwoben ist, wurden auch neuere Arbeiten über die DDR-Geschichte aufgenommen. Hier findet der Leser weiterführende bibliographische Übersichten.

Handbücher, Dokumentationen

DDR. Dokumente zur Geschichte der Deutschen Demokratischen Republik 1945–1985. Hrg. Hermann Weber. München 1986.

DDR Handbuch. Hrg. Bundesministerium für innerdeutsche Beziehungen. Wissenschaftliche Leitung Hartmut Zimmermann. 2 Bde Köln 1985[3].

Dokumente zur Deutschlandpolitik. Hrg. Bundesministerium für innerdeutsche Beziehungen. Begründet von Ernst Deuerlein, wissenschaftliche Leitung Karl-Dietrich Bracher und Hans-Adolf Jacobsen. Reihe I: 3. 9. 1939–8. 5. 1945 (bisher 2 Bde.); Reihe II: 9. 5. 1945–4. 5. 1955 (in Vorbereitung); Reihe III: 5. 5. 1955–9. 11. 1958 (4 Bde., vollständig); Reihe IV: 10. 11. 1958–30. 11. 1966 (12 Bde., vollständig); Reihe V: 1. 12. 1966 fortlaufend (bisher 1 Bd.). Frankfurt/Main.

Dokumente der Sozialistischen Einheitspartei Deutschlands. Beschlüsse und Erklärungen des Zentralkomitees sowie seines Politbüros und seines Sekretariats. Hrg. ZK der SED. Berlin (Ost) 1952–1986 (Bde. I–XX).

Dokumente zur Kunst-, Literatur- und Kulturpolitik der DDR. Bd. 1: 1946–1970. Hrg. Elimar Schubbe. Stuttgart 1972. Bd. 2: 1971–1974. Hrg. Gisela Rüß. Stuttgart 1976. Bd. 3: 1975–1980. Peter Lübbe. Stuttgart 1984.

Namen und Daten wichtiger Personen der DDR. Hrg. Günter Buch. Bonn 1982[3].

Programm und Statut der SED. Einleitender Kommentar von Karl Wilhelm Fricke. Köln 1976.

Protokolle der SED-Parteitage. Berlin (Ost) 1946–1986 (I.–XI. Parteitag).

Alois Riklin, Klaus Westen, Selbstzeugnisse des SED-Regimes. Das Nationale Dokument. Das erste Programm der SED. Das vierte Statut der SED (Texte und Kommentare). Köln 1963.

SED. Programm und Statut von 1976. Text, Kommentar, didaktische Hilfen. Hrg. Eberhard Schneider. Opladen 1977.

Geschichte

Einheit oder Freiheit? Zum 40. Jahrestag der Gründung der SED. Hrg. Friedrich-Ebert-Stiftung. Bonn 1985.

Geschichte der deutschen Arbeiterbewegung in acht Bänden. Hrg. Institut für Marxismus-Leninismus beim ZK der SED. Berlin (Ost) 1966.

Geschichte der Sozialistischen Einheitspartei Deutschlands. Abriß. Hrg. Autorenkollektiv beim Institut für Marxismus-Leninismus beim ZK der SED. Berlin (Ost) und Frankfurt/Main 1978.

»Klassenkampf – Tradition – Sozialismus«, und zwar: Grundriß der deutschen Geschichte. Von den Anfängen der Geschichte des deutschen Volkes bis zur Gestaltung der entwickelten sozialistischen Gesellschaft in der Deutschen Demokratischen Republik. Klassenkampf – Tradition – Sozialismus. Hrg. Zentralinstitut für Geschichte der Akademie der Wissenschaften der DDR. Berlin (Ost) 1979.

Moraw, Frank, Die Parole der »Einheit« und die Deutsche Sozialdemokratie. Bonn-Bad Godesberg 1973.

Sozialdemokraten im Kampf um die Freiheit. Die Auseinandersetzungen zwischen SPD und KPD in Berlin 1945/46. Stenographische Niederschrift der Sechziger-Konferenz am 20./21. 12. 1945. Hrg. Gerd Gruner, Manfred Wilke. München 1986[2].

Staritz, Dietrich, Geschichte der DDR 1949–1985. Frankfurt/Main 1985.

Staritz, Dietrich, Sozialismus in einem halben Land. Zur Programmatik der KPD/SED in der Phase der antifaschistischen Umwälzung in der DDR. Berlin (West) 1976.

Stößel, Frank-Thomas, Positionen und Strömungen in der KPD/SED 1945–1954. Köln 1985.

Weber, Hermann, Die SED nach Ulbricht. Hannover 1974.
Weber, Hermann, Die Sozialistische Einheitspartei Deutschlands 1946–1971. Hannover 1971.
Weber, Hermann, Geschichte der DDR. München 1985.
Weber, Hermann, SED. Chronik einer Partei 1971–1976. Köln 1976.
Weber, Hermann, Oldenburg, Fred, 25 Jahre SED. Chronik einer Partei (1946–1970). Köln 1971².
Ziele, Formen und Grenzen der »besonderen« Wege zum Sozialismus. Zur Analyse der Transformationskonzepte europäischer kommunistischer Parteien in den Jahren zwischen 1944/45 und 1948. Dokumentation einer wissenschaftlichen Tagung 1982 in Mannheim. Hrg. Arbeitsbereich Geschichte und Politik der DDR am Institut für Sozialwissenschaften der Universität Mannheim. Mannheim 1984.

Partei- und Staatsapparat

Förtsch, Eckart, Mann, Rüdiger, Die SED. Stuttgart 1969.
Glaeßner, Gert-Joachim, Herrschaft durch Kader. Leitung der Gesellschaft und Kaderpolitik in der DDR am Beispiel des Staatsapparates. Opladen 1977.
Ludz, Peter-Christian, Parteielite im Wandel. Funktionsaufbau, Sozialstruktur und Ideologie der SED-Führung. Opladen 1970³.
Neugebauer, Gero, Partei- und Staatsapparat in der DDR. Aspekte der Instrumentalisierung des Staatsapparates durch die SED. Opladen 1978.
Richert, Ernst, Macht ohne Mandat. Der Staatsapparat in der Sowjetischen Besatzungszone Deutschlands. Köln 1963².
Stern, Carola, Die SED. Ein Handbuch über Aufbau, Organisation und Funktion des Parteiapparates. Köln/Berlin 1954.
Stern, Carola, Portrait einer bolschewistischen Partei. Entwicklung, Funktion und Situation der SED. Köln/Berlin 1957.

Nationale Frage

Axen, Hermann, Zur Entwicklung der Sozialistischen Nation in der DDR. Berlin (Ost) 1973.
Kosing, Alfred, Nation in Geschichte und Gegenwart. Studie zur historisch-materialistischen Theorie der Nation. Berlin (Ost) 1976.
Meissner, Boris, Hacker, Jens, Die Nation in östlicher Sicht. Berlin (West) 1977.
Riege, Gerhard, Kulke, Hans-Jürgen, Nationalität: Deutsch, Staatsbürgerschaft: DDR. Berlin (Ost) 1980².
Kopp, Fritz, Kurs auf ganz Deutschland. Die Deutschlandpolitik der SED. Stuttgart 1965.
Schütte, Hans-Dieter, Zeitgeschichte und Politik. Deutschland- und blockpolitische Perspektiven der SED in den Konzeptionen marxistisch-leninistischer Zeitgeschichte. Bonn 1984.

Opposition

Bahro, Rudolf, Die Alternative. Zur Kritik des real-existierenden Sozialismus. Frankfurt/Main 1977.
von Berg, Hermann, Marxismus-Leninismus. Das Elend der halbdeutschen halbrussischen Ideologie. Köln 1986.
von Berg, Hermann, Loeser, Franz, Seiffert, Wolfgang, Die DDR auf dem Weg in das Jahr 2000. Politik, Ökonomie, Ideologie. Plädoyer für eine demokratische Erneuerung. Köln 1987.
Das Manifest der Opposition. Eine Dokumentation. Fakten, Analysen, Berichte.
Fricke, Karl Wilhelm, Die Staatssicherheit. Entwicklung, Strukturen, Aktionsfelder. Köln 1984².
Fricke, Karl Wilhelm, Opposition und Widerstand in der DDR. Ein politischer Report. Köln 1984.
Fricke, Karl Wilhelm, Warten auf Gerechtigkeit. Kommunistische Säuberungen und Rehabilitierungen. Köln 1971.
Havemann, Robert, Berliner Schriften. München 1977.
Havemann, Robert, Rückantworten an die Hauptverwaltung »Ewige Wahrheiten«. München 1971.
Jänicke, Martin, Der dritte Weg. Die antistalinistische Opposition gegen Ulbricht seit 1953. Köln 1964.
Loeser, Franz, Die unglaubwürdige Gesellschaft. Quo vadis DDR? Köln 1984.
Sarel, Benno, Arbeiter gegen den »Kommunismus«. Zur Geschichte des proletarischen Widerstandes in der DDR (1945–1958). München 1975.

Memoiren, Biographien

Borkowski, Dieter, Für jeden kommt der Tag... Stationen einer Jugend in der DDR. Frankfurt/Main 1983.
Borkowski, Dieter, Erich Honecker. Statthalter Moskaus oder deutscher Patriot? München 1987.

Brandt, Heinz, Ein Traum, der nicht entführbar ist. Ein Weg zwischen Ost und West. München 1967 und Berlin (West) 1977 (Reprint).

Gniffke, Erich, Jahre mit Ulbricht. Köln 1966.

Havemann, Robert, Ein deutscher Kommunist. Rückblicke und Perspektiven aus der Isolation. Hrg. Manfred Wilke. Nachwort von Lombardo Radice. Reinbek b. Hamburg 1978.

Havemann, Robert, Fragen, Antworten, Fragen. München 1970.

Honecker, Erich, Aus meinem Leben. Frankfurt/Main, Oxford, New York, Toronto, Sydney, Paris, Berlin (Ost) 1980.

Kantorowicz, Alfred, Deutsches Tagebuch. 2 Bde. München 1959 und 1961.

Kuczynski, Jürgen, Dialog mit einem Urenkel. Berlin (Ost), Weimar 1984².

Leonhard, Wolfgang, Die Revolution entläßt ihre Kinder. Köln 1955.

Lippmann, Heinz, Honecker. Porträt eines Nachfolgers. Köln 1971.

Loest, Erich, Durch die Erde ein Riß. Hamburg 1981.

Mayer, Hans, Ein Deutscher auf Widerruf. 2 Bde. Frankfurt/Main 1982 und 1984.

Schenk, Fritz, Im Vorzimmer der Diktatur. Zwölf Jahre Pankow. Köln 1962.

Schenk, Fritz, Mein doppeltes Vaterland. Erfahrungen und Erkenntnisse eines geborenen Sozialdemokraten (gekürzte Fassung von »Im Vorzimmer der Diktatur«, mit einem zweiten Teil, der seine politischen Erfahrungen im Westen reflektiert). Würzburg 1981.

Prauß, Herbert, Doch es war nicht die Wahrheit. Tatsachenbericht zur geistigen Auseinandersetzung unserer Zeit. Berlin 1960².

Stern, Carola, Ulbricht. Köln 1963.

Voßke, Heinz, Otto Grotewohl. Bibliographischer Abriß. Berlin (Ost) 1979.

Voßke, Heinz, Nietzsche, Gerhard, Wilhelm Pieck. Biographischer Abriß. Berlin (Ost) 1975.

Voßke, Heinz, Walter Ulbricht. Biographischer Abriß. Berlin (Ost) 1983.

Autorenverzeichnis

Karl Bielig, 1945/46 Chefredakteur der »Volksstimme« Dresden.
Zeitzeugen-Text Nr. 1. 5. aus: Verschwörung gegen die Freiheit. Wie die SED entstand, hrsg. vom Bundessekretariat der Jungsozialisten (Schriftenreihe der Jungsozialisten, 1/66), Bonn 1966, S. 70–75.

Heinz Brandt (1909–1986), Sohn eines jüdischen Arbeiters, trat 1929 dem Kommunistischen Jugendverband bei, 1932 der KPD, 1934–1945 in verschiedenen Konzentrationslagern, zuletzt Buchenwald, inhaftiert. Nach 1945 zunächst KPD, dann SED, Leiter/Sekretär der Abteilung Agitation der SED-Bezirksleitung Berlin, 1953 zurückgestuft zum Abteilungsleiter. 1958 Flucht in die Bundesrepublik. 1961 aus West-Berlin vom Staatssicherheitsdienst der DDR nach Ost-Berlin entführt, nach einem Jahr Isolierhaft zu 13 Jahren Zuchthaus verurteilt, durch internationale Solidaritätsaktionen 1964 vorzeitig in die Bundesrepublik entlassen.
Zeitzeugen-Texte Nr. 6.1., 6.2., 7.1., 8.1. aus:
H. Brandt, Ein Traum, der nicht entführbar ist. Mein Leben zwischen Ost und West, mit einem Vorwort von Erich Fromm, München 1967.

Gustav Dahrendorf (1901–1954), seit 1918 Mitglied der SPD. 1944 zu sieben Jahren Zuchthaus verurteilt. Nach Kriegsende Mitglied des Zentralausschusses der SPD in Berlin, seit Februar 1946 in Hamburg.
Sein Bericht über »Die Zwangsvereinigung der Kommunistischen und der Sozialdemokratischen Partei in der russischen Zone« wurde von der SPD-Landesorganisation Hamburg im Jahre 1946 als Manuskript ohne Verfasserangabe veröffentlicht und unverändert wieder abgedruckt in: G. Dahrendorf, *Der Mensch, das Maß aller Dinge. Reden und Schriften zur deutschen Politik,* hrsg. und eingel. von Ralph Dahrendorf, Hamburg 1955, S. 89–124.
Zeitzeugen-Text Nr. 1.2.

Erich W. Gniffke (1895–1964), 1912 Eintritt in die SPD, seit den zwanziger Jahren mit Otto Grotewohl befreundet und politisch verbunden. 1945 in Berlin Neugründung der SPD in seiner Wohnung, Mitglied des Zentralausschusses der SPD, Mitglied des Zentralsekretariats der SED. Oktober 1948 Flucht über West-Berlin nach Frankfurt/Main. Erst gegen Ende seines Lebens hat Gniffke seine Erinnerungen an die Jahre 1945–48 niedergeschrieben. Nach seinem Tode erschienen sie, mit einem Vorwort von Herbert Wehner, unter dem Titel *Jahre mit Ulbricht* (Köln 1966).
Zeitzeugen-Texte Nr. 2.3., 3.2., 5.3.

Jens Hacker (1933 geboren), Dr. jur., Professor für Politikwissenschaft unter besonderer Berücksichtigung der Internationalen Politik an der Universität Regensburg.
Veröffentlichungen u. a.: *Der Rechtsstatus Deutschlands aus der Sicht der DDR,* Köln 1974; *Der Ostblock. Entstehung, Entwicklung und Struktur 1939–1980,* Baden-Baden 1985[2].

Robert Havemann (1910–1982), Chemiker, 1932 Mitglied der KPD, 1934 als Leiter der Widerstandsgruppe »Europäische Union« in einem Hochverratsprozeß vom Volksgerichtshof zum Tode verurteilt. 1945 Leiter der Verwaltung des Kaiser-Wilhelm-Instituts (später: Max-Planck-Institut), SED-Mitglied, 1947 Leiter des Lehrstuhls für physikalische Chemie an der Humboldt-Universität zu Berlin. Auf dem 5. ZK-Plenum (Februar 1964) heftig wegen seiner »revisionistischen Theorien« kritisiert und am 13. 3. 1964 seiner Universitäts- und politischen Funktionen enthoben sowie aus der SED ausgeschlossen.
Zeitzeugen-Texte Nr. 8.4., 8.7., aus:
R. Havemann, *Fragen, Antworten, Fragen. Aus der Biographie eines deutschen Marxisten,* München 1970.

Alfred Kantorowicz (1899–1979), Dr. jur., politischer Publizist, Literaturhistoriker, Schriftsteller. Seit 1931 Kommunist, emigrierte 1933 nach Frankreich. Im Spanischen Bürgerkrieg 1936–1938 Offizier der Internationalen Brigaden, nach Niederlage der Republik Emigration in die USA. 1946 Rückkehr nach Berlin, Gründung und Herausgabe der Zeitschrift »Ost und West«, die 1949 von der SED verboten wurde. 1950 bis 1957 Professor für

Neuere Deutsche Literatur an der Ost-Berliner Humboldt-Universität. 1957 Flucht in die Bundesrepublik.
Zeitzeugen-Text Nr. 4.3. aus:
A. Kantorowicz, *Deutsches Tagebuch. Erster Teil*, Berlin 1978.
Zeitzeugen-Text Nr. 6.3. aus:
A. Kantorowicz, *Deutsches Tagebuch. Zweiter Teil*, Berlin 1979.

Gregory Klimow (Lebensdaten unbekannt), Major der Roten Armee, nach Kriegsende Mitarbeiter im Hauptstab der SMAD zunächst unter General Schabalin (Wirtschaftsfragen), dann als Leitender Ingenieur der Verwaltung für Industrie.
Klimow schreibt im Vorwort zu seinen Erinnerungen: Der Verfasser ist ein ganz gewöhnlicher russischer Mensch, Soldat und Bürger. Er hat weniger Veranlassung, Stalin zu zürnen, als die Mehrzahl der Russen. Seine Geburt fiel in die Zeit der Oktoberrevolution und sein Eintritt in das aktive Leben praktisch in die ersten Tage des Krieges 1941. Sein Denken und Fühlen ist das Denken und Fühlen der jungen Sowjetgeneration.
Der Verfasser ist kein Renegat des Kommunismus – er ist niemals Mitglied der KPdSU (B) gewesen. Er hat Theorie und Praxis des stalinschen Kommunismus wie jeder andere russische Mensch kennengelernt – mit seinem Leib und seinem Blut. Der Verfasser stellt in der heutigen Sowjetgesellschaft keineswegs eine Ausnahme dar. Er liebt Freiheit und Demokratie nicht mehr und nicht weniger als jeder andere russische Mensch.
Das vorliegende Buch ist seinem Wesen nach ein Tagebuch, verfolgt jedoch nicht die Absicht, die Lebensgeschichte des Verfassers wiederzugeben. Dieses Buch berichtet von den Sowjetmenschen der Jetztzeit, von denen, die heute noch die goldenen Schulterstücke tragen, Panzer und Flugzeuge führen, leben und arbeiten – dort – hinter dem Eisernen Vorhang.
Wenn diese Zeilen einmal nach Berlin gelangen, werden viele sowjetische Soldaten und Offiziere – und ihre Zahl ist größer, als in diesem Buch verzeichnet ist – insgeheim denken: »Dieses Buch berichtet ja von mir!«
Zeitzeugen-Text Nr. 4.1. aus:
G. Klimow, *Berliner Kreml*, übers. von Irina Finkenauer-Fuess, Köln/Berlin 1953.

Johannes L. Kuppe (1935 geboren), Dr. rer. pol., Diplom-Politologe, Referatsleiter im Gesamtdeutschen Institut, Bonn.
Zahlreiche Veröffentlichungen zur Außen- und Deutschlandpolitik sowie zur Zeitgeschichte in Zeitschriften, Sammelbänden und Lexika.

Wolfgang Leonhard (1921 geboren), Sohn von Susanne und Rudolf Leonhard, 1935 mit der Mutter nach Moskau emigriert, Schule und Studium in der UdSSR, 1942–43 Kominternschule in Kuschnarenkowo (= wichtigste ideologisch-politische Ausbildungsstätte für ausländische Kommunisten), ab 1943 Mitarbeiter der Redaktion und Rundfunksprecher des Nationalkomitees »Freies Deutschland«. Mai 1945 Rückkehr nach Deutschland als Mitglied der Gruppe Ulbricht, bis August 1945 Sekretär von Walter Ulbricht, ab September 1945 Mitarbeiter des ZK der KPD, später der SED, von September 1947 bis März 1949 Lehrer an der SED-Parteihochschule »Karl Marx« zunächst in Liebenwalde, dann in Kleinmachnow. März 1949 Flucht nach Jugoslawien, seit Ende 1950 in der Bundesrepublik.
Zeitzeugen-Text Nr. 1.1. aus:
Wie kam es zur Bundesrepublik? Politische Gespräche mit Männern der ersten Stunde, hrsg. von Albert Wucher (Herder-Bücherei, 324), Freiburg – Basel – Wien 1968, S. 38–48.
Zeitzeugen-Texte Nr. 1.3., 1.4., 2.2., 5.2., 5.4., 5.5. aus:
W. Leonhard, *Die Revolution entläßt ihre Kinder*, Köln – Berlin 1956.

Heinz Lippmann, (1921–1974). 1946–1949 Sekretär der FDJ-Landesleitung Thüringen, 1949–1953 Sekretär (»Westarbeit«) des Zentralrats der FDJ, zum Schluß Stellvertreter von Erich Honecker, damals 1. Sekretär der FDJ. Ende 1953 Flucht in die Bundesrepublik.
Zeitzeugen-Texte Nr. 7.2. und 9.1.–9.4. aus:
H. Lippmann, *Honecker. Porträt eines Nachfolgers*, Köln 1971.

Erich Loest (1926 geboren), 1947–1950 Volontär, dann Redakteur an der »Leipziger Volkszeitung«, seit 1950 freier Schriftsteller, 1955/56 Studium am Institut für Literatur in Leipzig. Nach dem XX. Parteitag der KPdSU Teilnahme an Diskussionszirkeln in Leipzig, die sich mit den Konsequenzen der Entstalinisierung für die DDR befaßten. November 1957 Verhaftung wegen »konterrevolutionärer Gruppenbildung«, zu sieben Jahren Zuchthaus verurteilt. Seit März 1981 in der Bundesrepublik.
Zeitzeugen-Text Nr. 8.5. aus:
E. Loest, *Durch die Erde ein Riß. Ein Lebenslauf*, Hamburg 1981.

Gero Neugebauer (1941 geboren), Dr. rer. pol., wissenschaftlicher Mitarbeiter am Zentralinstitut für sozialwissenschaftliche Forschung der Freien Universität Berlin.
Veröffentlichungen zum politischen System der DDR, u. a. *Partei- und Staatsapparat in der DDR*, Opladen 1978; *Military Policy in the German De-*

mocratic Republic, Aldershot 1984; »Die Rolle der SED«, in: *Deutschland Portrait einer Nation,* Gütersloh 1985, sowie im *DDR Handbuch* (1975, 1979, 1985).

Ulrich Neuhäußer-Wespy (1934 geboren), Dr. phil., M. A., wissenschaftlicher Mitarbeiter am Institut für Gesellschaft und Wissenschaft an der Universität Erlangen-Nürnberg.
Veröffentlichungen zur Entwicklung von Geschichtswissenschaft und Geschichtsbild in der DDR im Deutschland Archiv und in anderen Zeitschriften.

Herbert Prauß (1927 geboren), von Beruf Schriftsetzer. 1945 Mitglied der KPD, dann SED, Parteischulung und Einsatz als Parteischullehrer, 1947 bis 1948 im Apparat der SED-Bezirksleitung Berlin, ab 1949 Studium zunächst an der Arbeiter-und-Bauern-Fakultät der Humboldt-Universität, dann am Institut für Gesellschaftswissenschaften beim ZK der SED, 1956 Leiter der Arbeitsgruppe »Geschichte der deutschen und internationalen Arbeiterbewegung« in der Abteilung »Propaganda« des ZK der SED, 1957 Promotion zum Dr. der Philosophie. Vom Kommunismus zur katholischen Religion übergewechselt, flieht er 1959 aus Ost-Berlin in den Westen.
Zeitzeugen-Text Nr. 8.2. aus:
H. Prauß, *Doch es war nicht die Wahrheit. Tatsachenbericht zur geistigen Auseinandersetzung unserer Zeit,* Berlin 1960².

Fritz Schenk (1930 geboren), 1945 zunächst SPD, dann SED, erlernte den Beruf des Schriftsetzers und avancierte 1951 zum Druckereileiter, 1952–1957 Persönlicher Referent von Bruno Leuschner und Sekretär der Staatlichen Plankommission (deren Vorsitzender Leuschner war). Seit 1957 in der Bundesrepublik.
In seinem Buch *Im Vorzimmer der Diktatur. Zwölf Jahre Pankow* (Köln/Berlin 1962, Neubearbeitung Würzburg 1981 unter dem Titel *Mein doppeltes Vaterland*) hat er seine Erlebnisse und Erfahrungen in der SBZ/DDR niedergeschrieben.
Zeitzeugen-Texte Nr. 2.1., 3.1., 5.1., 8.3.

Dietrich Staritz (1934 geboren), Professor Dr. rer. pol., Geschäftsführender Leiter des Arbeitsbereiches Geschichte und Politik der DDR am Institut für Sozialwissenschaften der Universität Mannheim.
Zahlreiche Veröffentlichungen zur politischen und Sozialgeschichte der DDR sowie zum Parteiensystem der Bundesrepublik. Zuletzt: »Die Kommunistische Partei Deutschlands (1945–1956)«, in: Richard Stöss (Hrsg.), *Parteien-Handbuch. Die Parteien der Bundesrepublik Deutschland 1945–1980,* Bd. 3, Opladen 1986; *Die Gründung der DDR. Von der sowjetischen Besatzungsherrschaft zum sozialistischen Staat,* München 1987²; *Geschichte der DDR 1949–1985,* Frankfurt 1986².

Hermann Weber (1928 geboren), Dr. phil., Professor, Ordinarius (Inhaber des Lehrstuhls für Politische Wissenschaft und Zeitgeschichte) an der Uniersität Mannheim; Leiter des Arbeitsbereiches Geschichte und Politik der DDR.
Zahlreiche Veröffentlichungen zur Geschichte, Theorie und Politik der Arbeiterbewegung, des Sozialismus und des Kommunismus. Hauptwerke: *Die Wandlung des deutschen Kommunismus,* 2 Bde., Frankfurt 1969; *Geschichte der DDR,* München 1985.

Adam Wolfram (1902 geboren), von Beruf Bergmann, seit 1918 im Bergarbeiterverband organisiert, 1919 Eintritt in die SPD. Nach Kriegsende Mitarbeit beim Aufbau der Gewerkschaften in Sachsen-Anhalt, bei Konstituierung des Freien Deutschen Gewerkschaftsbundes (FDGB) in dessen Bundesvorstand, 1948 Landtagspräsident von Sachsen-Anhalt. 1951 Flucht in die Bundesrepublik.
Gegen Ende seines Lebens schrieb er das Buch, dem Zeitzeugen-Text Nr. 4.2. entnommen wurde:
A. Wolfram, *Es hat sich gelohnt. Der Lebensweg eines Gewerkschafters,* Koblenz 1977.

Bildnachweis

Archiv Gesamtdeutsches Institut, Bonn 2, 3, 4, 5, 6, 13, 16, 17, 20
Bildarchiv Jürgens, Köln 1, 19, 21
Privatarchiv Hermann Weber, Mannheim 7, 8, 9, 10, 11, 12, 14, 15, 18

PENGUIN BOOKS

THE ELECTRONIC REPUBLIC

Lawrence K. Grossman is the former president of the Public Broadcasting Service and of NBC News. He is currently president of the Horizons Cable Network. He lives in Westport, Connecticut, and works in New York City.

L A W R E N C E K . G R O S S M A N

A T W E N T I E T H C E N T U R Y F U N D B O O K

PENGUIN BOOKS